OVER BIJEN EN MIST

Wilt u op de hoogte worden gehouden van de romans van Orlando uitgevers? Meldt u zich dan aan voor de nieuwsbrief via onze website www.orlandouitgevers.nl.

ERICK SETIAWAN

Over bijen en mist

Vertaald door
Anke ten Doeschate en René van Veen

ORLANDO
uitgevers

02. 08. 2010

© 2009 by Erick Setiawan
Nederlandse vertaling © 2010 Orlando uitgevers, Utrecht
Oorspronkelijke titel *Of Bees and Mist*
Oorspronkelijke uitgever Simon & Schuster, New York
Vertaald uit het Amerikaans door Anke ten Doeschate en
René van Veen
Omslagontwerp Studio Jan de Boer
Omslagbeeld Arcangel/Hollandse Hoogte
Foto auteur Maren Caruso
Typografie Pre Press Media Groep, Zeist
Druk- en bindwerk Ter Roye NV, België

ISBN 978 90 229 5969 5
NUR 302

www.orlandouitgevers.nl

Voor mijn moeder.
Haar verhalen verrukken en inspireren me nog altijd.

HOOFDSTUK I

Er was veel onenigheid in de stad over het moment waarop de vete was begonnen. De koppelaar dacht dat het de ochtend na de bruiloft was geweest, toen Eva al het goud van Meridia stal en dertien meter zijde voor haar achterliet. De waarzegger, die zich in zijn beweringen gesteund zag door zijn kristallen bol, zwoer dat Eva's ogen pas een meedogenloze uitdrukking hadden gekregen nadat Meridia die drie maanden later met ganzenbloed besmeurde. De vroedvrouw hing een andere theorie aan: de strijd begon op de dag dat Meridia haar pasgeboren zoon in haar armen hield en zo van trots was vervuld dat Eva niets anders meer wilde dan haar vernederen. Maar hoe verhit de gesprekken van de stadsbewoners over het onderwerp ook waren, het bleef een mysterie. Dat was te wijten aan de twee vrouwen zelf. Meridia zei er weinig over en Eva sprak zichzelf steeds tegen waardoor iedereen gesterkt werd in het idee dat geen van beiden het zich eigenlijk nog kon herinneren.

Al bij haar geboorte deed Meridia stof opwaaien in de stad. Die avond werd ze, na wat herinnerd zou worden als een zevenentwintig uur durende bevalling, blauw en gerimpeld uit Ravenna's baarmoeder getrokken. Ondanks tien klappen op haar billen weigerden haar longen ook maar één teug adem te halen. De vroedvrouw stond op het punt haar weg te halen toen Ravenna schreeuwde: 'Wat doe je daar, mens? Geef haar aan mij!'

Op rustige toon zei Ravenna tegen de baby dat nu ze acht maanden ongemak en zevenentwintig uur vreselijke pijn had moeten doorstaan, nu haar figuur naar de maan was, haar borsten waren opgezwollen en ze haar eetlust kwijt was, de baby op zijn minst een afscheidskreet voor haar moeder kon slaken. 'Het kleinste geluidje is al genoeg,' zei Ravenna. 'Een schreeuw zou nog mooier zijn.' Ravenna praatte nog enkele minuten door en wiegde haar dochter zachtjes en pas toen ze de baby in geuren en kleuren ging vertellen hoe ze was verwekt – 'als je had gezien welke schandalige houdingen je vader me dwong aan te nemen' – begon Meridia te hoesten en haalde ze voor de eerste keer adem.

'Koppig schepseltje,' gniffelde Ravenna. 'Vind je jezelf te goed voor deze wereld?'

De vroedvrouw wachtte tevergeefs totdat de baby ging huilen. Meridia pufte en grimaste maar huilde in elk geval niet. Een uur later vertrok de vroedvrouw hoofdschuddend en zich het hoofd krabbend. Iedereen die ze tegenkwam vertrouwde ze toe: 'Ik heb honderd baby's op de wereld gezet maar nog nooit eentje als zij. De tijd zal leren of het een engel of duivel is.'

Enkele maanden voor haar eerste verjaardag schrok Meridia wakker van een verblindende lichtflits die door de duistere nacht schoot. Ze hoorde een klap, er viel iets op de grond en daarna klonk een afschuwelijke schreeuw. Plotseling greep Ravenna haar uit de wieg en drukte haar tegen zich aan. Toen Meridia als driejarige genoeg woorden had geleerd, probeerde ze Ravenna te vertellen wat ze had gezien. Haar moeder zuchtte en mompelde slechts: 'Laat dat maar een droom blijven, kind.' Was het dan een droom geweest? Meridia wilde het vragen, maar Ravenna had zich weer over haar groenten gebogen en was haar reeds vergeten. Haar moeder had een rechte, gespierde rug, een rug die de grootste geheimen kon bewaren, vermoedde Meridia.

Aan Monarch Street 24 stond een huis van glas en staal. Het was gelegen op een hoge heuvel, had een mansardedak, grote vensters met glas-in-loodramen en een door narcissen omgeven veranda. Een stenen trap leidde door een glooiende tuin naar de voordeur waar, wat voor weer het ook was, altijd een ivoorkleurige mist hing. Marskramers en bezoekers vervloekten de mist die ervoor zorgde dat ze in het luchtledige kwamen te hangen, die er met hun hoed vandoor ging en hen met afgrijselijke geluiden verjoeg. Het huis volgde zijn eigen wetten. Op de houten vloeren weerklonken geen voetstappen en in deuropeningen verschenen eensklaps gestalten. De wenteltrap verlengde of verkortte zichzelf naar believen. Als peuter deed Meridia er soms twee seconden en dan weer twee uur over om van de ene verdieping naar de andere te komen. Vooral de spiegels waren verraderlijk: daarin ving Meridia glimpen van onbekende landschappen en allerlei geesten op. Ondanks de grote, openstaande ramen was het altijd donker in de vertrekken. Zelfs bij stralende zonneschijn zagen de schitterendste voorwerpen er binnen toch dof en onaantrekkelijk uit.

Het was altijd koud in huis. Zelfs als het hoogzomer was en er een vuur in de haard brandde, kon Meridia het niet warm krijgen. 's Ochtends trok de kinderjuffrouw haar dikke winterkleren aan alsof er bar weer op komst was. Bij het slapengaan stopte de beste vrouw haar in met twee of drie dekens maar nog lag ze te bibberen van de kou. De kilte kwam uit één kamer in het bijzonder. Daar deed een ijzige wind dag en nacht de gordijnen wapperen en de lampen rammelen. Meridia snapte niet hoe Ravenna in die kamer kon slapen; haar vader Gabriel deed het in elk geval nooit. Toen Meridia vier jaar was, besefte ze dat haar ouders nooit met elkaar praatten. Op haar vijfde realiseerde ze zich dat ze nooit alle drie tegelijkertijd in dezelfde ruimte verbleven.

Overdag bevond Gabriel zich in de studeerkamer aan de voorzijde van het huis. Wat hij precies bestudeerde, wist niemand. Op gedempte toon noemden de kinderjuffrouw en de dienstmeiden hem een wetenschapper, een beroemd geleerde en een schrander investeerder die zijn erfenis had weten te verdubbelen en alleen nog maar kennis wilde verwerven. Ze waren allemaal doodsbang voor hem. Zodra ze zijn schaduw in het oog kregen, sidderden ze van angst. Gabriel sprak hen zelden aan. Met een gebaar of een blik maakte hij zijn bevelen kenbaar, die door iedereen behalve Ravenna werden opgevolgd als waren het hemelse geboden.

Meridia had zowel angst als respect voor haar vader. Gabriel was een lange, elegante verschijning met een directe manier van doen, weinig geduld en een onberispelijk uiterlijk. Hij had een grote kin en een wrede trek om zijn mond. Zijn donkere ogen hadden een strenge blik en straalden slechts kilte uit. Hij liep enigszins scheef waardoor hij eruitzag als een roofvogel in de aanval. Meridia had hem nog nooit horen lachen. Zijn afkeer van haar, waarvan de reden haar pas jaren later duidelijk zou worden, was het eerste dat haar aan hem was opgevallen. Als hij haar al eens in zijn armen nam of iets aardigs tegen haar zei, had ze geen idee hoe ze moest reageren.

Op een dag sloop Meridia ondanks de waarschuwingen van haar kinderjuf op een onbewaakt ogenblik de studeerkamer binnen. Ze wilde eigenlijk alleen maar een blik naar binnen werpen maar toen ze zag dat Gabriel er niet was, vatte ze moed en betrad de kamer. Hoewel ze zich niet kon herinneren er ooit te zijn geweest, kwam de ruimte haar aangenaam en bekend voor. Ze grijnsde naar de vele boeken tegen de muur, de landkaarten aan de wand en de grafieken vol cijfers. Het ene na het andere kabinet stond vol flacons, bekers en branders. Meridia huppelde naar het kolossale bureau bij het raam. Het blad werd gesierd door potten met ontkiemende zaden, die haar naderbij leken te wenken. Ze wilde ze net aanraken toen er een schaduw over het bureau viel.

'Wie heeft jou toestemming gegeven hier te komen?'

Meridia draaide zich om en kromp ineen. De grijns verdween onmiddellijk van haar gezicht.

'Zeg op! Sta daar niet te kwijlen als een aap.'

'Ik... Ik...'

Gabriel had zijn stem niet verheven en toch had Meridia het gevoel dat de hele wereld woest op haar was. Bij de aanblik van zijn keurige pak en glanzende, nette schoenen voelde ze zich smerig, klein en nietig. Terwijl ze de kaarten en boeken smeekte om een uitweg, verduisterde elk object in de kamer tot een voorwerp van haat. Meridia sloeg haar ogen neer en waagde het niet weer op te kijken.

'Je bent vijf jaar oud en best in staat een zin te vormen. Wil je me soms beledigen met je zwijgen?'

'Papa... Ik...'

Verder lijden werd haar bespaard door haar kinderjuf, die bevend van angst de studeerkamer binnenrende.

'Het is mijn schuld, meneer. Ik wist niet...'

Gabriel keurde haar geen blik waardig. 'Het doet er niet toe wat jij al dan niet weet. Als ik haar hier ooit weer aantref...'

Razendsnel, zeker voor iemand met haar forse postuur, trok de kinderjuf Meridia de studeerkamer uit. Boven las ze haar pupil stevig de les, maar al snel kreeg ze medelijden met het meisje en nam haar in haar armen.

'Lieve meid toch,' zei ze teder. 'Trek je maar niet te veel van je vader aan. Sommige mannen doen nu eenmaal zo als ze veel te verduren hebben.'

Haar samengeknepen ogen waren dof. Meridia stond muisstil. Wat had ze verkeerd gedaan? Waarom verachtte Gabriel haar alsof ze zijn vijand was? Ze was niet in staat de kilte te verdrijven die zijn schaduw over haar had geworpen en vroeg zich af of alle vaders wreed waren en geen enkele moeder ergens aandacht voor had.

Als de studeerkamer Gabriels altaar was, dan was de keuken het heiligdom van Ravenna. In deze grote, lichte ruimte, waarvan het plafond tot de tweede verdieping reikte en de tegels viermaal per dag geboend werden, mengde de vrouw des huizes haar vergif door de maaltijden die ze eeuwig aan het bereiden was. Terwijl ze hakte, braadde en kookte, sprak Ravenna de groenten toe in een duistere geheimtaal en vertelde hun over wanhoop en verdriet. Bezoekers gingen de furie van haar potten en pannen uit de weg en Ravenna's drang te vergeten spon een web van eenzaamheid rond haar. De eindeloze stroom maaltijden, die de eetlust van haar gezin ver overtroffen, werd steevast aan de armen gegeven. Met uitzondering van de keuken liet Ravenna het huishouden over aan de kinderjuf en de twee dienstmeiden. Dat gold ook voor de opvoeding van Meridia, van wie ze het bestaan zich maar met moeite leek te herinneren.

Ravenna ging altijd gekleed in een zwarte jurk van eenvoudige snit, die ze tijdens het koken met een wit schort bedekte. Haar bleke armen en puntige schouderbladen gingen schuil onder de lange mouwen en hoogsluitende kraag van de jurk, maar dat verzachtte haar voorkomen nauwelijks. Haar hoekige gezicht maakte alleen dankzij de grote neus geen uitgemergelde indruk. Ze droeg een parfum van citroenverbena en had haar zwarte haar samengebonden in een onberispelijk knotje, zo strak en knokig dat het een natuurlijke vergroeiing van haar schedel leek. Ravenna bewoog zich op een stijve en afgemeten manier alsof ze steeds pas op het allerlaatste moment besliste wat het doel van een handeling was.

Door haar moeders zucht tot vergeten ontdekte Meridia pas op haar zesde wat haar precieze geboortedatum was. De kinderjuf gaf haar aan de hand van een eigen schatting al jaren op 2 juli een verjaardagscadeau, steevast het enige wat ze kreeg. Maar op de ochtend van 19 juli in haar zesde levensjaar ontbood Ravenna, die luid in de weer was in de keuken, haar bij zich. 'Kind!' zei ze buiten adem. 'Trek toch niet zo'n lang gezicht op je verjaardag. Kijk, ik heb karameltaart voor je gemaakt. Ga naar je kamer en trek een mooie jurk aan. Hopelijk vind je het niet erg dat we dit jaar een wat kleiner feestje geven.' Meridia gaf niets om karamel en Ravenna had nog nooit een feestje voor haar gegeven maar ze nam niet de moeite haar moeder hierop te wijzen.

Als ze in de woonkamer zaten, liet Ravenna geregeld haar breiwerk vallen om Meridia aan te kijken met een blik alsof ze geen idee had wie ze was. Als ze al een blijk van herkenning gaf, werd dat algauw door een huivering van schaamte gevolgd. 'Ben je ongelukkig, kind?' vroeg ze dan bevreesd en ze liet haar kin op de borst zakken. Maar voordat Meridia kon antwoorden, pakte Ravenna haar breiwerk weer op en vloeide er een stortvloed aan woorden uit haar mond: 'Houd je rug altijd recht. Laat nooit iemand je tranen zien. Wees nooit aan andermans genade overgeleverd. Knik als je luistert, kind!'

Vanwege haar angst voor besmettelijke ziektes stond de kinderjuf zelden toe dat Meridia buiten kwam. Hoogstens twee keer per maand, als de lucht blauw was en de zon niet te fel, nam het beste mens haar voor een stevige wandeling mee naar Cinema Garden. Deze uitstapjes waren absoluut geen pretje voor Meridia. Gesmoord in sjaals, onderkleding, kniekousen en stijve rubberen laarzen had ze het snikheet en was ze, terwijl ze van de ene naar de andere straat wankelde, het onderwerp van zowel spot als medelijden. De kinderjuf had hier geen oog voor en bracht haar alleen maar nog meer in verlegenheid door hardop te zeggen: 'Pas op voor die smerige jongen. Hij ziet eruit alsof hij in geen weken een stuk zeep heeft gezien… Zie je die vrouw die onder de wratten zit? Zo zul jij ook worden als je niet doet wat ik zeg… Je bent helemaal nat van het zweet, lieverd. Zeg het als je een koortsaanval voelt opkomen…' Tien minuten later, nadat ze in Cinema Garden waren aangekomen maar voordat Meridia de tijd had gehad de bloemen te bekijken of de gouden zwanen in de fontein te voeren, wilde de kinderjuf direct weer naar huis om te voorkomen dat ze ergens mee besmet zou raken. Als Meridia protesteerde, kreeg ze te horen: 'Je bent opvliegend. Weet je wel zeker dat je niets hebt opgelopen? Laten we gaan voor het erger wordt.'

Op een middag in Meridia's negende levensjaar, toen ze al drie weken aan huis was gekluisterd, zette Ravenna plotseling het fornuis uit, deed haar schort af en verkondigde dat ze haar zou meenemen naar de markt. Meridia was benieuwd wat een markt was en trok snel haar schoenen aan. De kinderjuf deed een poging haar met de gebruikelijke kledingstukken in te pakken maar Ravenna kwam daartegen in protest: 'Ben je niet goed wijs, mens? Het is buiten warm genoeg om een koe te brandmerken!' Ze lieten de kinderjuf geschoqueerd achter en gingen op pad: Ravenna in haar zwarte jurk en Meridia die grijnsde, maar ook het gevoel had dat ze de kinderjuf verraadde. Dat laatste was ze echter al snel vergeten toen Ravenna haar hand pakte en ze samen de straat overstaken. Tot haar verbazing lachte niemand haar uit. Omstanders complimenteerden Ravenna zelfs met haar knappe dochter.

'Dat kan en wil ik niet betwisten,' zei Ravenna plechtig. 'Iedere vrouw zou van geluk spreken als ze zo'n schatje had.'

Meridia bloosde over haar hele gezicht. Haar moeder had haar nog nooit geprezen.

Die dag nam Ravenna haar mee naar een heet en druk plein. Meridia kreeg ogen als schoteltjes bij de aanblik van de dringende en bakkeleiende mensen, van de kramen vol fruit en groentes, van de zakken rijst en meel en kruiden die verkocht werden in ovale kommen. Er waren levende en dode kippen, vissen op bedjes van ijs, krabben in kratten van bamboe en vlees dat aan ijzeren haken hing. Bij één vrouw groeiden er kruiden op haar lichaam – tijm op haar armen en rozemarijn op haar borst – die klanten zo van haar lijf mochten plukken. Een getatoeëerde man slikte radijsjes in hun geheel door en spuugde ze gesneden, gekruid en gepekeld weer uit. Er hingen vele geuren in de lucht, zowel aangename als smerige, en de grond was nat en vies. Het zou Meridia te veel zijn geworden als Ravenna's hand er niet was geweest, die ze tijdens hun rondgang nog steviger vasthield. De kinderjuf zou haar nooit naar deze plek hebben meegenomen.

Ergens in het pad met de slagers raakte Meridia haar moeder kwijt. Een mensenmassa stroomde achter haar langs. Ze werd geduwd, gepord, getrapt en tegen haar wil meegevoerd over het plein. Ravenna was nergens te zien. Nu had niemand nog oog voor Meridia en werd ze alleen maar boos aangekeken als ze in de weg liep. Ze was doodsbang voor de hakmessen van de slagers, de meedogenloze slagen op het bot en de lappen vlees die haastig op ruw papier werden gekwakt. Op de grond vormde het bloed zich tot een van vliegen vergeven stroom. Hoe harder Meridia schreeuwde, hoe meer ze overstemd werd door het gebrul van de menigte.

Misschien had ze urenlang gehuild. Ze was in elk geval hees toen een hand haar wang aanraakte.

'Waarom huil je, kleine meid?'

Meridia keek op en zag een vrouw met mooie kleren en een zeegroene hoed. Ze probeerde haar tranen in te slikken en deed haar best het uit te leggen, maar de vrouw onderbrak haar.

'Maak je geen zorgen. Je moeder speelt alleen maar verstoppertje. Kom mee, dan hebben we haar zo gevonden.'

In Meridia's hoofd weerklonken de waarschuwingen van de kinderjuf over de vreselijke dingen die kinderen overkwamen als ze met vreemden meeingen. Maar omdat ze niet wist wat ze anders moest doen, pakte ze de hand van de vrouw en liep met haar mee.

Ze liepen het plein twee keer over zonder Ravenna te vinden. Bij de derde poging, net toen het laatste sprankje hoop uit Meridia's hart vervloog, rook ze opeens overduidelijk de geur van citroenverbena. Ze bleef stokstijf staan, liet bliksemsnel de hand van de vrouw los en stortte zich in de mensenmassa. Ze had Ravenna's onberispelijke knotje in het oog gekregen. De opluchting was zo groot en allesomvattend dat ze het gevoel had dat haar hart uit haar borst sprong.

Ravenna stond met allerlei boodschappen in de handen voor een bloemenstalletje. Ze draaide zich abrupt om toen ze merkte dat er driftig aan haar jurk werd getrokken.

'Wat is er, kind?'

Ravenna oogde kalm en onaangedaan. Meridia kon geen woord uitbrengen, aangezien ze opnieuw een brok in haar keel kreeg.

'Wat is er? Waarom huil je?'

'Hoe bedoelt u?' vroeg de vrouw met de zeegroene hoed afkeurend. 'Ze heeft u overal gezocht!'

Ravenna keek haar bevreemd aan. 'Maar waarom in hemelsnaam? Ik ben al die tijd hier geweest.'

Meridia kon zich niet langer beheersen en barstte in tranen uit.

Ravenna bukte en veegde haar tranen weg met haar mouw.

'Til je kin op, kind. Houd je rug recht. Waarom laat je aan de hele wereld zien dat je huilt?'

Meridia ging alleen maar harder huilen. De vrouw met de zeegroene hoed schudde het hoofd en snoof. Voordat ze wegliep, keek ze Ravenna doordringend aan. Die blik, die door de moeder niet werd opgemerkt, sneed de dochter door het hart.

Hoewel Ravenna de hele weg naar huis haar hand vasthield, was Meridia er niet blij mee. De blik van de onbekende vrouw stond nog op haar netvlies gebrand en naast schaamte en verdriet maakte hij ook een vermetel, duister gevoel in haar wakker. Meer dan eens wenste ze dat ze een hakmes had gehad om mee te smijten, niet naar de vrouw met de zeegroene hoed, maar naar Ravenna's drang te vergeten die haar gevangen hield in een andere wereld. Ze wilde ermee slaan tot haar arm er moe van was, gillen tot ze geen stem meer had om zo de kwade geest te verjagen die deze muur tussen hen had opgetrokken.

HOOFDSTUK 2

Toen Meridia elf jaar was en op een lenteochtend in de vestibule haar schoolboeken bij elkaar zocht, keek ze in de spiegel en zag ze het gezicht van een geest.

Het was een oud, getekend vrouwengezicht. De huid was gerimpeld, de kin stak naar voren en de ogen hadden een doffe, vaalgele kleur. Doordat Meridia eraan gewend was vreemde dingen in de spiegel te zien, schrok ze pas toen de geest haar toelachte als een oude vriendin. Ze deinsde gillend achteruit toen de gele ogen begonnen te draaien.

'Wat is er? Zit er een geest in?'

De kinderjuf, die zich iets verderop in haar jas probeerde te hijsen, kwam meteen naast haar staan.

Bevend wees Meridia naar de spiegel. De kinderjuf kwam dichterbij, stroopte haar mouwen op en greep de spiegellijst stevig vast. Ze zag alleen haar eigen spiegelbeeld.

'Wat zag je dan?' vroeg ze plagend terwijl haar forse boezem schudde van het lachen. 'Een roze dolfijn of een paard met drie hoofden? Hoe vaak moet ik je nog zeggen dat als je positief denkt je alleen maar positieve dingen ziet.'

De kinderjuf bracht haar zilverkleurige haar voor de spiegel in model en kneep in haar dikke wangen om wat kleur te krijgen. Meridia beefde nog steeds en wilde haar vragen of er in andere huizen ook zulke spiegels hingen, spiegels vol zinsbegoochelingen en verrassingen die zelfs de simpelste waarheid niet weergaven.

De kinderjuf deed de voordeur open en stapte de mist in. Meridia volgde haar met haar boeken. Er brandde nog een vraag op haar lippen. Waarom hing de mist altijd voor hun deur om als een jaloerse geest de postbode en de krantenjongen te kwellen?

Na talloze smeekbedes van Meridia en de verstrooide tussenkomst van Ravenna mocht ze van de kinderjuf eindelijk in dezelfde kleding naar school als andere leerlingen. In plaats van kriebelige kniekousen en wollen ondergoed droeg Meridia nu dunne katoenen hemden, een groene plooirok, een mooie strik in het haar en schoenen die haar kuiten niet afknelden. Maar voor deze kleine overwinning moest ze wel een prijs betalen. Zo zag de kinderjuf nu nog strenger toe op de wandeling van en naar school. Ze namen altijd dezelfde route, omwegen waren niet toegestaan en het was Meridia verboden in haar eentje te lopen. De kinderjuf was niet iemand die haar trots verbloemde en zo kwam iedere moeder op het schoolplein te weten dat Meridia de beste leerlinge van de klas was. Op een keer las ze een opstel van Meridia zelfs hardop voor waarbij haar grote lichaam volstroomde met moederlijke gevoelens en Meridia knalrood werd. De andere leerlingen hield ze nauwlettend in de gaten omdat ze ervan overtuigd was dat ze luizen in hun haar en bacteriën onder hun nagels hadden. En wat Meridia's leraren betrof: deze heren gaf ze er met getuite lippen en opgetrokken wenkbrauwen van langs, vol scepsis over hun vaardigheden en kwalificaties.

'Kon je vader maar thuis je opleiding op zich nemen,' mopperde de kinderjuf vaak tegen Meridia, die al huiverde bij het idee dat ze met Gabriel in de studeerkamer opgesloten zou zitten. 'Op school worden kinderen aan weerzinwekkende invloeden blootgesteld.'

Die ochtend praatte de kinderjuf tijdens hun wandeling nog meer dan anders. Ze kletste over het begin van de lente, prees Meridia met haar pasbehaalde cijfers en zei haar dat ze bofte dat ze zo buitengewoon goed kon rekenen. 'Ik krijg buikpijn als ik zie hoe jij zonder blikken of blozen een hele rij getallen optelt. Dat heb je vast van je vader. Ik ben blij dat ik alle sommen die ik moet maken op de vingers van mijn handen kan doen.' Meridia, die er bleek en nerveus uitzag, antwoordde niet. Ze had zelfs nog geen woord gezegd sinds ze het huis hadden verlaten. Toen ze vlak bij de school waren, kreeg de kinderjuf dat ook in de gaten.

'Wat ben je stil vanochtend. Moet je nog steeds aan die spiegel denken?'

Meridia beet op haar onderlip, maar de kinderjuf was zo lang stil dat ze wel iets moest zeggen.

'Ik heb vannacht weer die droom gehad,' zei ze weifelend. 'De licht-flits midden in de nacht.'

De kinderjuf vertraagde haar pas en keek haar aan. 'Heb je het aan je moeder verteld?'

Meridia knikte. 'Vanochtend, toen u boven was.'

'En wat zei ze?'

'Wat ze altijd zegt: "Laat dat maar een droom blijven."'

De kinderjuf fronste het voorhoofd, hield halt en schudde toen af-keurend het hoofd. 'Dat zegt je moeder wel erg vaak.'

Meridia trok een grimas: 'Wat bedoelt ze daarmee?'

De kinderjuf liep weer door. 'Hoe vaak heb je deze droom gehad?'

Meridia dacht goed na. 'De afgelopen week twee keer. Zo gaat het al jaren. Soms heb ik hem een tijdlang elke nacht en dan weer maan-denlang helemaal niet.'

'En wat zie je?'

'De lichtflits. Er valt iets en iemand schreeuwt. Mama pakt me snel op en iets warms en nats druppelt over mijn gezicht. Tranen, denk ik. Maar het zou ook bloed kunnen zijn.'

De kinderjuf zweeg. Meridia ging opeens gedecideerd voor haar staan. 'Het was geen droom,' hield ze vol. Ik was klein, maar ik was in die kamer toen dit gebeurde en heb alles gezien. Wat was het, juf? Wat heb ik gezien? En waarom krijg ik deze droom om de paar maanden steeds opnieuw?'

De kinderjuf slikte, opende haar mond en sloot hem weer. Ze pro-beerde Meridia in de ogen te kijken maar schudde uiteindelijk opnieuw het hoofd.

'Het is niet aan mij om deze vragen te beantwoorden,' zei ze. 'Als je moeder beweert dat het een droom was, dan moet je dat van haar aan-nemen. Ze heeft het beste met je voor.'

Dit antwoord stelde Meridia net zo teleur als dat van Ravenna. Maar voordat ze kon protesteren, was de kinderjuf al verder gelopen. Bij de schoolpoort streek de beste vrouw Meridia's lange donkere haar met beide handen glad en omhelsde haar steviger dan normaal.

'Vooruit, je mag niet te laat komen. Ik kom je om drie uur weer halen.'

Meridia knikte met tegenzin en voegde zich bij de stoet leerlingen.

De kinderjuf zuchtte, wachtte totdat haar pupil het gebouw was binnengegaan en keerde terug naar huis.

In de gang viel vanuit het niets een klamme hand op Meridia's nek. In paniek draaide ze zich om. Haar boeken vlogen in het rond maar er was niemand te zien. Op dat moment wist ze waar ze de geest in de spiegel van kende. De vaalgele ogen hadden haar al eerder groot en stralend aangestaard: in de droom.

Een van de ongeschreven regels van het huis behelsde dat Gabriel een goed ontbijt moest hebben voordat hij aan het werk ging. De lunch nuttigde hij in zijn studeerkamer en het diner buitenshuis, maar elke ochtend nam hij plaats aan de eettafel en liet hij Ravenna het ontbijt opdienen. Bij deze gelegenheid zeiden man en vrouw geen woord tegen elkaar en was het niemand, ook Meridia niet, toegestaan binnen te komen. Na het ontbijt liep Gabriel met zijn koffie en de krant naar de vestibule waar hij een halfuur ging zitten roken. Voor Meridia was dit halfuurtje het vreselijkste moment van de dag. Ravenna, die zelden iets eiste, stond erop dat ze haar vader gedag zei voor ze naar school ging.

Op de beste dagen negeerde Gabriel haar. Op goede dagen keek hij haar door een wolk sigarenrook koeltjes aan. Op slechte dagen zei hij iets tegen haar. Gabriel verhief zelden zijn stem maar wist haar met zijn woorden altijd te kwetsen. Het kon een eenvoudig bevel zijn om iets te halen, een raam te openen of een boodschap aan Ravenna door te geven, maar het had altijd hetzelfde effect: de rest van de dag was Meridia uit haar doen en snel afgeleid. Dan had ze het gevoel dat ze op de proef was gesteld en had gefaald. Als ze beter had gepresteerd, hem meer had behaagd, slimmer en mooier was geweest, had hij haar misschien niet met zoveel minachting aangekeken. Dat ze hem niet ging haten, kwam doordat ze meende dat ze zijn liefde niet waard was. Als 's nachts de tranen kwamen, plengde ze die stilletjes en gesmoord. Vaak benam Gabriels haat haar de adem.

Door de jaren heen lukte het haar steeds beter in zijn bijzijn een onverstoorbare indruk te wekken. Haar hart mocht dan rommelen als de donder, haar lippen trilden niet meer als hij tegen haar uitvoer. Ze wist zich steeds beter tegen hem te wapenen door meer en meer Ravenna's adviezen in praktijk te brengen. Laat je schouders niet hangen.

Bloos niet. Peins er niet over in huilen uit te barsten. Ergens besefte Meridia wel dat Gabriels vijandigheid door haar kalmte alleen maar zou toenemen, maar het was haar eer te na zich een andere houding aan te meten. Met de jaren wist ze zijn kwelling moedig te doorstaan. 's Nachts vergoot ze weliswaar nog altijd tranen maar het werden er steeds minder. Op een dag gebeurde er echter iets onherstelbaars. Met een ferme haal sneed Gabriel de draad door die hen verbond.

Het was een warme zondagochtend in juni. Ondanks de brandende zon was het binnenshuis kouder dan normaal. Meridia maakte rillend en bevreesd haar opwachting in de vestibule. Ze had 's nachts weer die droom gehad. Deze keer was de geest met de gele ogen in de spiegel in haar slaapkamer verschenen. Opnieuw had ze de kinderjuf aan de tand gevoeld maar ook deze keer had die geweigerd te antwoorden. Een teleurgestelde Meridia was al halverwege de vestibule toen ze besefte dat haar vader niet alleen was.

'Kom eens hier,' beval Gabriel, 'zodat deze heren je beter kunnen bekijken.'

Er zaten twee mannen bij hem. Ze dronken koffie en rookten. De een was kaal met een snor en de ander had een bril die steeds van zijn neus gleed. Zoals de kinderjuf haar had geleerd, groette Meridia hen beleefd. Ze vervolgden hun gesprek en bleven haar ondertussen strak aankijken. Na een tijdje zei Gabriel: 'Draai eens naar rechts en doe je ogen wijd open.'

Meridia deed wat haar was gezegd.

'Ze is best mooi,' zei de man met de snor. 'Met die neus kan ze een eind komen.'

'Maar de ogen laten te wensen over,' zei de ander. 'Ze zijn te groot en staan te ver uit elkaar. En als u niets aan haar houding doet, zal men denken dat ze de tering heeft.'

Gabriel glimlachte. 'Ga door. Wat vindt u verder van haar?'

De twee geleerden zetten hun commentaren voort. Meridia moest haar armen optillen, haar ellebogen buigen, haar rok optillen, haar billen naar achteren steken en met één arm in haar zij gaan staan.

Recht je schouders, drukte ze zichzelf op het hart maar ze voelde zich als een preparaat in een van Gabriels potten. Zet je voeten zo neer dat je knieën niet doorbuigen.

De mannen doofden hun sigaren. Meridia bleef zo roerloos staan als ze kon en wachtte op toestemming om te vertrekken. Maar Gabriel, die misschien aanvoelde dat ze graag weg wilde, dacht daar anders over.

'Jullie zijn veel te goedmoedig, heren.' Hij sloeg zijn armen over elkaar en leunde achterover in zijn stoel. 'Ik heb een domme, lelijke dochter. Iedereen met een beetje verstand kan zien dat ze over charme noch talent beschikt.'

'Och, kom nou!' zei de besnorde heer. 'Waarom doet u zo wreed tegen haar?'

Gabriel kreeg een ernstige uitdrukking op zijn gezicht. 'Kent u mij als iemand die onwaarheid zegt? Dit meisje bezit gratie noch schoonheid. Ze is onhandig, onaantrekkelijk en dom. Haar verstand, als je dat al zo kunt noemen, stelt niets voor en ze is snel afgeleid. Ik heb geen enkele verwachting van haar. Ze zal door het leven stuntelen en het verlaten zonder zelfs maar het kleinste stempel erop te drukken...'

Meridia stond daar als versteend. Gabriel bleef haar bestoken maar hoe kwader hij werd, des te harder en leger voelde ze zich. Ook al was ze nog jong, ze begreep wat hij wilde: een teken van verslagenheid. Ze hoefde maar een traan te laten of hij zou ophouden. Maar het lukte haar met geen mogelijkheid datgene bij zichzelf op te roepen wat hij het liefste wilde bespotten. En dus liet ze zich niet kennen en negeerde hem. Het was onmogelijk te zeggen hoe lang ze hem nog genegeerd zou hebben als hij Ravenna niet door het slijk was gaan halen.

'Maar wat had ik dan gedacht?' Zelfs nu bezat zijn stem een vlijmscherpe precisie. 'Háár bloed zit in het kind; haar krankzinnigheid ook. Het zijn allebei wispelturige, ongerijmde wezens. Ze willen graag aangehaald en bewonderd worden en vervolgens laten ze je zomaar in de kou en het duister staan. Als je ze dan eindelijk uit je hart hebt gebannen, verwijten ze jou de hel en de puinhoop waarvan ze zelf de oorzaak zijn!'

De klap kwam hard aan. Opeens voelde Meridia een kramp in haar buik alsof haar darmen zich tussen haar benen door naar buiten wilden persen. Ze keek omlaag en zag bloed op haar jurk. De twee geleerden waren met stomheid geslagen en Gabriel sprong overeind.

'Jij monster!'

Hij rukte zo hard aan haar arm dat hij hem eraf leek te willen trekken en duwde haar in de richting van de gang. Net voordat ze tegen een muur aanvloog, hervond Meridia zich. Achter haar werd de deur dichtgeslagen. Opnieuw schoot een kramp door haar buik.

Ze vloog naar de trap en hoopte dat die deze keer niet zijn gebruikelijke streken met haar zou uithalen. Maar ze had haar hand nog niet op de leuning gelegd of het verraderlijke ding verlengde zich eindeloos. Hijgend en rillend rende ze door, maar het leek alsof ze nooit boven zou komen. Haar voetstappen werden gevolgd door een spoor van bloed, verwaaide bloemblaadjes op glad, glanzend marmer. Vanachter de deur naar de vestibule donderde Gabriels stem. Hij verexcuseerde zich tegenover de geleerden voor het onbeschaafde gedrag van zijn dochter. Meridia drukte haar handen op haar oren en rende maar door.

Toen ze eindelijk bij haar kamer was, liet de kinderjuf de deken die ze net aan het opvouwen was met een kreet vol afschuw vallen.

'Lieverd, waarom zit er bloed op je jurk?'

Het beste mens rende op Meridia af maar nadere inspectie leerde haar dat er geen reden was voor paniek.

'Dom meisje toch.' De kinderjuf glimlachte goedig. 'Of misschien moet ik je nu een jonge vrouw noemen. Waarom heb je me zo bang gemaakt? Ik heb toch gezegd dat dit zou gebeuren. Vooruit, trek andere kleren aan voordat je moeder je ziet.'

Meridia rukte zich los en keek haar boos aan.

'Waarom doet hij me dit aan?'

'Waar heb je het over?'

'Papa! Waarom vindt hij het zo leuk om me te kwellen?'

De kinderjuf schrok. 'Wat… Wat heeft hij gedaan?'

Meridia vertelde het haar. De kinderjuf kneep haar lippen samen zodat alle kleur eruit wegtrok.

'Waarom haat hij me, juf? Waarom zegt hij zulke gemene dingen over mama? Ik wil weten waarom ze nooit met elkaar praten.'

De kinderjuf keerde zich om naar het raam. Meridia sloop op haar af en rukte net zo hard aan haar arm als Gabriel bij haar had gedaan.

'Kijk dan naar me!' Ze trok haar met bloed besmeurde jurk strak. 'Wat moet ik allemaal nog verduren voordat u het me vertelt?'

De ogen van de kinderjuf werden vochtig maar ze hield haar mond stijf dicht. Meridia beefde als een rietje en schreeuwde: 'Ik ga hem haten als u het me niet vertelt. Ik zal hem haten met heel mijn hart!'

De heftige, smekende ondertoon van haar stem had meer effect dan tranen zouden hebben gehad. De kinderjuf deinsde achteruit, geschrokken van de verbetenheid en woede van dat kleine, bleke meisje. De lucht was vervuld van zaken die Meridia nog niet kon benoemen, duistere en afschuwelijke zaken, donker als wolken op een onheilspellende dag. Het was de angst dat de bui zou losbarsten en Meridia zou doorweken die de kinderjuf uiteindelijk deed spreken.

'Goed, ik zal het je vertellen. Maar eerst moeten we die jurk uittrekken.'

Toen de kinderjuf tien minuten later tegenover Meridia op het bed zat, begon ze haar verhaal.

'Je moet weten dat je ouders niet altijd zo zijn geweest. Voordat de mist kwam, was er een tijd waarin het huis elke avond tot leven kwam bij de klanken van muziek. Overal stonden bloemen en kandelaars. Er werden drankjes opgediend in grote glazen en in de tuin hingen slingers met lantaarns. Mannen in smoking en vrouwen in zijden jurken stroomden naar de eetkamer en vulden die met gelach.

In die tijd was ik nog dienstmeid. Niemand gaf mooiere feesten dan jouw ouders, met het beste eten, de beste wijn en de gevatste conversaties. Aan het ene hoofd van de tafel zat je slimme en knappe vader en je moeder zetelde met haar gratie en schoonheid aan het andere eind. Zelfs een vreemde kon zien hoeveel ze van elkaar hielden. Naar verluidt ging er elke keer dat hun blikken elkaar kruisten een elektrische schok door de kamer.

Toen ze twee jaar getrouwd waren, werd jij geboren. Je vader gaf een feestmaal dat drie dagen duurde. Hij bedolf je moeder onder de sieraden, was apetrots op je komst en liet de hele stad weten dat hij de gelukkigste man op aarde was. "Mijn dochter, die de dood heeft getrotseerd, is het liefste schepsel ter wereld," zei hij. Het duurde niet lang voordat een handjevol mensen daaraan aanstoot begon te nemen.

"Wat een arrogantie!" zeiden ze verbolgen achter zijn rug. "Zijn kind heeft het ternauwernood overleefd en toch kan hij het niet nalaten overal rond te bazuinen hoe fortuinlijk hij is!" Je vader deed dit af als loze kletspraat maar hoe meer hij het negeerde des te sterker werden de geruchten. Algauw werd overal in de stad gefluisterd: "Ga er maar eens goed voor zitten en wacht af. De goden zullen Gabriel ten val brengen." Och, die ondankbare lui! Ze waren zijn etentjes maar al te snel vergeten! Ik geloof niet in vervloekingen maar tot op de dag van vandaag vraag ik me af of hun verwensingen hebben bijgedragen aan wat er is gebeurd. Tegen de tijd dat je vader er acht op ging slaan, was het te laat. De koude wind had het huis toen al op zijn kop gezet.

Het begon op een nacht toen iedereen in diepe rust was. Door een zacht briesje klapperde het raam van de slaapkamer zo luid dat je moeder wakker werd maar je vader niet. Je moeder dacht dat het raam niet goed dichtzat en stond op om het te sluiten. Op het moment dat ze het raam echter aanraakte, stak er eensklaps een sterke windvlaag op die haar terug op het bed smeet. De wind huilde als een roofdier, sloeg de boeken op het bureau open, deed de gordijnen wapperen en jouw wieg door de kamer glijden. Je moeder worstelde om de wind weer door het raam naar buiten te duwen, maar hij was te snel en te sterk voor haar. Ze stond op het punt je vader te wekken toen het tumult opeens ophield. Hoofdschuddend keerde je moeder terug naar bed. Je vader en jij waren er gewoon doorheen geslapen.

Inmiddels was ik belast met de zorg voor jou en ik merkte de veranderingen dan ook als eerste. De temperatuurverschillen, om te beginnen in de slaapkamer van je ouders, waartegen dekens en vuur niet baatten. De schemer die zelfs midden op de dag in het huis hing. Elke ochtend gingen de dienstmeiden mopperend en rillend aan het werk. Baden was een kwelling. Kokend water was binnen een paar seconden weer koud. Toen ik zag dat er zich ijs op je lippen had gevormd, kon ik niet langer zwijgen.

Tot mijn verbazing zei je moeder dat ze sommige dingen ook had opgemerkt. Ze was toen een heel andere vrouw, lief en open. Ze vertelde over het voorval met de wind en bekende dat het haar zorgen baarde. "Een gril van het weer, mevrouw," zei ik om haar gerust te stellen. "Er is vast een logische verklaring voor al deze eigenaardigheden." Ze geloofde me niet. Terwijl ik me omdraaide om weg te gaan, zei ze iets waar de schrik me van om het hart sloeg. "Beloof je me dat je, wat er ook gebeurt, voor mijn kind zult zorgen? Zelfs als ik een vreemde voor mezelf ben geworden, denk dan aan mij zoals ik nu ben." Verbijsterd staarde ik haar aan alsof ze me zojuist een klap had verkocht. Een deel van me wilde in tranen uitbarsten hoewel ik niet wist waarom.

Enkele dagen later klaagde je vader dat hij het zo koud had in bed. De hele nacht wreef een blok ijs tegen hem aan waardoor hij 's ochtends zo stijf als een plank was en nauwelijks kon opstaan. De volgende nacht bleef je moeder het haardvuur tot de ochtendstond opstoken maar je vader ging er alleen maar erger van rillen. Op maandagochtend werd er een bouwkundige bij geroepen. Nadat die een week lang de vloeren had afgezocht en op muren had geklopt, stuurde hij een torenhoge rekening en verklaarde hij dat de constructie van het huis nog net zo degelijk was als toen het was gebouwd.

De kou leek op je vader het meeste vat te hebben. In tegenstelling tot hem kon de rest van ons – ook jij – toe met wat extra dekens. Hij probeerde in verschillende kamers en op verschillende tijdstippen van de dag te slapen maar de kou volgde hem overal. Als hem al slaap werd gegund, was die kort en rusteloos. Hij werd buitengewoon lichtgeraakt, had overal kritiek op en al snel nodigde hij geen gasten meer uit.

Je moeder reageerde anders op de kou. Ze werd geagiteerd en schuw, verloor haar eetlust en klaagde vaak over hoofdpijn. Ze hield je angstvallig in de gaten en verliet zelden je kamer. Ze huilde vaak om niets, werd besluiteloos en begon zichzelf uit frustratie te verwonden. Ik maakte me zorgen en haalde je vader over er een arts bij te halen.

Volgens de arts leed ze aan een eeuwenoude vrouwenziekte, "onaangenaam maar zeker niet zeldzaam". Als remedie schreef hij licht voedsel en veel aandacht voor. "Kletskoek!" schreeuwde je vader nog voor de arts het huis had verlaten. Koud en vermoeid stormde hij zijn studeerkamer in en negeerde mijn verzoek er een andere dokter bij te halen.

Binnen enkele dagen was het huis getuige van een aantal ongekende gebeurtenissen. Een bord vloog razendsnel door de lucht en viel op het hoofd van je vader in stukken. Deuren sloegen dicht. Tafels stampten op de vloer. Twistzieke woorden uit heetgebakerde monden bezoedelden de lucht. Inmiddels viel de aanwezigheid van de schemer, die als een doodskleed over de kamers hing, niet meer te ontkennen. Je moeder verloor haar zachte stem en je vader zijn zelfbeheersing. Ze botsten tegen elkaar op en duwden elkaar van zich af, twee gespalkte en gehechte schepsels. Geleidelijk aan zeiden ze steeds minder tegen elkaar.

Als hun blikken elkaar kruisten, verscheen er een dikke laag rijp in de kamer. Omdat je vader thuis geen warmte kon vinden, ging hij in zijn eentje naar alle gelegenheden waarvoor hij werd uitgenodigd en bleef hij steeds langer weg.

Op een dag, drie maanden nadat je moeder met de wind had gevochten, voelde ik aan dat er nog meer onheil op komst was. Je vader keerde pas tegen het ochtendgloren naar huis terug. Die ochtend verscheen er bij de voordeur een mist die er voorgoed zou blijven hangen. Je moeder, die haar lange haar al sinds haar jeugd los droeg, bond het diezelfde ochtend ineen tot dat onberispelijke knotje. Ze heeft het nooit meer losgemaakt.

Nadat de mist was verschenen, kwam je vader 's nachts niet meer thuis. Met het dalen van de temperatuur verliepen de ruzies in een steeds verhittere sfeer. Je moeder huilde dag en nacht. Nog meer borden gingen aan gruzelementen. Nog meer deuren sloegen dicht. De trap werd naar goeddunken langer en dan weer korter en de spiegels begonnen voor het eerst hun streken uit te halen. Een hele rits doodsbange dienstmeiden maakte zijn opwachting en vertrok weer en bracht de stad op de hoogte van de rampspoed. Op een dag droogde je moeder haar tranen en gaf ze de kok opdracht een diner te bereiden. Die avond om acht uur kwam ze op rode schoenen met hoge hakken en in een laag uitgesneden japon naar beneden voor een diner met *canard au sang* en probeerde ze je vader over te halen die nacht thuis te blijven. Overrompeld door haar neergeslagen blik stemde je vader toe. Ze aten in stilte en keken elkaar steels aan.

Och, je moeder was een slimme dame! Ze had me er helemaal van overtuigd dat dit diner het eind van onze beproevingen zou betekenen. Net als vroeger was ze de beheerste, bekoorlijke vrouw des huizes die nooit hardvochtige of vermetele gedachten koesterde. Toen ik naar die twee zat te kijken zoals ze er op dat moment bij zaten, twijfelde ik er niet aan dat ze een manier hadden gevonden om de wind te verslaan. Ik weet nog dat ik tegen de kok zei dat de vervloekingen van de mensen in de stad mooi niet zouden uitkomen. "We zullen ze eens laten zien uit welk hout we zijn gesneden," snoefde ik nog voor het dessert was opgediend. "Dit huis zal weer warmte kennen en die rotzakken zullen weer vechten om een plek aan tafel."

Na het diner schonk je moeder je vader een veelbetekenende blik en bracht jou naar bed. Je vader kwam achter jullie aan. Met allerlei smoesjes paraat ging ik in de gang zitten. Omdat ik jou achter de deur hoorde lachen raakte ik er alleen maar nog meer van overtuigd dat een verzoening aanstaande was. Om tien uur verliet ik mijn post en ging ik naar bed. Voor het eerst in maanden viel ik als een blok in slaap en had ik geen deken nodig.

Enkele uren later werd ik gewekt door een schreeuw. Bezorgd om jou sprong ik overeind en rende mijn kamer uit. In huis was het donker en koud. Ik rende zo snel mogelijk de trap op en spurtte naar de deur van je moeders slaapkamer. Heel even aarzelde ik maar toen je begon te huilen alsof je pijn had, stormde ik zonder aan te kloppen naar binnen. Het raam stond open en in de kamer stond een stevige bries. Het vertrek werd alleen door de maan verlicht en in het donker ontwaarde ik een gebroken lamp en een omgevallen stoel. Ik weet nog dat ik op dat moment dacht dat het nooit meer warm zou worden in huis. Die verdomde idioten hadden toch gewonnen…'

Meridia, die op de rand van het bed zat en grote ogen opzette, drong aan: 'Wat gebeurde er daarna?'

De kinderjuf koos haar woorden zorgvuldig. 'Die nacht hebben je ouders hun laatste ruzie gehad. Sindsdien hebben ze nooit meer een woord gewisseld. Je moeder gaf jou deze kamer en je vader heeft geen nacht meer in dit huis doorgebracht.'

'Maar de lichtflits… Wat heb ik dan gezien?'

De kinderjuf sloeg haar ogen neer en slikte: 'Het was de maan, lieverd. Door het raam scheen het zilveren licht recht in je wieg.'

Meridia schudde heftig haar hoofd. 'Het was niet de maan. U zei dat het een donkere nacht was waarin de maan te weinig licht gaf om goed te kunnen zien. U verbergt iets voor me. Wat is het, juf? Zeg me wat u zag!'

De kinderjuf slaakte een diepe zucht. 'Je was nog zo klein, nog geen jaar oud. Hoe weet je zo zeker dat het een flits of wat dan ook was?'

'Ik weet het zeker,' zei Meridia resoluut. 'U hebt me al zoveel verteld. Nu mag u niet ophouden.'

Langzaam pakte de kinderjuf Meridia's hand. Ze keek verdrietig en bedrukt en haar greep was tegelijkertijd stevig en onvast. Opnieuw was de lucht vervuld met die vreselijke smeekbede, die doordringende, woeste schreeuw waarvan Meridia's bevende lichaam de onwaarschijnlijke bron was geweest.

'God vergeef me,' mompelde ze. 'Beloof me dat je dit je moeder niet zult aanrekenen. Ze was overstuur en amper bij zinnen. Als ze zichzelf was geweest, had ze dit nooit gedaan. Ze heeft me plechtig laten beloven dat ik je dit nooit zou vertellen, maar er is iets wat je moet weten...'

Plotseling verstijfde de kinderjuf van schrik. Ze liet Meridia's hand los en sprong van het bed alsof ze zich aan iets had gebrand.

'Wat is er? Wat is er aan de hand?'

De kinderjuf werd lijkbleek. Door de spanning klopte een ader op haar voorhoofd. Hoofdschuddend liep ze naar de deur en mompelde dat ze was vergeten een of ander klusje te doen. Nog voordat Meridia overeind was gekomen om haar te volgen, fluisterde de kinderjuf: 'Blijf waar je bent. Ik vertel het je een andere keer.' Een ogenblik later opende ze de deur en verdween.

'U gaat het me toch wel echt vertellen?' riep Meridia haar na.

De deur viel dicht met een doffe klap. Meridia ging op bed liggen en speurde het plafond af naar aanwijzingen. Vrijwel onmiddellijk schoot ze weer overeind en stak haar kin in de richting van de deur. Ze snoof een paar keer en wist toen waarom de kinderjuf zo overhaast was vertrokken. Het was flauw maar onmiskenbaar. De geur van citroenverbena drong van buiten tot de kamer door.

Bij het middageten verscheen de kinderjuf niet aan tafel. Meridia zat tegenover Ravenna en deed alsof ze haar afwezigheid niet opmerkte. Ravenna was in haar gewone doen. Met haar schort voor at ze haar lunch, voerde ze ernstige gesprekken met onzichtbare personen en keek Meridia verschrikt aan toen ze haar opmerkte. Voordat ze haar bord leeg had, keerde ze overhaast terug naar haar potten en pannen. Ze zei niets over de kinderjuf, het eerdere voorval met Gabriel of het bloed op de trap waarover de dienstmeiden die het hadden weggepoetst haar ongetwijfeld hadden verteld.

Zodra Ravenna zich in de keuken had teruggetrokken, ging Meridia op zoek naar de kinderjuf. Ze sloop stilletjes langs de keuken naar de smalle gang die erachter lag. Hier bevonden zich de voorraadkasten, de kamer die gedeeld werd door de twee dienstmeiden, een linnenkast en een toiletruimte. Aan het eind van de gang, tegenover een deur die op de tuin uitkwam, was de kamer van de kinderjuf. Meridia opende de deur en ging naar binnen.

De kamer was leeg en het bed afgehaald. Van de kaptafel waren alle persoonlijke spullen verdwenen. Als een razende doorzocht Meridia de lades maar er lag geen enkel kledingstuk meer in. Toen ze begreep wat er aan de hand was, vloog ze de kamer uit. In de gang stuitte ze op een van de dienstmeiden.

'Waar is juf?' vroeg ze buiten adem. 'Heb je haar ergens gezien?'

'Niet sinds het ontbijt, juffrouw,' zei de meid. 'Waarschijnlijk is ze op uw kamer.'

Meridia haastte zich naar de keuken. Ravenna sneed een vis. Haar onberispelijke knotje wees in de richting van de deur. Zonder zich om te draaien of te stoppen met snijden, begroette ze haar dochter: 'Kind, ik vergat je nog te zeggen dat juf een uur geleden slecht nieuws heeft gekregen. Haar vader is ziek. Ze is zo snel als ze kon naar het station vertrokken. Het zal waarschijnlijk wel even duren voor ze weer terug is...'

HOOFDSTUK 3

Met het vertrek van de kinderjuf begon het tijdperk van Meridia's on-zichtbaarheid. Ravenna, die zich steeds verder in haar eigen wereld te-rugtrok, dacht hoe langer hoe minder aan haar. Omdat Meridia met haar dertien jaar inmiddels oud genoeg was om voor zichzelf te zorgen, had ze geen nieuwe kinderjuf nodig. In plaats daarvan kreeg ze van Ravenna als blijk van vertrouwen een royale wekelijkse toelage. 'Koop ervan wat je wilt,' zei ze. 'Je zult je nooit voor een cent hoeven te ver-antwoorden.' Ravenna bleef Meridia's maaltijden met de grootst moge-lijke zorg bereiden, zag erop toe dat ze elke ochtend een lunchpakketje meekreeg naar school maar vroeg haar nooit naar haar lessen, haar vriendinnen of hoe ze haar tijd besteedde. Eens per maand liep Ra-venna met een zeer strenge uitdrukking op het gezicht de kamer van haar dochter binnen, maar alleen om te kijken of er iets versteld of ge-reinigd moest worden. Over de kinderjuf werd met geen woord meer gerept. Toen een van de dienstmeiden opmerkte dat ze haar regenjas had laten liggen, wekte Ravenna de indruk dat ze geen idee meer had over wie het ging.

Na het voorval met de twee geleerden zat Gabriel haar minder op de huid. Hoewel Meridia tegen hun ontmoetingen bleef opzien, liet hij haar nu meestal zonder iets te zeggen passeren. Zo nu en dan was de oude haat weer terug en keek hij haar vol minachting aan. 'Ga weg,' bracht hij dan met moeite uit. 'Verdwijn voor je net zo'n afschuwelijk mens als je moeder wordt.'

Meridia vroeg zich vaak af hoe de liefde tussen haar ouders had kun-nen bekoelen. Als het verhaal van de kinderjuf klopte, hoe was het dan mogelijk dat twee mensen die het nu niet konden verdragen om in el-kaars buurt te zijn, ooit met elkaar hadden gezoend, het bed hadden gedeeld, de liefde hadden bedreven en een kind hadden verwekt? 'Elke keer dat hun blikken elkaar kruisten, ging er een elektrische schok door de kamer.' Had de kinderjuf gelogen? Waarom had Ravenna haar ontslagen? Duizelig van de vragen die door haar hoofd maalden, rende Meridia op een ochtend de keuken binnen en hief haar vuist om ermee op de tafel te slaan. Ze wilde het voor eens en altijd uitpraten met haar moeder. Ze eiste antwoorden op haar vragen en een verklaring. Maar voor ze haar vuist kon laten neervallen, kreeg de angst haar in de greep. Wat als de waarheid zo afschuwelijk, mismaakt en door en door verdorven was dat ze de kracht noch de moed kon opbrengen die aan te horen? Langzaam liet Meridia haar vuist weer zakken en verliet de keuken. De hele ochtend zat ze alleen en vergeten in haar kamer en bonsden de vragen door haar hoofd.

Door Ravenna's drang te vergeten en Gabriels minachting veranderde Meridia in een geest. Nu ze van de liefde van haar kinderjuf was verstoken, werd ze niet meer gehoord, gezien, opgemerkt, ondervraagd of verzorgd. Geleidelijk aan lieten haar vingers geen afdrukken meer na op de voorwerpen die ze aanraakten. Haar huid rook niet meer naar het poeder dat ze gebruikte. Als ze maar lang genoeg in een kamer zat en zich niet verroerde, werd ze één met het meubilair en duurde het uren voordat iemand haar opmerkte. Hoewel dit haar in eerste instantie verdrietig stemde, had het ook zo zijn voordelen. Ze hoefde niemand nog verantwoording af te leggen en kon doen wat haar nieuwsgierigheid haar ingaf. En zo nam Meridia zich vastberaden voor te ontdekken hoe het verhaal van de kinderjuf was afgelopen.

Ze begon met het bestuderen van de ivoorkleurige mist die de voordeur bewaakte. Ze keek ernaar vanuit haar slaapkamerraam, de woonkamer, de tuin en van een afstandje vanaf de overzijde van de straat. Bij zonsopgang en zonsondergang en in de zon en in de regen staarde ze ernaar en volgde ze zijn bewegingen als de wind draaide. Na een observatie van enkele dagen kwam Meridia tot de volgende conclusie: hoewel de ivoorkleurige mist altijd voor de voordeur bleef hangen, werd het huis op verschillende tijdstippen door nog twee nevels bezocht. Elke avond, vlak na het eten, kolkte een gele mist over de stenen trap omhoog en drukte de neus tegen het raam van de studeerkamer. Enkele minuten later glipte Gabriel in een lange jas en met een hoge hoed op het huis uit en verdween in de nevel. Vervolgens trok de gele mist westwaarts over Monarch Street en loste hij geleidelijk aan op totdat Gabriel uit het zicht was verdwenen. 's Ochtends verscheen er aan het eind van de straat een blauwe mist die uit tegenovergestelde richting kwam en steeds dichter werd naarmate hij het huis naderde. Bij de veranda ging hij op in de ivoorkleurige mist. Uit dat samengaan kwam Gabriel tevoorschijn in dezelfde kleding als de avond ervoor. Zo stil als de dauw hing hij zijn hoed en jas in de kast, veegde zijn pak schoon en ging aan het hoofd van de tafel zitten waarna Ravenna binnenkwam met het ontbijt.

Wat deed Gabriel 's nachts? Meridia fantaseerde over plekken – een zilverkleurige heuvel, een fluwelen rivier, een zonnige weide – waar Gabriel naartoe kon gaan om aan de kou van Monarch Street te ontsnappen. Ondanks zijn hardvochtigheid droeg ze hem geen kwaad hart toe. Integendeel, door het verhaal van de kinderjuf koesterde Meridia nu een liefdevol medeleven voor hem. Ze stelde zich Gabriel voor als een man die uit een aan gruzelementen geslagen droom wegvluchtte, als een vader en echtgenoot die uit zijn eigen huis was gezet en zijn geluk elders ging beproeven. Ze bekeek hem aandachtig hoewel hij haar niet opmerkte. Ze was weliswaar nog te jong om dat zo te benoemen, maar ze merkte dat er eenzaamheid achter zijn barse houding schuilging.

In dit tijdperk van onzichtbaarheid stelde Meridia het zich ook ten doel Ravenna te observeren. Ze had zichzelf als opdracht gegeven de duistere geheimtaal te ontrafelen waarin haar moeder haar verdriet uitte. Voor en na school verborg Meridia zich in de keuken waar ze gehurkt tussen twee kasten de woeste woordenstroom van Ravenna tot zich nam. Of Ravenna peultjes stoomde of rode pepers sneed, ze sprak altijd rap en met veel vreemde keelklanken. Meridia schreef wat ze hoorde fonetisch op en bestudeerde haar aantekeningen later in haar kamer. Met rode inkt trok ze bogen en cirkels en in haar pogingen patronen te vinden liet ze naar believen klinkers weg of verplaatste ze medeklinkers. Sommige woorden werden keer op keer herhaald en sommige zinnen werden altijd voor andere geuit, maar verder kon ze er absoluut geen wijs uit worden. Een belangrijke schakel ontbrak, een sleutel waarmee ze het geheimschrift kon ontcijferen. Na een tijdje ging Meridia niet meer naar de keuken en verborg ze haar aantekeningen in een bureaula. Daar bleven ze liggen, vol onbeantwoorde vragen, een onvertaalbare taal uit een onbekend land.

Op een middag begin oktober hoorde Meridia de dienstmeiden fluisteren in de tuin. De twee waren nog maar kort in dienst. Hun voorgangsters hadden het slechts zes weken volgehouden voordat ze voor Gabriels schrikbewind op de vlucht waren geslagen. Meridia was haar huiswerk aan het maken op de door de zon verwarmde veranda toen een briesje het gefluister met zich meevoer. De meiden, die nog geen tien passen verderop de narcissen bijwerkten, hadden haar niet in de gaten.

'Het was een beest. Ik hoorde hem de hele nacht stampen over het gazon aan de voorzijde van het huis.'

'Bestaat er dan een beest dat kan vloeken? Nee hoor, het was een geest en het berokkent dit huis iets afschuwelijks. Vanochtend heb ik de grond bekeken. Die was nat maar er waren geen voetafdrukken te zien. Het was echt een geest. En geen vriendelijke kan ik je zeggen.'

'We hadden moeten kijken. Maar ja, jij was doodsbang.'

'Ik was niet degene die onder de dekens kroop!'

'Het klopt dus. Geen dienstmeid houdt het hier langer dan een paar maanden uit. Het is ijskoud in huis, meneer is een verschrikking, mevrouw is nog net haar verstand niet verloren en dan heb je nog dat arme jonge meisje dat rondsluipt en nooit een woord zegt. En nu is er ook nog een geest. Zouden de andere meiden zijn vertrokken omdat ze hem hebben gezien?'

'Het zou me niet verbazen. Waarom zou mevrouw anders beter betalen dan andere dames? We kunnen ons beter alleen op ons werk richten, ons geld opsparen en ontslag nemen voordat we niet meer welkom zijn.'

Meridia zat als versteend en had geen oog meer voor haar huiswerk op tafel. Ze had nog nooit iets over een vloekende, stampende geest gehoord. De afgelopen nacht had ze als een blok geslapen hoewel de ramen, die uitkeken op het gazon aan de voorzijde van het huis, open hadden gestaan. Was de geest nu voor het eerst verschenen of had hij andere dienstmeiden ook bang gemaakt? De kinderjuf had er nooit over gesproken. Bovendien had ze, toen ze enkele maanden geleden de nevels observeerde, geen geest gezien.

Meridia besloot die nacht wakker te blijven. Zich steeds in de armen knijpend loste ze aan haar bureau rekenpuzzels op en dronk ze zoveel glazen water dat ze elk halfuur naar het toilet moest. Toch moest ze kort na middernacht in slaap zijn gevallen omdat ze een droom kreeg. Het was dezelfde droom die ze al jaren had. De razendsnelle lichtflits gevolgd door een klap en een vreselijke schreeuw. En daarna Ravenna's handen die haar knepen terwijl heet vocht op haar wangen drupte. Deze keer lukte het haar in de duisternis naar het gezicht van haar moeder te turen. Tot haar ontzetting was het niet Ravenna die terugstaarde. Het was de geest die ze ruim een jaar eerder voor het eerst in de spiegel had gezien. De vaalgele ogen tolden rond en schoten uit hun kassen.

Meridia schrok meteen wakker. Een tijdje bleef ze stil liggen en durfde ze haar ogen steeds maar even open te doen, maar toen er geen spookachtige hand verscheen, kwam ze overeind en nam ze de omgeving in zich op. Een zwak, ivoorkleurig licht viel door het raam naar binnen maar verder was het donker en koud in de kamer. Meridia wreef zich in het gezicht waardoor haar handen nat werden van het zweet. Ze probeerde zich te herinneren wat ze gedaan had voor ze in slaap was gevallen en plotseling sloeg de angst haar om het hart. Ze had achter haar bureau een bijzonder moeilijke puzzel proberen op te lossen en nu lag ze in bed. Het licht had gebrand maar nu was de kamer donker. Iemand was binnengekomen, had haar naar bed gedragen, haar ingestopt en het licht uitgedaan. Was het een van de dienstmeiden geweest? Maar die waren uren geleden al naar bed gegaan. Ravenna? Maar haar moeder kwam haar kamer alleen binnen op de dagen dat ze inspectie hield. Iemand anders – iets anders – was in haar kamer geweest en had haar aangeraakt. Meridia had geen tijd hier verder bij stil te staan, want in de duisternis klonk opeens een sissend en stampend geluid. Het kwam van de stenen trap onder haar raam.

Ze was volledig verlamd van angst, maar doordat ze werd bevangen door een kracht sterker dan haarzelf lukte het haar op te staan en naar het raam te lopen. Haar bloed suisde zo luid in haar oren dat het gesnuif en gestamp er bijna door overstemd werd. Meridia schoof het oplichtende gordijn een stukje opzij. Hevig trillend gluurde ze door de kleine opening naar de grond onder haar.

De maan verschool zich achter een wolkensluier en de ivoorkleurige mist slokte het licht van de straatlantaarn op. Ondanks de duisternis hoefde Meridia slechts één blik te werpen om haar angst bewaarheid te zien. Het was inderdaad de geest in de spiegel die over de stenen trap stampte met benen die van ijzer leken. Haar gele ogen waren niet langer vaal maar glinsterden als goud. Voor het overige was haar gezicht in duisternis gehuld. Wat aanvankelijk als gesis had geklonken, bleek een zingen te zijn dat zich als een vloek tegen het huis richtte. De geest was van top tot teen in het zwart gekleed en voerde een lange, zware sleep met zich mee. Als ze al menselijk was, zou de sleep haar voetafdrukken van de vochtige aarde wissen.

Toen viel de geest aan. Als een havik in zijn vlucht viel ze uit naar de mist, met de vingers gekromd als klauwen en armen die al maaiend de lucht doorkliefden. Haar gezang ging over in een strijdkreet terwijl haar sleep bij elke slag als een slang over de grond kronkelde en sidderde. Hoe harder ze sloeg, hoe dichter de mist werd. De nevel leek massief, harder dan een muur van staal. De geest verloor terrein en droop op een onbeholpen manier af langs de stenen trap. Al snel stortte ze als een hoopje neer in het gras. De ivoorkleurige mist kolkte om haar heen alsof hij de overwinning wilde opeisen en keerde vervolgens terug naar zijn vaste stek. De geest maakte haar mantel los en vloekte binnensmonds. Meridia hield haar adem in en trok het gordijn helemaal open.

Een straffe wind uit het oosten blies de mist uit het zicht. De maan kwam vanachter de wolken tevoorschijn en liet heel even ongehinderd haar licht op de geest vallen. Eerst was daar het gezicht, streng en hoekig; toen de neus, lang en groot. De gele ogen waren nu grijs en keken schichtig van vermoeidheid en angst. Meridia slaakte een kreet toen ze een knokige vergroeiing op het achterhoofd ontwaarde.

Meridia holde haar kamer uit. Op de overloop doolden nachtelijke schaduwen maar ze duwde ze zonder stil te houden opzij. Bij de onberekenbare trap sloeg ze met haar vuist op de balustrade en was in twee stappen beneden. De voordeur ging krakend open en ze stapte naar buiten de mist in.

'Mama!'

Ze zag geen hand voor ogen. De ivoorkleurige mist bulderde, prikte als dikke vlokken poeder in haar ogen en verblindde haar. Meridia beschermde haar gezicht met haar armen en probeerde zo goed en kwaad als dat ging vooruit te komen. Met harde hand deed de mist haar rondtollen en heen en weer vliegen waardoor ze haar gevoel voor richting kwijtraakte en alle vluchtwegen werden afgesloten. Plotseling kwam er een eind aan het tumult. Meridia opende haar ogen en zag een pijnlijk witte stilte. Ze bevond zich op een plek waar de tijd stilstond. Alles – haar bewegingen, het kolken van de mist en zelfs haar hartslag – vertraagde tot een nagenoeg complete stilte. In dit vacuüm kon ze Ravenna duidelijk onderscheiden. Die nacht toen ze nog een baby was, toen de lichtflits door de kamer schoot en een klap volgde, had deze geest haar opgepakt en vastgehouden. Ravenna had toen dezelfde gelaatsuitdrukking als nu. Ze werd getekend door totale doodsangst en wanhoop en al het leven leek uit haar geweken te zijn.

Meridia begon te schreeuwen maar niet luid genoeg om door de mist heen te dringen. Terwijl ze gevangenzat in deze leegte en gezien noch gehoord werd, werd ze plotseling overmand door een smartelijke liefde voor haar moeder. Ze wilde naar haar toe rennen en haar gezicht in haar hals begraven. Ze verlangde ernaar, al was het maar voor heel even, warmte en leiding, erkenning en troost te voelen, en zelfs vergeving voor de chaos in haar hart. Maar de koude, ondoordringbare mist stond tussen hen in en liet haar niet gaan. Meridia beet op haar hand en huilde in stilte. Ze zei tegen zichzelf dat iedere andere dochter wel een manier had gevonden om de mist te verjagen.

De woorden die uiteindelijk wel in het vacuüm wisten door te dringen waren dezelfde als die op de vellen papier onder in haar bureaula stonden. Een duistere geheimtaal die met een furieuze hartstocht uit Ravenna's mond stroomde. De mist geleidde de woorden zonder ze te verdraaien waardoor Meridia ze voor het eerst in hun zuivere vorm te horen kreeg. Lang nadat Ravenna was opgestaan en het huis weer was binnengegaan, bleef Meridia nog roerloos liggen. Ze kon zich weer vrij bewegen maar iets versteende haar. Ze had de ontbrekende sleutel gevonden, de belangrijke schakel waarmee ze haar moeders woorden kon ontcijferen. Daar in de mist begreep Meridia eindelijk dat Gabriel er al bijna haar hele leven een minnares op nahield.

HOOFDSTUK 4

Wekenlang bestudeerde Meridia haar aantekeningen in het gezelschap van de nevels. De nevels verzetten zich aanvankelijk elk op hun eigen manier, maar omdat Meridia doorzette gaven ze uiteindelijk stukje bij beetje hun deel van het verhaal prijs. De ivoorkleurige mist gaf zich als eerste gewonnen. Na hun beslissende, nachtelijke gevecht maakte hij als Meridia naderde direct ruimte voor haar en bood een warme, droge plek die haar tegen de wind en zelfs de regen beschermde. Als dank wachtte Meridia steeds zo lang mogelijk met het openen van de deur waardoor de melkboer en de krantenjongen langer lastiggevallen konden worden. Om haar geweten te sussen gaf ze de slachtoffers bonbons of trakteerde ze op iets anders wat ze uit de keuken had kunnen smokkelen.

De gele mist was minder verzoeningsgezind. Niet alleen ging hij er altijd in zo'n rap tempo met Gabriel vandoor dat Meridia hen niet kon bijhouden, maar ook blies hij haar modder in het gezicht, wierp haar rok over haar hoofd en smeet om haar te pesten al haar aantekeningen op straat. Al snel zag Meridia in dat ze hem beter kon opwachten, verscholen achter een boom of het tuinhek van de buurman. Dan holde ze hem verwoed achterna en riep hem voor ze buiten adem raakte zoveel mogelijk opgetekende citaten toe. Het was een martelgang, maar toch gaf ze de voorkeur aan het chagrijn van de gele nevel boven de onbetrouwbaarheid van de blauwe. Wanneer de laatste in de ochtend verscheen had hij nooit haast en pestte hij haar evenmin, maar voegde zoveel onzin aan haar aantekeningen toe dat ze totaal onbegrijpelijk werden. Zo verloor ze veel tijd aan het ontmaskeren van verkeerde informatie, het uitzoeken van onjuiste aanwijzingen en het natrekken van zaken die ze al wist. Niettemin zette ze door en na vele weken slaagde ze er uiteindelijk in haar aantekeningen te ontcijferen. In haar duistere geheimtaal had Ravenna het volgende gezegd:

De minnares van Gabriel heeft het gezicht van een baviaan en een achterwerk waar een geit jaloers op zou zijn. In feite strekt het lichaam van deze vrouw zich zo ver uit dat ze een plattegrond nodig heeft om te weten waar wat is. Ze staat erom bekend dat ze mensen verblindt met de bleekheid van haar huid, want ze ligt alle dagen alleen maar in bed terwijl zes dienstmeiden haar rauw vlees voeren. De lengte van haar okselhaar alleen al is de bron van vele legendes. De anders zo tirannieke Gabriel is als was in haar handen: de duivelin hoeft maar met haar vinger naar hem te wijzen en smachtend komt hij op zijn knieën aangekropen. Hij heeft haar ondergebracht in een groot huis op een heuvel, bedelft haar onder de cadeaus en veegt zelfs haar kwijl weg met de hand. God mag weten welke perverse daden deze vrouw bereid is te doen voor hem. In elk geval acrobatische bestialiteiten, maar ook smeert ze zich in met bloed en uitwerpselen. Als de sloerie die ze is laat ze al haar lichaamsopeningen gebruiken. O, vervloekt zij haar verdomde gezicht. Vervloekt zij de bastaarden van Gabriel die ze wellicht het leven heeft geschonken! Ze mag hem dan dankzij haar verleidingskunsten al twaalf jaar in haar greep hebben, maar binnenkort zal deze vieze geile bok ontdekken hoe ze werkelijk is en dan smeken om vergeving. Maar de dag dat dit gebeurt, zal zijn huis voor hem gesloten blijven, zullen zijn vrouw en dochter hem in het gezicht spugen, hem de rug toekeren en zijn berouw naar de honden smijten...

Ontdaan door het venijn van Ravenna's haat legde Meridia haar aantekeningen terug in de la en viel de nevels niet langer lastig met vragen. Ravenna was vaak verstrooid maar het was Meridia nooit opgevallen dat ze zich zo hardvochtig kon uiten... Had ze haar aantekeningen dan verkeerd opgevat? Hadden de nevels haar vanaf het begin misleid? Vanzelfsprekend stond Meridia aan haar moeders kant, maar ze kon onmogelijk een vrouw minachten die voorlopig alleen op een paar papiertjes in haar la bestond. Er zat maar één ding op: ze moest het voor elkaar zien te krijgen dat de gele mist haar zou meenemen naar het huis op de heuvel.

Meridia smeekte hem, probeerde hem om te kopen en te dwingen, maar de gele mist verdween steeds spoorloos. Tevergeefs zocht ze de lucht af naar aanwijzingen. In de hoop sporen van Gabriels voetstappen te vinden, bestrooide ze de straten zelfs met meel. Het leek alsof de blauwe mist 's morgens vanuit het niets kwam opzetten: het ene moment onzichtbaar, het andere ondoordringbaar. Meridia had alles geprobeerd en wist niet hoe het verder moest.

Als Gabriel al wist wat zijn dochter in haar schild voerde, dan liet hij dat niet merken. Misschien was de mist die hem omhulde zo dicht dat hij nooit zag hoe ze met opwaaiende rokken achter hem aanholde. Wellicht merkte hij ook niets van de blikken die ze hem toewierp — doordringend en weemoedig tegelijk, alsof ze zowel hoopte als vreesde hem plots tot een bekentenis te brengen. Elke ochtend als hij uit de nevel verscheen, liep ze hem opzettelijk in de weg en onderzocht ze zijn trotse verschijning. Ze volgde hem naar de eetkamer en hield trouw de wacht bij de deur, zelfs als Ravenna hem op slot had gedaan. Daarna bestudeerde ze het eten dat hij had laten staan, het bestek dat hij had gebruikt en de sigarenstompjes die hij had achtergelaten in de vestibule, maar ze vond geen spoor van de vrouw uit haar aantekeningen. Gabriel liet niets blijken en zijn gezichtsuitdrukking was nietszeggend als steen. Ondanks alles waarvoor Ravenna haar had uitgemaakt kreeg Meridia het idee dat de minnares even onzichtbaar was als zijzelf. Alleen wanneer Gabriel en Ravenna hen vanuit hun verbitterde herinneringen opriepen, kregen ze een gedaante.

Meridia raakte zo ingesteld op Ravenna's jammerklachten dat ze er zelfs wakker van werd. Daardoor was ze er elke keer getuige van dat haar moeder stampend de stenen trap af ging om onder Meridia's raam het gevecht met de ivoorkleurige mist aan te gaan. Meestal stormde Ravenna een paar nachten achter elkaar op de mist af en hield ze zich vervolgens maandenlang stil in de wetenschap dat ze niet kon winnen. Meridia viel nog iets anders op: ze droomde altijd van de lichtflits voordat Ravenna in de aanval ging. Haar dromen en de aanvallen gingen gelijk met elkaar op. Bovendien waarde tijdens die dagen de geest met de gele ogen meestal grijnzend in de spiegels rond. Nadat dit een paar keer gebeurd was, kwam Meridia tot de conclusie dat de droom en de geest allebei projecties van de emoties van haar moeder waren.

Door deze ontdekking werd Meridia Ravenna meer toegewijd. Regelmatig holde ze na school, voortgejaagd door een overweldigend gevoel van liefde, naar huis, alleen maar om vanaf een plek bij de keuken-deur haar ogen op haar moeders rug te kunnen laten rusten. Dan verkeerde ze in de veronderstelling dat ze heus wel met haar moeder kon praten en haar kon beloven en verzekeren dat geen geest of nevel ooit nog tussen hen in zou komen te staan. Maar dat gevoel verdween onvermijdelijk weer en dan leek de afstand tussen haar en haar moeder alleen maar groter geworden. Er was veel wat ze nog niet wist over haar moeder en wellicht ook nooit te weten zou komen. Zo had ze nog altijd geen idee wat de lichtflits was geweest en waarom die met zo'n grote snelheid door het duister was geschoten.

Binnen de hekken van de school was Meridia tot haar ontzetting niet langer onzichtbaar. Vanaf het moment dat ze de forse herinneringspla-quette ter ere van de oprichting van de school passeerde, voelde ze zich opgelaten en pijnlijk bewust van zichzelf. Het was niet haar kleding of uiterlijk waardoor ze zich onderscheidde van de rest, maar haar onver-mogen om deel te nemen aan de rituelen van het schoolplein. Als ze tijdens de pauzes aan het eten was of langs de rij gevlekte amandelbo-men liep, straalde ze onbewust Ravenna's eenzaamheid uit. Haar lera-ren, die lovend waren over haar prestaties, vatten dit op als verlegen-heid, als 'iets waar ze wel overheen zou groeien'. Sommige jongens vonden haar aantrekkelijk, maar werden afgeschrikt door haar weinig toeschietelijke reacties op hun avances. Bij de meisjes lag dat anders. Er was een groepje dat groot ontzag voor haar intelligentie had en haar van een afstandje bewonderde. Een ander groepje vond haar maf en saai en wilde niets met haar te maken hebben. Maar de grootste groep stond ook het meest afwijzend tegenover haar. Ze pikten het niet dat Meridia geen behoefte aan hen leek te hebben en namen wraak door kwaad over haar te spreken. Omdat ze heimelijk bang voor haar waren, zorgden ze er altijd voor dat ze het niet hoorde. Ze zeiden dat ze dat oerwoud op haar hoofd eens moest kappen en moest leren welke kleu-ren bij elkaar pasten zodat ze minder op de toorn Gods zou lijken. De inhoud van haar lunchtrommeltje kon steevast rekenen op hun warme belangstelling en vervulde hen van zowel afschuw als jaloezie, aange-zien hun moeders nooit zulke vreemde lekkernijen voor hen zouden klaarmaken. Het feit dat Meridia hen niet eens leek op te merken, vergrootte slechts hun wrok. 'Trots en minachtend,' noemden ze haar. 'In de ogen van Hare Majesteit zijn wij slechts stront.'

In tegenstelling tot wat ze dachten, was Meridia volledig op de hoogte van wat er over haar gezegd werd. Maar ze voelde zich tussen deze meisjes, van wie de moeders de schoolbazaars bezochten en de vaders op vriendschappelijke voet met de leraren stonden, ongewenst en volstrekt onbelangrijk. Hoe graag ze het ook wilde, ze kon geen vriendschappen sluiten. Van Ravenna had ze nooit de daarvoor noodzakelijke vaardigheden geleerd en de kinderjuf had haar altijd te veel van andere kinderen afgeschermd. Het praten over ditjes en datjes, dat hen zo makkelijk afging, kostte Meridia de grootst mogelijke moeite. Als zich weer een gelegenheid had voorgedaan, foeterde ze vaak tegen zichzelf dat ze dit niet had gezegd of dat niet gedaan, dat ze te hard had gelachen of te weinig geglimlacht. Als ze opnieuw contact probeerde te leggen, was een simpel gebaar voldoende om haar terug te laten deinzen en trok ze zich terug zodra ze het idee had hen in de weg te zitten. De oude bakstenen school, met zijn vier puntdaken en kleine ronde ramen, leek haar het enige waarop ze altijd kon rekenen, aangezien de wezens die de lokalen bevolkten en door de gangen vlogen haar surrealistisch en onvoorspelbaar voorkwamen. Ze ervaarde het als een monsterlijke waarheid dat ze ertoe was veroordeeld haar leven te leiden zonder ergens thuis te horen of zich met iemand verbonden te voelen.

Meridia was veertien toen ze voor het eerst vriendschap sloot. Op een warme oktoberdag, toen het eerste semester al over de helft was, kwam er een nieuw meisje in de klas, dat de stoel naast haar kreeg. Tijdens geschiedenis en aardrijkskunde keek ze een aantal keren Meridia's kant op, maar draaide haar hoofd ook weer weg voordat Meridia oogcontact kon maken. Toen de bel klonk, rende Meridia zoals gewoonlijk met haar lunchtrommeltje naar het verst verwijderde bankje op het schoolplein. Het nieuwe meisje volgde haar en ging zonder daartoe uitgenodigd te zijn naast haar zitten.

'Zeg me je naam maar,' zei ze met een glimlach. 'Wij worden elkaars allerbeste vriendinnen.'

Meridia moest haar wel gehoorzamen. Terwijl ze luisterde naar wat het meisje verder vertelde, voelde ze een merkwaardige trilling in haar hart.

Hannah was de dochter van een rondreizende zakenman. Ze was wat ouder maar ook kleiner dan Meridia, was uitgesproken, levendig en beweeglijk en had golvend rossig haar. Hoewel ze niet mooi was, had Hannah een zelfverzekerdheid over zich die haar aantrekkelijk maakte. Ze was een week ervoor in de stad komen wonen en door de aard van haar vaders bezigheden zou ze waarschijnlijk maar een paar maanden blijven. Ze had besloten dat Meridia degene zou worden die haar in de stad wegwijs moest maken.

'Maar ik ben hier helemaal niet bekend,' zei Meridia. 'Ik loop van school naar huis en dat is het.'

'Dan gaan we samen op verkenning uit,' besloot Hannah. 'Het is toch raar om in een stad te wonen waarvan je niet weet wat die allemaal te bieden heeft!'

Zo begonnen hun avonturen na schooltijd en in de weekeinden. Ze wandelden over Majestic Avenue oostwaarts naar Independence Plaza. Daar gaf een oneindige rij artiesten hun voorstellingen op de kinderkopjes rond het standbeeld van de stichter van de stad. Daar zag Meridia voor het eerst goochelaars en illusionisten, degenslikkers en vuurdansers. Een leeftijdloze man, om wie in het verleden waarschijnlijk vele vrouwen gevochten hadden, verkocht liefdesbrieven die gegarandeerd tot een huwelijk leidden. Een zevenjarig meisje veranderde in een zoutpilaar als ze naar de zon keek en Meridia lag dubbel van het lachen om een huppelende olifant.

Vier straten oostwaarts van de school lag Cinema Garden met zijn gouden zwanen en bloeiende jasmijn waar de kinderjuf Meridia vroeger mee naartoe had meegenomen voor stevige wandelingen. In het gezelschap van haar nieuwe vriendin kon Meridia hier net zolang blijven als ze wilde, op het gras zitten en niets doen, hardgekookte eieren en boterhammen met aardbeien eten terwijl Hannah limonade in de kroezen schonk. Als het weer het toeliet werd midden in het park op vrijdagavond een groot scherm opgetrokken. Daarop werden de ongelooflijkste bewegende beelden vertoond die Meridia ooit had gezien: diepzeevogels en vissen hoog in de lucht, twinkelende sterren en een schitterende maan, wajangpoppen die dansten en zongen, enorme monsters die met elkaar de strijd aanbonden om het universum. De twee meisjes lachten en gilden met iedereen mee, doken diep weg onder hun jassen en sloegen de armen om elkaar heen. Op zulke momenten dachten ze nergens anders meer aan en waren ze dolgelukkig.

Toen ze een keer op een zaterdag Majestic Avenue in westelijke richting volgden, kwamen ze uit bij een lawaaiig en smerig plein. Op het moment dat Meridia de kraampjes zag, omringd door een mensenmassa, en de duizenden verschillende geuren rook, bleef ze stokstijf staan. Ze herinnerde zich weer de verschrikking van mensen die haar hadden voortgeduwd en tegen haar op waren gelopen, van het geluid van de hakmessen die op bot sloegen en de vliegen die zich te goed hadden gedaan aan de bloedplassen. Hier was ze Ravenna kwijtgeraakt en had ze haar keel schor gebruld totdat de vrouw met de zeegroene hoed haar te hulp was geschoten.

Overweldigd door herinneringen bleef Meridia aarzelend staan maar Hannah wilde daar niets van weten.

'Kom op,' zei het roodharige meisje. 'Ik wed dat we hier alles kunnen vinden wat we zoeken.'

Toen haar vriendin haar beetpakte, was Meridia op slag haar aarzelingen kwijt.

Tot die dag had Meridia al het geld dat ze van Ravenna had gekregen steeds in een tinnen blik onder haar bed bewaard omdat ze niet had geweten waar en waaraan ze dat geld had moeten uitgeven. Maar die middag kocht ze voor Hannah en zichzelf zoete graanpannenkoeken en gefrituurde aardappelkoeken van de getatoeëerde man die radijsjes in zijn geheel doorslikte. Tijdens hun volgende bezoeken aan de markt kocht ze linten en haarspelden, kaneelgebak, melkchocolaatjes, ingelegde schijven mango en parfum van een vrouw die haar eigen delicaat ruikende zweet gebotteld had. Naast het gerechtsgebouw zat een boekhandel, waar Meridia met een gelukzalig gevoel alle planken naliep terwijl Hannah de populaire tijdschriften verslond die haar vertelden welke hoeden en schoenen dit jaar in de mode waren. Op een dag stuitten ze op een schoonheidssalon en na lang aandringen van Hannah liet Meridia zich daar knippen. Drie kwartier later zag Meridia in de spiegel iemand die haar volslagen vreemd was, iemand met zulk kort haar dat het nauwelijks tot haar schouders reikte. 'Wat vind je ervan?' vroeg Hannah ongerust. Meridia draaide haar hoofd naar rechts, naar links en weer naar rechts en zei uiteindelijk: 'Ik vind het geloof ik wel mooi.' Hannah schreeuwde het uit van vreugde en de twee meisjes omhelsden elkaar. Toen besefte Meridia, terwijl ze nogmaals in de spiegel keek, dat ze haar vriendin niet weerspiegeld zag. Ze zag alleen de fronsende kapper en zichzelf met de armen om de lucht heen geslagen.

November werd december en Meridia kon alleen nog maar aan Hannah denken. Niets kon haar nog van slag brengen: Ravenna's verstrooidheid noch Gabriels woede; het vochtige weer noch de onvoorspelbare nevels; zelfs de gemene meiden op het schoolplein niet die zoveel plezier ontleenden aan de tegenslag van anderen. Als ze wakker werd, was Hannah de eerste aan wie ze dacht. Het was alsof Meridia alleen dankzij Hannah, dankzij dit unieke wezen, zich nu soepel voortbewoog, gevat was en kon genieten van het zeldzame voorrecht samen te lachen. 's Avonds, als ze uitgeput was van al hun avonturen, dacht ze met liefde terug aan hoe ze in de regen op Independence Plaza door de plassen hadden gebanjerd en levendige gesprekken hadden gevoerd onder het genot van koek en druivensap in het café van de boekwinkel. Vlak voordat ze in slaap viel stelde Meridia zich voor dat Hannah naast haar lag, zo dichtbij dat ze slechts haar arm hoefde uit te strekken om haar aan te raken.

Meridia vond het niet raar dat ze haar vriendin nooit over Ravenna of Gabriel vertelde. Ze zweeg ook over alle vreemde voorvallen in het huis aan Monarch Street. Hannah vertelde zelf ook weinig over haar familie. De informatie die ze kwijt wilde, beperkte zich tot het bestaan van een vader, de rondreizende zakenman, en een broer. Haar moeder was overleden toen ze nog klein was, en al snel na haar dood was het haar vaders streven geworden niet te lang op één plek te blijven. Hannah had al in heel veel steden gewoond en kon ze nauwelijks uit elkaar houden. Op een bepaald moment bekende ze: 'Als ik de namen van mensen begin te onthouden, weet ik dat het tijd is mijn spullen te pakken.'

Op de laatste schooldag voor de kerstvakantie zag Meridia toen ze de klas binnenkwam dat Hannahs stoel leeg was. Na de geschiedenisles was ze nog steeds nergens te bespeuren. Halverwege aardrijkskunde kwam er een jongen de klas in met een briefje van de directeur dat hij aan de leraar gaf. De leraar las het niet hardop voor, maar in haar gedachten kon Meridia de boodschap horen: Hannahs vader had voor zijn werk moeten afreizen naar een andere stad. Vroeg in de ochtend was hij met zijn kinderen vertrokken. Het nieuws leek haar niet te deren. De rest van de dag zat ze zo rechtop als een grafsteen. Toen de laatste bel ging, glipte ze als eerste de poort door en liep rustig naar huis. Ze was woest maar liet niets blijken. Thuis lag er op het tafeltje in de vestibule een brief op haar te wachten. Ze scheurde hem open. De eerste regel trof haar als een vuistslag: *Vergeef me, maar ik heb in mijn leven al zo vaak afscheid moeten nemen...* Meridia las niet verder maar gooide de brief in de prullenbak en liep naar haar kamer.

Vanaf die dag deed ze haar zakgeld weer in het tinnen blik onder haar bed. In de maanden erop ging ze terug naar alle plekken die Hannah haar had laten zien, hield haar kapsel op dezelfde lengte als Hannah en dwong ze zichzelf zelfs te applaudisseren voor de straatartiesten op Independence Plaza. Niets kon haar nog boeien. Hoewel ze geen wrok koesterde jegens Hannah probeerde ze haar na een tijdje toch te vergeten. Alleen tijdens de allerkilste uren bekroop het gevoel haar weer, trok het door haar heen als een opwindende droom. Voor even wist ze dan weer hoe het was om warmte te voelen.

HOOFDSTUK 5

Na de aanvankelijke verzekeringen van het tegendeel kwamen Hannahs brieven in een steeds lagere frequentie. Daarin beklaagde ze haar lot als de dochter van een rondreizende zakenman, verklaarde ze hoezeer ze Meridia miste en zwoer ze dat haar gevoelens voor haar door tijd noch afstand ooit zouden verminderen. Meridia antwoordde haar zo snel ze kon in even hartstochtelijke bewoordingen maar het viel niet mee al Hannahs adreswijzigingen bij te houden. Al vrij snel begonnen hun brieven elkaar te kruisen, raakten er enkele zoek of kwamen op het verkeerde adres terecht, en toen stokte de correspondentie helemaal. Meridia nam aan dat Hannah een nieuwe vriendin had gevonden en met haar misschien zelfs wel een nieuwe stad aan het verkennen was. Dit besef deed minder pijn dan verwacht want inmiddels had ze zich al verzoend met de gedachte dat mensen uit haar leven verdwenen als schaduwen die door een kamer gleden. De kinderjuf was een van hen geweest en Hannah de volgende.

De eenzaamheid begon haar te tekenen. Halverwege haar zeventiende levensjaar kwam er een melancholieke uitdrukking over haar fijnbesneden gelaat, die nooit meer zou verdwijnen. Haar donkere, ernstige ogen kregen een meer onderzoekende blik en haar snelle geest ontplooide zich nu tot scherpzinnige bedachtzaamheid. De spanningen die Gabriels woede en Ravenna's drang te vergeten bij haar opriepen, tekenden zich het duidelijkst af op haar wangen, die strak en mager waren en hun vroegere gloed misten. Op school speelde ze nog steeds de rol van het meisje dat nergens bij hoorde. Ze was nu even lang als Ravenna maar haar lengte deed haar niet meer in het oog springen. Het benadrukte alleen maar de eenzaamheid die ze met zich meedroeg. Enkele leraren vergeleken haar met een wezen zonder banden met het aardse, dat bij de eerste de beste windvlaag meegevoerd kon worden de lucht in. Maar op een dag, juist toen ze dacht dat haar leven altijd zo zou blijven, lokte een lied haar de Grot der Betovering in.

Dat jaar vierde de stad voor de eerste keer het Feest der Geesten. In januari verdwenen de artiesten op Independence Plaza voor twee dagen en ontving het plein een kleine honderd spirituele raadgevers van over de hele wereld. De gasten bestonden uit leermeesters in het mystieke, gebedsgenezers, alchemisten, profeten, geestenbezweerders, flagellanten en waarzeggers. Voor het standbeeld van de stichter van de stad deelden ze staande op kistjes of in met veelkleurige spandoeken behangen kramen pamfletten en brochures uit, boden ze geestelijke bijstand en spraken ze tegen betaling van wat kleingeld hun zegen uit. Ze pasten genezingen toe met behulp van ijs en vuur, voerden operaties uit met de blote handen en verwijderden tumoren door handoplegging. Een enorme herdershond blafte de zonden weg van gekwelde zielen. Een vrouw met één oog bracht met behulp van haar lier boodschappen over aan de doden. Er waren kruizen te koop, gebedssnoeren, heiligenrelikwieën, antistoffen tegen de gangbaarste vergiften en amuletten tegen ziekten en liefdesverdriet. Wie niets kocht, werd overgehaald zich in te schrijven in het Boek der Geesten om zo zijn naasten te verzekeren van voorspoed.

Op de eerste dag van het feest dwaalde Meridia een beetje verdwaasd over het plein. De lucht was zwaar van verlossing die smeekte tot haar te mogen komen. Ze moest alleen uitvinden tot welke spreker ze zich daarvoor moest wenden. In haar zak had ze het zakgeld dat Ravenna haar die ochtend gegeven had en na het bestuderen van de verschillende spandoeken besloot ze naar de tafel te gaan waar een monnik de wacht hield bij het Boek der Geesten. Na twee zilveren munten tevoorschijn te hebben gehaald vroeg Meridia hem de namen van haar vader en moeder toe te voegen. 'Nog iemand anders?' vroeg de monnik op knorrige toon. 'Om de geesten niet in verwarring te brengen, is het beter iedereen tegelijk in het boek op te laten nemen.' Meridia aarzelde, pakte nog twee zilveren muntjes voor de kinderjuf en Hannah. De monnik noteerde de vier namen en naast elke naam zette hij een goudkleurig lakstempel. Toen Meridia zich omdraaide om weer weg te gaan, vroeg de monnik: 'En jijzelf dan? Je wilt er toch ook in komen te staan?' De plots verlegen Meridia gaf hem nog een munt en fluisterde haar naam. Daarna wilde ze er snel vandoor maar ze trapte iemand op de tenen.

'Het spijt me,' riep ze uit.

'Dat hoeft niet. Ik hak liever mijn voet af dan dat ik die bedrieger nog één cent geef.'

Zijn stem klonk helder en spottend. Door de felle zon zag Meridia alleen een paar bruine ogen, die zo licht waren en zo straalden dat het leek alsof er geen gezicht bij hoorde. De jongeman glimlachte – ze kon nu de omtrekken van zijn mond ontwaren – alsof hij wachtte tot ze ook iets zou zeggen. Meridia wiebelde nerveus en hoopte dat haar iets, wat dan ook, te binnen zou schieten. Het volgende moment was alles voorbij. De zon verbleekte. De jongen was verdwenen. Meridia strekte haar nek uit om hem te zoeken in de menigte. Zonder zijn verzengende aanraking had ze kunnen denken dat hij slechts een geest was geweest, die door de om haar heen klinkende gebeden uit onbekende streken was opgeroepen. Maar hij had haar bij haar elleboog vastgehouden. Daar brandde haar lijf nu met zo'n verlangen dat het zweet op haar gezicht kwam te staan.

Toen ze de volgende dag in de klas zat, durfde ze er niet op te hopen hem nogmaals tegen te komen. Na de laatste bel ging ze op weg naar het feest, uiterlijk onbewogen maar met een voortdurend bonzend hart. De hemel boven haar was blauw en welwillend. De chrysanten die het plein aan alle vier de zijden omgaven, waren nog nooit zo mooi geweest. Dezelfde monnik als de dag ervoor bewaakte het Boek der Geesten. Zijn gezichtsuitdrukking was even streng als die van de kwaadaardigste relikwieën. Meridia wilde hem graag vermijden en begaf zich in de chaotische verzameling profeten en geestenbezweerders. Talloze bezoekers deden moeite om kruizen en liefdesdrankjes aan te schaffen, maar niemand was geïnteresseerd in de zekerheid van een leven na de dood. Aan een lege tafel zocht Meridia een veilig heenkomen voor de menigte en hoopte ze even tot rust te komen. Onmiddellijk kwam er een vrouw met een witte tulband op haar af.

'Wil je zeker zijn van een leven na de dood, schat?'

Meridia zei dat ze het niet wist en pakte een brochure aan. Ze deed alsof ze de prijzen van de verschillende opties bestudeerde toen ze plots overvallen werd door een hevige koortsaanval. Met de brochure in haar hand geklemd keek ze snel naar rechts. Enkele kramen verderop stond de jongeman. Hij keek naar haar met in zijn lichtbruine ogen een blik die tegelijk liefdevol en spottend was. Hij had een strakke kaaklijn en halflang zwart haar. Zijn nauwsluitende pak deed zijn lange, slanke gestalte goed uitkomen. Langzaam toverde hij een voorzichtige glimlach op zijn gezicht. Alsof het de gewoonste zaak van de wereld was, verplaatste hij zijn gewicht van de ene naar de andere voet. Meridia voelde haar keel droog worden, deed haar lippen van elkaar en rilde.

'Wat vind je ervan?' wilde de vrouw weten. 'Je kunt beginnen met de goedkoopste optie. Als je ouder wordt en meer zonden begaat, kun je schriftelijk een andere optie nemen.'

Meridia was helemaal van slag en in gedachten totaal niet meer bij haar leven na de dood. 'Ik... ik denk erover na,' stamelde ze. Hiervoor kon ze nu met geen mogelijkheid aandacht opbrengen. Toen ze weer opzij keek, was de jongeman verdwenen. Waar hij had gestaan, gebaarde een matrone met kastanjebruin haar met de punt van haar paraplu tegen een helderziende dat hij de prijs van een pak tarotkaarten diende te verlagen. Meridia kon haar teleurstelling niet verbergen maar vermande zich en liep op hen af. Ze stond op het punt hun te vragen waar die jongeman gebleven was toen ze opeens moest blozen. Een kring vlammen kroop van de grond omhoog tot haar dijen. Ze liet een gesmoorde kreet horen en besefte dat ze op dezelfde plek stond als de jongen zojuist. Haar lijf nam de hitte in zich op die hij had achtergelaten.

In het uur daarna struinde Meridia op zoek naar hem alle kraampjes af. Al doende moest ze een handlezer afweren die erop bleef aandringen dat ze twee gebedssnoeren en een amulet tegen liefdesverdriet zou kopen. Hoewel niemand de jongen gezien had, ontdekte ze overal sporen van hem, die als een weemoedig makende belofte door de lucht dwarrelden. Maar na het feestterrein zes keer helemaal te hebben afgelopen, wist ze dat ze al het mogelijke gedaan had, vooral toen de vrouw met de witte tulband haar argwanend begon te bekijken. Verslagen trok Meridia zich terug op een bankje aan een uiteinde van het Plaza. Voor het eerst overwoog ze de mogelijkheid dat ze zich in haar eenzaamheid de jongen slechts verbeeld had.

Het lied begon zachtjes en onsamenhangend en was nauwelijks hoorbaar boven het lawaai van de menigte uit, maar toen de tonen tot

Meridia doordrongen, vormden ze al een levendige, opwindende melodie. Meridia richtte zich op en keek om zich heen. Op het bankje tegenover haar voerden drie studenten een verhitte discussie over de eigenschappen van de ziel. Links van haar staken twee jongens hun moeder bloemen in het haar. Even verderop speelde een groepje winkelmeisjes met hun zijden handschoenen en lachte hun tanden bloot naar passerende jongens. Meridia begon te trillen. Niemand leek te beseffen dat er een prachtig lied gespeeld werd. Ze wachtte nog een paar tellen en ging toen op het geluid af.

Ze liep vlak langs de keurige rij chrysanten in de zuidoostelijke hoek van het plein. Dit deel was bestemd voor de fanatiekste flagellanten. Hun extatische kreten overstemden het lied echter niet, maar leken slechts bij te dragen aan de schoonheid en aantrekkingskracht ervan. Meridia ontweek de metalen gesels en roedes zoveel mogelijk, en hoewel het soms weinig scheelde, wist ze te ontkomen met slechts een paar verdwaalde druppels bloed op haar jurk. Ondertussen lokte het lied haar verder naar een grijsblauwe tent achter de laatste groep zelfkastijders. Ze wist zeker dat ze hier al naar hem gezocht had maar de tent was haar toen niet opgevallen. Op het spandoek dat van de driehoekige punt naar beneden hing, stond: DE GROT DER BETOVERING. Het lied kwam uit de tent vandaan.

Meridia duwde het gordijn opzij dat als deur moest dienen en ging naar binnen. Opeens hield het lied op alsof iemand een platenspeler had uitgezet. Ze werd omringd door een zware stilte, die zo dicht was dat ze de kreten van de fanatici buiten niet langer hoorde. Het was donker in de tent. Sterrenconstellaties deden de donkerpaarse wanden oplichten. Meridia was verrast dat in een dergelijke kleine ruimte zich zo'n enorm, stralend universum kon bevinden. Ze zocht naar iets wat deze illusie kon verklaren toen vanuit de duisternis een stem weergalmde die uit lang vervlogen tijden afkomstig leek.

'De geesten hebben verzocht om je aanwezigheid. Ga zitten.'

Voor haar lichtte een glazen bol fel op waardoor de ronde tafel waarop hij ronddraaide met een zilveren schijn bedekt werd. Aan de overzijde van de tafel zat een in een helderblauw gewaad gehulde ziener met een lange grijze baard. Hij had groene ogen die toegeknepen waren, en een mond die aan de linkerkant wat scheef hing, maar Meridia was niet bang voor hem. Ze nam plaats op de dichtstbijzijnde stoel en keek de man onbevreesd aan.

'Waarom hebt u me hierheen gehaald?'

'De geesten hebben jou uitverkoren. Ze hebben jouw naam gekozen uit de vele duizenden in het Boek. Maar nog even geduld. Ze moeten mij hun definitieve beslissing nog laten weten.'

De ziener sloot zijn ogen om zich te concentreren. De kristallen bol draaide verder rond en wierp een vlammend licht op de sterrenconstellaties aan de wanden. Meridia hield zich muisstil, vol ontzag voor dit alles, maar moest tegelijkertijd tegen de aandrang vechten met haar voet tegen de tafelpoot te tikken.

Even later waaide het gordijn achter haar op waardoor de bol ophield met draaien. De ziener opende zijn ogen, die nu van groen verkleurd waren tot melkwit, en wees met zijn rechterhand naar haar.

'De geesten hebben gesproken. Kijk zelf maar.'

Meridia draaide zich om. Het heftig wapperende gordijn verdween in een rookwolk. De tent baadde plots in zonlicht en in ronddwarrelend stof. Een lange, rechte gestalte kwam luid hoestend uit de rook tevoorschijn. Meridia voelde haar hart in haar keel bonzen. Nog voor hij zijn lichte ogen op haar richtte, had ze de gestalte herkend als die van de jongeman.

'Ik eis hiervoor een verklaring! Maakt niet uit wie deze goedkope truc, die hij misschien grappig...'

Meridia's blik schoot door de ruimte en bracht hem tot bedaren.

'Kijk nou eens. Hallo.' Hij liep op haar toe en glimlachte. 'U, juffrouw, wilde ik heel graag ontmoeten.'

Meridia wilde opstaan maar de ziener hield haar tegen.

'Roep je lot pas over je af als de tijd rijp is!'

Ook de jongeman bleef staan. Hij trok zijn wenkbrauwen op toen hij de lange baard en het helderblauwe gewaad van de ziener zag maar voor hij iets kon zeggen, nam de oude man het woord weer.

'De geesten hebben jullie levenspaden verstrengeld. Van alle namen in het Boek der Geesten hebben zij jullie twee samengeroepen. Ik kan jullie verzekeren dat...'

'Mijn naam komt niet in het Boek voor,' onderbrak de jongeman hem.

De ziener schonk hem een dodelijke blik. 'De geesten maken geen fouten. Het valt hen niet makkelijk te kiezen uit...'

'Mijn naam komt niet in het Boek voor,' herhaalde de jongeman. 'Ik heb me niet laten inschrijven en ben ook niet van plan dat te doen.'

De ziener kon bijna niet uit over zoveel heiligschennis. 'Niet van plan je in te laten schrijven! Interesseert jouw toekomst en het geluk van je naasten je dan helemaal niets? Zwijg of de geesten laten je aan je lot over!' De jongeman nam dit schijnbaar onbewogen op maar door de lichte trilling van zijn onderlip besefte Meridia dat hij zijn best moest doen om een lach te onderdrukken.

'Er is een andere mogelijkheid,' zo vervolgde de ziener op bijtende toon. 'Wellicht is jou dan weinig gelegen aan je welzijn, maar het kan zijn dat iemand in je directe omgeving voldoende om je geeft om je in te schrijven in het Boek. Denk goed na! Heb je een boezemvriend? Een familielid dat weet wat het beste is voor jou? Geloof me maar als ik zeg dat de geesten te veel omhanden hebben om zomaar wat namen te selecteren!'

De jongen dacht even na en gaf zich vervolgens gewonnen, waarbij zijn onderlip opnieuw trilde: 'Het zal mijn moeder zijn geweest. Zij gelooft sterk in geesten.'

'Gezegend zij haar ziel! Is er tenminste nog iemand die het beste met je voorheeft.'

De jongeman ontblootte zijn stralend witte tanden wat Meridia nog meer verwarde, en ze ging op het puntje van haar stoel zitten. 'Gaat u alstublieft verder.'

'Wat ik wilde zeggen,' vervolgde de ziener met extra gewichtige stem, 'is dat wie door de geesten worden samengebracht, niet gescheiden mogen worden. Ja, jullie zijn uitverkoren. Jullie hebben nu recht op alle wonderen die de geesten kunnen bieden maar dan moeten jullie wel direct actie ondernemen. Anders verspelen jullie alles wat jullie tot nu toe gewonnen hebben. Op dit moment bevindt jullie toekomst zich in deze kristallen bol en die houdt het evenwicht tussen geluk en verdriet, tussen grote armoede en rijkdom. Als jullie niets doen, wordt jullie toekomst alleen door het lot bepaald. Dat zou erg riskant zijn en dom, aangezien de geesten al op jullie hand zijn. Jullie hebben een bemiddelaar nodig, iemand die de weegschaal naar jullie kant kan doen doorslaan. Iemand als ik. Ik beschik over het vermogen deze bol in te gaan en een fantastische toekomst voor jullie te bedingen. Een gebaar van goede wil is voldoende om jullie van mijn diensten te verzekeren. Een klein offer van jullie kant zal veel helpen.'

Meridia was zo onder de indruk van de jongeman dat het voorstel niet in al zijn finesses tot haar doordrong. Ze kon met moeite een glimlach onderdrukken toen hij een overdreven ernstig gezicht opzette.

'Een klein offer? Mag ik u alstublieft vragen wat u daaronder verstaat?'

'Twintig zilveren munten,' zei de ziener zonder ook maar een tel te haperen. 'Maar hoe meer jullie mij geven hoe meer ik jullie kan verzekeren van een goede toekomst.'

De jongen wierp zijn handen in de lucht. 'Twintig zilveren munten? Het spijt me, maar heeft mijn verschijning u misschien op het idee gebracht dat ik een vermogend man ben? Ik ben al blij dat ik twee koperen muntjes heb! Maar misschien dat deze schattige jongedame genoeg heeft voor ons tweeën. Zegt u het eens, juffrouw. Hebt u misschien twintig zilveren munten ter waarborging van ons geluk?'

Hij draaide zich zo plots naar Meridia om dat ze bijna van haar stoel viel. Ze vermande zich direct weer en zag dat hij stiekem naar haar keek.

'Ik heb er één,' zei ze, hoewel ze er na haar aankopen nog twee overhad. 'Het spijt me, maar ik kan het me evenmin veroorloven.'

'Kan het zich ook niet veroorloven!' riep de jongeman uit. Hij begon wanhopig zijn handen te wringen. 'Wat moeten we nu toch beginnen? De geesten zullen teleurgesteld zijn in hun keuze! We kunnen ons beter overgeven aan ellende en armoede.'

Omdat ze opnieuw amper een glimlach kon bedwingen boog Meridia snel het hoofd. De ziener steunde met beide armen op tafel alsof hij zich voorbereidde op een gevecht.

'Meer hebben jullie niet? Geen stuiver meer? Jullie stellen het geduld van de geesten op de proef! Prima, ik sta erom bekend ook kleine wonderen te kunnen bewerkstelligen. Er is geen sprake van dat ik jullie een gouden toekomst kan beloven, maar met wat jullie bezitten, kan ik wel garanderen dat jullie altijd troost bij elkaar zullen vinden. Geef mij die munt maar en we gaan direct van start met de procedure.'

'U bent werkelijk te genereus,' zei de jongeman op zo'n oprechte toon dat Meridia nog verder het hoofd moest buigen. 'Wat vindt u, juffrouw? Wilt u voor de rest van uw leven troost bij mij vinden?'

Meridia keek omhoog en was in de greep van iets wat ze nooit eerder gevoeld had. Niet alleen zijn ogen keken haar stralend aan, maar het leek alsof zijn hele gestalte haar in zich opnam met hetzelfde vuur dat haar eerder verschroeid had. Zijn bedoelingen waren haar duidelijk. Terwijl hij haar vrolijk aankeek, was er maar één antwoord mogelijk.

'Ja, dat wil ik.'

'De geesten juichen u toe!' riep de ziener. 'Leg nu de munt maar op tafel.'

Meridia stond op, hield haar ogen op hem gericht en doorzocht haar zakken. Plots, op een teken van hem, renden ze allebei op de uitgang af en vlogen naar buiten. Op volle snelheid renden ze langs de krijsende flagellanten en gooiden een tafel vol boetekleden omver. Als Meridia hem niet op het laatste moment had gewaarschuwd, had de jongen een oog verloren door het uiteinde van een metalen zweep. Achter zich hoorden ze de ziener kwaad schreeuwen waarop ze nog sneller gingen rennen.

'Stelletje dwazen! Denken jullie te kunnen spotten met de geesten? Hier krijgen jullie spijt van! Let op mijn woorden!'

Ze renden van Independence Plaza naar Majestic Avenue, vlogen een handvol stegen in en weer uit, en bleven hollen totdat ze op het marktplein waren. Onder een peperboom kwamen ze op adem, lachten, hijgden en barstten opnieuw in lachen uit.

'Ik had niet verwacht dat je het zou doen!' riep de jongeman ongelovig en buiten adem uit. 'Ik had niet verwacht dat je mij zou volgen!'

'Wat hebben we in hemelsnaam gedaan?' Meridia lachte en hapte naar adem tegelijk. 'Denk je dat we de geesten boos gemaakt hebben?'

'Welke geesten? Die man is een oplichter zoals ik er nog nooit een gezien heb! Die truc met die vuurflits die hij uithaalde toen ik binnenkwam, is ik weet niet hoe oud.'

'Je gelooft dus niet in geesten?'

'Niet in geesten die te koop zijn.' Hij glimlachte. 'Maar zeg dat niet tegen mijn moeder. Ze hangt me op aan mijn kleine teen als ze dit hoort.'

Meridia glimlachte verlegen terug. Voordat ze zichzelf kon bedwingen, vroeg ze: 'Ging jij ook het lied achterna?'

De jongeman smakte geamuseerd met zijn lippen. Toen deed hij langzaam en zonder zijn blik van haar los te maken zijn donkere, linnen jasje uit en wierp het over zijn schouder. Daaronder droeg hij een vestje en een gekreukeld wit overhemd waarvan hij de mouwen slordig tot aan de ellebogen oprolde.

'Ik ging jouw geur achterna,' zei hij. 'Ik wist dat je naar me op zoek was.'

Meridia bloosde omdat haar aandacht getrokken werd door de kleine zwarte haartjes op zijn armen. Ze kon haar ogen niet van zijn lange, slanke hand afhouden toen hij die van zijn dij omhoog bracht om zijn elleboog te krabben en daarna even over zijn neus te wrijven. Door dit gebaar werd haar blik naar zijn ogen getrokken die haar vurig aankeken. Plots knipoogde hij. Meridia sloeg snel haar ogen neer.

'Ik was niet naar jou op zoek,' bracht ze hortend uit. 'Ik liep mee met de menigte over het Plaza.'

'Twee dagen lang? Zelfs mijn moeder zou het niet zo lang uithouden op het feest. Ik heb je de hele tijd in de gaten gehouden. Er was één plek waar je nooit keek, en dat was achter je.' Omdat Meridia voelde dat ze bloosde, reageerde ze meteen. Ze vermeed het hem aan te kijken toen ze hem zo ernstig mogelijk vroeg: 'En waarom hield je mij twee dagen in de gaten?'

De jongen gooide zijn hoofd in de nek en barstte in lachen uit. 'Ik wilde zien of je mij zou vinden. Mogen de geesten je vergeven, maar toen je gisteren op mijn tenen ging staan, heb je me niet alleen kreupel gemaakt, maar ook mijn hart veroverd.'

Hij bleef lachen waardoor Meridia onmogelijk kon uitmaken of het hem nu ernst was of niet. Ze stond daar in grote verwarring en had geen idee waar ze haar handen moest laten of welke kant ze moest opkijken. Uiteindelijk verstomde zijn gelach en liet hij haar beloven dat ze elkaar de volgende dag opnieuw zouden ontmoeten.

HOOFDSTUK 6

Daniel was de zoon van een juwelier, een knappe jongen van achttien. Hij was zorgeloos van aard, maakte zich zelden druk over iets en beschouwde zichzelf als de evenwichtigheid zelve. Hij was trouw en gul en zag nooit tekortkomingen in zijn dierbaren. Ondanks al zijn scepsis geloofde hij in de rechtvaardigheid en harmonie van het leven. Veel stadsbewoners merkten op dat hij een zekere gelatenheid over zich had, die niet voortkwam uit luiheid maar uit de overtuiging dat problemen zich uiteindelijk vanzelf zouden oplossen. Pas jaren later zou Meridia zich herinneren dat het deze nonchalante houding was geweest waardoor ze zich aanvankelijk tot hem aangetrokken had gevoeld. Hij gedroeg zich beheerst en onaantastbaar alsof hij in zijn wakkere uren nooit geplaagd werd door nevels of geesten.

Op hun eerste middag samen bezochten de twee opnieuw het plein, dat inmiddels door de bovenaardse wezens was verlaten. De straatartiesten stonden weer op hun plek waardoor het leek alsof het feest met al zijn kraampjes en spandoeken nooit had plaatsgevonden. Meridia was te nerveus om een woord uit te brengen en hield zich daarom maar bezig met het ananassap dat Daniel voor haar gekocht had. Het publiek was helemaal in de ban van een illusionist. Hij stopte een jonge vrouw in een kist, hakte haar in vierentwintig stukken en toverde haar weer ongeschonden tevoorschijn, maar met één verschil: haar hoofd stond nu ondersteboven tussen haar schouders! De menigte hield geschokt de adem in. Met de verzekering dat het allemaal goed kwam liep de illusionist met zijn hoed omgekeerd in de hand langs de menigte, die hem bereidwillig tot de rand volgooide. Meridia hield haar adem in toen de illusionist de vrouw voor de tweede keer in de kist opsloot, met de armen zwaaide en haar weer tevoorschijn toverde met het hoofd juist op de romp. De menigte brak uit in een oorverdovend geschreeuw en applaudisseerde luid. Meridia zette haar sapje neer, klapte mee en ontspande een beetje. Daarna was het de beurt aan een blinde violist, die met zijn muziek regen aan wolken en tranen aan despoten wist te ontlokken. Samen met Meridia baande Daniel zich een weg door de menigte en wist zo vooraan te komen. Voordat ze goed en wel een plaats gevonden hadden, sprak hij de drie woorden die haar tegelijk vanzelfsprekend en afschrikwekkend in de oren klonken.

'Dans met mij.'

Meridia staarde naar zijn uitgestoken hand en probeerde te lachen. 'Ik heb twee dagen geleden je voet nog verminkt. Ben je dat vergeten?'

'Wat denk je wel van me? Ik zit stevig in elkaar.'

'Dit meen je toch niet? Ik weet nauwelijks...'

Voordat ze nog een woord kon zeggen, bracht hij haar handen naar zijn schouders. Door een nieuwe paniekaanval verstijfde ze helemaal. Ze werd zich plots bewust van de menigte om hen heen. Die lachte en staarde, maar Meridia kon niet zeggen of de mensen nu naar hen of naar elkaar keken. Er klonken luide trommelslagen en de zon scheen recht in haar ogen. Toen Daniel een beweging inzette, dacht ze om te vallen als een stapel stenen. Al na drie passen stond ze op zijn tenen. Door haar onhandigheid verkrampte Meridia, maar Daniel schonk haar zo'n gepijnigde blik dat ze in lachen uitbarstte. Even later liet hij een brede glimlach zien en Meridia voelde zich op slag niet meer opgelaten. Toen de vioolmuziek zijn apotheose naderde, liet ze de menigte voor wat ze was, vlijde ze haar wang tegen de zijne en vroeg zich af hoe ze zestien jaar en zeven maanden had kunnen leven zonder de aanrakingen van Daniel.

De drie maanden daarna spraken ze zo vaak mogelijk af. Meridia spijbelde van school. Daniel verexcuseerde zich bij zijn vader en liet zijn werk in de juwelierszaak in de steek. Getweeën dwaalden ze over de bloemenmarkt, wierpen muntjes neer bij de dansende slangen, keken naar de avondvoorstelling in Cinema Garden en zochten met het proeven van versnaperingen als bokkentestikels de grenzen van hun smaak op. In de kunstenaarswijk liet Daniel haar een voormalige actrice zien die om haar jeugd te bewaren pasgeboren muizen slikte, en een behaarde man die elk jaar een brandende struik baarde. In een afgelegen hoek, waar de dichters stierven van de honger, zagen ze hoe een koopman bloed, adem en beenderen uitventte voor de zieken. Toen het lente werd, zaten ze urenlang in parkrestaurantjes waar ze tot ergernis van de obers samen één kopje rijstepudding namen. Bij zonsondergang waren ze vaak op Independence Plaza te vinden omdat op dit verlaten uur de stichter van de stad zijn marmeren vuist schudde en de kinderkopjes donderden alsof er een leger overheen marcheerde. Als Meridia al merkte dat ze sommige van deze avonturen eerder al met Hannah had meegemaakt, dan hield ze dat voor zich. Ze had het idee dat ze het aan Daniel verschuldigd was alles te beleven alsof het de eerste keer was, nog niet getekend of bezoedeld door herinneringen.

Daniel leerde haar naar de sterren te kijken. Eén avond klommen ze op een afgelegen klif en speurden naar het vrouwtje in de maan. Een andere keer gingen ze 's middags pootjebaden in een bron van eeuwige jeugd waar schildpadden uit lang vervlogen tijden aan hun tenen knabbelden. Hij nam haar mee naar de gouden lelievelden en op een uitgestrekte grasvlakte luisterden ze naar kale nonnen die meehuilden met de wolven. Door deze uitstapjes ontdekte Meridia dat ze in het enige deel van de wereld leefden waar gevallen sneeuw nooit koud aanvoelde en waar de tropisch schijnende zon nooit verzengde. Vanaf dezelfde afgelegen klif leek de stad met zijn keurige straten en netjes in het gelid staande huizen te baden in een bovenaards licht. Een licht zo helder dat het alleen geëvenaard werd door de weerschijn van Daniels ogen, die straalden van levenskracht terwijl hij Meridia inwijdde in de geheimen van de wereld.

Toen hij haar op een dag uitlegde vanwaar de vogels in de zomer kwamen aangevlogen, vroeg ze hem: 'Hoe weet je dit allemaal?'

'Van mijn vader,' antwoordde hij. 'Volgens hem zijn de geheimen van het universum makkelijker te doorgronden dan de ziel van een vrouw.'

Daniel zei dit met zo'n uitgestreken gezicht dat Meridia moest lachen. Ze had er nog geen idee van hoe vaak ze in de jaren daarna aan deze woorden zou terugdenken.

Binnen de kortste keren was Meridia hopeloos verliefd. Zonder enige aarzeling vervalste ze Ravenna's handtekening en verontschuldigde haar afwezigheid op school met allerlei verzonnen ziektes. In de boekwinkel naast het gerechtsgebouw bestudeerde ze alle populaire tijdschriften die voor Hannah zo onmisbaar waren geweest en voor het eerst van haar leven nam ze hun adviezen ter harte. Ze gaf al haar zakgeld uit aan schoenen en jurken, aan fluwelen hoeden, handschoenen, geurtjes en allerlei dingen die hun aantrekkingskracht verloren zodra ze die thuis uit de verpakking haalde. Ze ging met de verschijningen in de spiegel een verwoede strijd om een plekje aan en negeerde hun gejoel als ze haar spiegelbeeld de ruimte gaven. Toen ze op een ochtend voor ze naar school ging zichzelf uitgebreid in de spiegel in de vestibule bekeek, werd ze betrapt door Gabriel. Bij het zien van haar kanten jurk en glimmende roze lippen fronste hij het voorhoofd, maar voor hij iets kon zeggen, neeg ze en schreed naar de deur met een arrogantie die door de brandende liefde in haar hart werd ingegeven.

Elke avond deed ze zich te goed aan haar herinneringen aan Daniel. Zonder nog enige tijd aan haar huiswerk te besteden, riep ze met zuchten en fluisteringen zijn beeld op, haalde ze zijn diepliggende ogen en gebeeldhouwde kaak voor de geest en hoe zijn lippen uiteengingen als hij op het punt stond haar te kussen. Klokslag middernacht raakte haar kamer op magische wijze vervuld van zijn lichaamsgeur, een onstuimig mengsel van zon en zee dat opwindender was dan wat ook. Meridia glimlachte als ze terugdacht aan zijn aanrakingen. Toen ze in gedachten opnieuw een vlugge blik langs zijn nek omlaag wierp, werd ze bijna gek van verlangen. Het bed kraakte onder haar delirium in deze verzengende uren. Ook de slaap, als die al over haar kwam, verloste haar niet van het koken van haar bloed.

Nadat ze zevenentwintig middagen samen hadden doorgebracht, nam Daniel haar mee naar een strand met helderwit zand. Ze lagen uitgestrekt op een deken onder een palm en lazen om beurten voor uit een boek toen een tiental meeuwen de lucht met hun vleugels doorkliefde. De vogels stortten uit de wolken omlaag alsof ze neergeschoten waren. Daniel liet het boek vallen en sprong overeind. De meeuwen kwamen niet ver bij hen vandaan op het strand neer, sprongen op en neer en krijsten als idioten in de richting van de zee. Even later verscheen er op de toppen van de golven een kist, die naar de kust dobberde. De vogels verzamelden zich rond het houten voorwerp, maar toen Daniel naderde sloegen ze hun vleugels uit en stegen op. Meridia stond op van de deken en liep Daniel achterna.

'Wat is dat?' vroeg ze ongerust.

'Een doodskist. Zo te zien van een kind. Hoe kan die nou in zee terechtgekomen zijn?'

Meridia voelde een akelige kriebeling in haar buik. Daniel trok de kist op zijn kant, wrikte hem met enige moeite open en sprong achteruit. Meridia keek over zijn schouder mee en wenste ogenblikkelijk dat ze dat niet gedaan had.

In het midden van de kist lag het opgevouwen karkas van een pasgeboren reekalf. De aangevreten huid had een blauwe tint. De buik was kapot gepikt en als fluwelen linten spreidden de ingewanden zich uit over de ribben. Rond de nek van het kalf zat een diepe striem en uit de ogen kropen bruine wormpjes tevoorschijn. Meridia had nog maar juist de hand over haar neus gelegd toen er uit de open bek een knaagdier kwam gekropen. Haar gil werd gevolgd door de klap waarmee Daniel het deksel van de kist dichtsloeg.

'Ik hoop dat het niet geleden heeft,' zei hij. 'In elk geval was iemand zo aardig hem hierin op te bergen.'

'Met al die wonden heeft hij vast en zeker geleden,' weersprak ze hem. 'Degene die hem in die kist gestopt heeft, is waarschijnlijk ook de moordenaar.'

Haar felle reactie verbaasde ook Meridia zelf. Daniel draaide zijn hoofd met een ruk om en keek haar bezorgd aan. Het was een bijzonder liefdevolle blik, maar op de een of andere manier vond Meridia hem moeilijker te verdragen dan Gabriels minachting.

'Gaat het wel?' vroeg hij en hij bracht zijn hand naar haar wang. 'Je bent lijkbleek.'

Maar voor ze antwoord kon geven, verdween het zand onder haar voeten. Ze viel achterover op haar rug en gilde het uit want opeens pikten er duizend vogels in haar baarmoeder.

'Wat is er?' schreeuwde Daniel. Hij viel op zijn knieën en trok haar op schoot.

Kronkelend van de pijn en verblind door tranen rolde ze bij hem vandaan. Toen ze probeerde overeind te krabbelen, werd ze met een ruk terug op het zand gegooid en begon ze te kokhalzen. Nadat ze weer bij zinnen was gekomen, zat ze op haar knieën en keek stomverbaasd om zich heen. Afgezien van de restanten van haar lunch strekte het strand zich wit en maagdelijk voor haar uit. De zee was een deinende en dansende gouden massa. Het duurde even voordat ze besefte dat de vogels niet meer in haar baarmoeder pikten.

'Wat is er?' vroeg Daniel nogmaals en hij hielp haar overeind. 'Waar heb je pijn?'

'Ik heb geen pijn meer,' zei ze terwijl ze gedachteloos zand over haar braaksel strooide. 'Ik denk dat de stank me te veel werd.'

'Ach ja, vrouwen en hun emoties,' zei hij duidelijk opgelucht. Hij pakte haar teder bij de schouders. 'Weet je zeker dat alles goed is?'

Meridia glimlachte en knikte, maar meer uit beleefdheid dan overtuiging. Bij het zien van Daniels opgewekte blik besloot ze hem niet te vertellen dat de angst haar nog steeds in zijn greep had. Ze was er zeker van dat de ree ongeluk voorspelde. Ze hadden de geesten kwaad gemaakt. De ziener had hen vervloekt omdat ze een spelletje met hem gespeeld hadden. Door de schok was ze ervan overtuigd dat de toekomst voor hen alleen tegenspoed en verderf in petto had.

'Waar denk je aan?' vroeg Daniel. 'Waar moet je op dit moment aan denken? Zeg het me.'

Meridia schrok op uit haar sombere gedachten, verbande die direct volledig uit haar hoofd.

'Nergens aan,' zei ze. 'Ik dacht helemaal nergens aan.'

Daniel zette plagend een lagere stem op: 'Jij houdt dingen graag voor jezelf, nietwaar? Mag iemand ooit weten wat er precies in je omgaat?'

Hij drukte haar tegen zich aan. Meridia voelde haar knieën slap worden onder zijn verzengende blik en tegelijk werd ze zich bewust van haar zure adem. Het feit dat ze gekotst had in zijn bijzijn, dat ze zonder enige waardigheid als een gewond of barend dier over de grond had gekronkeld, voelde als een complete vernedering. Snel sloeg ze een hand voor haar mond, maar ze realiseerde zich te laat dat hij helemaal onder het zand zat. Als versteend wachtte ze op het moment dat hij in lachen zou uitbarsten.

Maar toen hij zijn mond opende deed hij dat slechts om te zeggen dat er zand op haar lippen zat. Hij pakte haar hand en kwam nog dichterbij. Ze hield haar adem in zodat hij die niet ruiken kon, maar hij wachtte net zo lang tot ze uiteindelijk naar adem snakte. Onverwachts plukte hij de angst van haar lippen. Ze begon te trillen en besefte nog steeds niet wat er allemaal gebeurde. Het enige wat werkelijk leek was de smaak van zand en zweet, die hij als een levensadem van zijn mond overbracht op de hare.

Geen van beiden wist later nog hoe ze op het zand terecht waren gekomen of hoe lang ze elkaar hadden gekust voordat hun monden kurkdroog waren geworden. Toen ze eindelijk weer opstonden van het strand waren hun kleren verkreukeld en wierp de zon zijn laatste stralen. Op de plek waar ze hadden liggen stoeien waren onvoltooide cirkels en driehoeken te zien, het resultaat van de hartstochtelijke bewegingen van hun ledematen. De avondwind kwam opzetten en Meridia huiverde. Zeewater droop uit haar vaalgele rok.

'Dit is het werkelijke voorteken,' mompelde ze tegen zichzelf. 'Niet de ree, maar dit.'

Daniel naderde haar van achteren en sloeg zijn armen om haar heen. 'Sorry, zei je iets?'

Ze boog het hoofd achterover en wreef met haar wang langs zijn gladde kin. 'Ik zei dat we de ree eigenlijk nog moeten begraven.'

Ze draaiden tegelijkertijd het hoofd om naar de plek waar ze de kist hadden achtergelaten. Er was niets meer te zien. Ze haastten zich erheen maar vonden geen sporen of afdrukken in het zand. Verbijsterd zochten ze het strand af totdat Meridia's aandacht getrokken werd door een felle weerkaatsing op het water. De kist dreef midden op zee en koerste in de kalme, voldane schemering af op de zon. Ze keken er zwijgend naar. Een poosje later verdween de kist onder het rimpelende wateroppervlak.

HOOFDSTUK 7

Drie maanden na hun eerste ontmoeting doorkruiste een schitterende Meridia de stad terwijl ze door de honden achterna werd gelopen. Alle tien hadden in hun steeg of deuropening haar schittering opgevangen en liepen nu geluidloos in een rij achter haar aan. Meridia was gehuld in een mouwloze blauwe jurk met een hoge kraag waarop pioenen waren geborduurd. Ze merkte de honden noch haar eigen schittering op, en evenmin de sombere slagen van de stadsklok die elk kwartier haar voortgang mat. Ze liep met opgeheven kin en rechte rug aan een stuk door tot ze arriveerde bij Orchard Road 27. Zelfs daar merkte ze niet dat een grote Engelse dog van een van de buren langs haar vloog en de honden aanviel die haar gevolgd waren. Daniel kwam al van de veranda op haar toegelopen.

'Wees niet bang,' drukte hij haar op het hart. Ook hij was zich niet bewust van de vechtende honden. 'Als ze jou niet volmaakt vinden, dan is dat hun probleem.'

'Als ze dat wel vinden, dan wordt het pas écht een probleem,' antwoordde Meridia glimlachend.

Het was een weinig opvallend huis van hout en baksteen dat twee verdiepingen telde. Het stond – of beter gezegd: hurkte – op een vlak stuk grond en maakte in eerste instantie een haveloze indruk. Aan de dakranden schoot gras omhoog en op de nok huisde een vogelnest. De muren waren overwoekerd met korstmossen als kwaadaardige steenpuisten. Een wildgroei aan struiken met rode rozen bedekte het gazon aan de voorzijde. Ze namen zoveel ruimte in beslag dat er voor het kluitje goudsbloemen nauwelijks nog enige ruimte overbleef. Hoewel het geen enkele charme of schoonheid had, straalde het huis ontegenzeggelijk warmte uit. De grote ramen maakten een uitnodigende indruk, de gekooide vogels op de veranda zongen vrolijk hun lied en de twee schommelstoelen onder de kooien knikten naar elkaar alsof ze verwikkeld waren in een levendige discussie. Wie beter keek, zag dat de wildgroei aan rozen het resultaat was van het verzorgende werk van een paar liefdevolle handen en dat niets aan het toeval werd overgelaten.

Ze gingen door de voordeur naar binnen. Daniel leidde Meridia door een smalle gang waar een vaal tapijt lag. Tegen de ene wand stond een hoop schoenen, tegen de andere lagen stapels vergeelde tijdschriften. De saliekleurige muren waren donker en kaal afgezien van een scheefhangende foto van een paleistuin. Daniel stopte even om Meridia een kus te geven.

'Om je succes te wensen,' zei hij, 'mocht je dat nodig hebben.'

Meridia glimlachte en besefte dat hij nerveuzer was dan zij.

Op het moment dat ze de woonkamer betraden, klonk er een klap. Een klein meisje in een flesgroene jurk hield een hand tegen haar wang en begon te huilen. Voor haar stond een ouder meisje met zo'n woedende blik dat haar knappe gezichtje erdoor in vuur en vlam werd gezet.

'Zo is het genoeg geweest, Malin,' zei Daniel vanuit de deuropening. 'Je zit Permony al de hele dag te pesten.'

'Ze heeft mijn beeldje stukgemaakt,' riep het oudere meisje uit. 'Die ballerina met de roze strik! Die ik van mama voor mijn verjaardag heb gekregen.'

Daniel liep naar het huilende meisje om haar te troosten. 'Dat is nog geen reden om haar te slaan. Papa heeft dat nog zo gezegd. Ik weet zeker dat Permony het niet expres heeft gedaan. Nee toch, Permony? Zeg maar tegen je zus dat het je spijt en dat je de volgende keer voorzichtiger zult zijn.'

Het jongste meisje deed wat hij haar opgedragen had. 'Ik kan het lijmen,' bood ze aan. 'Dan wordt het weer zo goed als nieuw.'

Geërgerd rolde Malin met haar ogen. 'Maar ik weet dan toch nog steeds dat het stuk is?' En vervolgens tegen Daniel: 'Ze is pas gelukkig als ze iets van mij stuk kan maken. Een ezel kun je nog dingen leren, maar Permony niet. Ze is zo dik en onhandig dat ze later nooit zal trouwen!'

Dat laatste leek tot Meridia gericht te zijn, hoewel Malin nog niet één keer in haar richting had gekeken. Tot haar verbazing reageerde

Daniel niet, maar stelde de twee meisjes aan haar voor als zijn zusjes. De twaalfjarige Malin keek stuurs toen ze Meridia een hand gaf. De bedeesde tienjarige Permony wist door haar tranen heen een glimlach op te brengen.

'Mama is boven in haar kamer,' zei Daniel vriendelijk. 'Ga maar zitten en praat even met de meisjes. Dan ga ik haar halen.'

Zodra hij verdwenen was, vouwde Malin haar armen over elkaar en ging aan het uiteinde van de bank zitten. Onder haar boze blik raapte Permony de scherven porselein van de vloer en gooide ze in de prullenbak. Meridia zocht een tijdschrift uit en nam plaats op de leuning van een stoel die vaag naar karamel rook. Van daar keek ze nieuwsgierig naar de twee meisjes. Afgezien van hun lange haar dat neerhing in vlechten, die samengebonden waren met strikken van mousseline, leken ze nauwelijks op elkaar. Malin had een strakke mond met dunne lippen en een platte neus. Permony was gezet, had een breed gezicht en zachte, lavendelblauwe ogen die als bloemen steeds op de grond gericht waren. Malin leunde achterover tegen de bank alsof niets haar kon raken. Permony wierp steelse blikken op Meridia, die haar direct een knipoog gaf.

De zusjes gingen verder met spelen. Permony knielde neer tegenover Malin voor een salontafel met daarop een rij zorgvuldig uitgestalde beeldjes. Malin wees naar een schoorsteenveger waarop Permony het beeldje oppakte en met haar rok schoonwreef. Toen ze constateerde dat de handen van haar zusje trilden, zoog ze voldaan op haar kiezen. Nadat de schoorsteenveger opgewreven was, wees Malin op een herderinnetje en werd het ritueel herhaald. Meridia keek stomverbaasd toe en wist niet wat ze ervan moest denken. Voor ze het hun kon vragen, dreef een vriendelijke, zilveren stem de kamer binnen als een zomerbriesje.

'Ik hoop dat je niet al te zeer geschokt bent door het gedrag van mijn dochters.'

Meridia stond direct op. De vrouw met de zilveren stem schonk haar een warme glimlach.

'Ik ben Eva. Ik heb de pech gehad deze kinderen op de wereld te moeten zetten.'

Daniels moeder was geen bijzonder forse of lange vrouw, maar haar verschijning vulde de hele kamer. Met haar brede schouders, stevige boezem en forse heupen was ze zo'n toonbeeld van energie en veerkracht dat je je onmogelijk kon voorstellen dat ze ooit ziek was. Ze droeg een nauwsluitende, mouwloze jurk met opdruk en een strakke riem om de taille. Haar forse, sterke armen waren nog donkerder dan die van Daniel alsof ze er geen enkele moeite mee had ze aan de zon bloot te stellen. Haar amandelvormige ogen met hun levendige en oplettende opslag werden omlijst door hoge jukbeenderen en staalblauw haar dat glinsterde als de sterren.

Meridia was op slag zenuwachtig, wilde zich al stamelend voorstellen, maar Eva onderbrak haar met een handgebaar.

'Ik weet voldoende van je. Jij bent de sirene die het hart van mijn zoon gestolen heeft.'

Meridia werd niet de tijd gegund om te ontdekken of dit als kritiek bedoeld was, want Eva legde onmiddellijk haar hand op haar heup en leidde haar behoedzaam naar de bank.

'Ga alsjeblieft zitten. Kun jij verhuizen naar die stoel, Malin? Ik wil niet dat Meridia denkt dat je geen manieren hebt.'

Het meisje schonk haar moeder een boze blik, maar gehoorzaamde.

'Ik heb Daniel gevraagd of hij me tien minuten met jou wilde gunnen,' vervolgde Eva zwaar ademend. 'Vertel me nou eens eerlijk wat je van hem vindt.'

Meridia schraapte haar keel, maar Eva had alweer het woord genomen. 'Zoals je ziet is dit een bescheiden huishouden. De kleine juwelierszaak aan Lotus Blossom Lane is onze grote trots. De opa van Daniel is de winkel vele jaren geleden begonnen met slechts twee gouden ringen en vier zilveren armbanden. Hij heeft altijd alle mogelijke moeite gedaan om hem draaiende te houden. De winkel is twaalf keer bijna over de kop gegaan. Toen nam Daniels vader, mijn echtgenoot Elias, de zaak over en maakte er de succesvolle onderneming van die hij nu is. Het heeft ons vele opofferingen gekost maar we hebben het gered. Daniel is de rechterhand van mijn man. Als hij zich terugtrekt uit de zaak gaat alles over op onze zoon. Dat is een prettig vooruitzicht voor hem.'

Eva glimlachte trots en praatte ogenblikkelijk verder over de meisjes. 'Malin kan buitengewoon goed leren, is altijd de beste van de klas en erg geliefd bij haar vriendinnen. Permony is gezegend met een rijke verbeelding. Dat zie je al aan de bijzondere kleur van haar ogen. Het zijn prima meiden en ze zijn stapelgek op hun broer. Wanneer Daniel verkouden is, doet Malin alles voor hem en maakt Permony allerlei middeltjes klaar. Een keer heeft Daniel gedaan alsof hij zich na het eten van haar sesamzaadsoep alleen maar beroerder was gaan voelen. De arme meid heeft uren gehuild, verweet het zichzelf zelfs nadat Daniel haar ervan verzekerd had dat hij zo gezond als een vis was!'

Eva lachte oprecht en aanstekelijk. Haar ronde kin, waarbij alle tekenen erop wezen dat die snel een dubbele zou worden, schudde op verrukkelijke wijze mee. Meridia lachte ook hoewel het haar opviel dat de twee zusjes het plezier van hun moeder niet deelden. Permony kneep haar mond stijf dicht en ging verder met het schoonvegen van een stierenvechter. Malin deed haar best haar moeder zo vijandig mogelijk aan te kijken.

'Het spijt me dat mijn man vandaag de winkel niet in de steek kon laten om je te ontmoeten,' zei Eva. 'Ik zal hem zeggen dat je nog veel knapper bent dan Daniel ons al wilde doen geloven. Kijk jezelf nou eens, je ziet er echt schitterend uit.'

De totaal overdonderde Meridia werd vuurrood. Eva ging verder alsof ze haar verlegenheid niet had opgemerkt.

'Vertel me eens over het gezin waar je uit komt. Wat doet je moeder? Heb je een goede band met je vader? Daniel zei dat je enig kind bent. Hoe is het om alleen op te groeien?'

Meridia kreeg het helemaal benauwd van de snelheid waarmee deze vragen op haar werden afgevuurd. Hoewel ze een ondervraging door Eva verwacht had en haar antwoorden zorgvuldig had voorbereid, was ze ervan overtuigd dat hoezeer ze ook haar best zou doen om ze tegen te houden de geesten en nevels hun weg zouden vinden naar deze woonkamer. Hun verhalen zouden onder Eva's blik geen stand houden. Meridia huiverde bij de gedachte dat deze vrouw met een simpele vingerknip het fundament onder haar bestaan kon wegslaan.

'Mijn vader is wetenschapper.' Ze begon haar verhaal alsof ze een les opdreunde. 'Mijn moeder, Ravenna...'

Ze kon haar zin niet afmaken want op dat moment viel Eva's blik op de salontafel.

'Malin, waar is die roze ballerina die ik je gegeven heb voor je verjaardag? Ben je hem nu al zat? Je hebt me er letterlijk om gesmeekt!'

Zonder met de ogen te knipperen, wees Malin met haar kin in de richting van haar zus. 'Permony heeft hem kapotgemaakt. Vlak voordat u naar beneden kwam.'

Plots gebeurde er van alles tegelijk. Bijna onmerkbaar veranderde Eva's gezichtsuitdrukking volkomen. Op hetzelfde ogenblik werd het duister in de kamer, hoewel het licht helder bleef schijnen. Malin ging rechtop zitten en genoot zo intens van het moment dat haar huid dezelfde perzikkleur kreeg als haar jurk. Permony vertoonde allerlei onheilspellende symptomen. Ze verborg haar ogen achter de rode cape van de stierenvechter en trilde als een muis. Onder de doordringende blik van haar moeder begon ze zo hevig te beven dat het beeldje bijna uit haar handen viel.

'Voorzichtig, schat,' zei Eva op even vriendelijke toon als daarvoor. 'Je wilt er toch niet nóg een breken? Och, wat moet ik toch met jou beginnen.' Ze zuchtte en wendde zich weer tot Meridia. 'Je moet het Permony maar vergeven. Ze is net haar vader. Die maakt in zijn directe omgeving ook alles stuk. Ik wilde dat ze wat meer op haar zus leek, gevoelig en een echte dame. Permony is denk ik het enige meisje in de wereld dat niet langer dan vijf minuten stil kan zitten.'

Meridia kon Malins grijns niet langer aanzien, glimlachte daarom op een samenzweerderige manier naar Permony en zei het allereerste wat in haar opkwam.

'Als klein kind was ik net zo. Mijn moeder zei altijd dat ik voordat ik mijn bord leeg had door alle kamers van het huis gelopen was.'

Het verbaasde haar hoe makkelijk ze deze leugen wist te bedenken. Ravenna had nooit iets dergelijks gezegd. Alleen al Malin zo te horen gnuiven was de moeite van het verzinnen waard geweest. Maar toen keek ze Eva weer aan en verdween de glimlach van haar gezicht. Er was geen twijfel mogelijk. De ernstige houding van Eva's hoofd maakte duidelijk dat ze een blunder had begaan.

'Moedig haar alsjeblieft niet aan. Ik zou al blij zijn als Permony maar half zo volmaakt wordt als jij. Een meisje van haar leeftijd behoort te weten hoe ze met zulke voorwerpen omgaat zonder ze stuk te laten vallen.' Eva schudde het hoofd alsof ze een akelige gedachte van zich af wilde werpen. 'Vertel me nu maar meer over jullie gezin. Welke wetenschap bestudeert je vader?'

Door de binnenkomst van Daniel werd Meridia verlost van de noodzaak tot meer verzinsels. Ze merkte dat de kamer met zijn komst weer licht en helder werd.

'Onderwerpt mijn moeder je aan een kruisverhoor?' plaagde hij en hij ging naast haar zitten. 'Ze heeft gezegd dat ze pas tevreden is als ze alles van je weet wat er te weten valt.'

'Dat heb ik helemaal niet gezegd!' protesteerde Eva. Meridia en ik waren heerlijk aan het praten. Heb je Patina om de thee gevraagd?'

Op dat moment strompelde een oude vrouw binnen die een houten dienblad in haar handen hield. Alles aan haar uiterlijk – haar misvormde hoefachtige voeten, het weinige witte haar en de levervlekken op haar armen – wees op verval, met uitzondering van haar ogen, die helder en jeugdig stonden. Hoe dichter ze bij Eva in de buurt kwam, hoe erger ze begon te trekken met haar been. Meridia was bang dat ze zou vallen.

'Dankjewel, Patina,' zei Eva. 'Zet het blad maar op de salontafel. We schenken zelf wel in.'

De oude vrouw deed wat haar opgedragen was. De glimlach die ze Meridia schonk bij haar vertrek was als de tandeloze grijns van een kind.

Eva schonk drie glazen vol kaneelthee en met een lange lepel roerde ze er suiker- en ijsklontjes doorheen. Ze pakte een schaaltje Turks fruit van het blad en bood het Meridia aan.

'Neem er alsjeblieft eentje. Ik vind deze het allerlekkerste.'

Meridia nam er een, en na aandringen van Eva een tweede. In de twintig minuten daarna trakteerde Eva haar op nog meer verhalen.

'Gooi niet alles meteen op tafel, mama,' protesteerde Daniel schertsend. 'Er moet voor Meridia nog wel iets te raden overblijven.'

Eva wierp kwaad tegen dat niemand die onder haar dak woonde iets te verbergen had. Meridia lachte. Ze ging zich meer op haar gemak voelen in deze omgeving. De drukke kamer met zijn dubbele erker, antieke meubelen en planken die niet vol stonden met boeken maar met in koperkleurige lijstjes gevatte gezinsfoto's, beviel haar. De tjilpende vogels op de veranda en de nu eensgezind spelende zusjes droegen nog verder bij aan de aangename sfeer. Terwijl Eva verder sprak en er voortdurend bij haar op aandrong iets te eten of te drinken, werd ze door een heerlijk warm gevoel overspoeld.

Toen ze later alleen met Daniel op de veranda stond, zei ze: 'Je moeder is een geweldige vrouw. Denk je dat ik haar goedkeuring krijg?'

Daniel pakte haar hand en drukte er een kus op. 'En of ze jou goedkeurt! Ze aanbidt je zowat! Maak je niet druk, de beslissing valt toch wel. Het wordt al donker. Zal ik je naar huis brengen?'

Meridia schudde het hoofd. 'Dat hoeft niet. Ik red me wel.'

'Weet je het zeker?'

Ze sloeg haar ogen op en knikte. Ze kusten elkaar en ondertussen onderdrukte Meridia de neiging hem te vertellen dat ze alleen naar huis wilde lopen omdat er een betovering op haar rustte. Het huis met zijn drukke kamers had haar in zijn ban gekregen, evenals de voortwoekerende rozen en het oprukkende mos op de muren. Maar vooral wilde ze alleen en in alle rust het beeld van Eva koesteren omdat ze in haar stevige, zelfverzekerde verschijning een toevluchtsoord zag, weg van de geesten en de mist. Meridia geloofde dat Eva met haar melodieuze lach, sterke armen en vaste blik in staat was een einde te maken aan de verwaarlozing, de eenzaamheid en de niet-aflatende vloek van steeds te worden vergeten.

Terwijl het huis die nacht in diepe rust was, werd Elias de juwelier uit zijn slaap gehouden door bijen. Chagrijnig vanwege al hun twijfels en ingebeelde vernederingen zoemden de insecten op enkele centimeters van zijn gezicht onvermoeibaar rond. Elias was een man met weinig fut die na een slapeloze nacht snel hoofdpijn had, maar hoewel de uren wegtikten, wist hij dat het geen zin had de bijen dood te slaan. Toen hij om twee uur zijn eerste gesnurk liet horen, vlogen de bijen nog dichter rond zijn hoofd en zoemden ze nog harder. Om vier uur, toen hij zich net zo chagrijnig voordeed als de bijen en zijn hoofd onder de dekens verstopte, gilden de insecten als idioten en staken ze hem waar ze konden. Het enige wat Elias nog doen kon, was woelen en hopen dat de hanen snel zouden kraaien en er een eind aan zijn lijden kwam. Wat hij en de bijen niet wisten, was dat zijn oudste dochter Malin in haar nachtjapon bij de deur stond en haar oor tegen het sleutelgat gedrukt hield.

Toen de ochtend niet alleen ontbijt maar ook een migraine bracht, verdwenen de bijen in het niets. Terwijl Elias zonder enige trek naar zijn uitsmijter ham keek, sprak zijn vrouw enkele woorden waarop hij slechts een afwezig knikje gaf.

'Ik ga vandaag bij de waarzegger langs,' zei Eva. 'Als hij denkt dat de tekenen goed zijn, zie ik geen redenen tegen de verbintenis te zijn...'

HOOFDSTUK 8

Toen Meridia zich vier dagen later in de eeuwige kou thuis aankleedde om naar school te gaan, sloeg de voordeur met een luide klap open. Iemand stampte zo hard door de vestibule dat het huis ervan trilde. Direct daarna donderde er iets zwaars van de stenen trap. Er klonken nieuwe kreten. Toen Meridia uit het raam keek, zag ze hoe een merkwaardig geklede man zich afklopte en zijn vuist naar Gabriel schudde. Hij droeg een roodzijden toga met wijde mouwen met over de borst een goudkleurige sjerp en had een taps toelopende zwarte hoed op het hoofd waardoor hij de indruk wekte een boodschapper uit het hiernamaals te zijn.

'Er is geen enkele reden zo op te treden, meneer!' schreeuwde de man boos. 'Ik kwam hier in alle oprechtheid, met de edelste aller bedoelingen...'

De door de ivoorkleurige mist omhulde Gabriel vouwde zijn armen over elkaar en lachte zijn wrede lach.

'Pas maar op met uw praatjes. De volgende keer zal ik niet meer zo aardig tegen u zijn.'

'Maar meneer, denkt u toch tenminste na over mijn voorstel!'

'Ik weet genoeg. Mijn dochter is niet op de leeftijd noch in de omstandigheden te trouwen. Verdwijn voordat ik iets doe wat mij groot genoegen zal bezorgen maar u zeer zal spijten!'

Gabriel ging naar binnen en sloeg de deur dicht. De koppelaar – want dat was hij onmiskenbaar – liep hem met zijn laatste greintje waardigheid achterna. De man had echter geen rekening gehouden met de ivoorkleurige mist, die hem bij de mouwen greep, als een marionet op en neer schudde, hem ontdeed van zijn hoed en over het gazon liet tuimelen. Voor de tweede keer die ochtend maakte de man zich los van de grond. Hij vervloekte de mist luidkeels, plantte de hoed weer op het hoofd en ging er snel vandoor.

Meridia wist meteen wat er moest zijn voorgevallen. De koppelaar had aangebeld toen ze in bad zat, want ze had de voordeur niet meer horen opengaan sinds de blauwe mist Gabriel een halfuur geleden afgeleverd had. Hun gesprek daarna had niet meer dan tien minuten geduurd, wat voor haar weinig goeds voorspelde. Afwisselend haar handen knijpend en wrijvend overbrugde Meridia de kleine afstand van het raam naar het bed. De lucht was grauw en grijs, zoals hij altijd leek wanneer men vanuit het huis naar buiten keek.

Binnen enkele seconden wist ze wat haar te doen stond. Eerst deed ze haar schoenen uit, daarna de sokken en vervolgens liet ze haar schooluniform op de grond vallen. Huiverend liep ze in haar ondergoed naar haar kledingkast en koos een zwarte jurk uit met een traanvormige uitsnede op de bovenrug. Ze trok hem aan met een bijna militaire nauwgezetheid, waarbij ze de jurk overal gladstreek, aan de mouwen plukte en in één vloeiende beweging de twee knoopjes op haar rug dichtdeed. Ze keek de geestverschijningen in haar spiegel zo ernstig aan dat ze zich zonder enig misbaar terugtrokken. Vervolgens haalde ze de speldjes uit haar haar en schudde het los. Ze bracht poeder en rouge aan op het gezicht, deed mascara en lippenstift op en bette wat parfum achter haar oren. Om het geheel te vervolmaken, speldde ze op haar borst een cameliabroche op, een kostbaarheid die Daniel voor haar in een tweedehandswinkel gekocht had. Toen ze haar spiegelbeeld bestudeerde, was ze tevreden met het resultaat, aangezien ze nu geen zestien maar zesentwintig leek. Ze had nog maar juist een paar lakleren pumps aangetrokken toen er driftig op de deur geklopt werd.

'Uw vader wil u graag even spreken, juffrouw,' zei een dienstmeisje gespannen. 'Als u mij dat toestaat, zou ik zeggen dat hij eruitziet alsof hij zojuist een kikker heeft doorgeslikt.'

'Zo ziet hij er altijd uit,' antwoordde Meridia. Zonder verder iets te zeggen, spoedde ze zich langs het dienstmeisje en vloog in tien stappen de trap af, waarbij ze Ravenna's lessen voor zich uit prevelde. Ze liep zonder te kloppen de studeerkamer binnen en stapte gedecideerd voorbij de volle boekenplanken totdat ze voor het enorme bureau aan het raam stond. De lucht in de kamer was als modder, maar overtuigd van haar zaak duwde ze die voor zich uit. Pas toen ze aan het bureau naar het achterhoofd van Gabriel staarde, voelde ze de hamerslagen van haar hart.

'Ik wil met hem trouwen, papa.'

Gabriel, die door het raam naar buiten had getuurd, draaide zich snel om in zijn stoel. De vloer had het geluid van haar voetstappen niet verraden.

'Je bent nog maar een kind. Je verkeert niet in de omstandigheden te weten, laat staan mij te vertellen wat je wilt.'

Zijn ogen waren samengeknepen van woede. Voor het eerst in haar leven ging ze rechtstreeks de confrontatie met hem aan. De botsing deed de lucht trillen. Tijdens de zo belangrijke seconde erna ervaarde vooral Gabriel de gevolgen daarvan. Voor hem stond geen klein meisje dat hij op zijn welbekende manier kon vernederen, maar een jonge vrouw die gedreven werd door hartstocht. Haar schoonheid waarvoor hij tot dan toe geen oog had gehad of die hij niet op waarde had geschat, verblindde zijn zicht met de schittering van de liefde. Dat ergerde Gabriel en hij gaf lucht aan zijn verachting.

'Denk je dat je mij om de tuin kunt leiden met die goedkope jurk en ordinaire lippenstift? Denk je dat ik niet zie dat je hart van angst in je keel bonkt en dat je je best moet doen je knieën niet te laten knikken? Je was al nooit de slimste. Dat je me nu probeert te misleiden toont alleen maar aan hoe dom je echt bent. Ga terug naar je kamer en veeg die troep van je gezicht! Ik laat het je wel weten wanneer ik je rijp acht voor het huwelijk.'

Meridia trilde zichtbaar, maar hervond zichzelf. 'Ik ben geen kind meer, papa. Als ik met hem wil trouwen, kun je me niet tegenhouden.'

Gabriel barstte in lachen uit. 'En of ik dat kan. En als je mij daartoe dwingt, zal ik het doen ook.'

'Wat heb je tegen Daniel?'

'Om te beginnen is zijn vader een middelmatig koopman en heeft zijn moeder de naam een verschrikkelijk mens te zijn. Je hebt niets met hen gemeen.'

'Ik trouw niet met zijn ouders. Bovendien heb ik zijn moeder ontmoet. Het is een schat van een vrouw.'

'Dan ben je nog dwazer dan ik al dacht. Die jonge vent van jou, deze zogenaamde Daniel,' zei Gabriel terwijl hij vol afschuw zijn neus optrok, 'heeft geen opleiding en geen eigen geld. Denk je echt een gezin te kunnen stichten met iemand die afhankelijk is van de gunst van zijn vader?'

'We redden ons wel, papa. We redden ons wel.'

Gabriel lachte haar uit. 'Natuurlijk lukt dat wel. Dankzij mij.'

Meridia deed een paar stappen vooruit en plantte haar handpalmen op het bureau. 'Ik zweer je dat ik je nooit een cent zal vragen, zelfs niet als ik sterf van de honger. We zijn verliefd op elkaar, papa. Je hebt niet het recht tussen ons in te gaan staan.'

Dit leek Gabriel plezier te doen. Als een wetenschapper die voor even een onmogelijke theorie wenst te overdenken, leunde hij achterover in zijn stoel en vouwde de handen in de nek.

'Ach schatje... Wat weet je er nou helemaal van? Als ik zo naar je luister, moet ik tot de conclusie komen dat je nauwelijks tot denken in staat bent. Maar laat dat je er alsjeblieft niet van weerhouden te zeggen wat je op het hart hebt. Vertel eens wat je precies van de liefde afweet?'

Meridia trilde van woede, maar zijn spottende glimlach ontnam haar alle lust iets te zeggen. Gabriel kalmeerde enigszins, haalde de handen uit de nek en keek haar wat milder aan.

'Ik zal je zeggen wat jij gaat doen. Je maakt je school af, gaat naar de universiteit, breekt het hart van een stuk of tien jonge kerels en wordt een echte vrouw. Je moet begrijpen dat ik echt niet ouderwets ben. Van mij mag je net zoveel vrijers nemen als je wilt. Ik moedig dat zelfs aan. Het grootste leed is toch al geschied, aangezien het duidelijk is dat je je maagdelijkheid kwijt bent. Maar verveel me in hemelsnaam niet met praatjes over de liefde zolang je nog geen enkel idee hebt wat dat inhoudt.'

Meridia werd rood en kon zich niet langer inhouden. 'Wat de liefde ook mag voorstellen, jij zult me dat nooit leren.'

Gabriel sprong niet overeind om haar een klap te geven. Integendeel, hij bleef haar geamuseerd aankijken, nagenoeg zonder met de ogen te knipperen of een spier te vertrekken. Nu wist Meridia zeker dat hij van ijs was.

'Je hebt gelijk,' zei hij rustig. 'Ik heb geen flauw benul van de liefde en begrijp ook niet waarom mensen zich daar zo druk over maken. Vraag je moeder ernaar en ze zal je precies hetzelfde antwoorden. Wij tweeën zijn niet in staat van iemand of elkaar te houden, en zeer zeker niet van jou. Waarom zou het, gezien deze onzalige voorgeschiedenis, jou met deze jonge kerel beter vergaan?'

Dit was het wreedste wat hij ooit tegen haar gezegd had. Zijn glimlach stak als een mes nog dieper in de wond. Haar hart begaf het bijna onder zijn ijzige blik maar een deel van haar wilde niet van opgeven weten: 'Je hebt niet het recht mij het geluk te ontzeggen zoals je dat bij mama hebt gedaan. Ik laat mij niet op dezelfde manier door jou beschadigen!'

Gabriel dacht hier even over na en boog het gracieuze hoofd iets naar links. 'Je kunt veel over je moeder zeggen maar niet dat ze beschadigd is. Als jij denkt dat ik wreed en gevoelloos ben, dan heb je nog geen idee van je moeder. We weten allebei dat ze altijd alleen maar bezig is geweest met het beramen van mijn dood.'

Meridia stond op het punt te zeggen dat als hij geen minnares had genomen Ravenna geen reden had gehad om hem te haten, maar hield zich op tijd in omdat ze begreep dat dit haar zaak geen goed zou doen. In plaats daarvan vroeg ze Gabriel gewoon: 'Waarom haat je me, papa?'

Deze vraag had ze haar hele leven al willen stellen. Het antwoord bestond uit een ondubbelzinnig zwijgen. Ze richtte een smekende blik op hem en zag toen dat zijn linkerschouder vergroeid was. Om de symmetrie te herstellen bracht hij onwillekeurig zijn hand naar de schouder, maar dat hielp niet. Zijn minachting leek hem plots in de steek te laten en er restte alleen nog een vermoeide aanblik die zijn ijzigheid verjoeg. Terwijl Meridia staarde naar een eenzaam kloppende ader op zijn voorhoofd, werd het haar opeens allemaal duidelijk.

'Zij heeft je dat aangedaan, nietwaar? Die verblindende lichtflits en het vallen van iets. Mama heeft die vergroeiing van je schouder op haar geweten!'

Gabriel kwam met zijn volle lengte overeind en direct wist Meridia dat ze hem opnieuw kwijt was. Op majestueuze wijze werd zijn gezicht weer gesloten, verdwenen de lijnen en de trillende ader en met één onschuldige knippering van de ogen werd zijn blik even onverbiddelijk als de nacht.

'Je hebt mijn tijd nu voldoende verspild,' zei hij. 'Zolang jij nog deel uitmaakt van dit gezin verbied ik je met deze jongen te trouwen.'

'Vertel me over die nacht, papa!' hield Meridia aan. 'Wat is er toen in die kamer gebeurd tussen jou en mama? Vertel het me, papa!'

Het geluid van haar stem trilde nog na toen Gabriel haar al naar een eenzaam hoekje van zijn geheugen had verbannen. Meridia kon haar blik niet meer scherpstellen, voelde niet langer dat ze ademhaalde en hoorde haar stem niet meer klinken. Toen ze ten slotte haar vochtige handpalmen van het bureau optilde, lieten ze geen sporen achter op het hout.

Doordringen tot Ravenna's keuken was minstens zo moeilijk als het betreden van Gabriels studeerkamer. Vanuit de deuropening inspecteerde Meridia het ijzeren knotje op het achterhoofd van haar moeder. Ze hoopte dat ze toegeeflijker zou zijn dan haar rug deed vermoeden. Meridia hoefde maar één blik in de ruimte te werpen om te weten waarmee Ravenna bezig was: een mes onthoofde furieus de bloemkool, een theepot slaakte doodskreten, sjalotten brandden in een roodgloeiende pan, een bot staarde haar in eeuwige woede aan. In hooghartige eenzaamheid regeerde Ravenna met haar duistere geheimtaal over dit rijk. Ze behekste de sjalotten, hypnotiseerde de bloemkool en bezwoer het bot dat ze haar verbittering niet door de tand des tijds zou laten aanvreten.

'Hoe durft hij het huis zo op stelten te zetten nog voor het ontbijt gezakt is! Als hij met al die heibel de doden wilde verschrikken, had hij me moeten zeggen mijn oren dicht te stoppen! Wat zullen de buren wel denken? Ze lachen hem toch al uit omdat hij elke avond naar een vrouw toe sluipt bij wie een wrattenzwijn in vergelijking nog een schoonheid is! Nu er iemand om de hand van zijn dochter vraagt, maakt hij zichzelf helemaal belachelijk! Wie durft haar na zoiets nog te vragen? Ik heb hem een slimme en mooie dochter geschonken toen iedereen dacht dat hij zo onvruchtbaar was als de woestijn, maar heeft hij me ooit bedankt voor al mijn moeite? Nee hoor, hij zei dat hij een zoon had gewild. Nou, dat had hij me dan moeten zeggen voordat mijn baarmoeder opzwol, zodat ik het met God op een akkoordje had kunnen gooien! En voordat ik het wist, voordat het kind haar eerste boertje gelaten had, ging hij ervandoor om aan de borsten van die gorilla te zuigen, om haar te bestijgen en te berijden als was ze de laatste bultrug in de oceaan...'

'Mama!' Meridia betrad de keuken.

'Wie alleen maar denkt aan het penetreren van zo'n zoogdier verdient het gehangen te worden op straat zodat de kraaien zich te goed kunnen doen...'

'Mama!' Meridia draaide het gas dicht zodat de theepot ophield met gillen en bedekte het bot zodat hij niet meer naar haar zou turen.

'Denkt hij dat ze hem een zoon zal schenken? Kan zo'n oud en opgedroogd mens hem iets anders schenken dan haar eigen stront?'

'Mama!' Meridia liep om de op de grond verspreid staande kistjes groenten heen en gooide de sissende sjalotjes op een bord. Ondertussen probeerde ze te voorkomen dat ze de stank inademde van Ravenna's eenzaamheid, die voor haar gelijkstond aan de drang te vergeten.

'Hij schaamt zich er niet voor zich als een geile bok te blijven gedragen nu zijn dochter de leeftijd heeft bereikt om te trouwen...'

Meridia legde een hand onder op die kaarsrechte rug. Ze was maar net op tijd, want het furieuze hakken met het mes was steeds dreigender gaan klinken.

'Mama!'

Verbaasd draaide Ravenna zich om. Ze hield het mes tegen haar heup en keek Meridia aan alsof ze haar totaal niet leek te zien. Haar ogen hadden een gespannen blik en werden omkranst door donkere kringen en haar frons versterkte het dreigende netwerk van rimpels, die ze nooit te lijf ging met de zalfjes die andere moeders met potten tegelijk insloegen. Ondanks de sterke geur van de sjalotten overheerste haar parfum van citroenverbena. Het duurde een volle minuut voordat haar frons verzachtte en ze, blijk gaf van herkenning.

'Probeert iedereen in dit huis mijn trommelvliezen te laten springen?' klaagde ze, waarbij de ijzel in haar stem overging in motregen. Het volgende moment was ze de weg echter weer kwijt en keek ze Meridia aan alsof ze haar voor het eerst in haar leven zag: 'Kind, wat zie jij er verschrikkelijk uit! Ben je verdrietig?'

Meridia wilde iets zeggen, maar zweeg omdat ze plots door pijnlijke gevoelens werd overstelpt. Ze kon zich niet herinneren wanneer ze voor het laatst zo dicht bij Ravenna had gestaan, haar geur had ingeademd en haar gezicht had bestudeerd als was het een kaart van een andere wereld. Er viel zoveel te zeggen, er waren zoveel vragen te stellen, maar ze had het gevoel dat ze zich in hetzelfde vacuüm bevond als dat waarin de ivoorkleurige mist haar gevangen had gehouden. Het liet zich niet tegenhouden. Binnen een paar tellen zou Ravenna vervagen en zich terugtrekken achter haar sluier van vergeten zonder dat er een spoor achterbleef dat Meridia kon volgen.

Maar de sluier ging niet neer. Voor één keer in haar leven had haar moeder aandacht voor haar.

'Wat is er?' Een verontruste Ravenna legde snel het mes neer. 'Wat zit je dwars?'

Meridia wist zich niet meer te beheersen en begon te trillen. De woorden die ze wist te onttrekken aan de diepte van het vacuüm klonken zwak en hol.

'Mama, waarom haat papa mij?'

Ravenna toonde zich allerminst verbaasd over deze vraag en antwoordde ogenblikkelijk: 'Ben je gek geworden? Je weet heel goed dat je vader je niet haat. Hij haat mij.'

Ze sprak niet op een afwijzende toon. Haar oogopslag was zelfs teder en geduldig. Meridia begroette de afstand tussen hen echter met een nog hevigere rilling dan de vorige.

'Ik ben geen kind meer, mama. Toen ik klein was, zei je altijd dat sommige dingen beter een droom konden blijven, maar ik ben nu oud genoeg om de waarheid te vernemen. Wat is er gebeurd tussen jullie tweeën? Waarom hou je niet meer van hem?'

'Omdat hij niet meer van mij hield,' antwoordde Ravenna meteen. Ze sperde haar ogen wijd open en bracht een hand naar Meridia's slaap. 'Voel je je wel goed, kind? Je bent volgens mij nogal opgewonden. Wat is er met je aan de hand? Waarom begin je hier toch over?'

Meridia kalmeerde en zag in dat de sluier ongemerkt toch was neergegaan. Ravenna zou haar geheimen meenemen in het graf. Daarna gebeurde alles razendsnel. De lieflijke geur van de citroenverbena, samen met Ravenna's spookachtige aangezicht, haar papierdunne schouders en haar zo strak tot een knotje samengebonden haar, werden Meridia te veel. Tegen haar rotsvaste voornemen in, biggelden er tranen over haar wangen.

'Ik moet weten waarom... jij... en papa... Waarom mama, waarom?'

'Kind, je huilt! Heb je dan niets van me geleerd? Schouders achteruit. Kin in de lucht. Rug recht.' Met toegeknepen ogen bestudeerde Ravenna het gelaat van haar dochter toen ze als bij bliksemslag begreep wat er aan de hand was.

'Heilige moeder in de hemel, je bent verliefd!'

Van haar stuk gebracht door haar moeders wanordelijke manier van denken stak Meridia haar blind haar hand toe. Ravenna nam hem met-een in de hare.

'Je houdt dus van hem? Van deze jongeman voor wie de koppelaar om je hand kwam vragen?'

Meridia knikte.

'Houdt hij ook van jou?'

Ze knikte waardoor er tranen van haar kin drupten.

Plotseling richtte Ravenna haar blik op het plafond. Haar lange, bleke keel trok samen toen ze slikte. De blik die ze daarna op Meridia richtte, was niet de oogopslag van een verstrooid en vergeetachtig mens, maar van een vrouw met genoeg kracht in zich om een mannenschou-der krom te laten groeien.

'Stop ogenblikkelijk met huilen,' beval ze. 'Als je per se wilt trou-wen, dan gebeurt dat ook.'

Ravenna keerde zich om naar het hakblok en richtte haar onberis-pelijke knotje weer naar Meridia. Voordat het mes opnieuw aan het onthoofden sloeg, wierp ze Meridia over haar schouder nog één les toe.

'Maar wat je ook doet, bega niet dezelfde fouten als ik.'

Verbijsterd als ze was door alles wat zich had afgespeeld kon Meridia niets anders doen dan toekijken hoe de keuken weer overspoeld werd door Ravenna's duistere geheimtaal. Te midden van haar ontzetting re-aliseerde ze zich ineens dat Ravenna niet eens gevraagd had naar de naam van de jongen met wie ze wilde trouwen.

Die avond, zodra de gele mist Gabriel had weggevoerd, daalde Raven-na gekleed in haar eenvoudige zwarte jurk af naar de keuken om daar de komende twaalf uur te blijven. De hele avond en nacht gromde het fornuis, mompelde de oven, kletterden de schalen, rinkelden de mes-sen en klepperden de koekenpannen. Om middernacht verschenen in de keuken de twee door het lawaai wakker geschrokken dienstmeisjes, ieder met een kachelpook in de hand. Ravenna joeg ze weg en vermaande hun streng haar niet lastig te vallen. Banger voor hun meesteres dan voor dieven spoedden ze zich terug naar hun bed en trokken de dekens over het hoofd. Door de scherpe temperatuurdaling in huis waren ze ervan doordrongen dat er een gedenkwaardige gebeurtenis ophanden was. Uit angst er iets van te missen sliepen ze in het geheel niet. Boven in haar kamer hoorde Meridia niets hoewel ook zij van de spanning geen oog dichtdeed.

's Morgens, nadat de blauwe mist Gabriel in zijn lange jas en met zijn hoge hoed bij de deur afgeleverd had, wachtte Ravenna hem op in de eetkamer. In zestien jaar tijd had hij nog nooit een door haar bereid ontbijt overgeslagen. Hun stille afspraak was dat ze man en vrouw zouden blijven zolang zij nog het ontbijt voor hem klaarmaakte en opdiende zonder hulp van de dienstmeisjes, en hij alles at wat ze hem voorschotelde zonder dat hij iets in zijn servet liet verdwijnen (ondanks dat haar gerechten gif, gemalen glas, urine of van alles konden bevatten wat Ravenna in haar wrok en Gabriel in zijn achterdocht wist te bedenken). Tijdens het in praktijk brengen van de afspraak, spraken ze noch keken ze elkaar aan. In die zestien jaar hadden ze deze gewoonte nooit aangepast of ter discussie gesteld. Ze waren zo gewend aan de routine ervan dat ze niet meer wisten wie het op een dergelijke ochtend voor het zeggen had.

Gabriel ging zitten en drapeerde met een gedistingeerde beweging het servet in zijn schoot. Ravenna bracht de eerste schotel uit de keuken: gegrilde zandvis met nootmuskaat. Gabriel trok vragend het voorhoofd op omdat het niet zijn normale omelet met ham en paprika was, maar haar toegeknepen mond legde hem het zwijgen op. Hij had nog maar net de vork naar zijn mond gebracht toen Ravenna het bord wegtrok en het met eten en al in de grote vuilnisbak gooide die ze speciaal daarvoor had neergezet.

'Een jaar van leugens en misleiding,' zei ze rustig zonder hem aan te kijken.

Voordat Gabriel kon protesteren, was Ravenna teruggekeerd naar de keuken. Even later verscheen ze met een dampende kom linzeninktvissoep. Toen Gabriel op het punt stond zijn lepel onder de romige oppervlakte van de soep te dompelen, trok Ravenna de kom weg en smeet hem in de vuilnisbak.

'Twee jaar van complete verwaarlozing.'

Gabriel bleef roerloos zitten. Hij wist niet wat hem meer dwarszat: het feit dat zijn vrouw tegen hem sprak of dat ze zomaar verrukkelijke gerechten en duur porselein wegsmeet. Achtereenvolgens verdwenen ook een kabeljauw in citroen-pepersaus, kalfsvlees gegarneerd met perziken en palmsuiker, en stukjes kip gesmoord in kokosmelk in het massagraf van de vuilnisbak. Toen Ravenna de negende schotel wilde opdienen, leunde Gabriel achterover tegen de stoel. Voor het eerst in jaren keek hij zijn vrouw direct aan.

'Dient dit alles nog enig doel?'

'Negen nutteloze jaren van ellende en verwoesting,' kaatste Ravenna terug waarbij elk woord door de lucht sneed. Ook de geroosterde lamsbout verdween bij het afval. Vervolgens zette ze, sereen als een duif, opnieuw koers naar de keuken.

Gabriel wachtte tot het volgende gerecht hetzelfde lot had ondergaan voordat hij bulderde: 'Ik vraag het je nogmaals: heeft deze kolder een reden?'

'Tien teleurstellende jaren van bedrog en verraad,' reageerde Ravenna ijzig. 'Heb je nog meer redenen nodig?'

Gabriel sloeg met zijn vuist op tafel waardoor het zilverwerk sidderend opsprong. 'Wat wil je, mens?'

Ravenna kromp niet ineen maar schonk hem een blik waarmee ze spijkers in zijn ogen nagelde. 'Ze wil haar vrijheid, en die geef jij haar, al is dat het laatste wat je ooit doet.' En zonder verdere omhaal schreed ze snel terug naar de keuken.

Nadat ze was teruggekeerd sloeg Gabriel weer op tafel: 'Ik laat haar niet trouwen met een jongen die nergens voor deugt. Zijn hele familie is gewoontjes en middelmatig.'

Ravenna zette een terrine kokendhete kreeftenbouillon met zo'n klap op tafel dat Gabriel achteruitdeinsde uit angst dat hij het over zich heen kreeg. Met ogen die vuur schoten zei ze: 'Elf jaar van pijn en ontgoocheling. Elf jaar van schaamte, wanhoop en pure vernedering. Ze is een volwassen vrouw die weet wat ze wil, ze is in staat een kind te dragen en heeft genoeg verantwoordelijkheidsgevoel om die vrijheid aan te kunnen. Denk je dat je het recht hebt te beslissen wat goed voor haar is?'

'Dat heb ik zeer zeker!' schreeuwde Gabriel, maar Ravenna negeerde hem. Ze schonk de bouillon over de inhoud van de vuilnisbak en liep statig terug naar de keuken.

Tijdens de volgende zes gangen kookte Gabriel van woede terwijl Ravenna onverschillig bleef. Toen ze hem het achttiende gerecht voorzette, zijn gebruikelijke omelet met paprika en ham, begreep hij onmiddellijk dat dit het laatste was. Achttien gerechten, één voor elk jaar dat ze getrouwd waren.

'Achttien jaar van verdriet en spijt,' zei Ravenna. 'Dat en nog veel meer heb je op je geweten.'

'Ik geef haar niet in handen van die lui!'

Ravenna zwaaide op een vernietigende manier met haar vinger alsof ze nooit anders deed. 'Ze kan niet slechter terechtkomen dan ik. Niemand kan tot zo'n afschuwelijk lot veroordeeld worden als waar jij mij toe veroordeeld hebt.'

Gabriel deinsde achteruit alsof ze hem een gapende wond had toegebracht. In de verwachting dat zijn omelet elk moment voor zijn neus weggetrokken werd, begon hij er werktuigelijk van te eten, maar Ravenna deed niets.

'Ik ben het er niet mee eens,' zei hij uiteindelijk. 'Verwacht niet dat ik haar geld geef of mijn zegen.'

Ravenna leunde voorover en zei hem op de ijzigst mogelijke toon: 'Met wat je mij schuldig bent, koop ik haar vrijheid. Als ik daarbij alle schade optel die jij veroorzaakt hebt, heb ik meer dan genoeg om haar vertrek uit dit gekkenhuis te kunnen betalen.'

Op het moment dat hun ogen elkaar ontmoetten en in Gabriels maag een gevederd voorwerp zijn grote vleugels uitsloeg, voelde hij zich verraden door zijn onvoorspelbare herinneringen. Zestien jaar lang had hij zichzelf niet toegestaan zijn vrouw te zien als meer dan een wraakzuchtig wezen, maar op dit onvergeeflijk nostalgische moment nam ze weer de gedaante aan van de vrouw van wie hij gehouden had voordat de ijzige wind was opgestoken en het huis had bevroren. Hoewel Ravenna nu ouder en magerder was, waren dat dezelfde lippen die hij gekust had en dezelfde armen en benen die hem zo intiem omstrengeld hadden dat hij elke ader en sproet kende. Langzaam en bedroefd, als een man die wil genieten van elke seconde die hem rest tot zijn naderende dood, bracht Gabriel de vork naar zijn mond. Zo kwam de verloving van Meridia met Daniel tot stand.

HOOFDSTUK 9

Ze trouwden met elkaar in de zomer der bruiden, twee weken nadat Meridia de middelbare school had voltooid. Op de middag van het bruiloftsdiner, toen de zon op zijn heetst was, landde er een enorme adelaar op het dak van Orchard Road 27 en deze verwoestte het al jaren verlaten nest dat daar rustte. Eva merkte deze verstoring als eerste op, stond op van haar stoel in de tuin, greep de sleep van haar champagnekleurige jurk en riep haastig de obers bij elkaar. De vogel, dofgrijs met sprankelende, groene vlekken, keek van zijn verheven positie neer op het gezelschap en weigerde weer op te vliegen, ook nadat de obers naar hem begonnen te schreeuwen en met bezems gingen zwaaien. Het was Eva, de voortdurend glimlachende gastvrouw, die op het idee kwam een bont stuk papier op een ballon te plakken en die voor de ogen van de vogel los te laten. De truc werkte. De adelaar vloog op, viel met zijn snavel uit naar de ballon en verloor zijn belangstelling voor het dak. De gasten applaudisseerden. Eva boog. Er werd speenvarken en gegrilde schapenbout opgediend.

Op bevel van Eva had de buitenkant van het huis een ingrijpende gedaanteverwisseling ondergaan. De muren waren parelwit geverfd, de stenen ontdaan van alle mos en de wildgroei aan rozen in de voortuin was ingeperkt tot een lieflijke wanorde. Verspreid over de achtertuin stonden goudkleurige en smaragdgroene luifels, die de tafels vol eten en cadeaus beschermden. Eén overkapping was louter en alleen bestemd voor de indrukwekkende bruidstaart van slagroom waarvan het bereiden Ravenna drie dagen had gekost. In het midden van de tuin zaten honderd gasten aan met wit linnen bedekte tafels, die versierd waren met kaarsen en rozen, terwijl boven hun hoofden een wirwar aan lampen en ballonnen in de bries zachtjes heen en weer deinde. Op het podium speelde een blaaskwartet walsen waarbij de muziek herhaaldelijk onderbroken werd door de dirigent met een oproep aan iedereen om te gaan dansen.

Meridia onderging alle festiviteiten in de overtuiging dat ze elk moment wakker zou schrikken. De diamanten ring aan haar vinger leek niet echt, en haar prachtige bruidsjurk, gemaakt van vierentwintig meter satin duchesse en tweeëndertig meter chantillykant, leek een andere bruid toe te behoren. Talloze malen was haar opgedragen te poseren voor de fotograaf, had ze gasten gekust op hun verzoek en handen geschud van personen van wie ze de namen vergeten was zodra ze waren uitgesproken. Te midden van al deze verwarring beklijfde slechts een handvol indrukken. Malin, een van de bruidsmeisjes, had nog geen glimlach laten zien. De jurk van Permony, het bloemenmeisje, zat onder de klodders saus. De juwelier Elias wist de hoogwaardigheidsbekleders van de stad te boeien met zijn kennis van edelstenen en edelmetalen. De met diamanten overdekte en onberispelijk opgemaakte Eva ging steeds opnieuw de tafels langs, waarbij haar lange, zwartgemaakte wimpers trilden van het lachen en ze zich ervan vergewiste dat elk bord tot de rand gevuld was.

Gabriel en Ravenna zaten naast elkaar, maar door een of andere geheimzinnige truc of een illusie werden ze geen enkele keer samen gezien. Als de een plaatsnam, verdween de ander. En ondanks alle door de fotograaf uitgeoefende aandrang lukte het hem niet de twee in één beeld te vangen. In tegenstelling tot Elias met zijn joviale manier van doen en de gastvrije Eva hielden Ravenna en Gabriel afstand tot de gasten. Meridia's moeder liet alle festiviteiten stoïcijns over zich heen komen, at weinig en sprak nog minder hoewel ze vaak knikte tegen zichzelf. Gabriel sprak slechts met zijn vrienden en negeerde de pogingen van Elias hem voor te stellen aan anderen. Een aantal leraren van Meridia maakte eveneens deel uit van de aanwezigen. Zodra ze haar ouders gefeliciteerd hadden, vluchtten ze naar het bij de bruidegom behorende aangenamere gezelschap.

Maar wanneer ze naar Daniel keek, interesseerde Meridia dit alles totaal niet. Haar hart begon heviger te kloppen zodra ze haar blik op hem richtte, op zijn dikke, achterovergekamde haren, vrolijke gezicht en lange, elegant in strak pak gestoken lichaam. Op een teken van de dirigent nam hij haar hand en fluisterde haar iets in het oor wat ze niet verstond. Voordat ze het wist, was de menigte in gejoel uitgebarsten. Ze kwam moeizaam overeind. Op het podium had de blinde violist van Independence Plaza de plaats ingenomen van het blaaskwartet. Nadien zou ze zich niets meer herinneren van hun dans, alleen dat ze uitbundig had bewogen en rondgezwierd was. Op momenten dat ze geplaagd werd door de gedachte dat aan het einde van de dag het huis op Monarch Street niet langer haar thuis zou zijn, glimlachte ze en sloot ze Daniel des te steviger in haar armen.

Ondanks Gabriels bezwaren, had Ravenna ervoor gezorgd dat Meridia een gepaste bruidsschat had ontvangen. De lichtbruine hutkoffer die onder een van de luifels stond, was gevuld met geld, vier setjes sieraden, twee diamanten horloges, echt zilverwerk, antiek kant en duur linnen. De geschenken van de bruidegom aan de bruid waren even overdadig geweest. Eva lette er goed op dat iedere gast de kans kreeg zijn bewondering uit te spreken voor de honderd meter allerfijnste zijde, zes paar pareloorbellen, acht gouden armbanden, tien avondjurken en een prachtige saffieren broche. Onder een andere luifel was plaats gemaakt voor de geschenken van de gasten, waaronder zijden tafelkleden, kristallen glazen, emaillen theeservies, beenderkleurig porselein en lampen van handgegoten goud. Toezicht op dit alles werd gehouden door de koppelaar die eerder door Gabriel uit het huis was gegooid, maar zich nu sereen en waardig gedroeg alsof hij deze succesvolle verbintenis zonder enige inspanning voor elkaar had gebracht.

Nadat het pasgetrouwde stel samen een hap had moeten nemen van de bruidstaart, belaagden acht zeer forse matrones, geleid door Eva, Meridia en blinddoekten haar. Het gezelschap raakte door het dolle heen. Onder een regen van rijst en serpentines brachten de matrones hun slachtoffer naar de echtelijke slaapkamer, knepen en kietelden haar genadeloos voordat ze haar op het naar gardenia's geurende bed wierpen. Slap van het lachen gaf Meridia zich over aan de sterke handen die haar jurk losknoopten, het haar loshaalden en haar in een dikke ochtendjas duwden. Eva waarschuwde haar de blinddoek niet te verwijderen voordat Daniel gearriveerd was. Onder gelach en het roepen van de laatste wensen om vele gezonde zonen en dochters, vertrokken de matrones en lieten haar alleen.

Hun voetstappen waren nog maar net verklonken toen Meridia de blinddoek afrukte en weer naar buiten sloop. Het was inmiddels avond, maar de wind was nog warm van de hitte van die dag. Ineengedoken liep Meridia langs de luifels naar de voorkant van het huis en verborg zich achter de rozen. Het felle licht van de veranda werd weerkaatst door de bloemblaadjes maar reikte niet tot aan de stengels. Gabriel, die altijd als eerste een feest voor gezien hield, verscheen al binnen enkele minuten en was verwikkeld in een luide discussie met zijn vrienden. Zodra ze verdwenen waren, verscheen Ravenna. Halverwege het gazon draaide ze haar hoofd in de richting van Meridia alsof ze steeds al had geweten dat ze zich hier verborgen hield. Voordat Meridia haar aanwezigheid kenbaar kon maken, liep Ravenna snel naar de weg, haar vochtige ogen wegdraaiend van het licht, en haastte zich in tegengestelde richting van Gabriel.

'Dankjewel, mama,' zei Meridia, die zich opeens eenzamer voelde dan ooit. Terwijl ze terugsloop naar haar kamer, verkilde de wind en beet in haar van tranen vochtige wimpers.

Daniel sliep, maar Meridia lag wakker van een geruis. De gasten waren allang naar huis en de lampen in de tuin al uren geleden gedoofd. Daniel begroef zijn door hun vrijpartij nog bezwete gezicht in haar nek. Zijn tegen haar sleutelbeen uitgestoten adem wakkerde langzaam de begeerte in haar bloed weer aan. In het donker wandelde ze met haar vingers over zijn strakke, platte buik. Ze kneedde zijn borst en plaagde zijn door enkele losse haren omgeven linkertepel totdat hij begon te knorren. Terwijl ze zijn hand van haar heup haalde, proefde Meridia in haar mond weer de zoute smaak ervan. Toen hij zojuist in haar zat en haar aandrang had bemerkt, had hij net op tijd zijn handpalm naar haar mond gebracht om haar gil te onderdrukken. Pas toen, met zijn vinger in haar mond, had ook hij gegromd en huiverend zijn verlossing ondergaan.

Zonder hem wakker te maken, verliet Meridia het bed en deed haar ochtendjas aan. Het geluid zwol aan en kwam dichterbij alsof de bron zich bij de kamerdeur bevond. Zo stil mogelijk liep ze op haar tenen langs het bed en verliet de kamer. De gang was donker afgezien van het zwakke maanlicht dat door het dakraam sijpelde. Het ruisen was nu tot een mompelen geworden, tot het zwakke monotone gegons van vliegen of muggen. Meridia deed haar ochtendjas stevig dicht. Ze vermeed de stapels schoenen en tijdschriften aan weerszijden van de gang en liep langs de kamer van de zusjes naar de voet van de trap. Het gegons kwam van de eerste verdieping waar zich Eva's zitkamer en slaapkamer bevonden. Meridia pakte de trapleuning vast en luisterde. Er was geen twijfel mogelijk. Het geluid was dat van zoemende bijen, van honderden en nog eens honderden bijen die elkaar woest van razernij aan het treiteren waren. Plotseling, voordat ze een volgende stap omhoog had kunnen zetten, ging de slaapkamerdeur met een ruk open. Een groen licht viel over de trap. Snel keerde Meridia terug naar haar kamer.

Ze had twee uur geslapen toen op enkele centimeters afstand van haar hoofd hamerslagen klonken. Ze schrok snakkend naar adem wakker en ontdekte dat ze waren verstomd tot geklop op de deur. Daniel zat al rechtop en eiste van de indringer een verklaring voor deze verstoring van de rust.

'Je vader wil weten of je vandaag naar de winkel gaat.'

Het was Patina, de oude dienstmeid. Ze klonk schuldbewust en onzeker. Daniel keek op de klok en gromde.

'Zeg papa maar dat ik later kom.'

Hij nestelde zijn hoofd op Meridia's schouder en viel weer in slaap. De onregelmatige voetstappen stierven weg in de gang maar keerden spoedig terug met een volgende klop.

'Je vader zegt dat het te druk is en dat hij je vanochtend niet kan missen.'

Daniel gromde nog luider maar zei: 'Zeg hem dat ik eraan kom.' Hij wreef de slaap uit zijn ogen en verliet het bed. Meridia wilde hem haastig volgen maar hij hield haar tegen. 'Slaap nog maar door,' zei hij. 'Met het middageten ben ik terug.' Hij pakte een willekeurig wit overhemd en een grijze lange broek, gooide in de badkamer wat water in zijn gezicht, vloog struikelend naar de deur, keerde om voor een afscheidskus en was verdwenen.

Meridia, die niet verwacht had zo snel alweer van hem gescheiden te worden, ging terug naar bed. De lakens, die het nu zonder zijn lichaamswarmte moesten stellen, roken niet langer naar gardenia. Terwijl ze daar lag met de deken tot haar borsten opgetrokken, bestudeerde ze voor de eerste keer haar directe omgeving. Het was Daniels oude kamer, die met behulp van nieuw linnen, door het wassen van de gordijnen en het aanbrengen van een nieuwe laag roomwitte verf in een kamer voor het bruidspaar was veranderd. Naast het bed stonden een grauwwit afgelakt bureau en een stoel met kussens en een hoge leuning, en aan de muur hingen afbeeldingen van de zeven wereldwonderen. Eén deur kwam uit op de gang en een andere gaf toegang tot de achtertuin. Meridia veronderstelde dat Eva achter deze metamorfose zat en schopte de deken opzij juist op het moment dat de vrouw des huizes in eigen persoon zonder kloppen de kamer binnenstormde.

'Goedemorgen, stralende bruid! Slaap je nog terwijl je echtgenoot al weg is? Ik wilde dat die van mij toen zo begripvol was geweest. Maar hij stond erop dat ik hem ontbijt bracht, wat er ook gebeuren zou. Maar nu hup eruit! We hebben een belangrijke taak te verrichten.'

Eva verdween even snel als ze verschenen was en liet uit niets blijken dat ze haar schoondochter naakt gezien had.

Meridia stond snel op en verrichtte in de aangrenzende badkamer haar ochtendritueel. Tien minuten later verscheen ze in de rommelige gang om op zoek te gaan naar Eva. De benedenverdieping bestond naast de twee slaapkamers uit de woonkamer, de eetkamer, de keuken en de verblijven van de bedienden aan de achterkant. Meridia stond op het punt op de deur van de zusjes te kloppen om hun te vragen waar hun moeder was toen ze zich opeens gewaar werd dat er iemand achter haar stond.

'De meisjes zijn naar school, mevrouw.'

Ze draaide zich met een ruk om en zag een dienstmeisje dat nauwelijks ouder was dan zijzelf en gekleed ging in een smerig uniform. Dankzij haar oprechte glimlach en onschuldige gelaat mocht Meridia haar direct.

'Zou je me kunnen zeggen...'

'Mevrouw wacht boven.'

Meridia knikte en liep naar de trap. Het ruisen was verstomd. In het scherpe ochtendlicht zagen de krakende houten treden, hoewel afgesleten en onder de krassen, er weinig onheilspellend uit. Meridia had nog maar juist voet gezet op de overloop of Eva riep: 'Tweede deur links, liefje. Waar bleef je zo lang?'

Meridia passeerde de slaapkamer van Elias en Eva zonder een bij te zien. De tweede deur gaf toegang tot een kleine kamer vol niet bij elkaar passende stoelen en hangende geraniums. Eva zat op een paarse leunstoel naast de open haard en rookte een sigaret met behulp van een lang ivoorkleurig pijpje. Bij het zien van Meridia stootte ze een blauwe wolk rook uit en kwam enthousiast overeind.

'Je ziet er schitterender uit dan een edelsteen!' riep ze uit. 'Daniel moet de hele nacht bezig zijn geweest met polijsten totdat je de perfectie had bereikt. Het spijt me dat hij vanmorgen naar de winkel moest. Ik heb mijn man – die je nu papa moet noemen – gesmeekt hem te ontzien, maar het is er vandaag gewoon erg druk. Kom naar de tafel. Hier liggen je prachtige huwelijkscadeaus. Moet je eens zien!'

Meridia, die enigszins bloosde vanwege Eva's opmerkingen, kwam dichterbij. Op de tafel lagen een setje gouden sieraden, twee rollen kant, een paar pareloorbellen en een saffieren broche. De gouden sieraden en het kant herkende ze als een deel van de bruidsschat en de oorbellen en de broche waren geschenken van Daniel. Ze keek om zich heen of ze de andere voorwerpen zag: het dure linnen en het echte zilverwerk, de diamanten horloges en gouden armbanden, en niet te vergeten het geld waarmee de huwelijkskoffer tot de rand gevuld was geweest en de honderd meter allerfijnste zijde. Verbaasd dit alles niet aan te treffen, vroeg ze Eva om een verklaring.

'Dit is alles?'

De glimlach op Eva's gezicht maakte meteen plaats voor een verwarde blik.

'Maar liefje, ben je dan niet blij met je geschenken? Heeft Daniel je dan niet verteld dat het binnen onze familie gewoonte is dat de bruidegom kiest wat de bruid mag houden en dat de rest naar een goed doel gaat?' Eva nam een trek van haar pijpje en fronste bezorgd het voorhoofd. 'Daniel beslist hoe hij het geld van de bruidsschat wil investeren en heeft speciaal voor jou deze geschenken uitgezocht. Daar heb ik zelf de sieraden en het kant bij gedaan want ik dacht dat je het op prijs zou stellen iets van je familie in bezit te hebben. Wat een vervelend misverstand is dit nou toch! Zal ik Daniel anders zeggen dat je het niet eens bent met zijn keuze?'

Eva drukte de sigaret uit in een asbak. Haar zware boezem ging op en neer in haar bereidheid haar schoondochter te helpen. Meridia, die rood was van schaamte, nam zich haar onbesuisdheid kwalijk. Het laatste wat ze wilde was twijfelen aan Daniels oordeel.

'Natuurlijk ben ik blij met de geschenken. Dank u voor al uw vriendelijkheid, mevrouw...'

'Nee, nee. Je moet me mama noemen. Vanaf nu behoren we tot één gezin.'

Eva zette een brede glimlach op. Ze spelde de saffieren broche op Meridia's jurk en vertelde dat het een familiestuk van onschatbare waarde was dat ze zelf op haar trouwdag van Elias' moeder had gekregen.

'Ik vraag Gabilan de geschenken naar je kamer te brengen. Als je me dan nu zou willen volgen...'

Gearmd liepen ze de trap af waarbij Eva zei hoe gelukkig iedereen zich prees dat Meridia nu lid van het gezin was. Toen ze de eetkamer binnengingen, begon Meridia zich te verheugen op het ontbijt, aangezien ze sinds de vorige avond nog niets had gegeten. Maar in plaats van Meridia te verzoeken plaats te nemen aan tafel, ging Eva haar voor naar de keuken.

Daar was Patina hard aan het werk. Ze sleepte haar hoefachtige voeten van het fornuis naar het aanrecht, waar ze suiker en marsepein over een deegschotel strooide voordat ze hem in de oven schoof.

'Patina verlangt er bijzonder naar om jou Daniels favoriete gerechten te leren koken,' zei Eva, 'want volgens het spreekwoord gaat de liefde van de man door de maag.'

Meridia wist maar al te goed hoe onwaar dat was, maar zweeg. Haar aandacht werd gevangen door iets wat ze nog niet eerder opgemerkt had: hoe dichter Patina bij Eva in de buurt kwam, hoe meer ze strompelde.

'Je zult merken dat er geen betere lerares is dan Patina.' Eva liet Meridia's arm los en duwde een lok staalblauw haar achter haar oor. 'Als je me nodig hebt, ben ik in de tuin.'

Ze verdween om toezicht te houden op de werklui die de luifels aan het afbreken waren. Zodra ze de deur achter zich had dichtgedaan, bood Patina Meridia een kom groentesoep en een dikke snee brood aan.

'Je zult wel honger hebben,' zei Patina met haar tandeloze glimlach. Haar bruine ogen stonden zo zacht als die van een klein kind, maar iets in de peilloze diepten ervan leek door verdriet geruïneerd te zijn. Meridia bedankte haar en at staande. Toen ze klaar was, haalde Patina een schort van de zijkant van de kast en bond het om haar middel. Op dat moment werd het Meridia duidelijk wat haar positie was binnen het gezin.

HOOFDSTUK 10

Meridia wilde het beste maken van haar nieuwe leven. Na de kilte van Monarch Street was het huishouden aan Orchard Road warm en druk, praktisch in zijn gewoonten, efficiënt in zijn organisatie en vastomlijnd in zijn doelen. Hoewel Ravenna haar nooit koken, borduren, bollen planten of zilverwerk poetsen had geleerd, pikte ze deze vaardigheden dankzij Patina en Gabilan snel op. In de vroege ochtend en late middag werkten ze gedrieën in de keuken waar ze volgens Eva's aanwijzingen de lunch en het avondeten bereidden. Het midden van de dag was bestemd voor werk in de tuin, de middag voor schoonmaken en de avond voor naaiwerkzaamheden. Patina zei slechts het strikt noodzakelijke maar Meridia kon altijd rekenen op haar steun. De oude vrouw leerde haar dat Eva elke ochtend en tijdens de maaltijden chrysantenthee wilde en dat iedereen van het gezin bediend moest zijn voordat ze zelf mocht eten. Zo werd Meridia ingewijd in een wereld van gebruiken die ze nu zag als het fundament van elk huishouden met uitzondering van dat van Ravenna. De overwinningen die ze behaalde waren klein, maar wel tastbaar: glimlachjes van Eva, knikjes van Patina, de trotse blik in Daniels ogen wanneer Eva liet weten dat iedereen zijn echtgenote diende te bedanken voor de heerlijke maaltijd die ze zo zouden genieten.

Ze vond Elias een merkwaardig gezinshoofd: een kleine kale man met slaperige ogen en neerhangende mond die alle taken in het huishouden aan Eva overliet en het liefst met rust gelaten werd. Na het werk wikkelde hij zich in een deken en ging in het gezelschap van de gekooide vogels in zijn schommelstoel op de veranda zitten om zich in een boek te verdiepen. Terwijl de uren voorbijgingen en de vogels hees werden van het zingen, ging hij geheel op in zijn lectuur over metalen en mineralen, over buitenissige flora en exotische fauna, vulkanen in verre landen en fameuze olie- en goudvondsten. Met dezelfde onverzadigbare dorst naar kennis las hij tot de bel voor het avondeten geluid werd over de topografie van de maan, bestudeerde hij oude zeekaarten en verslond hij verhalen over heldhaftige ontdekkingsreizen. De met een breiwerk gewapende Eva probeerde vaak een gesprek met hem aan te knopen maar het kostte haar altijd bijzonder veel moeite een woord uit hem te krijgen. Regelmatig diende ze hem te volgen over zeeën en continenten of zich een weg te banen door aardlagen en grottendoolhoven om hem te doordringen van het feit dat Malin een koutje had opgelopen of dat het dak nog voor de winter moest worden vervangen. Permony was de enige die hem uit zijn trance kon halen. Ze hoefde hem maar te roepen of hij kwam zelfs vanuit de verste hoeken van het universum meteen terug op aarde.

'Waarom begraaf je je altijd in de boeken, papa?' had Permony hem een keer gevraagd.

'Zodat je moeder me niet vinden kan. Het enige probleem is dat ik haar nog altijd horen kan, maakt niet uit waar ik ben.'

Hun band ergerde Eva mateloos. Ze klaagde vaak tegen Meridia over hoe die twee haar buitensloten. 'Steeds als ik bij ze in de buurt kom, kijken ze me aan alsof ik verboden terrein betreed. Ongetwijfeld hebben ze het dan over mij. Het is eigenlijk triest. Malin is zoveel slimmer en knapper, maar ze krijgt van hem nog niet de helft van de aandacht die hij Permony geeft. Kijk ze nou eens! Zoals die naar elkaar staren, zou je denken dat zij het is die elke ochtend wakker wordt in de stank van zijn scheten!'

Eva had het talent overal gebreken te zien, zelfs als die er niet waren. Permony was degene die daar het meeste onder leed. Als Elias niet in de buurt was, riep Eva haar jongste kind vaak bij zich om haar op de ene na de andere tekortkoming te wijzen alsof ze een lijstje opdreunde. Als ze niets aan te merken had op Permony's kapsel, dan stoorde ze zich wel aan haar lichaamshouding; als Permony's handen helaas schoon waren, kreeg ze een berisping omdat ze een bepaalde jurk droeg. De lavendelkleur van haar ogen was een voortdurende aanleiding tot standjes want voor Eva stond deze kleur gelijk aan luiheid, egoïsme en aan een onbekende mate van duivelse bezetenheid. Het schelden hield pas op als Eva buiten adem raakte of als haar emoties zo hoog opliepen dat ze niet meer wist wat ze wilde zeggen.

Permony ging nooit in de verdediging. Verlegen en zachtmoedig als ze was, onderging ze de uitvallen van haar moeder op de manier waarop iemand een hemels visioen over zich heen laat komen: het hoofd in de nek, de blik vol ontzag en de handen gevouwen als in een smeekbede. Vaak dreef deze martelaarspose Eva bijna tot hysterie. 'Trap er niet in,' raadde ze Meridia streng aan. 'De schuldigen zwijgen altijd. Dat heeft je schoonvader me duidelijk gemaakt.'

Eva's liefde voor Malin was even onverklaarbaar. Ze was altijd chagrijnig en vervelend, tegenover Eva meer dan wie ook. Er ging geen maaltijd voorbij zonder dat Malin boven haar bord zat te pruilen en er ging geen dag voorbij zonder dat Eva's oudste dochter het tegen haar op een schreeuwen zette... Niet alleen accepteerde Eva dit, ze deed ook nog eens haar uiterste best Malin te vriend te houden. Ze kocht jurken en Turks fruit voor haar, droeg zonder enige hapering bij aan Malins verzameling beeldjes en steeds wanneer ze met haar driftbuien de stemming in huis verziekte, hield ze Permony daarvoor verantwoordelijk. Deze toewijding aan Malin verbaasde Meridia eens te meer omdat ze vond dat vooral Permony op haar moeder leek. Malin was bleek en apathisch, maar Eva en Permony hadden dezelfde donkere teint, levendige ogen en stevige bouw. Als ze lachten, schudde hun hele lichaam mee en hun handen waren steeds bezig. Toen Meridia Daniel vertelde over haar verwarring hierover kuste hij haar op de neus en zei plagend dat ze zich dit inbeeldde. 'Mama trekt niemand voor,' zei hij. 'Ze houdt op een aparte manier van allebei.'

Malin bleek nog meedogenlozer dan haar moeder. Het was haar favoriete bezigheid om achterovergeleund op de bank met een trommel roomboterkoekjes in de hand Permony te pesten met verhalen over haar geboorte. Keer op keer vertelde ze dat hun moeder bijna het leven had gelaten tijdens het baren van Permony. 'Mama had al honderdzevenendertig uur weeën en je kon haar van de zee tot aan de woestijn horen gillen. Op een gegeven moment verloor ze zoveel bloed dat het onder de voordeur door naar buiten kwam. Op de ochtend van de vierde dag smeekten papa en de vroedvrouw haar zich alleen nog om zichzelf te bekommeren en jou op te geven, maar ze zette de tanden op elkaar en zei dat ze konden opdonderen. Ze werd twee keer doodverklaard. Ze wilden haar gezicht al gaan bedekken toen ze haar ogen opendeed en schreeuwde: "Ik ben er nog, stelletje dwazen!" Toen je eindelijk besloot haar niet langer te martelen en op eigen kracht uit haar gleed, schrok de vroedvrouw zich een rolberoerte. "Achteruit!" gilde ze. "De duivel heeft haar ogen vervloekt. Ik steek ze eruit voordat het gif zich verspreiden kan." Mama was doodziek en uitgeput, maar kon net genoeg kracht opbrengen om de vrouw een klap in het gezicht te geven. "Als je dat doet, zorg ik dat jíj in een kist terechtkomt," zwoer ze. Zo heeft mama weten te voorkomen dat jij blind zou worden. In ruil daarvoor bezorg je haar alleen maar ellende.'

Steevast barstte Permony halverwege het verhaal al in tranen uit waarbij haar mollige lichaam beefde van schuldgevoel en angst. Als Eva ook in de kamer was, liep Permony als een pup op haar af om te zeggen hoezeer het haar speet. Een geërgerde Eva snoerde haar dan direct de mond: 'Doe niet zo belachelijk, Permony! Als ik honderdzevenendertig uur bloedverlies had gehad, had ik het toch nooit overleefd? Het waren er hooguit tachtig.'

Na Eva's uitval trok Permony zich terug op haar kamer om daar stilletjes te huilen terwijl ze deed alsof ze een boek las. Daar ontdekte Meridia de hartstocht van het meisje voor fantasieverhalen. Dat herinnerde haar aan haar eigen eenzame jeugd en ze deed haar best om Permony's belangstelling te voeden. Eerst las Meridia haar voor, waarbij ze de personages naspeelde totdat ze wezens van vlees en bloed werden, maar al snel had ze alle boeken gehad en besloot ze zelf verhalen te verzinnen. Ze haalde zich de betoverende beelden voor de geest die ze samen met Hannah gezien had tijdens de vrijdagavondvoorstellingen in Cinema Garden en veranderde die in elfenkoningen van eigen makelij, in drakenprinsessen, zeemeerminnen, piraten, noodgedwongen van elkaar gescheiden standbeelden die 's nachts hun geliefde ontmoetten en bovenaardse koningsdochters die hun ziel verloren in de kou maar hem terugvonden in de hitte.

De kamer van de zusjes was met zijn hevig contrasterende kleuren het perfecte decor voor deze verhalen. Malin had beslag gelegd op driekwart van de kamer en die feloranje ingericht: beddensprei, vloerkleed en lampenkap straalden dezelfde gloeiende hitte uit als de zon om twee uur 's middags, en haar beeldjes namen een enorme mandarijnkleurige plank in beslag. In tegenstelling hiermee was Permony's deel uitgevoerd in haar lievelingskleur appelgroen. De kantachtige gordijnen en kussens riepen beelden van rustgevende prieeltjes en weiden op. Daardoor kon Meridia haar bovennatuurlijke koningsdochters door de vallei van Permony's bed laten vliegen, haar ridders bevelen de plank te bestormen en haar drakenprinsessen de vrijheid schenken op de verzengende vlakte van Malins vloerkleed.

Maar zodra Malin de kamer betrad, viel haar verbeelding stil. Misschien omdat hij haar kribbigheid aanvoelde, bevroor de met zijn scepter zwaaiende elfenkoning in volle vlucht. De zeemeerminnen waren er met geen mogelijkheid meer toe te bewegen met hun staarten te slaan. Ondanks Meridia's toenaderingspogingen bleef Malin koel tegen haar. Het meisje beantwoordde haar vragen met een ingestudeerde welgemanierdheid en was nooit openlijk onbeleefd tegen haar, maar zelfs achter haar meest terloopse gebaar leek vijandigheid schuil te gaan. Na een tijdje liet Meridia haar met rust. Wanneer ze Daniel wees op het gedrag van zijn zus zei hij haar zich daarover niet druk te maken. 'Geef haar de tijd. Pas toen ze acht was glimlachte Malin voor het eerst naar me.'

Op een zondag eind augustus kwamen Eva en Elias thuis na een lange middag inkopen doen. De in een bloemetjesjurk en bonte stola gehulde Eva was in een opperbeste stemming, maar Elias, wiens verkreukelde pak kletsnat was van het zweet, kon nog net de kracht opbrengen zich in zijn schommelstoel te laten vallen. Met de tassen in haar handen viel Eva de woonkamer binnen waar Gabilan Malins nagels aan het lakken was. Ze groette haar dochter opgewekt en liet Gabilan Meridia en Permony halen. Even later kwamen ze tevoorschijn uit de slaapkamer hoewel de langharige nimfen Permony nog steeds voor de ogen dansten. Eva glimlachte en gaf Meridia een turkooizen kralenketting.

'Iets wat ik zag liggen. Hij past prachtig bij je blauwe jurk.'

Meridia's mond viel open van verrassing. 'Hij is prachtig!' Ze nam de ketting aan en keek er bewonderend naar. 'Dankjewel, mama.'

Eva drong erop aan dat ze hem omdeed. Een zichtbaar ontroerde Meridia deed het sluitinkje in haar nek dicht. Toen hoorde ze het. Ze hoorde hoe Malin, zonder van haar nagels op te kijken, een zacht gnuiven uitbracht dat alleen voor Meridia hoorbaar was en nog verachtender klonk dan het gnuiven van Gabriel.

'Kijk eens,' zei Eva en draaide haar rond. 'Je zou zo naar een bal kunnen. Maar meisjes, denk niet dat ik jullie vergeten ben!'

Eva wendde zich weer tot haar tassen en haalde een met fluweel afgezette zakdoek, een satijnen handtasje, een oranje handspiegel in de vorm van een hart en een felgekleurd prentenboek tevoorschijn. Ze legde alle voorwerpen voor Malin naast elkaar op tafel en zei tegen Meridia: 'Omdat Malin de oudste is, mag ze als eerste kiezen.'

Malin sloeg haar lange wimpers op en wierp een verveelde blik op het aangebodene. Permony, die haar adem inhield vanaf het moment dat ze het prentenboek had gezien, wendde de ogen af. Malin glimlachte zuinig en koos tergend langzaam voor de zakdoek, het handtasje en de spiegel. Permony slaakte een zucht van opluchting.

'Dan is het boek voor jou, Permony,' zei Eva. 'Als iedereen blij is hiermee, dan...'

'Ik wil het boek,' zei Malin en wierp de zakdoek terug op tafel.

Eva bleef onaangedaan. 'Nu al van gedachten veranderd? Wat ben je toch een wispelturig meisje.' Zogenaamd verontwaardigd klakte ze met haar tong. 'In dat geval, Permony, mag jij je zus bedanken voor die zakdoek. Die zou ik zelf ook gekozen hebben.'

Omdat het zwaar teleurgestelde meisje bleef zwijgen, kreeg ze onmiddellijk een uitbrander van Eva.

'Wat is er aan de hand? Ben je niet blij met je cadeau? Als je het niet wilt, dan moet je weten dat er genoeg meisjes zijn die het wel op prijs zouden stellen. Meridia, heb jij ooit van je leven zo'n ondankbaar kind gezien?'

Permony pakte snel de zakdoek, maar zonder enige vreugde in de ogen. Even later mocht ze van Eva naar haar kamer. 'Malin houdt niet eens van boeken,' zei ze meermalen terwijl ze verward op de rand van het bed zat. Meridia probeerde haar af te leiden met haar grappigste elven, maar Permony bleef ontroostbaar totdat de voordeur openging en ze in de gang de stem van haar vader hoorde.

'Ik denk dat ik wel weet waarmee ik mijn duifje weer kan laten lachen.'

Elias kwam de kamer binnen met een brede glimlach en een nieuw prentenboek in de hand. Permony sprong van het bed, gilde van pret en omhelsde haar vader.

Elias probeerde zijn dochter tot bedaren te brengen, maar liet zich haar kussen welgevallen. 'Ssst, niet aan je moeder vertellen,' grinnikte hij. 'Als ze denkt dat ik je verwen, krijg ik ervan langs.'

Hij kuchte toen hij Meridia zag en streek zich vervolgens beschaamd over het kale hoofd. Maar Meridia wist genoeg. In de jaren erna zou ze zich dit moment herinneren als het onomstotelijke bewijs van Elias' goedheid, zelfs als alles op het tegendeel wees. Toen ze de kamer wilde verlaten, besefte ze plots ook iets anders: Elias wist hoe Eva Permony behandelde, maar om redenen die alleen hemzelf bekend waren, koos hij ervoor daar niets tegen te doen.

Toen in augustus de eerste stortregens neervielen, riep haar schoonmoeder nu eens verbijstering en dan weer bewondering op bij Meridia. Met haar onstuitbare opwellingen beschikte Eva over het vermogen met een frons van het voorhoofd de winter zijn intrede te laten doen waarna ze die met de eerste aanzet tot een lach alweer plaats liet maken voor de zomer. Het was niet ongewoon dat ze in huilen uitbarstte wanneer ze vernam van de dood van een vreemde maar tegelijkertijd kon ze Patina de medicijnen tegen de pijn in haar benen ontzeggen. Als ze blij was, liet ze het hele huis in haar vreugde delen. Wanneer ze chagrijnig was, kreeg iedereen er dubbel van langs. Soms was ze overdreven bijgelovig en riep ze bij het minste of geringste de hulp van waarzeggers in. Op andere momenten nam ze belangrijke beslissingen zonder daar een seconde over te twijfelen. Permony was het vaakst het ongelukkige slachtoffer van haar buien. Op momenten dat ze dat het minste verwachtte, drukte Eva haar met de volle kracht van haar moederliefde tegen haar boezem, maar zodra Permony naar adem begon te happen, viel Eva tegen haar uit door te zeggen dat geen man ooit naar haar zou omkijken als ze met open mond ademhaalde.

Eva zag het als haar missie zo zuinig mogelijk te leven en speurde daarom tijdschriften af naar kortingsbonnen en tips om geld te besparen, wat de rommelige stapels in de gang verklaarde, aangezien haar hamsterwoede voorkwam dat ze ook maar iets weggooide. Ze las erin hoe ze langer met een stuk zeep kon doen dan beweerd werd, maaltijden voor zes kon bereiden voor de prijs van drie, en in plaats van met de geijkte middelen, met ammonia en azijn kon schoonmaken. Meridia was eerst geschokt en vervolgens onder de indruk van Eva's vindingrijkheid, aangezien Gabriel en Ravenna, ondanks dat ze op andere punten met elkaar van mening verschilden, haar beiden hadden opgevoed met het principe: 'Mensen liegen, maar geld niet. Als je twijfelt, koop dan het duurste.' Toen ze hun mening aan Daniel verkondigde, nam hij haar even terzijde en zei: 'Zeg dit niet tegen mama tenzij je haar woest wilt hebben.'

Nergens in de stad kwam Eva's bekwaamheid in het afdingen zo goed tot zijn recht als op de markt. Met ontblote armen en haar mand als een schild tegen zich aan gedrukt, bezocht ze hem twee keer per week in het gezelschap van Meridia. Als Eva op een kraampje afliep, keek ze nooit eerst rond en liet zich nooit door iets afleiden, maar zei de marktkoopman meteen wat ze wilde. Bij de eerste prijs die hij noemde, maakte niet uit hoe hoog of laag, begon ze te snuiven als een stier, zette ze een hand op haar heup en zei hem dat als hij dacht dat ze van gisteren was hij maar beter God om bijstand kon vragen. Ze stemde niet in met een bedrag voordat de marktkoopman dat een aantal keren verlaagd had, en zelfs dan gaf ze hem nog minder dan de overeengekomen som. 'Dit is alles wat ik heb,' zei ze dan en haalde ondertussen onverschillig haar indrukwekkende schouders op. Meestal brulde de marktkoopman dan dat ze hem een poot uitdraaide, maar hij nam het geld toch aan.

Aanvankelijk was Meridia helemaal ontsteld over Eva's gedrag, want Ravenna had in haar hele leven nergens op afgedongen. Maar toen ze zag hoe Eva de slager zover kreeg dat hij haar het beste stuk vlees gaf voor de helft van de prijs en de kruidenier ertoe wist te bewegen dat hij het meel gratis bij de suiker deed, was ze van mening dat niemand zo slim was als Eva. Op een dag, nadat Meridia had gezien hoe de fruitverkoper overstag ging en haar schoonmoeder zes sinaasappelen extra gaf, zei Eva tot haar grote verrassing: 'We hebben forel nodig voor het avondeten. Nu ga jij afdingen.'

Voordat Meridia kon protesteren, duwde Eva haar al richting de visboer. Meridia slikte en struikelde over haar woorden, maar de achter haar staande Eva gaf nauwkeurige aanwijzingen. De druk van Eva's hand op haar elleboog was als een stroomstoot die haar het ademen belette. Ze had geen idee van wat ze zei, maar voordat ze het wist ging er geld over de toonbank, kreeg de forel een plaats in haar mand en maakte Eva's knikje haar duidelijk dat ze het er goed van had afgebracht. Op dat moment, zonder zich ook maar enigszins ontrouw te voelen aan Ravenna, gloeide ze van trots en hield ze van Eva met heel haar hart. Ze hield van haar vasthoudendheid en moed, haar verbazingwekkende levenskracht en haar buitengewone vaardigheid anderen te overtuigen en gehoord te worden. Maar waar ze vooral van hield, was het geluid van Eva's lach die warm, ongedwongen en triomfantelijk uit het diepste van haar boezem opborrelde.

Niet lang na deze gebeurtenis maakte Meridia voor het eerst kennis met de bijen. Nadat hij was thuisgekomen van zijn werk, vroeg Daniel haar aan het begin van de avond naar de slaapkamer te komen.

'Mama is boos. Ze is op de veranda in gesprek met papa. Wat denk je ervan om met zijn tweeën uit eten te gaan?'

Meridia nam zijn pak aan en hing het achter de deur. 'Waarom is mama boos? Ze is nog maar net wakker van een dutje.'

Daniel schudde het hoofd. 'Ik weet het niet. Het was iets met een duivelse bastaard. Als we niet weg zijn voordat de bui losbarst, heb ik straks geen trek meer.'

Hij knipoogde en verdween in de badkamer. Meridia dacht na over zijn opmerking. Ze pakte zijn schoenen en liep de gang op. Ze wilde ze gaan poetsen in de keuken toen er vanaf de veranda een geluid tot haar doordrong. De voordeur stond op een kier. Toen ze er langzaam heen liep, voelde ze de lucht onheilspellend trillen. Ze spitste de oren en stond toen ze het geluid herkende ogenblikkelijk stil. Het waren de zoemende bijen. Het was hetzelfde doordringende, aanhoudende en nauwelijks waarneembare geluid dat ze tijdens haar huwelijksnacht uit de slaapkamer had horen komen. Ze zette de schoenen op de grond en sloop langs de kamer van de zusjes naar de voordeur. Beiden waren met hun huiswerk bezig en leken geen last te hebben van het geluid. Op de veranda zag ze Elias in zijn schommelstoel en Eva die achter hem stond, beiden met de rug naar haar toe. Het zoemende geluid kwam uit Eva's mond. De gekooide vogels tjilpten angstig.

'Hoe lang moet ik deze kwelling nog verdragen? Al twee weken staat die vervloekte hond elke middag te blaffen bij mijn raam. Hij brengt me oneindig psychisch leed toe, om er nog maar van te zwijgen dat mijn middagen er totaal door worden bedorven. Hoe kan ik leiding geven aan dit huishouden en in mijn zitkamer de rekeningen betalen, voor mijn gezin zorgen en mijn rust nemen in mijn slaapkamer, als die herrie, afkomstig uit het diepste van de hel, altijd maar doorgaat en mij telkens weer een zenuwinzinking bezorgt? Die duivelse hond vergalt mijn woongenot, versjteert alle kans op stilte en rust en het ergste is nog dat wanneer ik denk dat hij er eindelijk mee ophoudt en gaat slapen, hij weer van voren af aan begint, wat me, daarvan ben ik overtuigd, jaren van mijn leven kost, en als jij, Elias, denkt dat ik dit nog een minuut langer kan verdragen, dan zit je er helemaal naast. Ik ben niet met je getrouwd en heb je geen kinderen geschonken om naast een hondenasiel te wonen dat eigendom is van een ongetwijfeld verachtelijke kerel, die duidelijk zo weinig respect heeft voor jou, Elias, de geachte juwelier, dat hij het waagt mij zo te beledigen, mij, jouw liefhebbende vrouw en de toegewijde moeder van je kinderen, en bovendien gaat hij ervan uit dat jij dat lui en laf over je kant laat gaan. Je mag dit niet laten gebeuren. De eer van ons gezin, ja, zelfs onze status en waardigheid, waarvoor wij ons zo hebben uitgesloofd, staan op het spel, worden belaagd, besmeurd en met voeten getreden alsof het niets meer is dan koeienstront...'

Een luid kraken van Elias' stoel deed Meridia snel naar haar kamer terugkeren. Daar wachtte ze aan het bureau totdat Daniel gereed was. Ze had de Engelse dog van de buren de laatste tijd af en toe horen blaffen, maar kon zich niet voor de geest halen of hij dat de laatste twee weken vaker dan anders had gedaan. Daarentegen waren Eva's ramen de enige die uitkwamen op de tuin van de buren, dus het kon heel goed zijn dat zij meer last had van het lawaai dan de anderen. Toen Daniel met natte haren en roze geboende huid uit de badkamer kwam, besloot Meridia hem niets te zeggen van wat ze had gehoord. Ze legde een schoon overhemd en een schone broek voor hem klaar en verkleedde zichzelf ook.

Toen ze op de veranda Eva en Elias passeerden, namen die geheel geen notitie van hen. Eva had in de andere schommelstoel recht tegenover Elias plaatsgenomen maar hij leek geen moment uit zijn boek te willen opkijken. De lucht was zwaar van het zoemen, maar Elias trok zich nauwelijks iets aan van de bijen, sloeg ze slechts om de paar tellen geërgerd weg. Eva gaf hem echter geen respijt en joeg de insecten door alle kloven en ravijnen van zijn boek achter hem aan. Meridia stond zo perplex van het schouwspel dat ze pas weer een stap kon verzetten toen Daniel haar aan de pols meetrok en snel naar de weg liep.

In het café van de boekwinkel had het paar met tomatensoep en broodjes ei een bescheiden diner. Vanaf het moment dat ze waren gaan zitten, praatte Daniel honderduit. Hij vertelde over een zonderlinge cliënte die twaalf armbanden wilde hebben die er allemaal anders dienden uit te zien maar wel exact evenveel moesten wegen. 'Tot op de gram nauwkeurig! Ik ben de hele middag bezig geweest met het wegen van alle armbanden die we op voorraad hebben en heb er slechts drie gevonden die aan haar eisen voldeden.' Voordat Meridia haar medeleven kon betuigen, was hij al overgegaan op een verhaal over een man die, op zoek naar een verlovingsring, al tien jaar geregeld de winkel bezocht. 'Zolang hij de volmaakte ring niet gevonden heeft, zal hij geen vrouw ten huwelijk vragen. Volgens papa zou hij eens een man moeten proberen.' En zo bleef Daniel nerveus van de hak op de tak springen. Toen Meridia de bijen ter sprake bracht, wuifde hij haar woorden weg en zei: 'Maak je geen zorgen. Als we straks weer thuis zijn, is er niets meer aan de hand.'

Toen ze terugkeerden brandde er licht op de veranda, maar er zat niemand meer. De vogelkooien waren afgedekt met zwarte doeken en de twee schommelstoelen knikten naar elkaar als twee oude, vermoeide zielen. Maar direct nadat ze door de voordeur naar binnen was gegaan, moest Meridia de handen naar haar oren brengen. Binnenshuis had het zoemen een oorverdovend volume bereikt. Het kwam uit de woonkamer, waar Elias en Eva na het eten gewoonlijk zaten. Voordat Meridia besefte wat er gebeurde, smeet Elias een boek tegen de muur, sprong hij met het geweld van een wakker geschrokken reus overeind uit zijn stoel, schoot langs haar en Daniel naar buiten, vloog de trap van de veranda af en verdween over het keienmuurtje in het onverlichte deel van de tuin van de buurman.

'Papa!' riep Daniel hem na.

'Laat hem maar, jongen,' beval Eva hem vanuit haar stoel. En met deze vier woorden waren de bijen plots verdwenen.

Een woest geblaf verscheurde de nachtelijke stilte. Het werd gevolgd door een zacht kermen en daarna was het stil. Eva pakte rustig haar breiwerk op. Toen Elias even later met krassen op zijn gezicht en aan stukken gescheurde mouwen terugkwam, zei ze helemaal niets tegen hem. Elias rukte een gehavende atlas van de plank, zeeg neer op de bank en verloor zichzelf in de kaart van een antieke wereld. Stil leidde Daniel Meridia naar de slaapkamer.

De volgende ochtend gonsde de keuken van het nieuws dat Gabilan had gebracht. 'Er zijn geen wonden of kneuzingen te zien, mevrouw,' fluisterde ze ongelovig. 'De dienstmeid zei dat de hond helemaal niets mankeert maar dat hij niet langer kan blaffen. Het is net alsof zijn tong eruit is gesneden of gebrand. Al de hele ochtend doet hij niets anders dan stom omhoog staren naar mevrouws ramen. Het zal vreemd zijn om niet langer bij zonsopkomst wakker te worden van zijn geblaf.'

Aan de andere kant van de keuken maalde Patina peper boven een pan soep en boog zwijgend het hoofd.

HOOFDSTUK 11

September begon met een dwarreling van bloesems. Op de dag dat de wind draaide, lieten alle bloemen aan Orchard Road hun blaadjes vallen en bedekten de grond met een bonte sneeuw. Rozen, magnolia's en petunia's dansten uren door de lucht, verblindden de voorbijgangers en dreven als eindeloze serpentines voort op de geurige bries. Toen de wind ging liggen, werd de lucht een strakblauwe woestijn en gaven alle dames aan Orchard Road hun dienstmeiden opdracht de bloesem weg te harken van het gazon. In koor beklaagden ze de teloorgang van de bloemen, het resultaat van zoveel toewijding en geduld, die nu kaal en deerniswekkend huiverden in de zon.

Toen Orchard Road de volgende ochtend ontwaakte, was iedereen verbijsterd dat de bloemen hun oude gedaante terug hadden. Gedurende de nacht waren ze voller en krachtiger gaan bloeien dan ooit tevoren, en 's ochtends verleende de dauw hun een frisheid die ze nooit eerder bezeten hadden. In ontzag voor dit wonder sloegen alle dames op één na hun ogen op naar de hemel en vouwden de handen in dankbaarheid. Maar Eva liet slechts een kreet horen, stroopte haar mouwen op en gaf Meridia opdracht haar te helpen. Het kleine bosje gele goudsbloemen had zich vermenigvuldigd en vermengd met de rozenwildernis.

'We moeten ze weghalen,' schreeuwde ze. 'Mijn rozen! Ik sta niet toe dat er ook maar iets met ze gebeurt.'

Tot twaalf uur waren ze bezig met het verwijderen van de goudsbloemen. Toen ze ophielden om te gaan eten had Meridia overal op haar ledematen krassen van de rozendoornen, maar Eva was vreemd genoeg ongeschonden, ook al was ze van hen beiden het onvoorzichtigst geweest. Op het moment dat ze na de lunch de veranda opliep om haar arbeid te inspecteren, slaakte Eva een nog luidere kreet dan de vorige. Niet alleen waren de goudsbloemen op volle sterkte terug, nu overwoekerden ze zelfs de rozen en zogen al het zonlicht in zich op.

Met versterking van Patina en Gabilan gingen ze drie uur lang verwoed aan de slag, maar voor elke goudsbloem die ze uit de grond trokken, sprongen er twee nieuwe op. Om vier uur wierp Eva vertwijfeld de handen in de lucht en gaf iedereen opdracht ermee op te houden. 'Het heeft geen zin,' hijgde ze vermoeid. 'Er is een kwade geest in deze bloemen gevaren.'

In de zes navolgende dagen ontbood Eva twaalf heilige mannen om de geesten uit haar voortuin te verjagen. De een strooide as om de goudsbloemen te verwoesten, de ander smeekte aardrupsen deze klus op zich te nemen, maar de bloemen woekerden voort. Op de zevende dag, toen de laatste roos het onderspit delfde, legde Eva zich bij haar nederlaag neer. 'Laat ze dan maar hun gang gaan,' zuchtte ze. 'Ik heb mijn best gedaan.'

Ze verviel daarna in een chagrijnige bui waaronder iedereen in huis te lijden had. Zodra ze daartoe aanleiding zag, bracht ze Permony tot tranen, deed ze Patina's gerechten af als te vies voor de varkens en dreigde ze Gabilan te ontslaan voor een vermeende verhouding met de kruidenier. Ze maakte Elias het leven onmogelijk door zijn gewoontes in de war te sturen. Ze zette zijn boeken zo in de kast dat hij niets meer terug kon vinden, luidde de etensbel te vroeg teneinde hem te beroven van zijn leesuurtje en sleepte hem mee voor onverwachte wandelingen op momenten dat hij niets liever wilde dan uitrusten in zijn schommelstoel. Achter zijn rug om leerde ze de gekooide vogels te krijsen op commando. Ze richtte ze af om 'Dief!' of 'Brand!' te gillen op de momenten dat ze vond dat hij te zeer in zijn boek verdiept was. Zelfs Malin ontkwam niet aan haar buien. Tijdens een legendarische uitbarsting, die het hele huis op zijn kop zette, stuurde Eva het meisje naar haar kamer omdat ze met haar eten speelde en instrueerde haar bits daar verder te gaan mokken.

Daniel werd overladen met geldkwesties. Ze klaagde erover dat er ondanks haar spaarzaamheid aan het einde van de maand nog steeds te weinig geld was om het huishouden draaiende te houden. 'We hoeven maar één keer een rekenfout te maken,' zei ze, 'en we staan op straat.'

'Maak je geen zorgen, mama,' probeerde Daniel haar gerust te stellen. 'Zover is het nog lang niet.'

'Waarom ben ik de enige die zich druk maakt over dit gezin?' kaatste ze terug.

Om te voorkomen dat ze dit ondenkbare lot moesten ondergaan, diende Daniel tot laat in de avond al hun uitgaven na te lopen. Het resultaat was dat de hand op de knip gehouden werd. Eva gaf Patina opdracht voor de maaltijden meer groenten en minder vlees te gebruiken, knipte nog meer bonnen uit, werd een nog grotere schrik van alle marktlui, en voerde de regel in dat alle uitgaven, hoe klein ook, door haar goedgekeurd dienden te worden. Ze verlaagde ieders zakgeld of toelage met tien procent, evenals de salarissen van het dienstpersoneel en de winkelknecht, en overwoog zelfs bij het ontbijt geen suiker en room meer te serveren. Toen ze ondergoed ging kopen in tweedehandswinkels vond Elias het genoeg en sprak hij haar aan op haar gedrag. Eva bond pas in nadat hij haar beloofd had alleen weer boeken te kopen als hun financiële toestand verbeterd was.

Daniel kreeg ook minder geld dan voorheen. Meridia verkeerde in de veronderstelling dat hij voor zijn werk in de winkel elke maand een salaris kreeg, maar in plaats daarvan gaf Eva hem geld op momenten dat ze dacht dat hij het nodig had. Van deze toelage hield Daniel elke maand een bepaald bedrag apart voor Meridia waarvan ze persoonlijke benodigdheden kocht. Maar al snel werd zelfs hierop beknot. Op Daniels verzoeken om meer reageerde Eva altijd op dezelfde manier. 'We zijn geen rijk gezin, jongen. Misschien dat je wat voorzichtiger kunt zijn met je geld. Vorige week heb je zowel dinsdag als zaterdag buiten de deur gegeten. En heb je Meridia al gevraagd het zuiniger aan te doen? Ik zag laatst dat ze een nieuwe lippenstift ophad...'

Meridia werd zo opgeslokt door het werk dat ze nauwelijks tijd had voor zichzelf of voor Daniel. De hele dag door liet Eva haar het eten klaarmaken, schoonmaken, boodschappen doen, naaien, in de tuin werken en als er niets anders overgebleven was om te doen dicteerde ze haar schoondochter brieven. In het begin vond Meridia dit niet erg. Ze was zo opgetogen over het leven als getrouwde vrouw dat ze graag alles wilde leren wat Eva haar kon onderwijzen. Maar naarmate de maand vorderde, begon het haar te ergeren dat haar schoonmoeder continu alleen maar fouten zag. Eva had aanmerkingen op de inrichting van haar kamer, haar gezichtspoeder, haar slappe thee, het feit dat ze 'zoveel tijd met Permony en zo weinig met Malin' doorbracht. Tijdens die eerste dagen was ze niet openlijk kritisch, maar maakte ze haar ideeën kenbaar door geniepige, insinuerende opmerkingen te maken. Als Meridia's jurk niet haar goedkeuring kon wegdragen, sloeg ze mismoedig de ogen neer en zei: 'Jeetje, ik wist niet dat dit model ook bestond.' Als Meridia iets zag op de markt wat haar in verrukking bracht, liet Eva zich ontvallen: 'Ik weet het niet, liefje. Ik zag gisteren een schoonmaakster met precies hetzelfde.'

Hoewel bewijzen daartoe ontbraken, verdacht Meridia haar ervan dat ze Daniel van haar weg wilde houden. 's Avonds, als de afwas was gedaan en het zilverwerk gepoetst, riep Eva hem vaak bij haar in haar kamer boven en zorgde er dan voor dat hij tot laat met de boekhouding bezig was. De paar keren dat Meridia zichzelf boven uitnodigde, maakte Eva haar duidelijk dat ze niet welkom was. Zodra ze zag dat Daniel zijn vrouw met een liefdevolle blik begroette, blies ze een wolk rook uit en tikte ze geërgerd op de stapel kasboeken. 'Aandacht, jongen. Je hebt straks nog genoeg tijd voor de liefde.'

Toen Eva eind september op een avond Patina een uitbrander gaf in de keuken, maakte Meridia van de gelegenheid gebruik om naar boven te glippen. In Eva's zitkamer was Daniel aan het schelden op het grootboek. Hij prikte zijn wijsvinger tegen het papier alsof hij het van bedrog beschuldigde.

'Deze cijfers kloppen niet,' zei hij gefrustreerd en hij gebaarde haar bij hem op schoot te komen zitten. 'Ik heb het al een keer of vijf nagerekend en krijg steeds een andere uitkomst.'

Meridia zocht een plekje tussen zijn knieën en telde uit het hoofd de reeks cijfers op. 'Kijk,' zei ze een paar tellen later, 'dat moet een acht zijn in plaats van een drie.'

Daniel rekende op papier alles nog een keer na. 'Het klopt, verdomd nog aan toe,' zei hij. 'Als je dan zo slim bent, doe deze dan ook even.'

Ze gaf snel de uitkomst. Een ongelovige Daniel krabbelde weer de getallen op papier. Ook nu bleek Meridia gelijk te hebben.

'Waar heb je dit geleerd?' vroeg hij verwonderd.

'Gewoon. Volgens mijn kinderjuf had ik een rekenknobbel.'

'Wat bedoel je? Ik ben nog nooit iemand tegengekomen...'

Op dat moment kwam Eva de kamer binnen met in haar amandelvormige ogen nog een woeste blik vanwege de berisping van Patina.

'Mama, ik ben met een geniale vrouw getrouwd,' zei Daniel opge-wonden. 'Zie je deze getallen? Meridia telt ze sneller op dan ik! Je moet haar mij laten helpen met de boekhouding.'

Zonder van gezichtsuitdrukking te veranderen, pakte Eva het ivoren pijpje uit de asbak. 'Doe niet zo raar,' zei ze. 'Meridia heeft al genoeg verantwoordelijkheden hier. Hou op met die onzin. Zou je ons willen excuseren, liefje? We moeten nog veel doen.'

Twee dagen later maakte Eva op hun terugweg van de markt een omweg via de zaak op Lotus Blossom Lane. Meridia had de winkel één keer eerder bezocht, voor haar trouwen. De geelwitte zonneschermen en de bloembakken voor de ramen riepen nu echter een ander gevoel bij haar op. Boven de glazen deur hing een bosje rozen, dat Eva steevast op maandagochtend uit de voortuin knipte en dat geluk moest bren-gen. Een gouden bel klingelde als een klant de zaak betrad. De winkel had een hoog, blauwgeverfd plafond en een granieten vloer met een ruitpatroon in groen en wit. Voor de klanten stonden er beklede stoe-len en er was een lange rij vitrines met daarachter een schrijftafel en een kamertje dat dienstdeed als kantoor.

Eva liep het kamertje binnen om met Elias te spreken. Omdat Da-niel klanten had, liep Meridia achter de toonbank langs naar de schrijf-tafel. Haar oog viel onmiddellijk op een plateau edelstenen. Ze zette haar boodschappenmand op de grond, pakte een groene en een roze steen en hield beide in het licht. Hun ongepolijste schittering verblind-de haar. Ineens voelde ze weer de opwinding die haar ooit naar Gabriels bureau gedreven had. Ze zag allerlei toepassingsmogelijkheden voor deze stenen en wilde graag weten hoe ze heetten. Tot haar verbazing kreeg ze ogenblikkelijk antwoord.

'De groene is toermalijn en de andere is een roze topaas. Als je wilt, kan ik je ook de namen van de andere vertellen.'

Ze draaide zich om en zag Elias staan. 'Sorry, het was niet mijn be-doeling... Maar ja, ik zou graag...'

Eva's melodieuze lach maakte haar zin af.

'Verveel haar nou niet, schat,' zei ze tegen Elias. 'Waarom denk je dat Meridia geïnteresseerd zou zijn in deze snuisterijen? Kom meisje, leg ze maar neer. Er wacht thuis werk op ons.'

Meridia wierp een bedroefde blik op de edelstenen voor ze die teruglegde op het plateau. Door dit incident en het voorval met de kasboeken besefte ze dat Eva niet wilde dat ze zich ook maar een beetje met de winkel bemoeide.

Een paar dagen later werd de rust van de ochtendschemering verbroken door een hoog gejammer waardoor Meridia wakker schrok. Ze schoot overeind, tastte rond op het bed en was opgelucht toen ze ontdekte dat Daniel naast haar lag.

'Die vrouw is onmogelijk,' mompelde hij.

'Wat is dat, Daniel?'

'Het is niets. Mama lost het wel op. Ga maar weer slapen.'

Daniel trok een kussen over zijn hoofd en zette het direct weer op een snurken. Met behulp van een streep licht die door het raam viel trok Meridia de deken op tot zijn kin, ging het bed uit en deed haar ochtendjas aan. Toen ze de deur naar de tuin opende, werd het gejammer luider. Haar hart miste een slag, maar klopte daarna nog luider in haar borst. Er was geen vergissing mogelijk: het huilen kwam uit de rozenwildernis.

In de goudkleurige ochtendschemering trilde de lucht van het hanengekraai. Er waaide een warme, stoffige wind die tijdens zijn onzichtbare doortocht de lucht en ramen vervuilde. Geluidloos sloop Meridia naar de voortuin en bleef bij de rozen staan. De in nevel gehulde goudsbloemen huiverden. Daartussendoor waggelde als een verdwaalde sibille de verschrompelde gestalte van Patina.

Met de ene hand baande de oude dienstmeid zich een weg tussen de bloemen door en de andere hield ze op haar buik gedrukt. Door haar hoefachtige voeten kwam ze slechts moeizaam vooruit. Toch leek ze niet te merken dat de rozendoornen haar bij elke beweging prikten. Haar door tranen verblinde, kinderlijke ogen zochten de grond af zonder iets te zien terwijl uit haar keel de droevigste en dierlijkste klaagzang opklonk die Meridia ooit gehoord had.

'Patina!'

Meridia rende op haar af, maar haar kreet ging teloor in de woeste klap waarmee de voordeur werd opengegooid. Onwillekeurig viel ze op haar knieën en verborg ze zich achter de goudsbloemen. Eva kwam het huis uitgevlogen met losse haren en open badjas. In zes boze stappen liep ze naar de rozenwildernis.

'Wat is dit nu weer?' donderde ze tegen Patina terwijl de bloemen uit elkaar weken.

'Mijn kind... mijn schatje...'

'Ben je gek geworden? Hou direct op met deze kolder!'

'Alsjeblieft... Geef me mijn kind.' Patina dreigde voorover te vallen en greep zich vast aan Eva's ochtendjas. Haar hoofdhuid glinsterde tussen het schaarse witte haar door.

'Kom overeind en ga terug het huis in!' Kordaat trok Eva haar ochtendjas weer naar zich toe. 'Schaam je je niet? Wat moeten de mensen wel denken als ze je zo zien?'

'Mijn kind... mijn schatje...' Patina schokte van verdriet en vervolgde haar gejammer. Eva dempte haar stem tot het gesis van een python.

'Hoe vaak moet ik je dit nog zeggen? Als je hier niet gelukkig bent, dan mag je weg zodra je dat wilt. Maar maak mij niet zo te schande! Er is niets wat je hier houdt. Je hoeft maar een kik te geven en ik pak zelf je spullen!'

Patina schudde in wanhoop het hoofd. 'Mijn kind... mijn schatje... alsjeblieft...'

Plotseling haalde Eva uit en gaf Patina een klap op haar hoofd. Door het geluid keerde Meridia's maag zich om.

'Jij ondankbaar mens!' schreeuwde Eva. 'Ik heb alles voor je gedaan, alles voor je opgeofferd! Ik heb je een dak boven het hoofd gegeven, je gevoed, gekleed, voor je gezorgd als je ziek was. En daarvoor bedank je me op deze manier? Wanneer laat je de doden eindelijk eens met rust in plaats van mij hun sterven te verwijten?'

Patina jammerde en boog het hoofd naar de grond. 'Ik wil niet ondankbaar zijn. Vergeef me, alsjeblieft. Alsjeblieft... Geef me mijn kind... Vergeef me...'

Een verbolgen Eva draaide zich op haar hielen om, beende terug naar het huis en sloeg de deur met een klap achter zich dicht. Nog voor het geluid verstomd was, sprong Meridia overeind en rende op Patina af, maar de rozen blokkeerden haar onmiddellijk de weg en onttrokken de plek waar de oude vrouw zat neergeknield aan het oog. 'Patina!' fluisterde ze nadrukkelijk. De wind antwoordde door haar stof in het gezicht te spuwen. Toen ze de ogen weer opende, was ze alleen in de tuin. Alleen het huiveren van de goudsbloemen bewees dat wat ze zojuist gezien had werkelijk had plaatsgevonden en geen bedrog geweest was van verdwaalde geesten uit een andere tijd.

Meridia maakte Daniel voorzichtig wakker en richtte een spervuur van vragen op hem.

'Wat is er gebeurd tussen hen beiden? Over welk schatje heeft Patina het? Wat bedoelt mama met "Hou eens op met mij de doden te verwijten?"'

Daniel wreef slaperig in zijn knappe gezicht. 'Kan dit niet tot morgen wachten?' protesteerde hij. 'Luister, mama en Patina hebben een lange geschiedenis samen. Veel weet ik er niet van en dat wil ik ook graag zo houden. Vertrouw me maar als ik zeg dat het laatste wat ze willen is dat iemand zich ermee gaat bemoeien. Wees nu maar een brave echtgenote en laat me weer slapen.'

'Daniel!'

Al gapend drukte hij zijn wijsvinger tegen de lippen en draaide zijn rug naar haar toe.

Die middag wachtte Meridia totdat Eva zich op haar kamer had teruggetrokken om Gabilan te belagen. Het meisje was aan het vegen in de achtertuin, neuriede ondertussen een dansliedje en tikte stiekem met haar voet mee op de maat. Ze bloosde opgelaten toen ze haar jonge mevrouw zag naderen. Meridia besloot dat een directe aanpak de beste was.

'Heb je Patina vanochtend horen huilen, Gabilan?'

'Ik schrik ervan wakker als van de adem van een geest, mevrouw. Steeds weer.'

'Dit is al eerder gebeurd?'

'Jazeker, heel vaak. Telkens als ze haar mist.'

'Haar?'

'Ja, haar dochter. Kent u het verhaal dan niet?'

Meridia schudde het hoofd. Gabilan keek behoedzaam om zich heen voordat ze haar met haar ogen wenkte. Meridia volgde haar tot achter een moerbeiboom.

'Ze heeft een kind verloren,' fluisterde het meisje en ze zette haar bezem tegen de boomstam. 'Lang geleden. Malaria, volgens mij. Maar Patina denkt nog altijd dat ze schuldig is aan de dood van haar dochter. Soms huilt ze in haar slaap. "Ik heb mijn kind slecht behandeld," zegt ze dan. "Ik heb haar slecht behandeld en geen aardse macht kan mij hiervoor vergiffenis schenken." Als Patina het echt te kwaad krijgt, gaat ze rechtop in bed zitten en krabt dan haar armen open. Als ik dat zie, dan is het alsof de ziel uit mijn lijf wordt gerukt. En niemand is verbaasder dan Patina zelf als ze het bloed onder haar nagels ziet!'

'Hoe zit dat met mevrouw?' vroeg Meridia. 'Wat heeft zij ermee te maken?'

'Er wordt gezegd dat mevrouw Patina geholpen heeft om haar lijden draaglijker te maken,' zei Gabilan. 'Ik weet niet hoe het precies zit, maar ik kan dat eigenlijk moeilijk geloven. Mevrouw kan zo...' – ze keek angstig om zich heen – 'koud en meedogenloos zijn. Vindt u ook niet?'

Meridia gaf geen antwoord maar bestudeerde kalm Gabilans gelaat. 'Hoe lang werk je hier al?' vroeg ze.

'Gabilan telde af op haar vingers. 'Zes jaar. Patina is als een moeder voor me.'

'Heb je familie?'

Het meisje schudde het hoofd. 'Mijn ouders zijn overleden toen ik nog klein was. Ik heb een paar jaar bij mijn oom gewoond, die hier als tuinman werkte, maar toen is hij ook aan de tering gestorven. Mevrouw heeft toen gezegd dat ik mocht blijven om voor haar te werken. Patina nam mij onder haar hoede. Steeds als ik mij verdrietig voelde, nam ze mij in haar armen en zei ze dat de doden uiteindelijk genoeg zouden krijgen van de levenden. Alleen al voor haarzelf hoopte ik dat ze gelijk had.'

Gabilan richtte haar ogen op de grond en begon weer te vegen. De late middagzon brandde een vuurrood gat in de lucht. Omdat ze niets meer wist te zeggen, liep Meridia terug naar het huis.

Meridia kon maar niet vergeten wat ze in de voortuin had gezien. Er gingen haar ook dingen opvallen die ze daarvoor nog niet opgemerkt had. Bijvoorbeeld dat Patina altijd de meest afgedragen kleding kreeg toebedeeld. Haar jurken waren overal versteld en haar haveloze schoenen zaten vol gaten. Ze mocht ook altijd pas eten nadat iedereen in huis de maaltijd voltooid had. Soms restten er dan nog slechts soep en botten. Als kamer had Eva haar een kleine ruimte zonder ramen achter de keuken toegewezen, die ze bovendien moest delen met Gabilan. Tijdens warme nachten verruilden de twee het nauwe hok voor de keukenvloer, waar ze sliepen met de deur open en met een huid die plakkerig was van alle stinkende smeerseltjes waarmee ze de muggen op afstand probeerden te houden.

Niettemin leek Patina zich niet bewust van haar toestand. Ondanks haar gevorderde leeftijd werkte ze als een paard en voldeed ze van de vroege ochtend tot de late avond aan al Eva's wensen, zonder te protesteren en slechts terend op haar kliekjes. 's Morgens voelde ze de pijn van haar haperende botten, maar ze klaagde niet één keer als Eva weigerde nieuwe medicijnen voor haar te kopen. Meridia was verbijsterd over de trouw die ze haar meesteres betoonde. Aangezien Patina het grootste deel van haar tijd in de keuken doorbracht, had ze makkelijk iets te eten voor zichzelf kunnen bewaren, maar die gedachte leek zelfs niet eens bij haar op te komen. Meridia drukte het een en ander voor haar achterover, verborg taart en gerechten in zilveren trommels, maar daaraan maakte Patina snel een eind. Toen Meridia van haar toelage kleding voor haar had gekocht, weigerde Patina die. 'Ik krijg van mevrouw alles wat ik nodig heb,' zei ze. 'Geef dat maar aan degenen die minder geluk hebben gehad dan ik.' Vaak stond Meridia op het punt de iele Patina in de armen te sluiten, maar zelfs deze kleine troost zou, daarvan was ze overtuigd, de arme vrouw alleen maar van streek maken.

HOOFDSTUK 12

Oktober deed zijn intrede zonder dat de goudsbloemen van wijken wilden weten. Met elke druppel herfstregen verhevigden de weerbarstige bloemen hun aanval op de rozen. Zodra iemand de goudsbloemen ter sprake bracht, kreeg Eva last van hoofdpijn. Om zichzelf te troosten gaf ze zich dan over aan langdurige baden met aromatische oliën. Omdat ze ervan overtuigd was dat de goudsbloemen de voorspoed van het gezin bedreigden, maakte ze van haar bijgelovige ritueel om op maandagochtenden rozen te knippen en die boven de deur van de winkel te hangen, een dagelijkse gewoonte. 'Zonder mijn rozen storten de zaken in,' waarschuwde ze somber tijdens het avondeten. 'Als ze allemaal levend verslonden zijn, dan hebben wij onze laatste maaltijd aan deze tafel gehad.'

Ondanks Elias' verzekeringen van het tegendeel was ze ervan overtuigd dat de klanten hen en masse in de steek lieten, en dat ze eerder vandaag dan morgen het huis zouden moeten verkopen om dan noodgedwongen te verhuizen naar het duistere stadscentrum waar ze naast lichtekooien en uitschot zouden komen te wonen. Deze angst bracht haar er op een dag toe om het huis ondersteboven te keren op zoek naar alles wat ze kon verkopen. Voor het eerst in jaren ruimde ze de stapels tijdschriften op die de gang versperden en verkocht die voor een prima bedrag aan een voddenboer die voortdurend door haar werd bestookt. Uit verborgen hoeken in de keuken plukte ze oud porselein, op de zolder groef ze stoffige langspeelplaten op en van onder de bedden haalde ze overbodig linnen tevoorschijn, wat ze allemaal verruilde voor geld. Aangemoedigd door haar succes deelde ze haar echtgenoot en dochters mee: 'Morgen loop ik al onze spullen na. We kunnen deze zware tijden alleen overleven als we elkaar als gezin bijstaan. Ik beloof jullie dat ik alles wat jullie dierbaar is ongemoeid zal laten.'

Eva betrok het pasgetrouwde stel niet meteen bij haar campagne, maar toen ze die avond alleen waren zei Daniel tegen Meridia: 'We moeten mama zoveel mogelijk helpen. In de kast liggen vast en zeker dingen die we kunnen missen.'

Met Daniels oude pakken en een aantal van haar jurken leverde Meridia een bijdrage aan de opruimactie. Op een regenachtige zaterdag haalde Eva, te beginnen met de kamer van de zusjes, alles tevoorschijn wat ze kon vinden en bepaalde het lot ervan zonder eerst de eigenaar te raadplegen. De eerste voorwerpen die verdwenen waren oude school- uniformen en kinderspeelgoed, schoenen, haarspelden, linten en dozen met handwerkjes van school. Malin hoefde slechts twee jurken af te staan en haar verzameling beeldjes werd ongemoeid gelaten. Permony knipperde niet eens met de ogen toen haar poppen tot de stapel veroor- deeld werden maar op het moment dat Eva haar prentenboeken over- hoop begon te halen, werd ze lijkbleek en rilde. 'Die wil ik graag hou- den, mama,' bracht ze in. 'Ik ben op ze gesteld.'

'Ben je niet een beetje oud voor die boeken?' vroeg Eva, die haar belofte vergat en ze op de stapel gooide. Permony beet op haar lip en durfde niet te kijken. Met haar vlugge handen wist Meridia de meeste boeken te redden door ze, toen Eva en Malin even niet keken, onder het bed te verstoppen.

Hoewel Elias als een doodswachter de boekenplanken bewaakte, lukte het Eva er met een tiental encyclopedieën vandoor te gaan. Na de woonkamer verplaatste de veldtocht zich naar haar kamer boven, waar ze met de ijver van een engel der wrake Elias' stropdassen en riemen van hun hangers trok. Daarna vulde ze de stapel aan met kleren die ze al jaren niet meer gedragen had, schoenen die uit een andere eeuw le- ken te stammen en sjaaltjes met zulke felgekleurde patronen dat Meri- dia er duizelig van werd. Voor elke drie eigendommen van Elias offerde Eva er één van haarzelf op. Haar kaptafel met alle parfumflesjes, bor- stels, sieradenkistje, poeders en wondercrèmes waar haar huid beslist niet zonder kon, liet ze volkomen ongemoeid. Toen Meridia deze over- daad zag, dacht ze weemoedig terug aan het karige assortiment op Ra- venna's kaptafel – een bakje spelden om 's morgens haar onberispelijke knotje op zijn plaats te brengen en een palmhouten kam om hem voor het slapengaan weer uit te borstelen.

Uit de krochten van de kast haalde Eva diverse hoedendozen tevoorschijn. Eén ervan, die versierd was met tekeningen van vrouwen in jurken van mousseline, zat onder zo'n dikke laag stof dat deze elegante dames de neiging te niezen jarenlang onderdrukt moesten hebben. Verwoed blies Eva het stof van de doos.

'Jeetje, die was ik al jaren kwijt!' Ze zat op de grond en gooide de inhoud van de doos op het tapijt. Overal om haar heen lagen verbleekte familiefoto's in kleur en zwart-wit.

'Kom eens kijken! Ze zijn echt geweldig!'

Meridia ging naast haar op de grond zitten en pakte een foto op aan de rand. 'Is dat Permony?'

Het was inderdaad Permony, die in haar blootje over de grond kroop terwijl het kwijl uit haar mond liep. Malin prijkte op talloze foto's, van chagrijnig kijkend tot blazend naar de kaarsjes op haar verjaardagstaarten. Meridia moest lachen om een foto van een kleine Daniel in een clownspak, met groene haren en het gezicht beschilderd met grijnzende aapjes. Er waren foto's van Eva en Elias tijdens hun eerste jaren – zij slank met donkeromrande ogen en zwaar opgemaakt, hij stralend van gezondheid, keurig gekleed met een dikke bos haar. 'Wat waren we toch een tortelduifjes!' schaterde Eva toen ze een foto vond waarop ze elkaar omhelsden. 'Volgens mij is dat de avond dat we elkaar voor het laatst gekust hebben, zo'n twee jaar voordat Daniel geboren werd.'

Met tranen van heimwee redde Eva nog meer foto's van de vergetelheid. Luisterend naar Eva's verhalen stuitte Meridia op een zwart-witfoto van een jonge vrouw met een klein meisje op schoot. De vrouw droeg een japon met hooggesloten kraag en gestreepte korte mouwen. Het meisje, dat hooguit drie of vier was, had een wit zomerjurkje aan. Ze hielden het hoofd op dezelfde manier en de brede glimlach van beiden schitterde nog meer dan de parels om de nek van de vrouw. Meridia herkende de vrouw als Patina, aangezien niemand anders zo'n zuivere oogopslag had. Het kleine meisje moest dan haar dochter zijn, de dochter die ze verloren had aan malaria. Juist toen ze de foto aan Eva wilde laten zien, verstijfde Meridia. Ze wierp een blik op Eva en keek weer naar de foto. Er ging een rilling over haar rug toen ze zag hoe de glimlach rond de mond van het meisje langzaam verdween.

'Kijk die eens.' Eva hield een foto op in haar richting. 'Daniel op de basisschool. Hij was de grootste slungel die ik ooit heb gezien.'

Meridia dwong zichzelf tot een lach en liet ondertussen de andere foto in haar zak glijden.

Zodra Meridia en Daniel alleen waren, liet ze hem de foto zien.

'Waarom heb je niet gezegd dat Patina je oma is? Het meisje dat bij haar op schoot zit, is toch mama? Pas nu besef ik hoeveel ze op elkaar lijken.'

Geschrokken van haar onomwonden vraag pakte Daniel de foto van haar aan en bestudeerde hem.

'Waar heb je die vandaan?'

'Hij kwam tijdens het opruimen tevoorschijn uit de hoedendoos van mama. Als Patina je oma is...'

'Stiefoma,' corrigeerde hij haar. 'Mama is slechts haar adoptiekind'.

'Slechts? Is mama dan niet opgevoed door Patina?'

'Jawel.'

'En heeft ze voor haar gezorgd alsof ze haar eigen kind was?'

'Ja.'

'Dan snap ik niet waarom mama haar nu behandelt als een slavin.'

Daniel, die zijn vrouw nog niet eerder zo gezien had, deinsde achteruit. 'Waarom ben je zo boos? Om te beginnen vind ik niet dat mama haar behandelt als een slavin.'

'Hoe kun je dat nou vinden? Ze houdt haar dag en nacht aan het werk, kleedt haar in vodden en geeft haar slechts kliekjes te eten. En heb je Patina's kamer weleens gezien? Daar zou een kat nog niet willen leven, laat staan je oma. Nee sorry, je stiefoma.'

'Maar Patina wilde zelf hier blijven en mama helpen,' zei Daniel. 'Ze wilde niet betaald krijgen en als mama kleren voor haar kocht, weigerde ze die ronduit. Patina heeft zelf besloten dat iedereen hier in huis moest eten voordat ze zelf aan de beurt is, en ze weigerde zelf om de zitkamer boven tot slaapkamer te nemen omdat het voorraadhok goed genoeg voor haar zou zijn. Mama heeft haar nooit tot iets gedwongen. Vraag het maar aan Patina. Ze zal het allemaal bevestigen.'

'Wie heeft jou dit verteld? Mama?'

'Ja.'

'En jij gelooft haar?'

'Natuurlijk, het is mijn moeder.'

'Dan begrijp ik het.' Meridia keek hem even aan, wist niets in te brengen tegen zijn oprechte loyaliteit, en zei toen: 'Je houdt iets voor mij verborgen. Ik heb zelf gezien hoe mama haar behandelt. En bovendien, waarom zou Patina dit zichzelf aandoen?'

Daniel glimlachte en gaf haar de foto terug.

'Weet je wel hoe mooi je bent als je boos bent? Het doet me denken aan die keer dat we op het strand die doodskist vonden. Toen had je ook van die vuurrode wangen en moest ik je wel kussen. Maar als ik geweten had dat mijn aanstaande echtgenote zo ongelooflijk nieuwsgierig was...' Hij lachte hartelijk en wilde Meridia bij haar middel grijpen.

'Wat heeft Patina gedaan dat zo onvergeeflijk is?' hield Meridia aan. Ze negeerde zowel zijn handen als de begerige twinkeling in zijn ogen. 'Ze gedraagt zich alsof ze boete doet. Waarvoor?' Meridia keek fronsend en zocht opzettelijk Daniels blik. 'Het heeft te maken met dat andere kind, hè? Met haar eigen dochter die gestorven is aan malaria.'

'Ik heb je al gezegd dat mama en Patina een lange geschiedenis hebben.' Daniel legde zijn handen op haar onderrug, vouwde ze samen en bracht zijn lippen naar de hare. 'Laat het toch rusten.'

Voor de eerste keer in hun nu drie maanden durende huwelijk week ze achteruit en ging ze openlijk de strijd aan met zijn jongensachtige, goedhartige karakter.

'Ik laat het niet rusten,' zei ze. 'Je kunt het me dus net zo goed allemaal vertellen.'

Daniel fronste het voorhoofd en glimlachte, maar vanwege haar woedende blik besloot hij haar los te laten. Hij zuchtte en haalde zijn handen weer weg van haar rug.

'Goed dan, maar zeg niet dat ik je niet gewaarschuwd heb.' Hij trok haar naar het bed en ging zitten. 'Je wilt het verhaal horen van Patina's dochter? Het arme kind stierf toen ze een jaar oud was. Wekenlang kon Patina niet eten, niet slapen en niet spreken, maar alleen huilen van verdriet. In zijn wanhoop riep haar echtgenoot, een goudsmid, de hulp van een waarzegger in. Die man vertelde hem dat als er niet binnen drie dagen een ander kind kwam, Patina zou sterven van smart. De goudsmid schrok hevig, zocht snel de hele stad af op zoek naar een jong meisje en vond er bij toeval één. Dat kind was mama. Zodra ze haar zag, droogde Patina haar tranen en werd weer moeder.

Zestien jaar lang vormden ze een gelukkig gezin. Maar acht dagen na het overlijden van Patina's echtgenoot stond er opeens een geheimzinnige vrouw op de stoep toen mama op school zat. Ze beweerde dat ze haar moeder was. Patina begon te schreeuwen, joeg haar weg en dreigde haar te laten arresteren als ze zich ooit nog eens in de stad liet zien. Van een ontevreden dienstmeid kreeg mama daarna over het voorval te horen. Ze was hels dat ze geen echte dochter van Patina was en dat Patina haar moeder van haar had weggehouden. Ze vermoedde dat de goudsmid haar door een of andere misdaad in handen had gekregen. Toen mama dit Patina voor de voeten wierp, sprak die dat tegen. Vanaf die dag trokken Patina's voeten krom als wijnranken, volgens mama uit schuldgevoel. En sinds dat moment is Patina mama geheel toegewijd omdat ze de liefde wil terugverdienen die ze verbruid heeft. Maar een gebroken hart laat zich moeilijk weer lijmen. Bovendien is mama een vrouw die niet makkelijk vergeeft.'

Tijdens Daniels verhaal bekroop een koud, onbestemd gevoel Meridia. Toen hij uitgesproken was, schudde ze ongelovig het hoofd. 'Volgens mij is Patina niet tot zulke gemene dingen in staat,' zei ze. 'Die vrouw is in- en ingoed.'

'Jij vroeg me dit te vertellen. Meer weet ik niet.'

'Weten de meisjes ervan?'

'Het zou kunnen dat Malin iets vermoedt. Dat is een slimme meid. Maar volgens mij heeft mama ze nooit iets verteld. Ze heeft het mij ook pas een paar jaar geleden meegedeeld. Ik dacht altijd dat Patina alleen maar dienstmeid was.'

Meridia stond op en keek hem met samengeknepen ogen aan. 'En het doet je verder niks?'

'Wat?'

'Dat je stiefoma als slavin boete moet doen voor een fout van jaren geleden?'

Daniel leunde achterover en legde ontspannen een arm achter het hoofd. 'Dan snap je niets van Patina. Zie je de vreugde op haar gezicht niet als ze aan het werk is? Jij noemt het boetedoening, maar voor mij is het liefde. Patina is gelukkig met waar ze nu is, vlak bij mama voor wie ze al het mogelijke kan doen. Laat haar met rust.'

'Als ze zo gelukkig is, waarom jammert ze dan om haar overleden dochter?'

Daniel kwam met een ruk overeind van het bed.

'Laten we er nu over ophouden. Het is een triest verhaal. Ik ken aangenamere manieren om de middag door te brengen.'

Met een grijns probeerde hij alle onaangename gedachten uit te wissen. Hij liet een hand onder haar rok verdwijnen, volgde haar been tot aan haar heup en bewoog toen zijn vingers naar de plek tussen haar dijen. 'Daniel...' protesteerde ze. Zijn veelbetekenende glimlach was als een ijzeren grendel die tussen hen werd dichtgeschoven. Op het moment dat zijn lippen haar het zwijgen oplegden, werd ze getroffen door het onaangename besef dat in de toekomst nog veel meer ruzies op deze manier beslecht zouden worden.

Hoewel er geen tocht was in de kamer ritselde de vergeten foto op het bed. Zonder dat een van beiden het gezien had, was de glimlach op het gezicht van het meisje teruggekeerd.

Twee dagen later zag Meridia hoe Patina in de achtertuin met een vrouw stond te fluisteren. De onbekende, gekleed in een halflange, gele tuniek, leek ergens in de veertig, was lang en slank met ranke, bleke handen en had haar graankleurige haar opgestoken. Terwijl ze met elkaar in gesprek waren, richtte Patina steeds angstige blikken op het huis. Even later drukte de onbekende vrouw Patina een pakje in handen en gaf de bezwaren van de oude vrouw geen kans door haar te omhelzen. Zichtbaar van slag strompelde Patina terug naar de keuken. De onbekende keek toe totdat Patina de hordeur achter zich had gesloten en liep toen naar de voorkant van het huis.

Meridia ging haar achterna. Ze had geen idee wat ze de vrouw moest zeggen maar iets dreef haar ertoe haar te volgen. Ze haalde de onbekende niet meteen in. De vrouw boog het hoofd, haastte zich langs de vechtende bloemen naar de straat en ging pas langzamer lopen nadat ze een zijstraat van Orchard Road was ingeslagen. Ze beduidde Meridia dichterbij te komen.

'Jij bent vast en zeker de vrouw van Daniel,' zei ze. 'Je bent nog mooier dan ik me al had voorgesteld.'

Ze had een melancholiek, ovaal gezicht, abrikoosvormige ogen en een kleine moedervlek met de vorm van de nieuwe maan op haar kin. Ze sprak met rustige stem en haar helgele, zijden tuniek werd omgeven door een aangename seringengeur.

'Dank u,' zei Meridia. 'Vergeef me als ik u heb laten schrikken.'

'Helemaal niet. Ik ben Pilar, de zus van Patina. Ik hoopte al een tijdje dat ik je eens zou ontmoeten.'

Ze had een stevige, vaste handdruk. De doordringende manier waarop ze Meridia aankeek, wekte de indruk dat er meer achter deze woorden schuilging.

'Patina heeft me nooit verteld dat ze een zus had.'

Pilar glimlachte grimmig. 'Natuurlijk niet, daar zorgt zíj wel voor.'

Geschrokken kwam Meridia dichterbij. 'Wie bedoelt u?'

'Ik heb het over die ondankbare, wrede, bedrieglijke, onbetrouwbare adder. Als je eens wist wat mijn zus allemaal al gedaan heeft voor dat reptiel!'

'U bedoelt mama?' fluisterde Meridia.

'Zij die als kind meer liefde van mijn zus kreeg dan ze haar eigen kind gegeven zou hebben! Als je bedenkt dat die slang zich gevoed heeft met de melk uit Patina's borsten en zich in haar schoot nestelde om genegenheid te krijgen! Wist je dat ze niet meer dan een straatkind was en gedoemd te sterven in de goot als mijn zwager geen medelijden voor haar had opgevat en haar niet meegenomen had naar huis? Ach, je had eens moeten zien met welk een zorg Patina haar toen overstelpt heeft! Ze kon het niet over haar hart verkrijgen het kind te laten huilen en gaf onmiddellijk gehoor aan al haar verlangens. Elke ochtend smeerde ze kokosolie in haar haar, wreef haar huid in met amandelmelk en rozenpoeder, en maakte zich zorgen als er ook maar een spikkel vuil tussen haar tenen zat. Je moet weten dat Patina destijds juist een kind had verloren, dus toen dit wezen verscheen – toen dit verdomde serpent uit de krochten van de hel gekropen kwam – dacht Patina dat ze een geschenk uit de hemel was. Ze had nog geen idee dat ze zich later zo tegen haar zou keren!'

De stem van Pilar had een scherpe toon gekregen. Ze haalde zwaar adem en veegde boos de tranen uit haar ogen. Uiterst voorzichtig waagde Meridia het erop: 'Ik heb gehoord dat er op een dag een vreemde vrouw langskwam die op zoek was naar mama. Ze beweerde dat ze haar moeder was. Klopt het dat Patina haar weggestuurd heeft voordat ze met mama kon praten?'

Pilar barstte los op luide, spottende toon: 'Nou, wat een geweldige moeder was dat! Weet je wat ze was? Een hoer! Een straatslet! Ze was zo walgelijk en afstotelijk dat zelfs de honden hun neus voor haar optrokken. Ze kwam ook niet om haar dochter een bezoek te brengen, ze wilde geld zien! Ze dreigde haar te zullen ontvoeren als Patina haar geen geld gaf. Patina werd woest, heeft haar de deur uitgesmeten en zo bang gemaakt dat ze nooit teruggekomen is. Niets wat je schoonmoeder vertelt, klopt. Dat serpent is alleen maar tot liegen in staat!'

Meridia stond sprakeloos. Ze haalde zich voor de geest hoe ernstig Daniel had gekeken toen hij haar het verhaal had verteld en vroeg zich af of hij op dat moment in de waarheid ervan had geloofd.

Pilar draaide zich om en keek in de richting van het huis. Uit de verte drong het getjilp van de gekooide vogels vaag tot hen door, gevolgd door de zware geur van de rozen. Opeens begon Pilar aan de sikkelvormige moedervlek op haar kin te krabben.

'Mijn arme zus,' huilde ze. 'Wie had ooit kunnen denken dat ze de rest van haar leven als slaaf in haar eigen huis zou moeten verblijven?'

Meridia's mond viel open van verbazing. 'Van Patina, het huis is van Patina?'

'Zeer zeker,' zei Pilar kwaad. 'En de juwelierszaak ook! Haar man heeft die aan haar nagelaten – hij was een goudsmid in goeden doen, moet je weten. Maar ze heeft alles opgegeven voor die slang. Mijn arme, dwaze zuster!'

'Wat bedoelt u met "ze heeft alles opgegeven"?'

Terwijl ze zich verwoed bleef krabben, kromp Pilar ineen alsof haar binnenste gekweld werd door iets duisters. 'Je schoonmoeder verweet Patina dat ze haar misleid had. Dag en nacht deed ze haar best om Patina zich schuldig te laten voelen over het feit dat ze haar moeder had weggejaagd en haar niet had verteld dat ze niet haar echte dochter was. Het waren schaamteloze, gemene leugens maar ze werkten wel. Een jaar lang legde ze alle schuld op de schouders van Patina totdat mijn zus ervan overtuigd was dat haar inderdaad alle blaam trof. Op de dag dat je schoonmoeder achttien werd, deed Patina het huis en de winkel officieel aan haar over omdat ze ervan overtuigd was dat ze hiermee haar liefde zou terugwinnen. Och, ik heb alles geprobeerd haar tegen te houden, maar die slang had mijn eigen zus tegen mij opgezet. Toen ze een jaar later trouwde, plaatste ze die luie, schaamteloze lafbek aan het hoofd van de winkel en verbande ze Patina naar de keuken. Al die jaren heeft ze Patina nog nooit ene cent gegeven, en als Patina ziek wordt, presteert ze het te zeggen: "Dat is je verdiende loon. Denk maar niet dat ik voor de rekeningen ga opdraaien."'

Er ging een rilling door Meridia heen en op hetzelfde moment stak de wind op en verstikte haar met de bedwelmende rozengeur. Ze herinnerde zich hoe Patina daar op de grond had gelegen met een gloeiende wang door Eva's klap en een stem die schor was van haar smeekbedes aan de doden. Terwijl de goudsbloemen huiverden, waren de rozen fier overeind blijven staan, zwijgend als beulen.

Alsof ze hetzelfde beeld voor ogen had, begon Pilar zich weer verwoed te krabben.

'En dat is niet het enige,' zei ze. 'Die harteloze adder kon niet eens het graf met rust laten.'

'Het graf? Welk graf?'

'Dat waarin Patina haar dochter heeft begraven, natuurlijk! Het lag eerst midden in de voortuin omdat mijn zus het idee niet kon verdragen dat haar kind ver van haar vandaan begraven zou worden. Maar nadat die slang zich het huis had toegeëigend, liet ze de grafsteen door werklui weghalen. Ze hebben hem letterlijk aan stukken geslagen, de kist opgegraven en hem naar de Tuin der Resten overgebracht. Ze klaagde dat ze door dat krijsende graf in de voortuin al jaren niet meer kon slapen, loog glashard dat alleen al de gedachte eraan haar rillingen en nachtmerries bezorgde. Tsss. Patina liet haar begaan, maar de slang vond dit nog niet genoeg. Op de plek van het graf plantte ze rode rozen en voedde die met haar wrok. Deze afgrijselijke bloemen bloeiden op ongekende wijze en wisten zo alle sporen uit van het verblijf van Patina's echte kind in deze aarde!'

Meridia begon nog heviger te rillen nu in haar herinnering Patina's woorden weerklonken: 'Mijn kind... mijn schatje.' Patina had haar jammerklachten geuit op het graf van haar dochter.

Pilar hield op met krabben en liet verslagen het hoofd hangen. Uit de moedervlek op haar kin sijpelde een druppel bloed.

'Jarenlang heb ik Patina gezegd dat ze bij me moest komen wonen. Ik ben een arme vrouw maar zolang ik nog genoeg heb om eten te kunnen kopen, is ze welkom. Ze hoeft geen vinger uit te steken want ik doe alles voor haar. Maar wat is dan haar reactie? "Ik kan mijn dochter niet alleen laten. Ze heeft mij nodig en ik haar." Ik zeg dan: "Wat ze nodig heeft is een hart en alleen God kan haar dat schenken." Maar als ik dat zeg, wordt ze boos. Het enige wat ze van me wil aannemen, is een beetje geld. Maar ik vermoed dat ze zelfs dat uitgeeft aan haar. Je moest eens weten hoeveel verdriet het mij doet dat mijn eigen zus elke keer opnieuw mijn hulp weigert!' Pilar kon zich niet langer inhouden, bedekte haar ogen en begon te snikken.

Meridia drong voorzichtig verder aan: 'Wat is er met haar voeten gebeurd?'

Pilar liet de armen langs het lichaam vallen. De bloedvlek werd groter en donkerder.

'Dat wilde ze me niet vertellen. Toen ik haar bezocht op een ochtend nadat het graf van haar kind was weggehaald, zaten haar tenen en enkels naar binnen gebogen. Het was alsof iemand met een hamer op alle botten in haar voeten had geslagen.'

Door het verdriet en de woede in Pilars blik ging er een huivering door Meridia. 'Waarom ontmoet ik u vandaag pas voor het eerst?' vroeg Meridia.

Pilar lachte vreugdeloos en beantwoordde Meridia's naïeve vraag op spottende toon: 'Dacht je dan dat ik daar welkom ben? Je schoonmoeder kan mij al vijfentwintig jaar niet uitstaan. Ze zegt tegen iedereen dat ik haar bloed laat koken. Als ze weet dat jij met mij gesproken hebt, zwaait er wat.'

Meridia keek Pilar even aan en bood haar toen de enige troost aan die ze kon geven. 'Laat u het mij weten als ik u kan helpen?'

Het bloed op haar kin deppend, schonk Pilar haar een bittere glimlach. 'Datzelfde zeg ik al jaren tegen Patina. Ik denk niet dat ze er ooit op in zal gaan.'

Ze gaf Meridia een knikje en liep haastig weg door de verlaten straat. Het licht van de middagzon weerkaatste op haar helgele tuniek, en nadat haar voetstappen verklonken waren, gloeide het beeld daarvan nog lang na op Meridia's netvlies.

Toen ze bij het huis terugkeerde, bedekte Meridia haar neus bij het passeren van de rozenwildernis. Op de veranda schommelde Malin rustig heen en weer in Elias' stoel. Ze keek Meridia vernietigend aan voordat ze met opzet tergend langzaam opstond en het huis binnenging. Toen ze de woning via de voordeur betrad, zag Meridia op de bovenste tree van de trap, vlak voordat ze in de kamer van Eva verdween, nog net een glimp van Malins voetzolen.

HOOFDSTUK 13

Behalve dat Eva klaagde dat de stank van de goudsbloemen haar haar eetlust ontnam, bleef het tot woensdag rustig. Die middag zat Meridia alleen in de woonkamer te naaien toen ze een paar ogen in haar rug voelde prikken. Ze keek om zich heen, maar tot haar verbazing was er verder niemand in de kamer. Luid schraapte ze haar keel. Op het moment dat ze zich echter weer over het werk wilde buigen, voelde ze hetzelfde paar ogen in haar nek steken. Meridia draaide zich snel om maar weer zag ze niemand. Geschrokken legde ze haar naaiwerk neer en liep naar de gang. Ook daar was niemand te vinden. Uit het lepel- gekletter kon ze afleiden dat Patina en Gabilan bezig waren in de keu- ken en op dit uur rustte Eva altijd op haar kamer. Plotseling, op het moment dat ze terug wilde keren naar de woonkamer, hoorde ze Malin lachen. Het was een koude, natte lach die als een emmer water over haar werd uitgestort. Woest overbrugde Meridia de tien stappen naar de deur van de slaapkamer van de zusjes en zwaaide hem open. Er was niemand. Direct realiseerde ze zich dat Malin nu op school zat. Die ochtend had ze haar zelf zien vertrekken en het zou nog minstens een uur duren voor ze weer thuiskwam. Verward krabde Meridia zich op het hoofd en ging terug naar de woonkamer.

Vanaf toen voelde ze Malins aanwezigheid overal en ze hoorde haar ook steeds. Als Meridia een bad nam, stond ze fluisterend aan de bad- kamerdeur. Ze staarde haar aan van de andere kant van de eettafel. Als Meridia haar de rug toedraaide, begon ze te grinniken. Maar hoe snel ze ook reageerde, het lukte Meridia nooit het meisje op heterdaad te betrappen. Als ze de badkamerdeur opende, stond Malin er niet. Als ze tijdens het eten snel haar ogen opsloeg van haar bord zag ze haar schoonzusje de tegenovergestelde richting op kijken. Als ze zich om- draaide om haar te betrappen op het gegrinnik, verraadde Malins mond geen enkele beweging en de anderen leken haar gelach evenmin te horen.

Het ontging Meridia niet dat Eva haar anders behandelde sinds Malin haar betrapt had tijdens haar gesprek met Pilar. Al eind oktober, drie maanden nadat ze haar bruidsjurk opgeborgen had in de lichtbruine hutkoffer, was Eva niet langer hartelijk maar kortaf. Haar opdrachten gingen niet meer gepaard met een glimlach of aanwijzingen. Als Meridia tijdens het dekken van de tafel per ongeluk een lepel liet vallen, deinsde Eva er niet voor terug haar in aanwezigheid van iedereen een reprimande te geven. 'Kijk toch uit, liefje!' riep ze. 'Geen enkele man heeft behoefte aan een onhandige vrouw!' Als ze naar de markt gingen, moest Meridia naast haar eigen mand nu ook die van Eva dragen. 'Jicht,' luidde haar korte toelichting. 'Ik mag niets dragen waarmee ik mijn gewrichten kan beschadigen.'

Ook Daniel viel Eva's bitse benadering ten deel. Ze eiste van hem dat hij, nu hij getrouwd was en meer verantwoordelijkheid droeg, deelde in de kosten van het huishouden. Tegelijkertijd wees ze zijn smeekbedes om een vast salaris met oplopende irritatie van de hand. 'Ik heb altijd elke cent opzijgelegd, jongen,' zei ze terwijl ze het oog liet rusten op wat ze aanzag voor een nieuwe set manchetknopen. 'Als je echt heel hard geld nodig hebt, dan weet ik zeker dat Meridia het niet erg zal vinden een deel van haar sieraden te verkopen. Haar bruidsschat is toch nog altijd compleet?'

Daniel dacht dat Eva gewoon een 'slechte bui' had en daarom weigerde. Hij verzekerde Meridia dat hij het nog eens zou proberen als zijn moeder beter geluimd was. Aanvankelijk leek dat een goed plan maar toen Eva's slechte bui maar niet over wilde gaan, zag het pasgetrouwde stel zich gedwongen hun gewoonten drastisch aan te passen. Ze gingen steeds minder uit en als ze dat wel deden, moesten ze kiezen tussen een maaltijd van een straatverkoper of een goedkope voorstelling in Cinema Garden. Daniel zag af van bezoeken aan de kapper totdat het haar voor zijn ogen hing en Meridia kocht geen lotions en parfum meer. Toch bleef Eva beweren dat ze te veel uitgaven. Haar blik verduisterde zodra ze hen het huis zag verlaten, al was het maar voor een ommetje. Ze hield Meridia's kleding nauwlettend in de gaten. Als er iets was wat ze niet herkende, van een paar schoenen tot een haarspeld, gromde ze dat ze zichzelf ook wel een dergelijke buitenissigheid zou willen veroorloven. Meridia liet het al snel uit haar hoofd op de markt naar iets op zoek te gaan omdat Eva dit anders als argument zou inbrengen als Daniel haar om geld vroeg.

Tegenover Daniel gaf Meridia steeds meer uiting aan haar onvrede: 'Hoe lang houden we dit nog vol?' vroeg ze hem. 'Je moet zorgen dat je een vast salaris krijgt.'

'Geduld, schatje,' zei Daniel glimlachend. 'Mama draait nog wel bij. Dat doet ze altijd. Bovendien komen we nog niet om van de honger.'

'Dan is het te laat. Kun je het er niet met papa over hebben?'

'Dat heeft geen zin. Die laat mama alles beslissen.'

Wat Meridia eveneens dwarszat, was dat Malin Daniel steeds als zijn schaduw volgde. Elke ochtend als ze naar school ging, liep ze met hem op naar zijn werk. Ze wachtte hem op als hij thuiskwam van het werk en hield hem gezelschap als hij zich op de eerste verdieping het hoofd over de boekhouding brak. Meridia was er zeker van dat Malin achter haar rug kwaad over haar sprak. Ze hoorde haar door de muren heen en reeds van flinke afstand lachen en voelde hoe haar laatdunkende blik haar vilde als een scheermes. Door deze blik kwam het op een zondagmiddag – drie maanden, twee weken en vier dagen nadat Meridia haar intrek had genomen in het huis aan Orchard Road – tot een uitbarsting. De daaropvolgende strijd was het onvermijdelijke gevolg ervan.

Toen Meridia die middag de woonkamer betrad, trof ze Daniel samen met Malin op de bank aan. Ze werden door tal van schaduwen omgeven terwijl ze met elkaar spraken, zo zacht dat het bijna fluisteren was. Bij het zien van Meridia schonk Malin haar een hooghartige blik. Er was iets in haar ogen wat Meridia tot op het bot verkilde. Het korte snuiven van Daniel dat daarop volgde, nam de allerlaatste twijfel weg.

'Schatje,' zei Daniel, die haar nu pas zag. 'Kom bij ons zitten.'

Zonder een woord te zeggen draaide Meridia zich om en verliet de kamer.

'Meridia!' Daniel sprong van de bank en rende haar achterna. 'Wat is er aan de hand?'

Halverwege de gang richtte ze een blik op hem die hij nog niet kende van haar.

'Wat zei ze tegen je?'

'Wat bedoel je?'

'Zojuist. Wat zei Malin toen tegen je?'

Daniel haalde zijn schouders op. 'Er zit een jongen achter haar aan. Iedereen zegt dat ze zich gevleid zou moeten voelen, maar zij vindt dat hij een nieuw kapsel en een nieuw gebit moet.'

Daniel lachte en wreef met zijn duim over haar kin. Meridia was nog niet overtuigd.

'Dat was alles?'

Daniel trok verbaasd de wenkbrauwen op. 'Natuurlijk... Wat zou er nog meer moeten zijn?'

'Zeg eens eerlijk: had ze het achter mijn rug om over mij?'

'Hoe kom je daar...?' Zijn ogen begonnen plots te schitteren. 'Ben je soms jaloers dat ik mij met Malin bezighoud? Ja, dat is zo! Dat zie ik heel duidelijk. Prima hoor, dan heb ik vanaf nu alleen nog maar tijd voor jou.'

Meridia onderbrak zijn plagerijen meteen. 'Even serieus, Daniel,' zei ze met een hogere stem dan normaal. 'Ik heb je zus in de gaten gehouden en ik weet zeker dat ze allerlei vervelende dingen over mij...'

Ze maakte haar zin niet af. Eva's stem dreef hen vanaf de trap uit elkaar.

'Is het hier misschien oorlog? Permony! Ik gooi je jas het raam uit als je hem niet fatsoenlijk ophangt. Daniel! De boekhouding komt niet vanzelf omhoog. Meridia! We gaan naar de markt. Die domme Patina is het broodmeel vergeten. Malin schatje, wil je iets van de bakker?'

Op en neer stuivend door de gang verdreef Eva alle spanningen. Het pasgetrouwde stel keek elkaar nog even aan en ging toen zoals hen was opgedragen uiteen. Op het allerlaatste moment kwam Malin tevoorschijn uit de woonkamer. Ze wierp Meridia een scherpe blik vol afschuw toe.

De volgende middag was Meridia haar kamer aan het stoffen toen ze opnieuw een paar ogen in haar nek voelde branden. Toen ze zich omdraaide zag ze, eerder tot haar opluchting dan verbazing, Malin bij de deur staan. Het meisje droeg haar blauwe schooluniform nog. Het lange haar werd in bedwang gehouden door een haarband en in haar bleke gezicht waren de ogen het enige teken van leven.

'Als je iets te zeggen hebt, zeg het dan,' zei Meridia. 'Ik weet dat je achter mijn rug om met mama praat.'

De lippen van het meisje weken door een voorzichtige, berekenende glimlach uiteen. Het levendige van haar ogen ging over op haar mond. Het genot dat haar glimlach tentoonspreidde was bijna te duivels voor een dertienjarige.

'Je draagt haar ketting.'

'Pardon?'

'De ketting die je van mama hebt gekregen. Je draagt hem drie, vier keer per week.'

Meridia keek naar beneden en pakte de turkooizen kralen tussen haar vingers.

'Wat dan nog? Ik vind hem toevallig mooi.'

Malin klakte met haar tong alsof er iets tussen haar tanden zat. 'Je bent net als de rest. Je laat je net zo makkelijk bedotten. Toen ik je de eerste keer zag, dacht ik dat je haar wel zou aankunnen.'

Meridia liet de stofdoek op de grond vallen en keek haar recht in het gezicht. 'Waar heb je het over?'

Malin liep de kamer in en schopte de deur achter zich dicht. 'Zie je dan niet dat die ketting maar een goedkoop ding is? Het zou me niets verbazen als ze hem in een vuilnisbak gevonden heeft. En je draagt hem alsof het je dierbaarste bezit is.'

'Ik draag hem omdat ik hem mooi vind. En mama was zo vriendelijk hem aan mij te geven.'

'Hoor je jezelf weleens praten de laatste tijd? Om de paar zinnen is het "mama dit en mama dat". Ik word er misselijk van als ik dat hoor! Ze is je moeder niet en zal dat ook nooit worden. Waarom doe je altijd precies wat ze wil? Waarom doet iedereen dat? Je moest eens weten wat ze achter je rug allemaal over je zegt.'

Meridia liep snel op haar toe maar Malin week niet achteruit. Haar listige, berekenende glimlach keerde terug en deed de rest van haar gezicht verstenen.

'Ik geloof je niet,' zei Meridia. 'Ik weet dat jij allerlei gemene dingen over mij gezegd hebt.'

Malins glimlach verdiepte zich. 'Hoe weet je dat zo zeker? Misschien was het haar stem die je de hele tijd hoorde.'

'Waarom zou mama... je moeder... stiekem over mij praten? Ik heb niets gedaan dat haar niet beviel.'

'Ben je nu echt zo dom? Ze mag je al vanaf de allereerste dag niet.'

Bijna had Meridia het meisje bij de schouders gegrepen. Toen ze weer sprak, wist ze te verbloemen dat het voelde alsof Malin haar het hart uit het lijf had gerukt.

'Wat bedoel je?'

Malin nam, genietend van elke seconde, Meridia van hoofd tot voeten op. Haar wrede glimlach verbreedde zich, versmalde weer om vervolgens geheel te verdwijnen.

''s Avonds na je eerste bezoek stond ik bij haar kamerdeur toen ik haar hoorde klagen tegen papa. De hele avond door. Je voorhoofd was te trots, zei ze, je neus te verwaand, je mond te koppig. "Je zou haar knap kunnen noemen, als je op zo'n uiterlijk valt..." Ze zei dat met jouw heupen de familienaam ten grave zou worden gedragen omdat ze nauwelijks breed genoeg waren om een erwt te kunnen baren, laat staan een kind. Ze zei dat ze aan je zachte handen kon zien dat je moeder je verwend had en je nooit gevraagd had ook maar iets te doen. "Als ze trouwen, dan komt ze hier met veel kapsones binnenzwieren en verwacht ze dat iedereen haar op haar wenken bedient. Nee, deze is niet veel. We kunnen beter verder rondkijken..."'

Het was warm en benauwd geworden in de kamer. Met een hand om haar ketting liet Meridia elk woord over zich heen komen. 'Ik geloof je niet. Ik geloof geen woord van wat je zegt.'

Malin negeerde haar en vervolgde, nog intenser genietend: 'Op de avond van je huwelijk heeft ze tot het weer licht werd op je vader afgegeven. "Wat een verschrikkelijk arrogante man! Hij praat met niemand en gedraagt zich met de bruidsschat als een vrek, maar denkt intussen dat we nog niet goed genoeg zijn om zijn schoenen te mogen poetsen!" Je moeder kreeg er zelfs nog erger van langs. "Je hoeft maar één blik op haar te werpen en je weet dat er een draadje loszit." De volgende ochtend dwong ze papa om Daniel mee te nemen naar de winkel. Later op de dag, nadat ze je de huwelijksca-deaus had laten zien en je het gewaagd had te vragen waar de rest was, heeft ze mij bijna horendol gekregen met steeds te zeggen hoe ondankbaar je was, hoe onbeschaamd je je had gedragen en dat iedere andere bruid blij was geweest met de helft van wat jij van haar had gekregen. Heb je je ooit afgevraagd wat er met de rest gebeurd is? Ik kan je in elk geval verzekeren dat het niet naar een goed doel is gegaan. Wat ze niet verkocht heeft, duikt weer op als ze denkt dat je het bestaan ervan vergeten bent. Moet je je eens voorstellen dat je over een paar maanden het dure linnen van je moeder uitgespreid over mama's bed ziet liggen!'

'Waarom vertel je me dit allemaal?' vroeg Meridia met van woede samengeknepen ogen.

Malin haalde haar schouders op alsof het antwoord wel zeer voor de hand lag. 'Omdat ik benieuwd ben wat je nu gaat doen. Wat ga je doen?'

'Om te beginnen loop ik direct naar boven om je moeder alles te vertellen!'

In Malins lach klonk zoveel verachting door dat Meridia haar bijna een klap gaf.

'Waarom denk je dat ze je op je woord zal geloven? Ik ga je nu vertellen wat jij gaat doen. Over een halfuur ga je de tuin in en onder het raam van haar zitkamer staan. Daar blijf je staan totdat je gehoord hebt wat ze te zeggen heeft. Begrepen?'

Nu was het de beurt aan Meridia om in lachen uit te barsten. 'Je bent gek geworden als je denkt dat ik ga doen wat jij me opdraagt.'

'Dan doe je dat niet,' zei Malin gapend. 'Maar breng dan in elk geval het gezonde verstand op niet meer die ketting te dragen. Ze heeft hem ongetwijfeld laten beheksen door een van haar waarzeggers. Zolang die jou de keel dichtknijpt, zul je de dingen nooit helder zien...'

Dertig minuten later ging Meridia de tuin in en koos positie onder het raam van de zitkamer. Het liep tegen vijf uur in de middag en over niet al te lange tijd zouden Daniel en Elias thuiskomen van de winkel. Patina en Gabilan waren in de keuken de avondmaaltijd aan het bereiden en vanaf haar plek kon Meridia zien hoe Permony aan haar groene bureau haar huiswerk deed. De tuin, vervuild met bladeren en doorgeschoten gras, leek niet meer op de plek waar levendig gedanst was en goudkleurige en smaragdgroene luifels grote hoeveelheden voedsel hadden overhuifd. Alles was nu vergeeld, verlamd door de herfst en de enige geur die zich door de lucht verspreidde was de benevelende walm van de rozen. Meridia werd onrustig. In de overtuiging dat Malin haar misleid had, stond ze al op het punt terug te gaan toen de scharnieren van het zitkamerraam knarsten. Plotseling drong Eva's stem luid en duidelijk tot haar door.

'Is het je al opgevallen hoeveel dikker en luier Permony geworden is sinds Meridia hier woont? Laatst kreeg ik haar nauwelijks uit bed en gisteren bij de maaltijd propte ze in haar eentje zo een halve kip weg! God mag weten wat die vrouw uithaalt met je zus wanneer ze met hun tweeën zijn. Eén keer hoorde ik dat ze haar een verhaal vertelde over vliegende koeien en mijmerende giraffen. Ik was er zeker van dat ze Permony hekserij aan het bijbrengen was. Ik mag hopen dat ze je zus met geen vinger heeft aangeraakt, als je begrijpt wat ik bedoel. Het is al erg genoeg dat ze steeds loopt te roddelen met Gabilan, nieuwsgierig naar de buren en weet ik veel wat, en ondertussen laten ze het werk versloffen. Laatst stonden ze met zijn tweeën te fluisteren in de tuin, achter de moerbeiboom. Het zou me niet verbazen als ze stonden te zoenen, want ze heeft er altijd zin in. Zelfs je broer zegt dat hij haar niet aankan, als je begrijpt wat ik bedoel, maar het verbaast me echt dat ze nog kan staan en lopen als je hoort welke geluiden ze maakt. Gezien het kabaal dat door de muren komt, zou je denken dat ze door een paard genomen wordt! Geen wonder dat je broer er altijd zo bleek en moe uitziet, maar zij kan er geen genoeg van krijgen. Het is een schande dat haar vrijgevigheid zich beperkt tot de slaapkamer. Heb je gezien waarmee ze aan kwam zetten toen ik haar vroeg wat dingetjes te schenken? Vier sjofele oude jurken hoewel haar kast volhangt met kleding die ze nooit draagt! Ik zeg je dat ze gewoon niet bij ons past. Als we niet opletten, zet ze vandaag of morgen je broer tegen ons op. Een vrouw als zij is slechts gelukkig als ze anderen iets kan afpakken...'

Meridia had genoeg gehoord. Zonder geluid te maken sloop ze terug naar haar kamer en deed de deur op slot. Terwijl ze haar hoofd tegen de deurpost sloeg, had ze het gevoel dat haar lichaam door een kogelregen was geveld.

HOOFDSTUK 14

Haar hart zwol op van woede. Haar trots gebood haar onmiddellijk op Eva af te stappen. Meridia haalde zich elke geveinsde glimlach en elk onoprecht gebaar weer voor de geest en trok de turkooizen ketting van haar nek waardoor de kralen door de kamer vlogen. Het idee dat ze Eva had vertrouwd, had gediend en bewonderd, en al het mogelijke had gedaan om haar aangenaam te stemmen! In haar blinde verlangen erbij te horen had ze alle tekenen genegeerd en zich tot dienstmeid laten degraderen – zij, de dochter van Ravenna, bezat nu geen cent meer! Hoe meer ze nadacht over wat Eva had gezegd, hoe kwader ze werd. Was Daniel op de hoogte van het gedrag van zijn moeder, maar zag hij het door de vingers? Waarom had Eva hen laten trouwen als ze haar vanaf het begin niet had gemogen?

Tegen de tijd dat Daniel thuiskwam, had Meridia al iets van Gabriels gereserveerdheid over zich. Ze kuste hem alsof er niets was gebeurd en vroeg hoe zijn dag was geweest met een even ondoorgrondelijk uiterlijk als de maan. Al glimlachend liet ze niets blijken van de twijfel die zelfs op dat moment aan haar knaagde. Terwijl hij sprak en zij luisterde, bleef ze zich afvragen of hij in staat was het één te zeggen en tussen de regels door het ander. Had hij haar verraden en Eva hun slaapkamergeheimen verteld? Ze concludeerde dat die kans bestond.

'Wat is dat?' Daniel wees op de kralen die door de hele kamer verspreid lagen.

'Een ongelukje,' antwoordde Meridia, maar ze maakte geen aanstalten ze op te ruimen.

Tijdens het avondeten leverde ze de grootste acteerprestatie van haar leven. Voor de eerste keer sinds ze het huis op Monarch Street verlaten had, haalde ze Ravenna's lessen onder het stof van haar herinneringen vandaan en volgde ze strikt op. Tijdens de hele maaltijd hield ze haar kin omhoog, haar rug recht en werd haar mond gesierd door een onuitwisbare glimlach, die zich echter nooit tot haar ogen uitstrekte. Ze observeerde Eva met de niet-aflatende oplettendheid van een intrigant, en liet uit niets blijken dat ze het liefst over de tafel wilde reiken om dit valse mens het masker van het gezicht te trekken. Op momenten dat ze de andere gezinsleden observeerde, moest Meridia steeds het afgrijselijke idee van zich afzetten dat wellicht iedereen van meet af aan tegen haar had samengespannen. Waren Permony en Elias op de hoogte van Eva's kwaadsprekerij? Welke vraag ging er werkelijk door Daniels hoofd als hij zijn moeder verzocht het zout aan te geven? De blik van Malin, de enige die ze vermeed, was een en al spot. Als een sensatiebeluste toeschouwer bij een wedstrijd op leven en dood, leefde het meisje helemaal op toen Eva het lamsvlees van Meridia als 'smakeloos' bestempelde. Meridia bleef glimlachen en weigerde toe te happen. Ze sneed voor zichzelf nog een fors stuk vlees af en zei: 'Mama heeft gelijk. Het is absoluut te mals,' waarna ze het met veel smaak opat.

Die avond ging ze met Daniel een rusteloos liefdesgevecht aan. Zijn aanraking stelde haar de ene keer gerust en verwarde haar de andere keer. Ze zocht in zijn kussen naar leugens en hoorde zijn bloed murmelen, maar kon er niet uit opmaken of het uiting gaf aan een vervloeking of een koosnaampje. Af en toe had ze het idee boven het bed te zweven en vandaar zag hoe twee vreemden een ruzie uitvochten. Op andere momenten voelde ze zich zo met hem verbonden dat ze zijn aanraking al voelde voordat zijn hand haar beroerde. Voor de eerste keer sinds ze man en vrouw waren, mocht hij haar mond niet bedekken met zijn hand. Toen haar moment zich aandiende, liet ze een zo luide kreet horen dat de muren van het huis ervan schudden. Eva mocht ervan denken wat ze wilde.

Toen ze daarna in de armen van haar echtgenoot lag, in verwarring omdat ze het gevoel had nooit verder van hem verwijderd te zijn geweest dan op dat moment, stelde Meridia haar vraag: 'Wat is er met Patina's voeten gebeurd, Daniel?'

Wie het oor aandachtig tegen zijn borstkast gedrukt hield, zou kunnen denken dat zijn hart een slag oversloeg. Uit zijn keel klonk een geluid dat ergernis suggereerde.

'Ze zijn verdraaid uit schuldgevoel. Dat heb ik je al verteld. Omdat ze mama al die jaren misleid had.'

'Ik heb laatst met Pilar gesproken. Zij vertelde heel andere dingen over je moeder.'

Een iets langere stilte nu, gevolgd door een snuif die eerder geforceerd dan geërgerd klonk.

'Ik zou niet zoveel waarde hechten aan wat Pilar zegt. Zij is geen vrouw die je kunt vertrouwen. Waarom heb je me niet verteld dat je haar gesproken had?'

Meridia richtte haar hoofd op. 'Dat vertel ik je nu. Waarom kun je haar niet vertrouwen?'

'Omdat ze al jaren leugens over ons rondstrooit. Vraag dat maar aan mama.'

'O ja, je moeder. Natuurlijk.'

'Pilar woont in het duistere deel van de stad. Een deugdzame vrouw woont daar niet tenzij ze echt geen andere keus heeft. Men zegt dat ze een sloerie is die alles doet voor geld.'

Meridia keek Daniel nadenkend aan en liet ondertussen zijn woorden tot zich doordringen. 'Je houdt iets achter,' zei ze uiteindelijk. 'Patina's voeten zijn niet verdraaid door schuldgevoel.'

Ze was verrast toen hij haar hoofd van zijn borst liet glijden en direct antwoordde: 'Je hebt gelijk. Het kwam niet door schuldgevoel, maar door een steen uit de lucht.'

'Door wat?'

'Een steen. Die viel uit de lucht en kwam precies op haar voeten terecht. Mama heeft verteld dat ze hem zag aankomen maar dat ze niets meer kon doen. Waarom vraag je dit allemaal?'

Meridia hield haar ogen weg van zijn blik als van een fel licht.

'Zeg eens, waarom heb je uit alle huwelijkscadeaus juist die dingen gekozen?'

'Welke dingen?'

'Het setje gouden sieraden van mijn vader, het kant en de pareloorbellen.'

'Die heeft mama uitgekozen. Ze dacht dat jij die het mooiste vond.'

'Wat heeft ze met de rest gedaan?'

'Aan een goed doel gegeven. Heeft mama je dat niet gezegd? Het is in onze familie traditie dat de bruid maar een paar dingen voor zichzelf houdt.'

Langzaam, heel langzaam gleed haar blik over zijn gelaat. 'En hoe zit dat met het geld?'

'Dat heeft papa in de winkel gestopt. Mama stelde dat voor en ik was het met haar eens dat het de beste optie was.'

'Ze hebben het geld van je afgepakt?'

Hij lachte. 'Natuurlijk niet. Ik kan het elk moment weer uit de zaak halen, met rente.'

'Elk moment?'

De spieren van Meridia's kaken verstijfden. Steunend op haar elleboog kwam ze overeind, maakte zich los uit zijn greep en keek hem in de ogen. 'Ik heb vanmiddag gehoord wat je moeder allemaal over mij zei tegen Malin. Allemaal verschrikkelijke en afschuwelijke dingen. Heeft ze tegen jou ook dingen gezegd?'

'Mama?' Daniel krabde over zijn naakte buik en knipperde slaperig met de ogen. 'Dat kan niet. Ze is altijd een en al lof over jou.'

'Ik heb alles gehoord.'

'Misschien heb je haar niet goed begrepen.'

'Ik ben niet achterlijk, Daniel. Wat zou ik verkeerd begrepen kunnen hebben?'

Vanwege de toon van haar stem deed hij zijn ogen weer wijd open. 'Gisteren zei je nog dat Malin praatjes over je rondstrooide. Nu is het mama. Wie wordt het morgen? Papa?'

'Ik vergiste mij over Malin, maar van je moeder weet ik het zeker.'

'Wat zei mama allemaal?'

Meridia vertelde hem alles wat ze had gehoord. Halverwege haar verhaal begon Daniel te lachen.

'Kom op zeg. Het is duidelijk dat ze een grapje maakte. Denk je nu echt dat ze eropuit is jou onderuit te halen?' Hij lachte nog harder, steeds luider en zwaarder totdat haar woorden verloren gingen. 'Maar nu je het zegt, Permony is inderdaad dikker geworden sinds je hier woont.'

Zijn geplaag maakte het een en ander duidelijk. Bij dit nieuwe inzicht sloeg ze haar ogen neer. Hij koos niet haar kant. Het moest nog blijken of hij dat later wel zou doen. Was zijn zorgeloze, vrolijke houding alleen maar schijn, een dunne, glinsterende laag, een jongensachtige ontkenning van alle moeilijke en onaangename dingen? Wat ze onder die laag vermoedde, joeg haar nog meer schrik aan. Zijn oprechte en onvoorwaardelijke trouw was onlosmakelijk verbonden met iets wat ze nog niet had kunnen doorgronden: de natuurlijke en vanzelfsprekende band tussen moeder en zoon. Huiverend besefte Meridia dat ze hem vroeg of laat op hardhandige wijze bewust zou moeten maken van dit in hem sluimerende gevoel.

'Mama vergist zich overigens.' Daniel grijnsde en legde een hand op haar borst. 'Als je dat wilt, kan ik de hele nacht doorgaan.'

Zonder iets te zeggen maakte Meridia zijn vingers los en draaide zich om naar de muur. Ze was nu vastbesloten. Hoeveel moeite het haar ook zou kosten, ze zou hem de ware aard van zijn moeder tonen.

De volgende morgen pleegde Meridia met hulp van modder en de boodschappenmanden haar eerste daad van rebellie. Vanaf het huis droeg ze de twee manden zonder klagen. Op de markt liet ze zonder protest Eva de manden volladen met vlees, groenten, eieren en meel. Maar op weg naar huis struikelde ze in een modderpoel en liet een mand vallen.

'Wat onhandig van me!' riep ze en ze viste de groenten uit de modder.

'Beter opletten, liefje,' voer Eva tegen haar uit. 'Godzijdank is alles nog heel.'

Bij de volgende modderpoel struikelde Meridia opnieuw en ze liet nu de andere mand vallen waardoor het meel uit de zak barstte.

'Let toch op!' gilde Eva. 'De voorraad voor een hele week is nu naar de maan.'

'Het spijt me, mama. De manden lijken vandaag wel heel zwaar.'

Eva gromde en liep verder. Als ze beter had gekeken, had ze kunnen zien dat er in de zak meel een afdruk van Meridia's vingernagels stond.

Nog voor ze bij de volgende zijstraat waren, zette Meridia de hevigste val van de drie in scène. Beide manden vlogen drie meter de lucht in voordat ze een boom raakten waardoor in elk geval de eieren braken.

'Wat is er met jou aan de hand?' schreeuwde Eva boos. 'Denk je dat het geld mij op de rug groeit? Ik draag de manden zelf wel.'

Meridia gehoorzaamde haar gedwee. Eva raapte de manden op. Ze zocht op het gelaat van haar schoondochter tevergeefs naar een bewijs van haar vermoeden dat ze dit expres had gedaan.

Thuis vervolgde Meridia haar opstandige gedrag. Omdat Gabilan haar verteld had dat Eva opnieuw geweigerd had nieuwe medicijnen voor Patina te kopen brak ze zich het hoofd over een manier om de oude vrouw te helpen. De kans daarop diende zich na de lunch aan toen twee vriendinnen van Eva even op bezoek waren. Ze waren nog maar juist met elkaar in gesprek toen een doodsbang kijkende Meridia binnenviel.

'Patina heeft ontzettende pijn, mama, en alle tabletten zijn op! De apotheker zei dat hij geen geld heeft gekregen en wil haar medicijnen niet aanvullen. "Maar dat moet een vergissing zijn," heb ik hem gezegd. "Mama is nooit te laat met zoiets." Wat moet ik doen? Patina heeft verschrikkelijk veel pijn!'

Eva keek haar boos aan, maar reageerde zoals Meridia had verwacht. 'Kom zeg, domme gans. Geef hem dan geld! Mijn portemonnee ligt daar. Haal eruit wat je nodig hebt.' Vervolgens richtte ze verontwaardigd het woord tot haar vriendinnen: 'Die stompzinnige apotheker zal me verward hebben met een andere klant. Ik ben nog nooit te laat geweest met betalen!'

Meridia verborg haar glimlach en verliet met het geld snel de kamer. Patina was nu niet alleen verzekerd van voldoende medicijnen voor twee maanden, maar Meridia ontdekte zo ook dat Eva alles overhad voor het ophouden van haar fatsoen.

Aangezien ze toch niets meer te verliezen had, begon Meridia in de vijf dagen daarna steeds riskanter te opereren. Ze verdedigde Permony meer en meer tegenover Eva, verontschuldigde haar voor haar gedrag, betrok Elias steeds meer in de strijd en, als er niets anders op zat, rukte Meridia het meisje gewoon uit Eva's klauwen. Ze negeerde Eva's opdrachten steeds vaker en had altijd een stuk of tien antwoorden paraat om op terug te vallen. Wanneer haar gezegd werd wat meer zout in de soep te doen, strooide ze er peper bij en vond hem dan beter smaken. Als ze opdracht kreeg een gerecht voor zes personen te bereiden, maakte ze hem klaar voor acht zodat er voldoende overbleef voor Patina en Gabilan. Ze was slim genoeg om Eva niet openlijk de oorlog te verklaren maar probeerde haar op een onopvallende, doordachte manier te slim af te zijn. Ze had vooral haar zinnen gezet op het geld van de bruidsschat. Op de een of andere manier wilde ze Eva dwingen haar terug te geven wat er nog van resteerde.

Rond deze tijd kreeg ze tijdens haar slaap ook last van de geur van de afstervende rozen. Haar neus raakte erdoor verstopt, ze leed aan keelpijn, tranende ogen en een opgezwollen gezicht, en haar longen deden pijn van het hoesten. Nog vreemder was dat zij als enige last had van deze aandoeningen en dat er 's ochtends niets meer aan de hand was. Toen Meridia voor de tweede nacht badend in het koude zweet en haar longen uit het lijf hoestend deze kwellingen moest ondergaan, porde ze Daniel wakker en vroeg hem of hij ook last had van de stank. 'Welke stank?' gromde hij in zijn slaap. 'Ruikt als mama. Ik heb last van jouw gehoest.'

Op de zesde dag van haar rebellie stond Meridia alleen in de keuken met Patina. Het was zondagochtend vroeg. Afgezien van Gabilan, die de vloer van de woonkamer aan het dweilen was, lag de rest van het huishouden nog in bed. Patina stond gebogen over het fornuis in een pan rodebonensoep te roeren toen ze Meridia verraste door te gaan praten.

'Hou daar alsjeblieft mee op. Met het kwaad maken van mevrouw bereik je niets.'

Meridia legde de gember die ze aan het schillen was neer en zei behoedzaam: 'Ik verdedig alleen mezelf, Patina. Ik heb gehoord wat ze over me te zeggen had en Pilar heeft me verteld wat ze jou heeft aangedaan. Je weet dat ze pas ophoudt als ze mij er helemaal onder heeft.'

Patina draaide zich om. Voor het eerst zag Meridia dat haar kinderlijke blik door ongenoegen werd verduisterd.

'Heeft Pilar met jou gesproken? Ze heeft me beloofd dat ze dat niet zou doen.'

'Ik ben blij dat ze dat wel gedaan heeft. Verder houdt iedereen dingen voor mij verborgen en steken ze de gek met me.'

Patina's blik werd nog donkerder. 'Mijn zus is een deugdzame vrouw. Een lieve, hartelijke vrouw. Maar ze heeft heel vreemde ideeën over mevrouw.'

'Zo vreemd klonken die mij niet in de oren,' zei Meridia. 'Integendeel, het is dat mens boven dat mij vanaf het begin om de tuin geleid heeft. Alles wat Pilar over haar heeft gezegd, blijkt waar.'

Patina kromp ineen alsof Meridia's woorden haar lichamelijk pijn deden. 'Je mag zoiets niet zeggen. Je kent haar niet zoals ik haar ken. Door haar is mijn melk weer gaan vloeien. Alleen zij kreeg het voor elkaar dat mijn melk weer begon te vloeien.'

Meridia zette grote ogen op. 'Wat bedoel je daarmee?'

Patina boog het hoofd. 'Toen mijn baby gestorven was, kon ik geen melk meer geven,' zei ze zachtjes. 'Ik dacht dat ik nooit meer een kind de borst zou geven, maar zij kwam en mijn melk vloeide weer. Ik wiegde haar en ze lachte en wilde drinken en toen vloeide het weer. Zeg niet dat dat geen wonder was! Hoe kan ze nu een bedrieglijk mens zijn als ze mijn melk weer deed vloeien?'

Meridia was te verbaasd om iets te zeggen en legde een hand op Patina's schouder. De oude vrouw begon te snikken en vervolgde: 'Het was mijn fout. Ik heb haar in de steek gelaten. Mijn liefde schoot tekort toen ze die het hardste nodig had.'

Patina greep vertwijfeld naar haar hoofd en trok een grote pluk haar uit haar schedel. Verschrikt pakte Meridia haar bij de pols.

'Dat klopt niet! Je hield meer van haar dan een moeder zou kunnen. Het is niet jouw fout dat ze wreed en leugenachtig is geworden.'

'Mijn schatje... mijn dochter,' huilde Patina. 'Alsjeblieft. Mijn kind... mijn schatje.'

Opeens besefte Meridia dat ze een verkeerde voorstelling van zaken had. Patina huilde niet om haar verloren kind, maar om Eva. Alleen Eva was haar schatje, haar bloed, en degene die ze op die ochtend gezocht en beklaagd had tussen de rozen. Daardoor werd Meridia ook iets anders duidelijk, iets wat haar zo overdonderde en dat zo onvoorstelbaar was dat het haar bijna deed duizelen. Daniel had toch de waarheid gesproken, al was het niet de volledige waarheid geweest.

'Zij heeft je voeten verminkt.' Het lukte Meridia de trilling in haar stem te onderdrukken. 'Zij heeft je verminkt met een stuk grafsteen nadat ze die aan stukken had laten slaan. De steen die uit de lucht kwam vallen. Heeft ze het zo gedaan? Met een steen waarop de naam van je eigen dochter stond?'

De rodebonensoep op het fornuis kookte. Patina draaide zich om en roerde erin. Haar smalle handen trilden maar uit haar blik kon Meridia niets aflezen.

'Wil je me die terrine aangeven?' vroeg de oude vrouw met zwakke stem.

'Waarom heb je niets tegen haar ondernomen, Patina?'

'Die witte terrine. Mag ik die van je?'

'Dit huis was van jou. En de winkel. Ze heeft geen enkel recht jou zo te behandelen.'

'Die witte terrine, graag.'

Meridia gaf haar de soepterrine. Patina, die over haar hele lijf beefde, schepte de soep over in de schaal waarin ook haar tranen, die ze niet langer kon bedwingen, drupten.

'Breng dit naar haar toe.' Patina zette de terrine op een dienblad en tilde dat op om het aan Meridia te geven. 'Je hoeft je niet te verontschuldigen. Ze begrijpt het wel.'

Meridia was meer van slag door de hardnekkigheid waarmee Patina aan haar denkbeelden vasthield dan door haar voorstel. 'Geen sprake van! Ik heb niets verkeerds gedaan.'

'Breng dit alsjeblieft naar boven.'

'Ze krijgt me er niet onder, Patina. Mijn moeder heeft mij niet opgevoed om iemands slavin te worden!'

Patina trilde nu zo hevig dat Meridia haar moest verlossen van het dienblad. Op dat moment borrelde er vanuit de deuropening een hartelijke, zorgeloze lach op.

'Mij niet opgevoed om iemands slavin te worden! Ha ha! Wat zeg je dat toch mooi, Meridia. Heb je dat ook van je moeder geleerd? Als ik niet beter wist, zou ik zeggen dat ze een bijzondere vrouw is.'

Meridia voelde al het bloed wegtrekken uit haar gezicht. Ze draaide zich om en verstevigde haar greep op het dienblad zodat haar zenuwen haar niet zouden verraden. Eva stond in de deuropening, kalm en berustend alsof ze even een blik naar binnen wierp voordat ze naar de markt ging. Bij de aanblik van die spottende glimlach balde zich in Meridia's lichaam iets hards samen – niet eerder had ze een emotie gevoeld die zo op haat leek. Ze verzamelde al haar van Ravenna geërfde trots en waardigheid, wist uiteindelijk Eva's blik te vangen en slingerde hem door de keuken naar haar terug.

'Mijn moeder is inderdaad een bijzondere vrouw.'

Eva's lach had het verzachtende van de lente, maar haar woorden droegen het onheilspellende van de winter in zich.

'Zal ik jou eens iets vertellen over jouw geliefde moeder? Je beschuldigt mij ervan Patina verminkt te hebben. Heb jij ooit je moeder ervan beschuldigd je vader verminkt te hebben? Je moet weten dat ik mijn huiswerk heb gedaan voordat ik mijn zoon met jou liet trouwen. Een goede waarzegger, één die toegang heeft tot de juiste geesten, vertelt je niet alleen de toekomst maar ook het verleden.'

Ze zweeg even om met een onverstoorbare glimlach Meridia's verkrampte gezicht in ogenschouw te nemen. Haar mond blikkerde als een angstaanjagend lemmet dat steeds scherper werd.

'Wil je weten wat de geesten mij vertelden? Ze zeiden dat je moeder drie dagen na jouw geboorte al haar belangstelling voor je vader verloor. Kennelijk was ze zo teleurgesteld met dat geval dat ze uit haar baarmoeder had gestoten – met jou – dat alleen al het idee ooit nog door haar echtgenoot aangeraakt te worden haar met de diepste afschuw vervulde. Op een dag, toen je vader zijn genot kwam opeisen, joeg ze hem als een vlo uit haar bed en dreigde zijn mannelijkheid af te hakken als hij nog één vinger naar haar uitstak. Om wraak te nemen deed je vader wat iedere geperverteerde zou doen: hij ging op zoek naar een plekje tussen de benen van een andere vrouw. Je moeder ontdekte dat al snel. Op een ongetwijfeld duistere en stormachtige nacht werd ze gek en viel ze hem aan in zijn slaap. Misschien vind je dit al pathetisch, maar raad eens waarmee ze hem aanviel. Met een bijl! Ha ha! Ze had vast te veel liefdesromannetjes gelezen en zich met de afgewezen, met een bijl zwaaiende minnares geïdentificeerd. Je vader werd op tijd wakker om niet het leven te verliezen – dat mag duidelijk zijn – maar wel zijn schouder. Het blad verpletterde zijn botten en sindsdien heeft hij een vergroeiing in zijn schouder. Liefje, zeg eens: vind je dit verhaal net zo amusant als ik?'

Eva's laatste woorden drongen niet meer tot Meridia door, want alles kwam tegelijkertijd op haar af. De keuken draaide rond, de vloer danste op en neer en het plafond leek in te storten. Te midden van deze chaos zag ze in een waas van nachtmerries een verblindende flits. Flikkerend in het maanlicht ging de bijl door het duister van de nacht met grote snelheid op zijn doel af. Meridia hoorde de klap en het bekende geluid van de val, waarop een verschrikkelijke schreeuw klonk die alleen maar uit Gabriels keel had kunnen komen. Al rondtollend loste de waas op en vloog haar blik van Patina, die gebogen bij de gootsteen stond, naar Eva, lachend in de deuropening. Eva. Elke pijnscheut die zijn weg zocht over Meridia's gezicht nam ze gretig in zich op.

Meridia vermande zich en beende naar de deur. Eva kwam haar tegemoet. Voordat ze het wisten blikten ze elkaar op nog geen twee meter afstand in de ogen. Meridia voelde geen angst toen ze het dienblad iets optilde en vervolgens op de vloer liet kletteren. De porseleinen terrine stuiterde op, maakte een sprongetje richting Eva en viel toen in stukken uiteen. Eva gaf een gil en sprong achteruit, maar haar witte peignoir was al besmeurd met de rodebonensoep. Even was het doodstil, maar daarna bracht Eva's strijdkreet alles weer in beweging.

'Hoe durf je!'

Patina kwam aangerend om te helpen, maar Eva gaf haar een duw waardoor ze op de vloer viel. Met een blik zo duister als de nacht bleef Meridia stokstijf staan.

'Schaamteloos wezen! Al vanaf het eerste moment dat ik je zag, wist ik dat jij ons problemen ging opleveren!'

'Maar mijn bruidsschat was groot genoeg om je het zwijgen op te leggen. Is dat niet de enige reden waarom ik met Daniel mocht trouwen? Misschien dat je hem voor de gek kunt houden, maar mij niet. Je hoeft echt niet te denken dat je met het geld kunt doen wat je wilt.'

'Durf jij mij ervan te beschuldigen dat ik steel van mijn eigen zoon? Daniel weet heel goed dat hij het geld terug kan krijgen zodra hij dat wil.'

'Geef het hem dan terug.'

'Zodra hij mij erom vraagt.'

'Hij zal je er zeer zeker om vragen.'

'Dat zal hij niet.'

'Daar zorg ik wel voor!'

'Hij zal nergens om vragen.'

'Waarom ben je daar zo zeker van?'

'Omdat hij mij meer vertrouwt dan jou.'

Die woorden troffen Meridia als een klap in het gezicht. Voordat ze kon reageren, begon Patina zo smartelijk te jammeren dat de twee vrouwen uit elkaar sprongen.

'Laat haar met rust!' schreeuwde Eva toen ze zag dat Meridia snel op Patina afliep. 'Dat ouwe mens heeft jouw hulp niet nodig.'

'En op jou zit ze ook niet te wachten,' kaatste Meridia terug. 'God mag weten waarom ze van je houdt, aangezien je nog geen greintje van haar goedheid waard bent.'

'Zeg maar wat je zeggen wilt. Voordat deze dag voorbij is, zul je al je woorden weer moeten inslikken.'

'Prima. Ik laat je nog wel weten hoe ze smaakten.'

Woest vloog Eva de keuken uit. Voorzichtig hielp Meridia Patina omhoog van de vloer. 'Maak je geen zorgen,' zei ze. 'Ik zal zorgen dat ze je nooit meer kwaad doet.'

Toen ze allebei weer rechtop stonden, ontdekte Meridia dat haar benen bloedden. Ze trok haar rok omhoog en zag dat er overal stukjes porselein in haar huid staken.

Ze had nu geen tijd om stil te staan bij haar emoties of de consequenties van haar daden. Toen ze terugkeerde op haar kamer had Daniel zijn werkkostuum al aangetrokken.

'Mama wil dat ik naar de winkel ga,' verklaarde hij.

'Het is vandaag zondag.'

'Papa heeft een afspraak, maar voelt zich niet lekker. Om twee uur ben ik weer thuis.'

'Ik moet met je praten, Daniel. Het is belangrijk.'

'Kan dat niet even wachten, schat? Onze zakenrelaties wachten niet graag.'

Ze bemerkte geen verandering in zijn gedrag, maar evenmin zag hij de snijwonden op haar benen. Toen hij haar gedag kuste, werd ze bijna overspoeld door de golf problemen die haar wachtten. Terwijl zij Patina troostte, had Eva de tijd gehad iets te bedenken wat haar lot zou bezegelen.

Meneer en mevrouw bleven tijdens het ontbijt en de lunch boven. Toen Gabilan op hun deur klopte, werd ze door Eva op bitse wijze weggestuurd. De hele ochtend probeerde Meridia de geluiden van boven op te vangen, maar ze hoorde niets. Alleen Malins doortrapte blik wees erop dat de bijen in vol bedrijf waren en dat Elias plaats had moeten nemen op de beulsstoel zonder enige mogelijkheid tot ontsnappen.

Na de lunch trok Meridia zich terug op haar kamer. Te onrustig om ook maar iets te doen, bereidde ze zich gezeten op de rand van het bed op het ergste voor. Tien minuten later sloeg de deur van Eva's kamer open en dreunden kwade voetstappen de trap af waardoor de vier muren van Meridia's kamer begonnen te trillen. Zonder zich te haasten stond ze op en schoof de grendels van de deuren naar de gang en de tuin dicht. Ze hoorde het geluid van Elias' ziedende ademhaling al voor hij met zijn vuist op de deur sloeg.

'Doe open!'

Meridia ging weer rustig op het bed zitten en vouwde haar handen samen.

'Doe verdomme open!'

Gefluister op de gang. Voetstappen langs de kamer. En vervolgens een luide vloek van Eva toen ze ontdekte dat de tuindeur eveneens afgesloten was. Nu kregen twee deuren tegelijk een spervuur aan vuistslagen te verduren. De grendels en scharnieren leken het elk moment te kunnen begeven. Te midden van dit kabaal dat klonk als honderd geweren die tegelijkertijd werden afgevuurd, bleef Meridia roerloos zitten.

'Kom eens tevoorschijn, lafbek!' schreeuwde Elias vanaf de gang.

'Wie denk je wel dat je bent dat je ons zo kunt beledigen?' gilde Eva vanuit de tuin.

Dit ging een tijdje zo door totdat de gedwarsboomde Eva zich in de gang bij Elias voegde. De heer des huizes wierp zich nu steeds met zijn schouder tegen de deur en probeerde die bovendien in te trappen. Beiden schreeuwden zo hard dat ze de doden hadden kunnen laten verrijzen.

'Ondankbaar wezen!'

'Wacht maar tot ik je te pakken krijg!'

Het leek een eeuwigheid te duren voordat in de gang het geluid van Daniels stem klonk.

'Wat is hier aan de hand, papa?'

'Je vrouw heeft je moeder beledigd. Ze heeft haar dingen toegeworpen die je je ergste vijand nog niet zou wensen!'

'Pardon?'

'Ze noemde haar een leugenaarster en bedriegster...'

'Een stelende, onbetrouwbare slang,' zei Eva.

'En ze beschuldigde haar ervan dat ze misbruik maakt van Patina! Waar zou dat ouwe mens zijn zonder de vrijgevigheid van je moeder? Maar die lafbek van een vrouw van jou noemde haar verachtelijk en harteloos.'

'En om me nog meer te treiteren...'

'Ze heeft een grote kom dampende soep naar je moeder gegooid! Moet je je moeder eens zien! Haar benen zitten onder de brandblaren en haar jurk zit onder het bloed alsof ze afgeslacht is!'

'Ik geloof hier niets van,' wist Daniel met moeite uit te brengen.

'Noem je me een leugenaarster?' Eva onderdrukte een verontwaardigde snik. 'Heeft ze je al tegen me opgezet? Mijn eigen zoon, mijn eigen vlees en bloed?'

'Het is wel duidelijk dat haar krankzinnige moeder en ontaarde vader haar nooit geleerd hebben respect op te brengen voor ouderen,' zei Elias. 'Het wordt tijd dat ze ontdekt dat ook wij beschaving hebben!'

De deur van de slaapkamer vloog open. Van schrik konden Elias en Eva geen woord meer zeggen. Een en al woede en met een blik vol dierlijke onverschrokkenheid maakte Meridia een angstaanjagende en imposante indruk.

'Laat mijn ouders erbuiten. Jullie zijn nog te min om hun sokken te wassen.'

'Moet je haar nu eens horen,' zei Eva door haar tranen heen. 'Arroganter dan een koningin.'

Elias vloog op haar af. 'Je bent mijn vrouw excuses verschuldigd.'

'Ik ben haar helemaal niets verschuldigd.'

'Hoe verklaar je dit dan?'

De huilende, ineengedoken Eva droeg nog steeds haar witte peignoir. Die was nu helemaal besmeurd met grote rode vlekken die er eerder niet geweest waren. En haar voeten vertoonden wonden die onmogelijk door de soep veroorzaakt konden zijn.

'Ik ben niet verantwoordelijk voor deze aanstellerij,' zei Meridia.

Daniel pakte haar bij de elleboog. 'Schat, heb je die dingen echt gezegd tegen mama?'

'En of ze dat gedaan heeft. Patina was getuige. Patina!'

Als een doodsbang kind kwam Patina uit de keuken gestrompeld.

Elias en Eva richtten zo'n spervuur van vragen op de oude vrouw af dat ze in haar ellende niets anders wist te doen dan beurtelings van de een naar de ander te kijken.

'Heeft ze nu wel of niet soep naar me gegooid?'

'Zeg op! Waarom sta je daar als een idioot te trillen?'

Meridia kon het niet langer aanzien. 'Ja, ik heb de soep gegooid. En daar heb ik totaal geen spijt van.'

'Ze geeft het toe!' riep Elias triomfantelijk. 'Zie je nu met wat voor feeks jij getrouwd bent, zoon?'

Meridia schonk haar schoonvader zo'n snijdende blik dat iedere andere man van pijn ineengekrompen zou zijn, maar ze had direct gezien dat Elias niet zichzelf was. Met zijn bloeddoorlopen, holle ogen zag hij eruit alsof hij al nachten niet meer geslapen had en hij had iets meedogenloos over zich waardoor hij tot alles in staat leek. Meridia had die blik maar één keer eerder in zijn ogen gezien: op de avond dat Eva hem tot woede had gedreven over de Engelse dog van de buren. Plots werd ze overvallen door een panische angst. Eva's bijen hadden Elias de hele ochtend en nog langer bewerkt. In haar rebellie had Meridia één ding verkeerd geïnterpreteerd: de geur van de afstervende rozen was niet bedoeld geweest om haar slaap te verstoren, maar om het verraderlijke gegons van de bijen te overstemmen. Vijf nachten lang, terwijl haar ogen traanden en keel pijn deed, hadden deze afgrijselijke insecten overuren gedraaid – beschuldigingen geuit, de waarheid verdraaid en al haar daden van ongehoorzaamheid aangedragen. Ze kon zich nauwelijks voorstellen hoeveel schade Elias had opgelopen.

'Is dit waar, Meridia?' vroeg Daniel. 'Waarom heb je dat gedaan?'

Tot nu toe had ze steeds zijn blik vermeden, maar wat ze nu zag was slechts een bevestiging van wat ze in haar hart al wist. Hij leek in de war en gekwetst. Hoewel haar hele wezen pijn deed vanwege haar liefde voor hem, zag ze dat hij nog altijd maar een jongen was.

'Wat maakt dat uit?' zei ze. 'Je gelooft hen toch eerder dan mij.'

'Schatje, wat zeg je nu?'

'Luister niet naar haar, jongen,' zei Eva. 'Merk je dan niet dat ze een spel met je speelt?'

'Als ze haar excuses niet aanbiedt, Daniel, dan is er voor haar niet langer plaats in dit huis.'

'Wat bedoel... Maar papa, dat is absurd!'

'Wijs haar haar plek, Daniel. Wie moet je moeder verdedigen als jij dat niet doet?'

Met een gesmoorde snik zette Eva zijn woorden kracht bij.

'We moeten allemaal even tot bedaren komen,' zei Daniel. 'Ik ga even wandelen met Meridia. Als we terugkomen, praten we rustig en verstandig verder.'

Elias leek nu elk moment te kunnen ontploffen. 'Heeft ze een mietje van jou gemaakt? Heeft ze je niet alleen beroofd van je mannelijkheid maar ook van je waardigheid? Zeg tegen je vrouw dat ze de keuze heeft tussen twee woorden. "Sorry" of "vaarwel". Welke van de twee wordt het?'

Daniel wist niets te zeggen, maar Meridia nam voor hem een beslissing.

'Ik ga weg,' zei ze. 'Ik kan wel bij mijn vader en moeder terecht.'

In het besef dat het lot nu te zeer getart was, zweeg iedereen even. Vervolgens keek Eva Elias aan totdat hij in woede uitbarstte: 'Verdwijn dan ook maar meteen. Ik tolereer je schaamteloze gedrag geen seconde langer. En waag het niet om ook maar iets mee te nemen wat niet van jou is!'

Zonder zich tot een antwoord te verwaardigen verdween Meridia in haar kamer om het kostbaarste te pakken dat ze bezat. Op de bodem van de lichtbruine hutkoffer, verborgen onder de lagen van haar bruidsjurk, lag het setje gouden sieraden dat Daniel haar had gegeven als deel van haar bruidsschat en dat ze van Eva had mogen houden. Ze had geen tijd nog iets anders mee te nemen. Opgezweept door de stemmen achter haar pakte Meridia het fluwelen doosje en keerde terug naar de gang.

Daniel wilde op haar af lopen, maar Elias hield hem tegen.

'Blijf daar staan,' zei hij waarschuwend.

'Maar papa, dat kun je ons niet aandoen.'

'Noem me geen papa als je zo stom bent om op te willen komen voor dat stuk ongedierte. Ik zorg ervoor dat je binnen twee maanden trouwt met een vrouw die wel respect voor je heeft.'

'Papa!'

Eva, die helemaal in tranen was, sloot Daniel in haar armen. 'Het is allemaal mijn schuld, jongen. Ik wist direct al dat ze niet goed genoeg was voor jou, maar toch liet ik je met haar trouwen. Wees verstandig en laat haar gaan.'

'Nee, laat mij gaan, mama. Ik laat Meridia niet vertrekken zonder mij.'

Onverwachts gaf Elias op slechts een paar centimeter afstand van Daniels hoofd een klap tegen de muur. 'Nu is het genoeg geweest. Als jij haar achternagaat, zet je hier nooit meer een voet over de drempel.'

Meridia keek zwijgend toe hoe Daniel, die een stuk groter was dan zijn vader, terugdeinsde. Er was nu zo'n doodse stilte ingetreden dat ze zijn hart kon horen slaan. Op het moment dat hun ogen elkaar ontmoetten, legde ze met haar hele ziel de zoete herinnering aan al hun liefkozingen bloot. Toen ze hem daarmee echter niet wist te overtuigen, voelde ze geen woede maar had ze medelijden met hem. Hij zag er zo gepijnigd en gekrenkt uit dat ze eraan dacht al haar woorden terug te nemen en haar trots in te slikken om hem deze kwelling te besparen. Maar deze gedachte had haar nog maar juist beslopen toen een stalen staaf haar rug rechtte en haar deed zeggen wat Ravenna nooit tegen Gabriel had kunnen zeggen.

'Vaarwel, Daniel.'

Meridia draaide zich om, legde met haar blik Eva het zwijgen op en stevende Elias voorbij alsof hij niet bestond. Met het fluwelen doosje tegen haar borst gedrukt, passeerde ze de deuropening waarin Permony stond te snikken en Malin haar met een van ontzag opengevallen mond aankeek. Ze keek niet om toen ze de veranda bereikte en de voordeur achter haar dichtsloeg.

Daar wachtte ze.

De gekooide vogels zwegen, de goudsbloemen schreeuwden en ze wachtte.

Ze wachtte, maar komen deed hij niet.

HOOFDSTUK 15

Ravenna was al drie maanden, drie weken en drie dagen stom maar niemand die het wist. De ochtend na Meridia's bruiloft was ze halverwege het doppen van een schaal bonenscheuten toen ze besefte dat haar mond geen geluiden meer voortbracht. Voor de eerste keer in zestien jaar werd de keuken niet met het geluid van haar duistere geheimtaal tot leven gebracht. Verbijsterd over de stilte sneed het mes nog slechts moeizaam, wilde het brood niet langer rijzen en weigerde de ketel te koken. De dienstmeiden, die gewend waren aan de vreemde gewoonten van hun meesteres, keken nauwelijks op van de plotselinge stilte. Gabriel merkte niets. Sinds de ochtend dat ze hem tot woede had gedreven door in de eetkamer achttien gerechten te ruïneren had hij haar amper meer dan een blik waardig gekeurd.

De verstomming kreeg Ravenna steeds meer in haar greep. Voordat de eerste week voorbij was, had ze haar al zo uitgeput dat ze niet eens meer de vuist kon schudden als de gele mist de trap op kronkelde. 's Morgens kon ze nog slechts slikken als ze de geur van de minnares met het bavianengezicht bij Gabriel bespeurde. Meridia's afwezigheid was er de oorzaak van. Daardoor was ze haar spraak kwijtgeraakt en kalfde de haat af die ze altijd zo zorgvuldig in stand had gehouden. Ondanks de jaren van oefening miste Ravenna haar en voelde haar afwezigheid in de verschrikkelijke stilte van haar schotels, in de lege deuropening en in de voetstappen die niet langer door het huis klonken. Ze miste Meridia zoals ze een arm of been zou missen. Het enige wat nog erger was, was de zekerheid dat haar kind voorgoed verdwenen was.

De stilte dreef Ravenna vele keren bijna tot een bezoek aan Orchard Road. Voordat haar voeten in beweging kwamen, hield een herinnering haar echter tegen: de glinstering van metaal dat door het holst van de nacht sneed. Samen daarmee kwamen schaamte en verdriet op. Ze zou eerder haar tranen verbergen met haar handen en haar knokkels diep in haar ogen planten dan toestaan dat zij en haar dochter van elkaar gescheiden werden door twijfel en spijt.

Ravenna herinnerde zich de nacht dat de koude wind haar tegen de grond sloeg. Het enige wat ze wilde doen was het raam vastzetten, maar voordat ze het wist lag ze hulpeloos tegen de muur gedrukt en vloog Meridia's wieg door de kamer. Die nacht was de wereld plotseling vol gevaren, te midden waarvan ze een hulpeloze vreemde was. In de dagen daarna verloor ze haar verstand en haar kracht. Nog maanden later zag ze Gabriel huiveren, maar ze kon niets doen. Hij kon nog geen seconde slapen, zei hij, want het bed was kouder dan sneeuw, maar ze kon hem niet helpen. Zelfs toen ze zag dat er zich ijs vormde op Meridia's lippen kon ze niets doen. 'De wind doet wat hij wil,' had ze hem verzekerd. 'Probeer wat langer warm te blijven.' Hij beloofde bij haar te blijven. Drie maanden nadat de wind het huis op zijn kop had gezet, verscheen de gele mist. De volgende dag draaide ze haar haar in een knotje omdat ze wist dat hij zijn belofte niet gehouden had.

Ze probeerde hem te verontschuldigen. Toen haar dat niet lukte, gaf ze hem talloze keren de kans uitleg te geven. Gabriel zei echter niets. Hij pruilde, keek toe hoe ze Meridia verzorgde, ging naar buiten de mist in en zei niets. Haar trots kwam in opstand. Ze had alleen om begrip gevraagd, maar in ruil daarvoor liet hij een andere vrouw ontheiligen wat haar toebehoorde. Ze kon hem dit onmogelijk ooit nog vergeven.

Toen ze het metaal boven zijn hoofd hield, was haar enige wens te kunnen vergeten. Ze wilde de kermende woede in haar hart het zwijgen opleggen. Zijn leugens vergeten en de schade die ze toebrachten. Toen ze met het wapen zwaaide, zag ze het niet als een eind, maar als een nieuw begin. Van alles wat daarna gebeurd was, herinnerde ze zich nog maar één ding: Meridia huilend in haar wiegje, vlak voordat het metaal doel trof. Haar schreeuw betekende de redding van Gabriels leven, maar niet die van haarzelf. Het blad mocht dan zijn doel gemist hebben, haar kind was getuige geweest van iets wat ze niet had mogen zien. Na wat ze gedaan had, kon Ravenna alleen nog naar haar kind kijken door een sluier van vergeten.

Met het verstrijken der jaren nam schaamte noch woede af. De sluier verdikte geleidelijk, werd ondoorzichtig door onbegrip en onderdrukte voornemens. Om uiting te geven aan haar woede, bond ze de strijd aan met de mist en mat ze zich een duistere geheimtaal aan. Geen van beide bracht haar dichter tot Meridia. De ultieme overwinning van Gabriel was niet dat hij haar hart aan stukken had laten vallen, maar dat hij haar had veroordeeld tot het zien opgroeien van haar kind zonder dat ze zich in staat voelde van haar te houden.

Toen het meisje om haar vrijheid vroeg, was dat volgens Ravenna het minste wat ze haar kon geven. Op dat moment had ze er nog geen idee van dat de dagen van verstomming lang en wraakzuchtig zouden zijn. Sinds ze had geworsteld met de koude wind had ze zich niet meer zo moe gevoeld, zo kwetsbaar en zo belaagd door haar nooit aflatende herinneringen. Zelfs de gedachte aan Gabriels minnares kon haar niet meer in beweging brengen. 's Nachts wist ze niet langer de kracht op te brengen om de strijd aan te gaan met de mist. De stilte die antwoordde als ze Meridia's naam riep, deed haar geloven dat ze haar kreten slaakte van gene zijde.

Maar drie maanden, drie weken en vier dagen nadat Meridia was vertrokken, hield haar verstomming op. Die middag, terwijl ze in de keuken een gans kruidde, verstijfde Ravenna plots en liet ze de pepermolen uit haar handen vallen. Iemand naderde de voordeur en uit het bulderen van de mist maakte Ravenna op dat het geen gewone bezoeker was. Ze stak met een snelle beweging haar kin in de lucht en wierp haar schouders naar achteren. Voordat ze in haar geest de woorden had kunnen vinden voor het wonder dat nu plaatsvond, hadden haar voeten zich al in beweging gezet. Ze wierp de voordeur open en was overweldigd door het zien van de nimfachtige gestalte die de stenen trap omhoog schuifelde. Ze rende voor de mist uit en sloot de strompelende geestverschijning in de armen.

'Kind!' schreeuwde ze juist voordat Meridia op haar knieën viel.

Toen Gabriel over de verbanning van zijn dochter vernam, barstte hij niet in lachen uit noch gooide hij haar direct het huis uit. In plaats daarvan sloeg hij met de vuist een tafel stuk en stuurde hij meteen een ultimatum naar Orchard Road. Een aangedane Meridia zag zijn reactie dankbaar aan, hoewel ze half en half vermoedde dat zijn woede vooral voortkwam uit bezorgdheid om zijn goede naam.

Die avond liet Gabriel, voor het eerst voor zover Meridia het zich kon herinneren, de mist voorbijgaan. Toen de bel van de voordeur klonk, kwam hij uit de studeerkamer tevoorschijn in een somber zwart pak en nam hij plaats in het midden van de vestibule. 'Ga naar je kamer,' zei hij streng. Meridia ging de trap op en verborg zich achter de leuning. Even later werden Eva en Elias, met in hun kielzog een doodsbange Daniel, door een dienstmeid de vestibule binnengeleid. Eva had een rode kleur en keek uitdagend. Elias was bleek en zag er moe uit. Voordat ze iets hadden kunnen zeggen, stormde Gabriel op Daniel af en greep hem zonder enig ceremonieel bij zijn kraag.

'Hoerenjong! Een kakkerlak is nog te goed voor je!'

Daniel, die duizelig was van angst, snakte naar adem.

'Beheers u, meneer,' zei Elias. 'Er is geen reden voor dit gedrag.'

Hoewel het hem menens leek te zijn, maakte Elias geen aanstalten zijn zoon te hulp te schieten. Het was Eva die in zijn plaats tussen de twee mannen in sprong.

'Mijn zoon heeft niets verkeerd gedaan! Het is uw dochter die verdorven en onbeschaamd is! Ze heeft gezegd dat het haar niets zou kunnen schelen als we het leven lieten.'

Gabriel draaide zich bruusk om waardoor Eva achteruit moest wijken. Even leek het erop dat hij ook haar wilde belagen. Meridia, die van de bovenste tree van de trap alles in de gaten hield, werd overweldigd door genegenheid voor haar vader.

'Pas op met wat u zegt, mevrouw. Ik herken een leugen van kilometers afstand.'

'Ze heeft ons onteerd!' schreeuwde Eva met dezelfde stemverheffing. 'Ze heeft mij in mijn eigen huis mishandeld en weigert daarvoor haar excuses aan te bieden. Ik weet niet wat voor dochter u denkt te hebben grootgebracht, maar ze is overduidelijk een egoïstisch, verwend, harteloos en arrogant wezen. U had haar als kind wat steviger moeten aanpakken!'

Voordat Gabriel hierop iets kon zeggen, schoof er een ijle schaduw tussen hem en Eva in. Twee keer leek de ruimte te exploderen, waardoor de mannen verbijsterd achterbleven en Meridia opsprong vanachter de trapleuning. Vervolgens zagen ze hoe Eva haar gezicht betastte terwijl een uiterst serene Ravenna over haar heen gebogen stond.

'Hoe durft u!'

Een helse Eva wendde zich tot Elias, die zijn mond had geopend maar versteend leek. 'Blijf jij daar gewoon staan en laat je mij door haar mishandelen? Doe iets!'

Met samengeknepen ogen vilde ze hem levend. Omdat Elias geen enkele reactie vertoonde, wendde ze zich met dodelijke bedoelingen tot Daniel.

'Eerst de dochter, nu de moeder. Onthoud dit goed, jongen. Zeg maar tegen je zusjes dat ze niet voortgekomen zijn uit het zaad van een man maar uit het aftreksel van een lafaard!'

Elias huiverde. Langzaam vormde zich een zwakke glimlach rond Ravenna's mond. Gabriel, die het optreden van zijn vrouw had gevolgd met een mengeling van bewondering en ongeloof, lachte Elias luid uit. Uiteindelijk zorgde deze lach ervoor dat hij in actie kwam.

'Laat mij maar even!' Met de ogen gericht op de muur achter Gabriel en angstvallig Ravenna's blik ontwijkend, zei Elias met stemverheffing: 'Laat uw dochter haar excuses aanbieden. Een andere oplossing zie ik niet.'

Gabriel grinnikte. 'En als ze dat niet doet?'

'Ze zal wel moeten!'

'Maar wat als ik haar dat verbied? Wat doet u dan?'

Elias slikte. Eva kwam aan zijn zijde staan en verklaarde gedecideerd: 'Dan nemen we haar niet terug. Dan mag ze hier blijven en kan ze op zoek naar een andere echtgenoot.'

'Nu ga je te ver, mama!' Voor het eerst liet Daniel zich horen. 'Meridia is alleen mij een verklaring schuldig. Ik wil haar tegen elke prijs terug.'

'Zwijg!' Elias had plots weer moed gekregen en berispte hem. 'De vrouw die jij hebt getrouwd levert alleen maar problemen op.'

'Zeg me niet wat ik moet doen, papa. Wat je ook zegt, ik neem mijn vrouw mee terug naar huis. Als ik haar kwijtraak, raak je mij kwijt. Ik ga de strijd aan met iedereen die ons uit elkaar wil drijven.'

Voor de tweede keer werden de geluiden in het vertrek overstemd, ditmaal door een traag, angstaanjagend applaus. Zonder ook maar iets van haar kalmte te verliezen, zelfs zonder de ogen samen te knijpen, wierp Ravenna Daniel een dodelijke blik toe.

'Wat nobel van jou,' zei ze. 'Maar je had dat moeten zeggen voordat het zover gekomen was. Je vergist je als je denkt dat ik mijn dochter naar die hel laat terugkeren.'

Gabriel keek zijn vrouw aan alsof hij haar nog nooit eerder gezien had. Iets wat hij dood had verklaard, leefde op dat moment plotseling weer in hem op.

'U heeft haar gehoord,' zei Gabriel. 'Meridia blijft hier. Ik laat morgenochtend haar spullen ophalen.'

Eva snakte naar adem van woede. 'Wat denkt u wel van ons? Hebben wij niets te zeggen? Hebben wij niets in te brengen in deze kwestie? Goed dan. Vanaf nu kan uw dochter zich weer als ongebonden beschouwen.'

Meridia stond op het punt te protesteren, maar Daniel was haar te snel af.

'Zijn jullie allemaal gek geworden? Ze is nota bene mijn vrouw. Ik vertrek niet zonder haar!'

Onverwachts dook Ravenna boven op hem.

'Luister eens, jochie! Ik heb haar één keer bij je afgeleverd en jij hebt nagelaten haar het juiste respect te betonen en haar te beschermen. Men mag mij vervloeken als ik dat nog een keer laat gebeuren. Verlaat nu mijn huis en waag het niet zolang ik leef hier nog een voet over de drempel te zetten.

Daarop begon Eva te schreeuwen dat Elias hun goede naam moest verdedigen, maar voor Daniel was alles om hem heen verstild. Ravenna's blik had hem verwond, ergens diep vanbinnen op een plek die hij niet genezen kon. In de jaren die komen zouden, was het deze blik die hij zich bleef herinneren en die hij haar niet kon vergeven.

Meridia klemde de handen om de leuning en moest op haar lip bijten om haar tranen te bedwingen. De trap steigerde, galoppeerde naar het plafond en opeens strekten zich duizend treden uit tussen haar en de wanorde beneden. Zo ver van hem verwijderd begon ze te gillen toen ze Daniels stip het huis zag verlaten, zonder dat hij ook maar één keer naar haar opkeek.

Eva wachtte niet op het moment dat Gabriel zijn dreigement ten uitvoer zou brengen, maar stuurde de volgende ochtend in alle vroegte

Gabilan met een zak vol Meridia's kleding naar het huis op Monarch Street. Bezweet en buiten adem haastte de dienstmeid zich door de mist en riep om Meridia.

'O, jonge mevrouw. Zodra u weg was, hebben ze uw kamer helemaal ondersteboven gekeerd.'

'Rustig maar, Gabilan.' Meridia nam de zak van haar over en zette hem in de vestibule. 'Wat is er gebeurd?'

'Meneer heeft al uw kasten doorzocht, zelfs de vergrendelde. Hij trok uw jurken van de hangers, uw ondergoed uit de laden, gooide alles op de grond en spuwde erop. Mevrouw hitste hem op. Ze jutte hem op totdat hij uw kaptafel stuksloeg en uw flesjes en potjes poeder. Juffrouw Permony stond aan een stuk door te huilen in de gang, maar juffrouw Malin ging naar mevrouw toe en schreeuwde tegen haar. Ze heeft geprobeerd uw trouwfoto's te redden, maar meneer leek wel van de duivel bezeten. Mevrouw liet hem dik een uur uitrazen, daarna pakte ze een aantal van uw spullen om ze mee te nemen naar boven – uw broche, kant, handschoenen en ook uw pareloorbellen die ze u zelf gegeven had voor uw trouwen!'

Gabilan was in tranen en Meridia vond haar relaas steeds moeilijker te verteren. Wat als ze niet op het laatste moment het setje sieraden had gepakt?

'En de jonge meneer?' dwong ze zichzelf te vragen. 'Waar was hij toen dit gebeurde?'

'Jonge mevrouw, het ergste heb ik u nog niet eens verteld. Wat ze hem hebben aangedaan, was verkeerd en wreed...'

Gabilan moest zo hard snikken dat het even duurde voordat ze weer kon spreken.

'Toen jonge meneer achter u aan wilde, greep meneer hem bij de keel en liet hem niet gaan. "Zwakkeling!" riep hij. "Een zoon van mij rent niet als een geslagen hond achter een vrouw aan!" Hij begon hem uit te schelden, voegde hem dingen toe die een vader niet behoort te zeggen. Steeds als jonge meneer iets probeerde te zeggen, overstemde mevrouw hem met haar geschreeuw. Tot het uiterste gedreven deed meneer toen iets onvoorstelbaars. Hij trok uw trouwjurk uit de huwelijkskoffer, werkte hem tegen de grond en viel hem toen als een woest beest aan met zijn klauwen. Het geluid dat er toen opklonk, de pijnkreten van de stof en het kant, was het afgrijselijkste wat ik ooit gehoord heb. Jonge meneer vluchtte de kamer uit en bleef daarna doodstil staan. Ik zag hoe er iets uit zijn ooghoeken stroomde. Hij keek alsof voor zijn ogen een weerloos dier om het leven werd gebracht.

Terwijl Gabilan bleef snikken, schoot een ijskoud gevoel door Meridia's rug omlaag. Ze wist niets uit te brengen, kon zich niet bewegen en bespeurde nergens de woede die ze zou moeten voelen. Het enige wat ze steeds voor zich zag was Daniels gezicht, vertwijfeld en gekweld, dat aanspoelde bij de verwoeste omwalling van haar hart.

Ze voelde zich te gekweld en te gebroken om Daniel die dag te willen zien. Hoe hard hij ook op de deur bonkte en smeekte, ze stond niet toe dat de voordeur werd opengedaan. De ivoorkleurige mist, die haar woede deelde, opende de aanval op hem en verjoeg hem uiteindelijk door alle kleren van zijn lijf te rukken en hem die achterna te laten rennen. Hij gaf niet op. Toen hij de volgende dag met drie lagen kleding op de stenen trap onder haar raam stond, was het een andere kracht die haar verdediging op zich nam.

Het leek alsof hij daar al uren had gestaan. Ze hoorde hem ruziën met een van de dienstmeiden op het moment dat een razende stem hem als een wervelwind omverblies.

'Waarom sta je daar nog steeds? Zie je niet dat ze je niet wil? Welk recht je ook op haar meende te hebben, dat heb je verspeeld toen je een lafbek bleek te zijn.'

Ravenna zwaaide met een bezem en joeg hem als een straathond de trap af. De vernederde Daniel haastte zich naar de straat en werd ondertussen achtervolgd door het gelach van de ivoorkleurige mist. Hoewel ze dit niet in de gaten had, werd ze op dat moment zijn aartsvijand.

Op haar kamer boven liet Meridia met opgezwollen ogen van het huilen het gordijn los. Hoe lang zou het duren voordat zijn naam niet meer op het puntje van haar tong lag, voordat de herinnering aan zijn gezicht teruggebracht was tot een flits als in een droom?

HOOFDSTUK 16

Wekenlang trad er geen verandering in de situatie op. Ondanks door beide zijden geuite dreigementen was geen van de partijen bereid in te binden. Toen Eva het huishouden op Monarch Street liet weten een gerenommeerde advocaat te hebben ingeschakeld, gaf Gabriel haar nog drie dagen de tijd om met de echtscheidingspapieren voor de dag te komen. Toen Eva daarop riposteerde dat het meer dan drie dagen zou kosten om al Meridia's overtredingen op een rijtje te zetten, lachte Gabriel haar in het gezicht uit en antwoordde dat hij het huwelijk binnen de helft van de tijd voor ongeldig kon laten verklaren. Er volgden nog meer woordenwisselingen en nog meer beschimpingen over en weer. Ondertussen viel het niemand op dat het pasgetrouwde stel er het zwijgen toe deed.

Meridia was druk bezig met vergeten en besteedde geen aandacht aan de patstelling. Ze knikte afwezig toen Ravenna opperde haar naar het buitenland te sturen en was in staat elk document te ondertekenen dat ze onder de neus geschoven kreeg. Ze had geen enkele aandrang om te eten, te praten of om wat dan ook te doen waardoor haar herinnering zou opleven. Op sommige momenten ervaarde ze geen enkele emotie meer, was ze bijna als buiten bewustzijn; op andere kon ze niet staan zonder te trillen. In de eenzaamste uren vouwde ze haar knieën tegen haar borst en schommelde ze stil op en neer. De wond was diep, onmetelijk diep. De pijn van het besef dat hij haar niet te hulp was gekomen.

Ondanks haar pogingen haar geheugen te wissen, begon ze zich te herinneren hoe ze elkaar ontmoet hadden. Het Feest der Geesten. De Grot der Betovering. Haar roekeloze en – naar ze nu wist – noodlottige negeren van de waarschuwing van de ziener. Ze herinnerde zich hun eerste dans op Independence Plaza, hun geheime ontmoetingen overal in de stad, hun kussen op het strand toen zijn aanraking de schrik over de ontweide ree tot bedaren had gebracht. Ze herinnerde zich die prachtige voorjaarsdag toen Eva's lach haar had verleid, haar zo stevig omwikkeld had dat ze de kou van het huis op Monarch Street wilde verruilen voor haar warmte. Hoe had ze kunnen denken daar gelukkig te worden terwijl elke ruimte in het huis de geur van leugens verspreidde?

Ze vond troost in de schaduwen. Door als een hond weg te kruipen in het duister. Op zulke momenten deed niets er meer toe, ook niet de herinnering aan zijn glimlach of aan zijn warme adem in haar nek. Ze had hierin kunnen verzinken en zo vijftig, misschien wel honderd jaar door kunnen gaan, als een melodie uit een andere tijd haar niet gelokt had. Het gebeurde op een avond toen beelden van hem als gloeiende kolen in haar ogen brandden. Het afwisselend geneuriede en gezongen levendige, opwindende lied dat haar eens verlokt had de Grot der Betovering te betreden, trok haar nu naar het raam. 'Het is maar een goedkope truc,' had Daniel spottend tegen de ziener gezegd. Maar net zoals ze zich toen niet bedrogen had gevoeld, deinsde ze er nu niet voor terug het gordijn te openen.

Het was als een belegering. Daar stond hij, juist uit de greep van de mist, schaamteloos inspelend op haar gevoelens. Ondanks de wind droeg hij hoed noch jas. Hij zag er triest uit, had een verwarde haardos en een berouwvolle uitdrukking op het knappe gezicht. Het miezerde die avond niet, toch leek hij doorweekt. Verscheurd door honderd verschillende gevoelens tegelijk trok Meridia het gordijn weer dicht.

De volgende avond stond hij er weer. Geen kletsnatte kleren, geen muziek, alleen bloemen in zijn hand. Meridia knarste met de tanden over de alledaagsheid van deze geste, maar toch sprongen er koppige tranen in haar ogen. Hoeveel avonden had hij daar al zo gestaan? Hoeveel meer avonden was hij van plan daar te blijven?

Zevenentwintig telde ze er. Misschien achtentwintig. Hij stond daar in de mist en in de hitte, nam zijn plek in nadat de gele mist was vertrokken en verliet hem weer voordat de blauwe arriveerde. Het was te laat, vond ze. Ze zag niet hoe ze hem ooit opnieuw zou kunnen vertrouwen. Dacht hij dat ze zich liet inpalmen door zijn liederen en bloemen? Toen ze hem het hardste nodig had, was hij er niet voor haar geweest. Toch begon ze, terwijl hij haar slaap bleef verstoren met zijn spookkussen, te verlangen naar zijn gewicht boven op haar, naar de zon-en-zeegeur van zijn huid. In eendrachtige samenwerking met de cicaden en het maanlicht drong hij haar zo'n hartstochtelijke stemming op dat ze van ver zijn aanraking begon te voelen. Nooit liet hij zijn blik los van haar raam. Ook dit wist ze zonder het gordijn weg te hoeven schuiven.

De laatste avond dat hij op wacht stond, vloog de wind als een kwade hond tegen het raam. Juist toen het haar daagde dat dit dezelfde wind kon zijn die jaren geleden Ravenna omver had geblazen, vloog het raam met een klap open. Een koude vlaag drukte Meridia op het bed neer, drong haar maag binnen en verhardde tot een knoop. De klap bracht haar voor even tot bedaren, bezorgde haar geen pijn maar gaf haar genoeg kracht om tot inkeer te komen. Het volgende moment vloog ze de kamer uit, rende de gang door, dreunde de trap af en was binnen zes stappen bij de voordeur. De massief eiken deur zwaaide vanzelf open. De ivoorkleurige mist schoot opzij. Daniel kwam met uitgestrekte armen op haar afgerend.

'Vergeef me alsjeblieft,' zei hij. 'Ik doe alles om je terug te krijgen.'

Ze snakte naar adem en zoog haar longen vol lucht. Het was te veel: zijn armen om haar heen en in haar oor het geluid van zijn hart waarvan de slagen samenvielen met het eigen hardnekkige ritme. Ze richtte het hoofd op en kuste hem.

'Waar bleef je zo lang?' vroeg hij. 'Zonder jou is het hier winter.'

Ze begroef haar vingers in zijn rug en keek hem door haar tranen heen streng aan.

'Ik was bezig dat te repareren wat jij gebroken had. Denk je dat het makkelijk was?'

Zijn lichte ogen glommen van berouw. 'Ik zweer dat ik je nooit meer pijn zal doen. Wil je me terugnemen? Wil je me nog een kans geven?'

Ze gaf geen antwoord maar stond hem toe dat hij haar vasthield. Langzaam verstierf het gehuil tot een zacht jammeren. Ze beeldde zichzelf in dat het niet dezelfde wind was en leidde ondertussen zijn hand naar haar buik.

Toen Ravenna wist dat Meridia een kind droeg, brak ze haar belofte van bijna twintig jaar en liep zonder omhaal Gabriels studeerkamer binnen.

'Ze is nog steeds verliefd en draagt zijn kind.'

De achter zijn bureau gezeten Gabriel hield midden in een zin zijn pen stil. Het was niet te zeggen waarvan hij meer geschrokken was: van de mededeling van zijn vrouw of haar plotselinge verschijning.

'Pardon?'

'Heb je me niet verstaan? Je wordt opa.'

Gabriel liet de pen vallen en leunde achterover. Zonder te verraden hoe verrast hij was, probeerde hij elk woord even neutraal uit te spreken als Ravenna.

'Heeft ze je dit zelf verteld?'

Ravenna knikte. Ze leek op dat moment een wezen dat van nature slechts uit water of damp bestond, wonderbaarlijk immuun voor alle menselijke bedrijven. Ondanks alles begon haar onverstoorbare houding hem tegen te staan.

'Wat stelt ze voor om nu te gaan doen?'

'Terug naar die jongen. Op haar voorwaarden natuurlijk.'

'En jij laat haar "naar die hel terugkeren", zoals je het zelf noemde?'

Zijn spot trof doel. Met genoegen zag hij dat haar kaken verstrakten, dat hij haar van de wijs had gebracht. Even leek het erop dat ze zich wilde terugtrekken achter haar sluier van vergeten, maar toen voltrok zich een radicale verandering in haar gezicht. Opeens richtte ze zich zo koel en krijgshaftig op dat hij zich niet kon voorstellen dat ze ook maar enige warmte in zich had.

'Ik hou haar niet tegen, maar ik zal voorkomen dat die dievegge haar ook maar met één vinger aanraakt.'

Gabriel bleef onbewogen. Zelfs toen hij besefte dat ze in jaren niet meer zoveel tegen hem gezegd had, waren hun blikken als dolken die elkaar kruisten en daarmee elkaars diepste innerlijk peilden. Gabriel was de eerste die zijn blik afwendde in het besef dat de strijd onbeslist zou blijven.

'Ik wil het van haar zelf horen,' zei hij.

Even later liet Ravenna Meridia zonder een woord te zeggen bij zijn bureau achter. De edele uitdrukking op het gezicht van de dochter werd niet veroorzaakt door de vrieskou, zoals bij de moeder, maar door liefde.

'Klopt het wat je moeder zegt? Je wilt terug naar je echtgenoot?'

Meridia knikte. Het ontging Gabriel niet dat haar wangen de wilde blos van bessen hadden.

'Je wilt naar dat huis terug?'

'Ik wil bij Daniel zijn.'

'Zelfs in de wetenschap dat je bent overgeleverd aan de grillen van zijn familie?'

'Daniel zal dat een volgende keer voorkomen. Dat heeft hij gezworen.'

Ze had niet anders verwacht dan dat Gabriel haar zou bespotten.

'Als je hem gelooft, dan ben je dwazer dan je moeder.'

Meridia boog het hoofd. Ze besefte dat ze in dezelfde situatie hadden verkeerd en elkaar dezelfde argumenten naar het hoofd hadden geslingerd op de dag dat de koppelaar op bezoek was gekomen. En weer, net als op die dag, moest ze zich verzetten tegen de dreiging van onzichtbaarheid als zijn blik over haar gleed. Hoe kwam ze er ook bij dat hij nu wel haar kant zou kiezen?

En toen voelde ze een trap in haar buik. Vanuit de wetenschap dat ze niet langer alleen voor zichzelf vocht, stak ze haar kin in de lucht en richtte ze een onderzoekende blik op de man die nooit van haar gehouden had. Hij was nu onmiskenbaar ouder en grijzer, maar elke lijn van zijn koninklijke gezicht liet nog zijn wrede en meedogenloze hardheid zien. Meridia besloot dat ze niets te verliezen had.

'Ik moet hem wel geloven, papa. Hij is de man van wie ik houd, de vader van mijn kind. Drijf alsjeblieft niet de spot met me. Wat je ook zegt, hij is de enige die ooit iets om me gegeven heeft, die me heeft getroost en vastgehouden toen iedereen besloten had me nooit meer te willen zien. Voordat ik hem ontmoette, wist ik niet wat geluk was. Ik heb hem vergeven, papa. Dat is iets wat mama noch jij me ooit geleerd hebben.'

Ze sprak met tranen in de ogen. Tot haar grote ontzetting huiverde Gabriel en hij bracht een hand naar zijn vergroeide schouder waardoor, met dank aan Ravenna, een pijnscheut trok. Na wat een eeuwigheid leek antwoordde hij op vriendelijkere toon dan hij ooit tot haar gesproken had: 'Ik laat je teruggaan naar hem, maar je gaat niet opnieuw in dat huis wonen.'

Meridia richtte zich verbaasd op. 'Waar moeten we dan wonen? Je bedoelt toch niet... hier?'

Ze kromp ineen onder zijn ogenblikkelijk teruggekeerde verachting: 'Zodat zijn familie van hem verlost is? Doe niet zo dom. Hij is nog altijd hun verantwoordelijkheid. Ik laat hem niet op mijn zak teren.'

'Waar moeten we dan gaan wonen?'

Gabriel verscherpte zijn wrede blik. 'Begrijp goed dat wanneer je naar hem terugkeert jullie jezelf moeten zien te redden. Jullie krijgen geen geld van me maar moeten zelf zien rond te komen. Als je weer op straat gezet wordt, verwacht dan niet dat je onderdak van me krijgt. Maar als je hiermee instemt, dan regel ik alles.'

Meridia werd lijkbleek. In de lange stilte die volgde drong de volle betekenis van zijn voorwaarde tot haar door.

'Waarom laat je me niet toe in je leven, papa?'

Bij hoge uitzondering keek hij haar melancholiek en medelijdend aan. Zijn antwoord was echter van dat soort emoties gespeend: 'Omdat alle ruimte die ik voor je had door je moeder vernietigd is.'

Meridia slikte haar tranen weg en knikte. Hij hoefde het haar geen tweede keer te vragen. 'Als ik weer op straat sta,' zei ze, 'zul jij de laatste zijn die het hoort.'

Gabriel loste zijn belofte in. Zonder hem enige onderhandelingsruimte te laten verkondigde hij het volgende aan Elias: *Mijn dochter zal niet langer onder uw dak wonen. Evenmin zal ze zich dienen neer te leggen bij de regels van uw vrouw. Als u een kleinkind wenst, zorgt u ervoor dat uw zoon over een eigen huis beschikt en over genoeg kapitaal om voor zichzelf te beginnen. U geeft hem uw onvoorwaardelijke steun, maar nooit enig bevel. Uw vrouw beperkt haar omgang met mijn dochter en zal zich niet langer bemoeien met hun huishoudelijke aangelegenheden. Voldoet u niet aan deze voorwaarden, dan stel ik het kind onder mijn hoede en zal ik erop toezien dat elke band met u verbroken wordt.*

Gabriel was hiermee nog niet tevreden. Na Meridia een kruisverhoor te hebben afgenomen met de vasthoudendheid van een openbare aanklager ontdekte hij Eva's bedrog met betrekking tot de bruidsschat en de huwelijksgeschenken.

'Wat een ontzettend dom wicht ben je toch,' veroordeelde hij haar scherp. 'Heeft je moeder je dan helemaal niets geleerd? Het is nu te laat om de geschenken terug te eisen, maar ik zorg dat ik het geld in handen krijg, al moet ik het tussen haar tanden vandaan trekken.'

Aldus voegde hij een laatste voorwaarde toe aan de lijst van eisen: het geld van de bruidsschat diende vermeerderd met rente onmiddellijk en volledig aan Meridia te worden teruggegeven.

Overgelukkig als hij was toen hij vernam dat hij opa zou worden, zou Elias zonder enig voorbehoud hebben ingestemd met alle voorwaarden die Gabriel gesteld had. Omdat hij verwachtte dat zijn vrouw heel anders zou reageren, hield hij zijn blijdschap voor zich en veinsde in haar aanwezigheid een grote verontwaardiging. Met een gezicht waarop alleen maar woede was af te lezen, vervloekte hij Gabriel en noemde hem 'verwaand, belachelijk, gewetenloos, vilein en roofzuchtig'. Dagen achtereen maakte hij veel stampij over zijn bezoeken aan Monarch Street om uren later terug te keren met de bewering dat hij de schoonvader van zijn zoon op hardhandige wijze eindelijk eens wat verstand had bijgebracht. In werkelijkheid spendeerde hij deze uren aan overleg met zijn zakenpartners en met het afstropen van de stad op zoek naar goede huisvesting voor zijn kleinkind.

Eva verzette zich zonder meer op heroïsche wijze. Dag en nacht teisterden haar bijen Elias. Ze eisten dat Gabriel het geld voor het huis zou ophoesten en de helft van het kapitaal voor Daniels eigen zaak. Maar voor de eerste keer in hun huwelijk vond de juwelier de woorden om haar te kunnen weerstaan. 'Die man zal niet toegeven. Je weet hoe koppig die familie kan zijn. Als we niet doen wat hij van ons eist, zou hij ons weleens door het slijk kunnen halen en verspreidt hij de grootste laster over ons. Dan gaan de mensen praten. Dan gaan de mensen zeggen dat we verachtelijk, harteloos en gierig zijn. Het schandaal zal enorm zijn. Wil je dat de hele stad continu over je roddelt?'

Eva, altijd bang voor gezichtsverlies, stribbelde nog wat tegen maar bond toen in. 'Prima, we doen het zoals hij het wil. Maar o wee als die onbeschaamde parvenu ons ook nog maar één cent afhandig maakt!'

En zo trok het kersverse echtpaar op de eerste heldere winterdag, toen de hemel schitterde en de bijen zich terugtrokken, in een huisje op Willow Lane, tien straten ten zuiden van Orchard Road. Buiten Eva's medeweten om had Elias de kamers ingericht met tweedehands meubilair. Als gordijnen had hij schone katoenen lakens opgehangen en in de gang was een nieuw kleed neergelegd. Een kleine aanbouw van het huis was tot een bescheiden juwelierszaak omgebouwd. Het jonge paar had ermee ingestemd het zonder personeel te doen.

HOOFDSTUK 17

Het huis op Willow Lane 175 piepte als de longen van een oude man. De dakspanten snotterden van de kou, de vloeren van de hitte en de muren bleven hoesten als gevolg van de afbladderende verf. Het dak lekte op verschillende plekken en de houten vloeren vertoonden gaten. Het openen van een deur veroorzaakte een lawine aan stof. De lucht, die, omdat er geen afvoer was, gevangen gehouden werd tussen de lage plafonds en de smalle ramen van het huis, rook alsof de oude, astmatische man levend was ingemetseld.

Niettemin was Meridia gelukkiger dan ooit. Ze gooide de ramen open, verjoeg de lucht met geparfumeerde lakens, plette enorme spinnen met een bezem, goot azijn over de kakkerlakken en schrobde de badkamervloer tot elke tegel glom. Ze weigerde elke hulp van Monarch Street en drie dagen lang veegde, waste en stofte ze af, waarbij ze zelfs Elias' kale meubels boende alsof het erfstukken waren. Het huis was van haar. Van haar. Ze was er evenzeer de baas over als ze getrouwd was met haar man.

Terwijl Meridia het huis boende, richtte Daniel de winkel in. Hij verfde de muren heldergeel, schuurde de vloer, plaatste een raam en overdekte de gehavende vitrinekasten met glansvernis. Hij besteedde een hele dag aan het bestuderen van een handboek over welke inrichting het meeste fortuin bracht, waarbij rekening werd gehouden met de luchtstromen en de positie van de zon op elk mogelijk uur van de dag. Meridia fabriceerde als muurversiering een groot borduurwerk met zeemeerminnen en elvenkoningen, bovenaardse wezens die ze in herinnering riep van haar dagen met Hannah en Permony. Het resultaat was hooguit het werk van een beginnelinge, maar Daniel prees het de hemel in en zei dat het hun meer geluk zou brengen dan een heiligenrelikwie.

Hun eerste avondmaaltijd samen was een genot en verschrikking tegelijk. Zonder het toezicht van Patina liet Meridia de rijst aankoeken en was het varkensvlees te gaar. De paddenstoelensoep smaakte naar lood en de gebakken bananen die ze als nagerecht wilde serveren kwamen kreupel en verslagen uit de koekenpan. Terwijl ze aan tafel de mislukking overdacht, sneed Daniel een groot stuk varkensvlees af. Hij kauwde er nadenkend op en verklaarde daarna: 'Ik heb in mijn hele leven nog nooit zoiets lekkers gegeten.' Meridia barstte in lachen uit, gooide haar servet naar zijn hoofd en riep: 'En ik heb in mijn hele leven nog nooit zo'n slechte leugenaar gezien.'

Een paar dagen later kwam Ravenna onverwachts op bezoek. De berouwvolle Daniel trok zich terug in de winkel. Ravenna leek dit niet erg te vinden, maar zette de lelies die ze meegenomen had in een vaas. Ze wees Meridia's aanbod van een kopje thee van de hand, liep met verstrooide gratie door de drie kamers, schudde hier een kussen op, zette daar een stoel recht, en merkte slechts op dat Meridia kip diende te bereiden en geen vis. Binnen vijf minuten was Ravenna weer verdwenen, maar meteen leek het huis vrolijker en de lucht niet langer naar rottend vlees te ruiken. Toen Meridia een uur later voor het avondeten een meerval wilde bereiden, ontdekte ze dat hij inderdaad niet goed meer was. Ze krabde zich op het hoofd, keek de keuken rond en zag toen op het aanrecht een nooit door haar gekochte kip.

Die avond wachtte Meridia nog een tweede verrassing. Toen ze na het eten de achterdeur opende, vond ze op de deurmat een groot, in een doek gewikkeld pakket. Er stonden veel sterren aan de hemel, maar in de kleine tuin was niemand te zien. Meridia bukte zich om het pakket op te tillen maar omdat het nogal zwaar was, trok ze het met enige moeite de keuken in. Toen ze de doek had losgeknoopt dreef de zoete geur van verbena door de keuken.

'Daniel! Wat is dit in hemelsnaam?'

Daniel voegde zich snel bij haar. 'Goudstaven,' verklaarde hij verbaasd en tilde ze beide op. 'Ze lijken massief en wegen elk minstens een kilo.'

'Goudstaven? Weet je dat zeker?'

'Ik ben juwelier, liefste. Wie denk je dat ze achtergelaten heeft?'

'Ruik het doek eens,' zei Meridia daarop meteen. 'Wie is dat, denk je?'

Hij zei niets maar hielp haar de staven naar de slaapkamer te dragen. De vorige dag had ze tijdens het schoonmaken ontdekt dat er onder het bed een plank loszat waar ze vervolgens het geld van de bruidsschat en het setje gouden sieraden verborgen had. Daarbij werden nu de twee staven gevoegd. 'Hoe heeft ze die...?' Overweldigd door dankbaarheid maakte Meridia haar vraag niet af.

Nadat de eerste partij sieraden gearriveerd was van Lotus Blossom Lane drong ze er bij Daniel op aan haar te vertellen welke dat waren. Hangers van aquamarijn, vertelde hij. Jaden armbanden, tanzanieten ringen en granaten halskettingen. Als in een gebed liet ze de benamingen over haar tong rollen en sloot ze stuk voor stuk niet alleen in haar gedachten maar ook in haar hart. De volgende dag liet ze Daniel haar leren hoe ze onvolkomenheden in diamanten kon ontdekken, hoe ze goud kon herkennen aan de smaak en hoe echte parels van valse te onderscheiden waren. Naast haar bed had ze een overzicht van alle edelstenen en elke avond dreunde ze de eigenschappen van robijn, topaas, agaat, amethist, opaal en andere stenen op. Haar dorst naar kennis verlichtte haar gezicht als een hemelvuur. Nu kon niemand haar meer tegenhouden. Niemand zou haar de edelstenen afnemen die ze zo geestdriftig bestudeerde. Na op een avond met elkaar gevreeën te hebben, plaagde Daniel haar dat maansteen haar lust had aangewakkerd. 'Doe niet zo mal,' antwoordde ze en kneep hem wild in zijn billen, maar vanbinnen wist ze dat deze stenen hun toekomst gingen bepalen.

Drie dagen later werd de opening van de winkel in klein gezelschap gevierd: een paar trouwe klanten van Lotus Blossom Lane en wat vrienden van de familie. Ravenna stuurde een banier met een opschrift in gouden letters en een mand sinaasappels, die geluk dienden te brengen. Elias gloeide van trots en Eva zag onvolkomenheden in alles. Maar behoedzaam vanwege de door Gabriel gestelde voorwaarden, uitte ze haar kritiek alleen tegen Daniel. Meridia deed alsof ze haar niet hoorde. Gabriel liet niets van zich horen.

Hun hoge verwachtingen ten spijt verkochten ze de twee navolgende weken niets. Het aantal mensen dat de winkel kwam binnenlopen om rond te neuzen, was op de vingers van twee handen te tellen.

'Wat doen we verkeerd?' vroeg Meridia op een avond na sluitingstijd aan Daniel.

'Geduld,' antwoordde hij kalm. 'Ons geluk keert nog wel ten goede.'

Nadat er nog een week voorbij was gegaan zonder dat ze iets verkocht hadden, besloot Meridia dat het tijd was iets te ondernemen. Die middag verliet ze vroegtijdig de winkel voor een wandeling. Hoe lang zou dit nog duren? Eva wilde zelfs al winst zien. Het was ondenkbaar dat de winkel een mislukking zou worden. Ze kon niet terug naar Orchard Road en Gabriel had heel duidelijk gemaakt dat ze niet welkom zou zijn op Monarch Street. Ze konden nog leven op het geld van de bruidsschat, maar hoe lang zou dat duren als het zo bleef gaan? Ze zwierf van de ene steeg naar de andere en pijnigde ondertussen haar hersenen voor een oplossing. Er was vast en zeker iets wat ze konden doen om te zorgen dat ze zichzelf wisten te redden.

Binnen zestig seconden had ze antwoord op haar vraag.

'Kijk omhoog. Je lost niets op door naar je tenen te staren.'

Meridia keek omhoog. De vrouw die haar aansprak, was niet ouder dan twintig, droeg laarzen, sieraden over het hele lijf en ging gekleed in een gewaagde, karmozijnrode jurk van buitenlands model. Molliger en langzamer in haar bewegingen maar met hetzelfde golvende rode haar dat Meridia altijd en eeuwig zou herkennen.

'Hannah!'

Haar mond viel open. Voordat ze van haar verbazing bekomen was, werd ze al omhelsd en gezoend door haar oude vriendin. Op dat moment stond de tijd stil. Beter gezegd: hij ging terug naar de dag dat ze elkaar voor het laatst gezien hadden.

'Wat doe je hier?' riep ze blij uit.

'Ik volg mijn echtgenoot op de hielen,' zei Hannah grijnzend. 'Mijn vader heeft zich een jaar geleden uit de zaken teruggetrokken en uit pure zelfkwelling heb ik mijzelf nu verbonden aan een andere rondreizende zakenman. Ik ben dus weer steeds onderweg.'

Meridia lachte. 'Je bent niets veranderd. Hoe lang blijf je deze keer?'

'Maanden, jaren, geen idee. Laten we eerst wat gaan eten. Ik krijg honger van al dat gepraat.'

Zonder met elkaar te overleggen liepen ze naar dezelfde plek: het café van de boekhandel naast het gerechtsgebouw. Ze liepen gearmd en verhaalden elkaar onophoudelijk over hun avonturen uit hun meisjesjaren. Hannah vertelde over de vele landen die ze had bezocht, de opmerkelijke gebeurtenissen die ze had meegemaakt en de vreemde figuren met wie ze bevriend was geraakt. Ze was, zo zei ze, nog maar een week geleden teruggekeerd in de stad en had sindsdien overal gezocht naar haar allerliefste vriendin.

'Volgens mij ben je zwanger, toch?' zei ze zodra ze zaten. 'Zorgt je echtgenoot wel goed voor je? Ik vil hem levend als hij dat niet doet.'

Ze genoten van hun druivensap en boterhammen met aardbei en ondertussen stelde Meridia Hannah op de hoogte van haar huwelijksleven. 'Daniel is een prima echtgenoot,' zei ze. 'Hij zal een geweldige vader zijn.' Ze schetste in grote lijnen haar schoonfamilie zonder iets te zeggen over Eva's gedrag of haar eigen verwijdering uit het huis, en trad pas in detail toen ze kwam te spreken over de moeilijkheden waarmee de winkel te maken had. Klanten, zo zei ze, leken de winkel niet op te merken als ze hem voorbijliepen.

'Zorg dan dat hij wel opvalt,' zei Hannah eenvoudig.

'Hoe dan?'

De energieke roodharige Hannah gaf haar een dikke knipoog, gevolgd door een hevig schudden van al haar sieraden. 'We spreken hier morgenochtend af en dan laat ik het je zien.' Op serieuzere toon voegde ze daaraan toe: 'Volgens mij ben je niet altijd even gelukkig geweest, of wel? In elk geval ben je mooier dan ik mij herinner.'

De rest van de dag had Meridia het gevoel dat ze zweefde. Daniel, die zag dat ze steeds om niets moest glimlachen, vroeg uiteindelijk: 'Waarom ben je zo uitgelaten?'

'Ik ben een oude vriendin tegengekomen,' zei ze terughoudend. 'We hadden elkaar al jaren niet meer gezien.'

'Maar je wordt rood,' zei hij met een twinkeling in de ogen. 'Pas maar op, anders denkt iedereen dat je verliefd bent.' Toen Meridia de volgende dag terugging naar het boekwinkelcafé wachtte Hannah al op haar. Deze keer droeg ze een eenvoudige witte jurk en geen laarzen of sieraden. Het wilde haar werd nu keurig in bedwang gehouden door een haarband als van een schoolmeisje.

'Ga rustig zitten,' zei ze tegen Meridia. 'Ik zal je laten zien hoe je mensen naar je winkel krijgt.'

Voor de tweede keer in hun vriendschap liet ze Meridia kennismaken met de stad. Met hetzelfde zelfvertrouwen als toen gaf de niet van haar stuk te brengen Hannah Meridia opdracht om in de straten van de stad op volstrekt vreemden af te lopen en hun te vertellen over haar prachtige nieuwe winkel in Willow Lane. Meridia, die eerst nog wat verlegen was, had snel de slag te pakken. Die dag liep ze Majestic Avenue helemaal af en schudde ze de handen van talloze mensen van wie ze de namen, zo drong Hannah aan, allemaal diende te onthouden. 'Jong of oud, maakt niet uit. Iedereen is bijzonder. De volgende keer dat je ze tegenkomt, let er dan op dat je ze groet.'

De volgende dag herhaalden ze dit in de winkelbuurten rond de markt. 'We richten ons op de winkeliers en de bedienden,' legde Hannah uit. 'Jij hebt klanten nodig en zij hebben er voldoende.' Meridia kocht vierentwintig blikken kaneeltoffees en noteerde haar adres op keurige visitekaartjes. Die dag maakte ze kennis met drie kappers, zeven kleermakers, twee theehuiseigenaren, een bloemist, vier hoedenmaaksters, zes winkeliers en een eigenaresse van een schoonheidssalon. Velen van hen stemden er dankzij haar toffees en Hannahs instructies opgewekt mee in om haar winkel bij hun klanten onder de aandacht te brengen.

Op de derde dag spraken ze op een zeer merkwaardige plek af: om de hoek van de juwelierszaak.

'Waarom hier?' Meridia was verbijsterd. 'Bijna niemand komt uit deze richting aangelopen.'

'Leer je eigen buurt kennen,' antwoordde Hannah rustig. 'Je zaak gaat pas lopen als je al je buren een hand hebt gegeven.'

Zonder Meridia's reactie af te wachten liep de roodharige recht op de dichtstbijzijnde voordeur af en klopte aan. In de vier uur daarna gingen ze langs bij elk huis in de buurt. Uit de gesprekken wist Meridia op te maken dat de buurt rond Willow Lane volop in ontwikkeling was, en dat de bevolking vooral bestond uit hardwerkende handelslui en hun jonge echtgenotes, van wie de meesten ter aanvulling van het inkomen naaiwerk deden of was aannamen. Er was maar een handvol winkels in de buurt: een sigarenwinkel, een kiosk, een stoffenzaak en een klein café met een lichtblauw zonnescherm. De jonge vrouwen spraken de hoop uit dat de juwelierszaak een nieuwe impuls zou betekenen voor de buurt.

Nadat ze hun ronde gedaan hadden, liepen de twee vriendinnen opgewekt naar Meridia's huis aan Willow Lane. Met de armen om elkaars heup geslagen, spraken ze enthousiast over hoe aardig en gastvrij de buren waren geweest.

'Ik kan je niet genoeg bedanken,' zei een glunderende Meridia toen ze bij de winkel gearriveerd waren. 'Blijf alsjeblieft eten. Daniel zou het geweldig vinden kennis met je te maken.' Ze hield de winkeldeur half-open, maar Hannah duwde hem weer dicht.

'Geduld. Daar is nog tijd genoeg voor.' Hannahs stem klonk lager dan anders en koortsig. Onverwachts omhelsde ze Meridia. Toen ze elkaar weer loslieten, blonken er tranen in haar ogen.

'Ik heb me de vorige keer schandalig gedragen,' zei Hannah. 'Al die jaren heb ik je al willen vertellen waarom ik zonder iets te zeggen vertrokken ben.'

'Dat is niet nodig,' zei Meridia snel. 'Ik begrijp het wel.'

'Maar je moet weten dat...'

'Het is niet nodig,' herhaalde Meridia krachtig. 'Ik begrijp het.' Tegen haar wil zocht een eenzame traan zijn weg over haar wang. Vanbinnen werd de deur geopend.

'Kom je binnen?' vroeg Daniel. Meridia veegde haar wang droog en draaide zich om.

'Is goed, Daniel. Dit is...'

Ze voelde hoe Hannah haar stevig in de hand kneep. Toen ze zich weer omdraaide, was haar vriendin spoorloos verdwenen.

'Waarom sta je hier zo in je eentje?' vroeg Daniel. 'Ik zou zweren dat je zojuist in jezelf stond te praten. Waar is die zogenaamde vriendin van je? Ik moet haar eens ernstig toespreken omdat ze je al drie dagen aan het inpikken is.'

'Ik was... Zag je dat niet?' Ze wist niets uit te brengen. 'Er is niets aan de hand. Heb je honger? Ik ga direct met het eten beginnen.'

Toen Meridia de volgende ochtend op de keukentafel een brief van Hannah zag liggen maakte ze hem niet open. Ze gooide hem ook niet weg. In plaats daarvan verborg ze hem als een aandenken aan haar nood en verdriet behoedzaam onder een stapel jurken, samen met dat deel van haar wezen dat nu weer op slot was gegaan.

HOOFDSTUK 18

Twee dagen nadat Hannah weer was verdwenen, verkocht Meridia haar eerste paar oorbellen. Vanaf dat moment kreeg de winkel steeds meer klanten, die in vergelijking met de winkel op Lotus Blossom Lane weinig te besteden hadden, maar de meesten kochten in elk geval iets. Meridia nam Hannahs advies ter harte en verwelkomde niet alleen iedereen bij naam, maar moedigde ze ook aan bij een volgend bezoek vrienden en familie mee te nemen. Ingenomen als hij was met hoe de winkel draaide, kon Daniel het niet nalaten op een dag te pochen: 'Ik zei je toch dat ons geluk ten goede zou keren. Geloof je me nu?'

Meridia moest haar best doen niet te grijnzen. 'Natuurlijk, schat. De hemel heeft een geest gestuurd om ons te helpen.'

Al snel ontdekte hij haar verkooptalent. Dat bestond niet uit onderhandelen of het overtuigen van een klant, maar uit zorgvuldig luisteren naar iemands wensen. Op een ochtend zag hij hoe ze een jongeman hielp bij het uitkiezen van een verlovingsring. De gereserveerde en verlegen jongen had geen idee wat hij zocht. Meridia begon niet met hem allerlei ringen te laten zien, maar vroeg hem naar zijn geliefde. Het gezicht van de man klaarde direct op.

'Ze is de goedaardigste ziel die ik ken,' liet hij meteen zonder enige terughoudendheid weten. 'Ze zegt alleen het noodzakelijkste, maar ook wanneer ze zwijgt vult ze de kamer met vrede en geluk.'

Meridia dacht even na over zijn antwoord. 'U wenst dan zoiets als dit: een eenvoudige ring met een rechthoekig diamantje. Het is ingetogen en springt niet meteen in het oog, maar schittert met recht en reden. Wat vindt u daarvan?'

De man wierp er een blik op en kocht de ring.

'Wie heeft je dit geleerd?' vroeg Daniel daarna.

Meridia trok haar schouders op. 'Ik kon het aan zijn gezicht aflezen.'

Ze sloot snel vriendschap met de vrouwen van Willow Lane. Ze zette al haar reserves opzij, bakte sinaasappel- en vanilletaarten, nodigde hen uit voor de thee en informeerde met oprechte belangstelling naar hun kinderen. De vrouwen, die onder de indruk waren van haar intelligentie en oprechtheid, lieten hun waardering voor haar pogingen tot contact blijken met het aanprijzen van de winkel bij familie en werkgevers. Op Leah en Rebecca, twee van de jongere vrouwen, was Meridia in het bijzonder gesteld. De volslanke en met brede heupen uitgeruste Leah was de praatgrage vrouw van een drukker. De dunne, sproeterige en rustigere Rebecca was drie jaar geleden getrouwd met een succesvolle ingenieur. Beiden waren gevoelige, fantasierijke vrouwen met veel levenservaring. Het was hun idee om drie verschillende affiches te maken voor de winkel en die overal op Independence Plaza aan te plakken. 'Eén voor de mannen, één voor de vrouwen en één voor die ertussenin,' legden ze uit. Meridia zag de logica ervan in en ging akkoord.

Op deze manier begon de zaak te lopen. Elke avond rekende Daniel de opbrengsten uit en hoewel ze nog gering waren, was het elke dag weer iets meer dan de vorige. Toch bleven ze krap bij kas zitten. Hoe meer ze verkochten, hoe moeilijker het werd om de eindjes aan elkaar te knopen. Eva was de oorzaak van dit probleem. Zodra Daniel en Meridia het geld hadden verdiend, voerde zij het af naar Orchard Road.

Ondanks de overeenkomst met Gabriel hield Eva het paar als een roofvogel in de gaten. Twee à drie keer per dag viel ze altijd op ongelegen tijdstippen ongenood de winkel binnen. Elke avond inspecteerde ze de boeken om te zien hoeveel er was verkocht, waarna ze elke transactie, ontevreden klakkend met haar tong, overnam in haar eigen grootboek. Aan het einde van de week telde ze de cijfers bij elkaar op en zag ze erop toe dat Daniel zestig procent van de opbrengsten aan Elias overdroeg. Dit percentage waren ze overeengekomen, maar als het haar zo uitkwam verhoogde Eva het soms zelfs wel naar negentig. Steeds werd er een andere reden aangevoerd. 'De aflossing voor de winkel moet deze week betaald worden.' Of: 'Je zusjes hebben nieuwe schooluniformen nodig.' Daniel wilde niet de ergernis van zijn moeder wekken en stemde mokkend in. Meridia moest haar best doen er niets van te zeggen, maar besefte dat ze, hoezeer ze dat ook verafschuwde, nog steeds van Eva afhankelijk was.

Aan het begin van elke maand bracht Eva, tezamen met het nieuwe assortiment, ook de kleine toelage voor het paar. Elias had ingestemd met dit bedrag totdat ze op eigen benen konden staan. Eva deed dit alsof ze daarmee een enorm offer bracht en liet Daniel ondertussen luidkeels weten dat 'jouw arme vader hiervoor echt heel hard heeft moeten werken, dus ga er verstandig mee om'. Een opgetrokken wenkbrauw was voldoende om Meridia het gevoel te geven dat ze een liefdadigheidsgeval was, een om kruimels bedelende pauper. Meridia ervaarde dit als een enorme vernedering maar volgde haar verstand in plaats van haar gevoel en reageerde niet op Eva's woorden.

Eva's dreigende aanwezigheid bleef niet tot de winkel beperkt. Al snel waren haar bijen overal in het huis te vinden. Ze bedierven het voedsel, verstikten de lucht en zwermden zelfs rond Meridia's opzwellende buik. Op een middag verscheen ze in het huis terwijl Meridia een peer aan het schillen was. Eva zei niets maar struinde direct de winkel binnen. 'Ik ben blij dat je het geld van je vader zo goed besteedt,' zei ze kortaf tegen Daniel. 'Kon hij maar zo buitenissig leven als jullie en elke dag geïmporteerde peren eten. Maar wij zijn maar gewone mensen. We zijn al blij als we één keer per maand watermeloen hebben.'

Daniels oren tuitten toen hij zijn moeder zo hoorde spreken. 'Het spijt me, mama,' zei hij, 'maar Meridia heeft die peer voor mij gekocht. Ik zal haar zeggen dat ze dat voortaan niet meer moet doen.'

Tijdens een ander bezoek van Eva leverde de kruideniersknecht een fles melk af. Meridia, die een klant belde, voelde hoe Eva's afkeurende frons haar de keel dichtkneep.

'Het is voor de baby,' legde Daniel uit, 'zodat het een sterk en gezond kind wordt.'

'Dat spreekt voor zich,' reageerde Eva zuur. 'Daarvan weet jij vast en zeker ook meer dan ik. Ik had gewild dat iemand mij zo had verwend toen ik zwanger was van jou, maar zo iemand was er niet en er was niets mis met jou. Maar als jouw kind het nodig heeft, wie ben ik dan om er iets van te zeggen?'

Vanaf dat moment liet Daniel de melk 's morgens bezorgen, voordat Eva kwam opdagen.

Meridia schiep er enig genoegen in Eva te slim af te zijn met geld. Van Daniel had ze begrepen dat Eva, ondanks dat ze al bijna dertig jaar met een juwelier was getrouwd, op zijn hoogst een oppervlakkige kennis van sieraden had. Meridia deed hier haar voordeel mee: als ze een sieraad had verkocht, verving ze dat door een imitatie die ze voor een fractie van de prijs bij een straathandelaar had gekocht. In de boeken stond het nog als onverkocht en Eva zag het verschil toch niet, waarop Meridia de opbrengst ervan onder de losse plank in de slaapkamer kon verbergen. Om geen argwaan te wekken, deed ze dit alleen als ze een goede imitatie kon vinden. Als een klant iets wilde verkopen, vermeldde ze de aankoop in de boeken tegen een hogere prijs dan ze werkelijk had betaald en stak het verschil in eigen zak. Daniel begreep al snel hoe ze de zaken aanpakte en volgde haar voorbeeld. Zo wisten ze steeds kleine bedragen te sparen en probeerden ze zo vaak mogelijk iets toe te voegen aan de geheime bergplaats onder het bed.

Geïnspireerd door haar geraffineerde werkwijze kwam Daniel met het idee de kasboeken tot een warboel te maken. Zijn redenatie was simpel: 'Mama is nooit goed geweest met cijfers. Jij wel.' Dit hoefde hij Meridia geen twee keer te zeggen. Nog dezelfde dag begon ze Eva te verstrikken in eindeloze rijen getallen, veranderde ze de boeken in een ondoorgrondelijk doolhof waarin tien maal tien niet honderd als uitkomst had, maar negentig. 'Wat betekent dit allemaal?' vroeg Eva een paar dagen later en zette gefrustreerd haar bril af. Daniel, die zich hierop had voorbereid met allerlei verklaringen, haalde in zo'n hoog tempo zoveel bonnetjes tevoorschijn dat zijn moeder, als ze geen gezichtsverlies wilde lijden, geen andere keus had dan instemmend te knikken. 'Ja, ja, natuurlijk,' zei Eva met de ongeduldige houding van een deskundige. Achter haar rug deed Meridia alsof ze een hoestbui kreeg om te verbloemen dat ze door Daniels ernstige gezicht in de lach was geschoten.

Hoe ronder haar buik werd, hoe zwaarder het werd voor Meridia. Haar huid verloor zijn glans, haar eetlust verdween en haar lichaam werd het grondgebied van een vreemde mogendheid wier wetten ze niet begreep. Op sommige dagen was haar lopen als het waden door een moeras en waren haar voeten zo opgezwollen dat ze van lood leken. Als ze 's ochtends in de spiegel keek, wist ze soms niet meer wie of wat ze zag – dit was geen vrouw meer, maar een nauwelijks levend wezen met vreemde, misvormde stompjes die zich voordeden als armen en benen. Daniel liet haar geen moment met rust, stond erop dat ze goed at, zelfs als ze geen verschil meer proefde tussen zoet en zuur. 'Blijf toch in bed,' zei hij. 'Rust zoveel uit als je wilt.' Meridia schudde het hoofd omdat ze maar al te goed wist wat Eva zou zeggen als ze ontdekte dat ze een dutje deed.

Maar slapen lukte haar ook niet. In haar dromen werd ze lastiggevallen door de bijen. Op hun stank reageerde haar maag nog heftiger dan op de geur van de afstervende rozen. Op een nacht joegen ze haar op tot aan de rand van een afgrond. Liever dan zich over te geven, waagde ze de sprong in de ijle lucht. Ze viel en bleef vallen. De rotsen beneden sprongen op om haar te begroeten, maar plots trok een hand haar terug de lucht in. Even was er niets. Alleen de wind en vlekken zonlicht. Plotseling stond ze weer op de grond en was ze verborgen onder zoveel sjaaltjes en onderkleding dat ze er uitslag van kreeg. Dezelfde helpende hand leidde haar nu naar Cinema Garden.

'Juf,' zei ze in haar gedaante van een kind, 'waarom bent u nooit teruggekomen?'

Het beste mens was geen dag ouder geworden. Dezelfde forse gestalte, stevige wangen en enorme borsten van waaronder ze eindeloze zuchten slaakte.

'Denk je dat ik het niet geprobeerd heb? Je moeder heeft me steeds tegengewerkt.'

'Maar nu blijf je toch wel? Zeg alsjeblieft dat je blijft.'

'Ik ben bang dat dat niet mogelijk is, schat. Het was mijn wens jou nog één keer te zien voordat ik ga sterven.'

Het kleine meisje begon te huilen. 'Blijf alsjeblieft hier. Laat me niet weer in de steek.'

Ze had dit nog niet gezegd of de nevels verschenen. Blauw, geel, ivoorkleurig. De kinderjuf boog zich voorover en keek haar indringend aan.

'Ssst. Wat zou je moeder zeggen als ze je zo zag? Luister goed: de volgende keer dat je de drie nevels zo samen ziet...'

De kinderjuf maakte haar zin niet af, want de mist stortte zich brullend boven op haar en sleurde haar mee de lucht in. Al gillend rende het meisje achter ze aan.

'Kom terug, juf, kom terug!'

'Meridia, wakker worden.' Daniel schudde aan haar schouders. 'Je hebt een nachtmerrie.'

Meridia snakte in het duister naar adem en sloeg haar armen wild om haar buik. 'Nee... nee... het was geen droom. De kinderjuffrouw – juf – nam afscheid van me.'

Toen herinnerde ze zich alles weer. Wat zou er gebeuren als de nevels een volgende keer samen zouden verschijnen? De gedachte daaraan kwelde haar en hield haar nog uren uit de slaap.

Ondertussen ontgingen Elias' kleine gebaren Meridia niet. De ongelukkige, timide glimlachjes. De verontschuldigende blikken. Het ongemakkelijke kuchen en schrapen van de keel. Terwijl de koude oorlog tussen Eva en haar voortraasde, probeerde Elias het goed te maken.

Op een dag zag ze hoe hij een kistje de winkel in smokkelde en vervolgens zonder een woord te zeggen weer vertrok. In het kistje zaten een stuk of tien buitenlandse peren en een grote pot medicinale wortels die de naam hadden de eetlust van aanstaande moeders op te wekken. Een briefje voor Daniel was bijgevoegd: *Je vrouw mag niet nog meer gewicht verliezen. Zorg dat je moeder deze niet te zien krijgt.* Toen Meridia hem de volgende keer dat ze hem zag hiervoor probeerde te bedanken, werd Elias bleek en liep hij weg. Vanaf dat moment kwam hij elke zondag langs, de dag dat Eva altijd wegbleef, en liet stiekem een cadeau achter. De ene week een zilveren rammelaar, de andere een middel tegen opgezwollen enkels.

Op een zondag nam hij Malin en Permony mee. Met haar vertrek uit het huis aan Orchard Road had Meridia bewezen tegen Eva opgewassen te zijn. Hierdoor behandelde Malin haar nu niet langer op een minachtende manier, maar met een schoorvoetend respect dat soms in de buurt kwam van bewondering. Malin stelde zich nog altijd koel en onverschillig op, maar haar spottende grijns, die eens tot haar vaste wapenarsenaal had behoord, liet ze nu nog nauwelijks zien. Meridia glimlachte toen ze zag hoe Malin de thee dronk die ze voor haar had ingeschonken. Een paar maanden geleden zou ze dat niet gedaan hebben.

Permony liet er daarentegen geen twijfel over bestaan dat ze Meridia miste. 'Het spijt me dat mama je de deur heeft uitgewerkt,' vertrouwde ze Meridia toe. 'Als de baby geboren is, ga je me dan weer verhalen vertellen?'

De verlangende, verdrietige blik van het meisje trof Meridia recht in het hart. Nu niemand haar meer in bescherming nam, kreeg ze waarschijnlijk de volle laag van Eva.

'Natuurlijk. We gaan samen verhalen bedenken voor de baby. Je kunt hier komen zo vaak als je wilt... als je het thuis niet leuk vindt.'

Permony begreep het en was haar dankbaar. Voordat Meridia haar verhaal kon beginnen over de gouden feniks die elke tweehonderd jaar de maan verduisterde, schraapte Elias zijn keel en schudde hij Daniel de hand.

'Ik wist wel dat je hiervan een succes zou maken, zoon.'

'Dankjewel papa, maar Meridia heeft me enorm geholpen.'

'Dat weet ik.' Elias glimlachte, hield zich in en richtte zich tot de meisjes. 'Laten we nu naar huis gaan,' zei hij, en voegde er tamelijk overbodig aan toe: 'Voordat jullie moeder zich van alles in haar hoofd haalt.'

'En naar welke exotische delicatessen hunkert je vrouw vandaag?'

De vraag, die luidkeels gefluisterd was, werd gericht tot Daniel, maar Meridia twijfelde er niet aan dat hij voor haar oren was bestemd.

'Met honing gezoet hertenvlees? Geroosterde gans met pruimen? Zulke verfijnde gerechten zijn niet alleen funest voor haar baarmoeder, maar kosten ook handen vol geld waardoor er voor het kind straks niets overblijft.'

'Meridia hunkert nergens naar,' antwoordde Daniel. 'Maar als ze geroosterde gans met pruimen wil, dan krijgt ze dat. Zelfs als ik daarvoor een pact met de duivel moet sluiten.'

Eva deed alsof ze dat niet gehoord had.

'Ben je soms haar dienstmeid? Waarom maakte je zojuist haar lunch klaar? Je bent te aardig en te slap en ik vrees dat ze misbruik van je maakt. Ik had graag gewild dat je vader toentertijd maar de helft zoveel begrip voor mij had opgebracht, maar hij verdroeg geen enkele luiheid. Zelfs als er een ijzeren staaf in mijn baarmoeder geprikt had, zou hij er nog op hebben gestaan dat ik het eten klaarmaakte.'

'Meridia is de hele ochtend al ziek,' zei Daniel kortaf. 'Ik heb haar gezegd te gaan rusten.'

'Weet je dat wel zeker? Iedere vrouw heeft zo haar manieren om een man voor haar aan het werk te zetten.'

Nu raakte Daniel duidelijk geïrriteerd. 'Dat zal ongetwijfeld zo zijn, mama, maar ik ga nu aan de slag. Ik heb het ontzettend druk.'

Meridia lag in bed met migraine. Tussen haar en de woonkamer zat een muur, maar Eva was zo goed verstaanbaar dat het was alsof ze naast haar bed stond. Hoe kreeg die vrouw het voor elkaar? Maar zelfs nu haar hoofd bijna uit elkaar barstte, kon Meridia niet ontkennen dat ze ingenomen was met de irritatie die in Daniels stem had doorgeklonken. De laatste tijd deed hij nogal bars tegen zijn moeder. Als Eva slim was, liet ze hem wat meer met rust.

Plotseling schraapte er in de woonkamer een stoel over de vloer.

'Ze komt eraan, dat afschuwelijke mens,' siste Eva. 'Ik ruik haar zelfs nog met dichtgeknepen neus. Ik kan er maar beter vandoor gaan voordat ze me opnieuw gaat slaan.'

Meridia kromp ineen van pijn toen Eva's schoenen over de houten planken klepperden. De voordeur werd geopend en met een klap weer dichtgeslagen. Daniel trok zich snel terug in de winkel. Even later ging de deur opnieuw open. De geur van citroenverbena dreef de slaapkamer binnen. Meridia sloot haar ogen. Nu Ravenna hier was, zou het niet lang meer duren voordat haar migraine verdwenen was.

Door dit voorval kreeg ze een idee. De volgende dag kocht ze in een parfumerie een fles verbena-extract. Eenmaal thuis wachtte ze tot ze in de verte een vaag bijengezoem hoorde. Toen pakte ze de fles uit haar zak, liep naar de rand van de weg en liet een paar druppels parfum in de lucht vervliegen.

'Wat ben je aan het doen?' riep Daniel vanuit de winkel.

'Aan het toveren. Wacht maar af.'

Die dag zag Eva af van een bezoek. Toen Meridia haar truc aan Daniel verklapte, viel hij bijna van de stoel van het lachen.

'Slimme meid,' zei hij. 'Waarom heb je dit niet eerder bedacht?'

'Ik dacht dat je de aanwezigheid van je moeder op prijs stelde.'

Daniels lachen ging over in grommen. 'Ze is mijn moeder, maar soms zit ik liever met een bergleeuw opgesloten in een grot dan dat ik met haar moet praten.'

'Wat deed dat mens hier gisteren?' wilde Eva de volgende dag van hem weten. 'Krankzinnigheid is besmettelijk, jongen. Wil je nu echt dat die onder jouw dak naar hartelust woekert?'

Daniel zette zijn vrolijkste gezicht op en verzekerde haar dat daarvan geen sprake was.

Hoewel Meridia zo voorzichtig was het parfum alleen in noodzakelijke gevallen te gebruiken, had Eva haar truc snel door. Ze was woest over deze misleiding en voerde haar controle in buitengewone mate op. Als Meridia stiekem een jurk had gekocht omdat de oude niet meer pasten, zei Eva de volgende dag tegen Daniel: 'Een jurk uit die winkel kost een rib uit je lijf. Je vader zal het leuk vinden te horen hoe ze zijn geld uitgeeft.' Een paar dagen later, toen het 's middags uitzonderlijk heet was, kocht Daniel buiten voor de winkel twee bekertjes schaafijs van een straatventer. De volgende dag betrad Eva gehuld in een zwerm bijen het huis: 'Weet je wat ik gisteren gedaan heb? Ik heb badend van het zweet de tuin gewied terwijl je vader een lek in het dak repareerde! Ach, soms zou ik wel willen dat ik al mijn werk en verantwoordelijkheden links kon laten liggen en mijzelf helemaal kon volproppen met schaafijs!' Meridia hoorde dit en vroeg zich kwaad af hoe Eva dit te weten was gekomen.

Het raadsel werd per ongeluk opgelost. Toen ze op een ochtend met haar nieuwe vriendinnen uit de buurt theedronk, keek ze één keer door het raam van de woonkamer naar buiten en zag toen aan de overkant van de straat een jongen staan.

'Weten jullie wie dat is?'

Leah en Rebecca liepen naar het raam. De jongen leek niet ouder dan twaalf, droeg een versleten militaire jas en had een pet over de ogen getrokken. In het besef dat er naar hem gekeken werd, deed hij alsof hij zijn schoenen dichtknoopte en liep daarna weg.

'Natuurlijk weet ik dat,' zei Leah, die iedereen in de buurt kende. 'Zijn vader drijft de kiosk hier om de hoek.'

Rebecca trok afkeurend haar sproctige neus op. 'Een kleine schurk, zo te zien. Waarom wil je dat weten?'

'Laat maar zitten,' zei Meridia. 'Ik dacht dat het iemand anders was. Wie wil er nog een koekje?'

Nadat haar vriendinnen verdwenen waren, sleepte Meridia zich met haar opgezwollen voeten naar de kiosk op zoek naar de jongen. Hij stond er in zijn eentje en las een tijdschrift. Meridia liep op de deur af en blokkeerde die. De jongen keek hevig geschrokken op. Ze had niet meer dan een vermoeden, maar de schuldige uitdrukking op zijn gezicht verraadde hem direct.

'Hoeveel betaalt ze je hiervoor?' Meridia probeerde zich in te houden.

'Ik... ik snap niet waarover u het hebt.'

'Hoeveel?'

De jongen stamelde een bedrag.

'En wat moet je daarvoor doen?'

De jongen huiverde en moest hevig slikken. 'Op het huis letten. In de gaten houden waar u heen gaat. Wat u koopt. Of u bezoek heeft.'

Meridia greep hem bij de schouders. 'Kom onmiddellijk mee.'

De jongen schudde het hoofd. 'Ik kan hier niet weg. Mijn vader zou me vermoorden.'

Meridia kropte haar woede niet langer op. 'Of je gaat direct mee of ik vertel je vader wat je gedaan hebt. Dan vermoordt hij je pas echt.'

De jongen keek haar bang aan en knikte.

Daniel was woedend. Hij greep de jongen bij de kraag voordat die uitgesproken was, en tilde hem van de grond.

'Zeg tegen mijn moeder dat je niet meer voor haar wilt werken. Als ik je ooit nog zie rondhangen bij dit huis, sla ik je lens. Heb je me begrepen?'

De jongen kroop in elkaar van angst. Daniel liet hem los, gaf hem een klap tegen het achterhoofd en gooide hem de deur uit.

'Verdomd wijf!' vloekte Daniel met van woede samengeknepen ogen. 'Wat dacht ze hiermee te bereiken?'

Meridia liep naar hem toe en pakte zijn hand. 'Wat gaan we nu doen?' vroeg ze. 'Ik weet dat we nog steeds van haar afhankelijk zijn, maar dit kan zo niet doorgaan. We kunnen haar niet laten bepalen hoe wij ons leven dienen te leiden.'

Daniel klemde zijn kaken op elkaar. 'Laat dit maar aan mij over. Jij moet je niet druk maken. Dat is niet goed voor de baby.'

Een uur later kondigde Eva's lach haar binnenkomst in de winkel aan. Uit haar uitbundige stemming maakte Meridia op dat ze ten eerste nog niet met de jongen van de kiosk gesproken had en dat er bovendien op de markt enkele koopmannen moesten zijn die zichzelf nu vervloekten dat ze voor haar waren gezwicht.

'Je raadt nooit welke koopjes ik op de kop getikt heb!' riep ze tegen Daniel. 'Op deze serveerschaal zat zestig procent korting. Op dit lendenstuk zeventig. En deze kreeften...'

'Mama.'

Iets in Daniels stem maakte meteen een einde aan haar opgetogen stemming. Helemaal in verwarring stopte ze haar aankopen terug in haar tas en staarde hem door de lege winkel aan.

'Mama, je put jezelf uit door hier twee, drie keer per dag te komen. Waarom blijf je niet thuis? Dan kom ik je 's avonds de boeken wel brengen. Je hoeft je geen zorgen te maken. De winkel loopt goed. Vanochtend hebben we al een stuk of twintig dingen verkocht! Dat klopt toch, schat?'

Meridia, die haar hart in haar keel voelde slaan, was voorbereid.

'Veertien eigenlijk, als ik het goed geteld heb.'

Een overrompelde Eva zweeg even en lachte daarna schril.

'Doe niet zo raar. Het is voor mij helemaal geen moeite. Ik vind het juist leuk om zo vaak mogelijk te komen.'

Daniel was nog niet klaar. Deze keer zou hij over zijn bedoelingen geen twijfel laten bestaan.

'Ik ben nu serieus, mama. Jouw aanwezigheid hier heeft geen enkele zin. Loop maar verder. Het is een prachtige dag. Ga nog wat winkelen. Ik zal ervoor zorgen dat de winkel aan het einde van de dag een flinke winst heeft gedraaid.'

Eva's gezicht betrok plots. 'Je bedoelt dat ik hier niet langer welkom ben?'

'Dat zei ik niet. Er is voor jou gewoon geen reden hier te komen.'

'Jongen! Wat is er met je aan de hand?'

'Wat is er met jou aan de hand, mama? Waarom huur je zo'n schurkje in om ons te bespioneren? Probeer het niet te ontkennen!

Als het nodig is, haal ik hem zo hiernaartoe.'

Eva's mond viel open en ze bracht snel een hand naar haar maag alsof ze daar een stomp had gekregen. Ze kwam dreigend overeind, stak een vinger in de lucht en wees naar Meridia.

'Zij zit hier zeker achter?'

Daniel liep naar de winkeldeur en opende hem voor Eva. Meridia besefte dat ze op dat moment meer van hem hield dan ooit.

'Jongen!'

Eva was niet van plan zonder slag of stoot te vertrekken, maar er kwam een klant binnen. Blazend van woede greep ze haar tas en stoof de winkel uit. Pas toen ze op de stoep stond, begonnen haar bijen te krijsen.

'De deur uitgegooid door mijn eigen zoon! Wie had ooit gedacht dat een wezen dat ik met mijn eigen melk gevoed heb me ooit een mes in de rug zou steken! O, denk maar niet dat ik niet weet dat jij hierachter zit, arrogant kreng! Je zet mijn eigen vlees en bloed tegen mij op, de jongen voor wie ik alleen maar liefde voel. Pas jij maar op. Zoals mijn zoon mij vandaag aan het huilen heeft gebracht, zal dat kind in je buik jou een kwelling zijn. Wanneer het moment daar is, blijft het zitten totdat je verdrinkt in je eigen bloed!'

In de winkel hoorde alleen Meridia haar vervloeking. Te laat probeerde ze hem van zich af te zetten: een rilling liep over haar rug en nestelde zich in haar baarmoeder.

HOOFDSTUK 19

Twee maanden later, zes weken eerder dan verwacht, begonnen Meridia's weeën. In de vroege ochtendschemering sloeg een panische Daniel op Leahs deur en stuurde haar eropuit om de vroedvrouw en de twee oma's te halen. Omdat hij niet wist wat hij tot die tijd moest doen, stond hij ongerust naast het bed, hield Meridia's hand vast en huiverde wanneer een wee haar in zijn greep nam. Na wat hem een eeuwigheid leek, kwam Rebecca, die hem de kamer uit leidde. 'Maak je geen zorgen,' verzekerde Meridia hem glimlachend. 'De baby is er voordat je het weet.' Hij kuste keer op keer haar hand totdat ze hem daarmee begon te plagen zonder ook maar één keer te vermoeden dat de volgende keer dat hij haar zou zien haar moed plaats zou hebben gemaakt voor ontzetting.

Ravenna was de volgende die arriveerde. Zonder een woord te zeggen tegen wie dan ook, brandde ze drie staafjes wierook, legde ze schone handdoeken naast het bed, trok Meridia haar jurk uit en hielp haar een ochtendjas aan te doen. Terwijl ze bezig was, klonk er een vreemd gezang uit haar mond, een toon- en betekenisloze bezwering waardoor Meridia daadwerkelijk kalmeerde. Ze stuurde Rebecca de kamer uit om Daniel gezelschap te houden. Toen de vroedvrouw verscheen met haar ouderwetse instrumentarium liet Ravenna er geen twijfel over bestaan.

'Ik vermoord u als er ook maar iets misgaat.'

De vroedvrouw, een kleine, sympathieke vrouw met overvloedig zilverkleurig haar, lachte hartelijk. 'Dat zal niet nodig zijn, mevrouw. Uw dochter beschikt over meer fortuin dan ze nodig heeft.'

Niemand voorzag de ramp die op het punt stond te gebeuren. Nadat de vroedvrouw een gebed had opgezegd, vouwde ze haar foedraal met instrumenten open. Ze stak haarfijne naalden in Meridia's armen en bracht gewijde olie op haar hoofd, borst en buik aan. Om de bijstand van goedgezinde geesten af te smeken, hing de vroedvrouw een veelkleurige amulet aan de stijl van het bed. 'Er zal snel ontsluiting zijn,' kondigde ze opgewekt aan. 'Voordat het twaalf uur is, heb jij je baby in de armen.' Bij elke nieuwe pijnscheut trok Meridia een grimas, maar de pijn was nog uit te houden en ze verdroeg hem zonder geluid te maken. De woorden van de vroedvrouw en Ravenna's zelfbeheersing zorgden ervoor dat ze zich sterk voelde.

Veel later zou ze het aan haar geheugen wijten dat de catastrofe zich voltrok. Alles verliep soepel, maar plots herinnerde ze zich Eva's vervloeking. 'Het blijft zitten totdat je verdrinkt in je eigen bloed!' Deze woorden wekten alle angst die ze in zich verborgen hield. Opeens leek het gevaar Meridia van overal uit de kamer te bedreigen: de scheve stand van het bed, de spin die over het plafond kroop, de amulet die boven haar hoofd heen en weer wiebelde. De vroedvrouw, die nog niets gemerkt had, tikte nieuwe naalden in haar armen, maar Meridia wist dat er iets verschrikkelijks was gebeurd. Ze had de bijen toegestaan het vertrek binnen te vallen.

Wat ze zich later als volgende gebeurtenis herinnerde, was Eva's aanwezigheid in de kamer. Meridia wist niet wanneer ze was binnengekomen, wie haar had binnengelaten of dat ze wellicht gewoon uit het niets verschenen was. Ze droeg dik crêpe en dofzwarte kinderhandschoenen. In haar hele verschijning leek ze een doodsengel, die buiten bereik van Ravenna bij de deur heen en weer drentelde. Een blik op haar vrolijke gezicht leidde bij Meridia tot een pijnscheut die door haar hele lichaam trok.

'Mama, wat is ze...'

Haar vraag werd een gil. Er stak iets scherps in haar ogen. Toen ze ze weer opende werd ze van kop tot teen omgeven door een heel leger bijen. De felle, wraakzuchtige insecten sloegen hun vleugels in haar gezicht, staken in haar keel, snuffelden aan haar benen, maakten haar ochtendjas los, beten in haar borsten en buik. De lucht was vergeven van hun stank. Wanhopig probeerde Meridia ze van zich af te slaan, maar daardoor werden ze alleen maar kwader. Meridia gilde, worstelde en gilde weer. Even verderop in de hoek verbreedde Eva's glimlach zich.

'Wat is er, kind?' schreeuwde Ravenna, die haar vastdrukte op het bed. 'Blijf stilliggen als dat lukt.'

Meridia brulde toen de baby begon te draaien. Daniel sloeg op de deur en smeekte hem binnen te laten, maar niemand hoorde hem.

'Rustig maar, rustig,' zei de vroedvrouw. Hoewel haar stem het deed voorkomen dat ze alles onder controle had, parelde het zweet in haar wenkbrauwen. Ravenna schudde Meridia's hoofd heen en weer en zei dat ze moest blijven ademen. Door het gezag dat ze uitstraalde, trokken de bijen zich terug, maar slechts voor even. Ravenna zag ze niet, noch hoorde ze het kabaal dat ze veroorzaakten.

Meridia verroerde zich niet meer toen er bloed uit haar baarmoeder druppelde. Daarbinnen trapte de baby. Met zijn ongeduldige vuisten wilde hij zich een weg naar buiten vechten. Ze probeerde uit te schreeuwen dat de bijen de doorgang blokkeerden, maar stootte slechts een gejammer uit. Was het Eva's bedoeling haar te doden of slechts angst aan te jagen?

Plotseling klonk er een schreeuw vanuit de deuropening. De vroedvrouw draaide het hoofd om, hapte naar adem en bedekte Meridia's bloedige delen met een doek. Het was Daniel die in de deuropening stond. Wijd opengesperde ogen, openhangende mond en lijkbleek. Leah en Rebecca probeerden hem ieder aan een arm tegen te houden.

'Weg hier!' blafte Ravenna en ze vloog naar de deur waarbij ze Eva niet leek op te merken. 'Dit behoort een man niet te zien.'

'Ze is mijn vrouw – ik wil bij haar zijn!'

Ravenna was niet te vermurwen. 'Hou hem rustig,' droeg ze de twee buurvrouwen op voordat ze de deur afsloot. Daniel ging in de gang woest tekeer en wierp zijn schoonmoeder allerlei verwensingen naar het hoofd. De onaangedane Ravenna ging snel terug naar het bed en verweet de vroedvrouw dat ze de deur niet op slot had gedaan. Maar Meridia wist hoe het werkelijk zat. Het was Eva die Daniel binnengelaten had zodat dit afgrijselijke tafereel op zijn netvlies zou branden.

'Persen, kind, persen.'

Meridia kon niet meer. De bijen bleven aanvallen, en wat de vroedvrouw ook probeerde, het bloeden hield niet op. Toen ze een volgende aanval te verduren kreeg, was ze zo uitgeput van de voortdurende strijd dat ze nauwelijks nog een klank kon uitbrengen.

'Persen, kind, persen.'

Meridia schudde lichtjes het hoofd. Mama, verjaag de bijen, had ze willen zeggen, maar haar opgezwollen tong vulde haar hele mond.

'Hij ligt met de voetjes naar beneden,' zei de vroedvrouw en veegde het voorhoofd af. 'De baby blokkeert zijn eigen doorgang.'

'Steek je handen dan naar binnen!' zei Ravenna. 'Grijp het onding bij de enkels en trek hem naar buiten!'

De vroedvrouw schudde het hoofd. 'Dan raakt ze bewusteloos. Als ik nu naar binnen ga, overleeft alleen het kind het.'

De vroedvrouw was nog niet uitgesproken of Meridia hoorde het: een lach zo ijl en spookachtig dat ze hem zich net zo goed verbeeld kon hebben. Niemand anders hoorde hem of leek zich er iets van aan te trekken. Als Eva niet gesproken had, zouden de bijen op dat moment hun opdracht voltooid hebben.

'Lekker wezen is dat om zo te blijven zitten. Net zo koppig als zijn moeder. Straks is ze er misschien niet meer om het zelf op te voeden...'

Een geschrokken Ravenna draaide zich bruusk om en zag toen voor het eerst dat er nog iemand anders in de kamer was. Eva, die langzaam haar handschoenen uittrok, deed geen moeite haar vreugde te verbergen.

'Wegwezen,' zei Ravenna.

Ze handelde zo snel dat Eva niet besefte dat ze de kamer uitgegooid werd totdat Ravenna's vingers in haar arm knepen. Ze liet haar handschoenen vallen, kreet luider van de pijn dan Meridia.

'Raak me niet aan, gek! Het interesseert me niet wat je met je man hebt gedaan, maar het is mijn kleinkind dat je nu aan het vermoorden bent!' Ravenna duwde haar de deur uit. 'Jongen! Ze hebben daar geen idee waarmee ze bezig zijn. Ik wilde helpen maar dat mocht niet. Als je ze niet tegenhoudt, dan verlaat je vrouw dit huis in een kist.'

Daniel schoot tevoorschijn vanuit de woonkamer, waar hij al ijsberend doodsangsten had uitgestaan terwijl Leah en Rebecca hadden geprobeerd hem te kalmeren.

'Stop,' zei Ravenna ferm. 'Voordat je aandacht besteedt aan de woorden van je moeder, bedenk dan eerst hoeveel leugens ze je al verteld heeft. Als je wilt dat zowel je vrouw als je kind het redden, hou haar dan bij hen weg.'

Met deze woorden smeet ze Eva zijn kant op en sloeg de deur met een klap dicht. Direct begon Eva te gillen alsof ze levend gevild werd.

'Zeg me wat ik moet doen, mens,' zei Ravenna toen ze terug in de kamer was tegen de stomverbaasde vroedvrouw. 'Er gaat hier vandaag niemand dood. Niet zolang ik erbij ben.'

De vroedvrouw slikte, keek haar verschrikt aan en vermande zich weer. 'Zorg dat uw dochter wakker blijft, mevrouw. Ik moet haar opensnijden. Er zit niets anders op.'

Ravenna boog zich voorover en tikte Meridia op de wang. 'Wakker worden, kind. Kijk me aan.'

Meridia kon de ogen niet meer openen. Haar oogleden waren nu, hoewel niemand de verandering bespeurd had, even opgezwollen als haar tong. Op bevel van Eva waren de bijen nu dubbel zo gemeen, begerig en razend. Meridia, die voelde hoe ze haar diep tussen de benen staken, was ervan overtuigd dat de volgende ademhaling haar laatste zou zijn.

Ravenna greep een koperen kan van het nachtkastje, deed de lippen van haar dochter van elkaar en goot wat water in haar keel. De overrompelde Meridia verslikte zich, hoestte en opende haar ogen tot een spleetje. Het licht trof haar als een felle zon. Daartoe aangezet door Eva bonkte Daniel voortdurend op de deur. Panisch keek ze toe hoe de vroedvrouw van alles op haar buik smeerde ter wegbereiding van het mes. Meridia wilde schreeuwen om het niet te doen, en dacht: als je me opensnijdt, zullen de bijen de baby verwonden.

'Die bijen! Waar komen die vandaan?' riep Ravenna opeens.

Ze rende naar het raam om het open te zetten, maar kreeg geen beweging in de klink. Ze sloeg de ruit stuk met een stoel, rende terug naar het bed en sloeg uit alle macht in de lucht. De vroedvrouw keek haar aan alsof ze gek geworden was. De gillende bijen vlogen dwars door elkaar heen en tegen de muur en het plafond voordat ze door het raam vlogen en zich buiten verspreidden. Meridia voelde een golf koude lucht in haar longen dringen. Ze kwam leunend op haar ellebogen overeind en hoorde nu voor het eerst hoe er in haar binnenste twee harten tegelijk klonken. 'Laat me niet in de steek,' zei ze tegen de baby. Eindelijk kon ze weer hardop spreken. 'Ik wil meer van je horen dan alleen gejank, begrepen?'

'Waar wacht je nu nog op?' voer Ravenna uit tegen de vroedvrouw. 'Snijden maar!'

De vroedvrouw kwam meteen in actie. Op de gang vertraagde Daniels gebonk om vervolgens helemaal stil te vallen.

Het duurde een hele tijd voordat ze de eerste huil hoorde. Een tijd waarin de pijn van het snijden, openleggen, grijpen, eruit trekken en hechten nog altijd in het niet viel met de pijn die de bijen haar eerder bezorgd hadden. Terwijl Ravenna en de vroedvrouw doorgingen met hun werk voelde ze slechts een overweldigende aandrang haar kind vast te houden. Toen de eerste kreet van verontwaardiging door de kamer klonk, lag ze er klaar voor, hoe vermoeid ze ook was. 'Een jongen,' liet Ravenna weten, die de baby met een handdoek schoonveegde. 'Geen wonder dat je door een hel moest gaan.'

Meridia nam haar zoon in de armen terwijl de tranen over haar wangen stroomden. Ze beroerde het neusje en de fijne lippen, en huiverde toen ze besefte aan welk enorm gevaar ze ontsnapt waren. Wat als Ravenna er niet in geslaagd was de dood met haar blote handen te verdrijven?

'Mama,' begon ze, een en al dankbaarheid. De vrouw met de onberispelijke knot keek haar even aan, voelde wat ze wilde zeggen en schudde het hoofd.

Nadat Meridia weer toonbaar gemaakt was, opende Ravenna kalm de deur. Met een boze blik op zijn schoonmoeder stormde Daniel naar binnen. Op het moment dat hij zijn vrouw zag, verdween echter alle verbittering van zijn gezicht.

'Is alles goed met je?' zei hij en stoof verontrust op haar af. 'Ik zou het mezelf nooit vergeven als...'

'Ik red het wel. Kijk.'

Hij was op slag sprakeloos. Hij nam de baby van haar over, duwde voorzichtig tegen zijn lijfje en prikte hem met zijn vinger alsof hij zich ervan wilde overtuigen dat hij echt was. Hij kuste de ronde, roze wangen en het dikke, pikdonkere haar, brabbelde, kirde, kuste het en kirde opnieuw voordat hij uitriep: 'Wat een prachtige kleine drommel!'

Leah en Rebecca kwamen binnen en als twee trotse tantes prezen ze hem de hemel in.

'Hij is prachtig,' dweepte Rebecca. 'Hij heeft hetzelfde leuke neusje als zijn moeder.'

'En hij heeft jouw ogen,' zei Leah tegen Daniel. 'Maar zijn sproeten zijn, zo ben ik bang, van zijn tante Rebecca.'

Glimlachend ondanks de pijn bedankte Meridia hen voor de hulp. Al snel daarna namen ze afscheid en beloofden snel terug te keren om voor haar te zorgen.

Op het moment dat Eva de kamer binnenkwam, nam Meridia de baby direct over van Daniel. Hoe zwak ze ook was en hoeveel pijn ze ook had, in het binnenste van haar baarmoeder laaide de woede direct weer op. Ze daagde haar schoonmoeder uit haar recht in het gezicht te kijken, maar toen Eva dit naliet, kwamen er allerlei duistere woorden in haar op. In plaats van ze als kogels op haar af te vuren, barstte Meridia echter in lachen uit, in een oprechte, bulderende lach die Eva dieper in de ziel sneed dan het scherpste mes had kunnen doen. Met haar pasgeboren zoon in de armen, werd Meridia overweldigd door zoveel liefde, verbazing en vreugde dat ze haar tranen wegveegde en nog harder begon te lachen. Voor het eerst in mensenheugenis werd Eva het zwijgen opgelegd. Meridia was een ander mens geworden. Ze lachte en bleef lachen totdat ze Eva uit de kamer verdreven had.

Niet veel later, toen ze dacht dat Meridia sliep, sloop de vroedvrouw op Daniel af en gaf hem een tikje tegen de elleboog. Hij stond al een halfuur onafgebroken over de wieg gebogen en kon zijn ogen niet van de baby afhouden. Ravenna brouwde in de keuken een versterkend drankje. Eva was nergens te bekennen.

'Kan ik even met u praten, meneer?'

Daniel draaide zich om en keek haar verbaasd aan.

'Hebben we niet genoeg geld in de envelop gedaan?'

De vroedvrouw schudde snel het hoofd. 'Nee, dat is het niet. U en de moeder van uw vrouw zijn heel gul geweest. Er is... iets...'

Ze keken even opzij naar het bed en ze richtte haar bezorgde blik daarna weer op Daniel.

'Ik heb mijn best gedaan,' fluisterde ze, 'maar haar baarmoeder heeft nogal een klap gekregen. Ik ben bang dat dit eerste kind tegelijk haar laatste zal zijn.'

De glimlach rond Daniels mond verdween. Hij werd helemaal wit en bleef een tijdlang roerloos en zwijgend staan. Daarna draaide hij zich om naar de wieg, tilde zijn zoon eruit en hield hem vast op een manier alsof hij niet van plan was hem ooit nog los te laten.

'Zou je dit geheim willen houden? Ik wil mijn vrouw niet van streek maken.'

De vroedvrouw beloofde dit. Wat echter geen van beiden wist, was dat Meridia wakker was en elk woord had gehoord. Ze hield haar ogen gesloten en lag daar doodstil terwijl een schrikbeeld uit het verleden opdook en haar verscheurde. Op de dag dat ze zich aan Daniel had gegeven, nu ruim een jaar geleden, was er een ontweid reekalf op het strand aangespoeld – met een blauwachtige huid, krioelend van de wormen, de ingewanden als linten uitgespreid. Nu wist ze wat dat betekend had. Ze had die dag haar baarmoeder gezien, kapot gepikt, in een kist gegooid en uiteengereten door bijen.

Buiten voor de slaapkamerdeur had ook Eva elk woord gehoord. Ze kon nauwelijks haar lachen inhouden toen ze weer wegliep.

En zo werd op de avond van de zesde juni Noah geboren, achttien uur nadat de weeën begonnen waren.

HOOFDSTUK 20

Zes dagen lang verscheen Ravenna gelijk met de ochtenddauw. Als ze de krant pakte uit het portiek zag Leah haar met stugge, zwarte mantel door de nevel stappen, sluier over het gezicht, schouders recht, een mand zwaaiend aan de arm. Rebecca zag dezelfde vrouw, maar in een golvende witte jurk, blootshoofds en met voeten die voortbewogen op een zeemannenbries. Enkele keren groetten ze haar, maar Ravenna scheen hen nooit te zien of te horen. Later op de dag, wanneer ze bij nummer 175 op bezoek gingen, zagen ze dat niet alleen het huis schoon en opgeruimd was, maar dat er ook blikken vol eten op tafel stonden en Noah gevoed en gewassen was. Meridia zat dan rechtop in bed, nog te zwak om op te staan, en nam slokjes van een versterkend drankje dat Ravenna meegebracht had in haar mand.

Toen ze op de zevende ochtend met krulspelden in het haar de krant ging halen, zag Leah geen zwarte mantel die zich door de nevel voortsleepte noch zag Rebecca een witte jurk hoewel ze tijdens het klaarmaken van het ontbijt het hoofd zo ver mogelijk uit het raam had gestoken. Toen ze op nummer 175 arriveerden, was Meridia opgestaan en gaf ze Noah de borst terwijl ze de kasboeken bestudeerde. 'Wat doe je daar?' voeren ze verontrust tegen haar uit. 'Je bent nog lang niet genoeg hersteld om op te staan!'

'Jawel,' antwoordde ze meteen. 'Ik ben nooit eerder zo aan werken toe geweest.'

De twee buurvrouwen keken elkaar aan, maar hielden hun verbazing voor zich.

Toen ze op een avond met een stapel naaiwerk terugkeerden van een plaatselijke naaister zagen ze een gele damp bij Meridia's voordeur rondhangen. Ze vonden het niet echt bijzonder totdat er tot hun verbazing een man met een vergroeide schouder uit de nevel tevoorschijn kwam. Hij was goedgekleed en kwam uitermate voornaam over met grijze lokken die glinsterden in het maanlicht. Toch sloop hij als een dief rond het huis en keek hij door elk raam naar binnen voordat hij terugkeerde naar de voorkant en het vertrek vond dat hij zocht: Meridia's slaapkamer.

'Wie is dat?' vroeg een geschrokken Leah fluisterend.

'Ik weet het niet. Hij kijkt naar de baby.'

Zo geruisloos mogelijk kwamen ze dichterbij. De man voelde hun aanwezigheid, stapte bij het raam vandaan en glipte weg.

Toen ze het voorval de volgende dag bij Meridia ter sprake brachten, stokte de adem haar even in de keel voordat ze antwoordde: 'Vast en zeker een straatventer. Ik heb er al heel wat op bezoek gehad.'

'Hij leek op zoek te zijn naar Noah. Ben je niet bang dat hij terugkomt?'

Daar moest ze onmiddellijk om lachen. 'Waarvoor? Er valt hier niets te halen.'

Op haar normale toon begon ze naar hun echtgenoten te vragen, maar in het moment dat Meridia's adem stokte had haar verlangen zich aan hen geopenbaard. Direct erna had ze het weer weggedrukt omdat ze besloten had het tegendeel te geloven.

Leah en Rebecca waren ook getuige van de vreemde gewoonte van een andere bezoeker. 's Morgens vroeg of juist 's avonds laat naderde een man, die ze snel zouden leren kennen als de vader van Daniel, het huis als een voortvluchtige gevangene: hij verborg zich achter bomen en in de schaduw alsof elk moment de hemel op zijn hoofd kon vallen. Maar hij had onmiskenbaar een opgewekte tred, een niet te onderdrukken glimlach en de pretlichtjes in zijn ogen werden van binnenuit ontstoken. Hij bleef altijd lang genoeg om een lach aan Noah te ontlokken, hem te kunnen vermaken met het trekken van gekke bekken of alleen maar over het hoofd te aaien als hij sliep. Hij nam altijd een cadeautje mee en soms een of beide dochters: de oudste keek verveeld en bedrukt en droeg mooie oranje jurken, de jongste was opgetogen als een vrijgelaten vogeltje. Leah merkte als eerste op hoe dol Noah op zijn opa was. Hij bemerkte zijn komst al lang van tevoren en als hij huilde, hield hij daarmee op nog voordat Elias het huis betreden had.

'Waarom sluipt hij zo rond als hij zijn kleinzoon bezoekt?' vroeg Rebecca een keer.

Meridia trok het voorhoofd op alsof het antwoord wel zeer voor de hand lag: 'Dat zou jij ook doen als je met mijn schoonmoeder getrouwd was.'

De twee buurvrouwen hadden graag meer van haar gehoord en wensten dat ze uiting had gegeven aan haar wrok of ten minste een geheim had onthuld. Overeenkomstig haar aard deed Meridia er echter verder het zwijgen toe over dit onderwerp.

Tot Meridia's opluchting moest Noah weinig van Eva hebben. Hoezeer zijn oma ook haar best deed bij hem in het gevlei te komen, Noah begon kwaad te huilen als ze bij hem in de buurt kwam. Hij verwelkomde haar kus met een lading speeksel en steeds als ze hem in haar armen hield, probeerde hij zich aan haar greep te ontworstelen. Hij weigerde haar aan te raken, glimlachte nooit naar haar en verviel in een angstwekkend hikken als ze voor hem zong. Meridia, die Eva nooit alleen liet met het kind, voelde haar hart opzwellen van trots als ze hem zo zag.

Om haar gezicht te redden deed Eva het voorkomen alsof ze ervoor gekozen had het kind te mijden. Hij zou alleen maar haar jurk kreuken, zei ze, haar kapsel in de war brengen en god mag weten wat voor onhygiënische dingen baby's allemaal deden. Ze bleef maar tegen Daniel zeggen dat hij Noah tijdens de ochtendzon in de frisse lucht moest zetten, hem minstens drie keer per dag moest schoonboenen en zijn wieg met twee lagen stof moest omgeven om te voorkomen dat zijn bacteriën door het huis gingen zwerven als hij lag te slapen. Ze verhaalde over talloze parasieten en ziektes die een baby onder de leden kon hebben en haalde verhalen aan over enorme epidemieën die veroorzaakt waren door van viezigheid vergeven kleintjes. Meridia negeerde haar. Daniel schonk haar een lange, koude blik die iedere minder vurige criticus zou hebben afgeschrikt.

Twee weken na de geboorte stuurde Eva Gabilan naar de winkel met een cadeau voor Noah. Het waren een stuk of vijf babypakjes, verpakt in vetvrij papier en vastgebonden met keukentouw. Ze waren aangevreten door de motten en verkleurd en de naden waren losgeraakt. Door het kant en de bloemmotieven vermoedde Meridia dat het babykleertjes van Malin en Permony waren geweest. Haar eerste neiging was ze in de vuilnisbak te gooien, maar Daniel zei haar ze te bewaren.

'Waarom?' vroeg ze.

'Om de magie. Wacht maar af.'

Toen Elias de volgende ochtend langskwam, kleedde Daniel Noah in deze kleertjes en toonde hem aan zijn vader.

'Waarom trek je mijn kleinzoon vodden aan?' vroeg een furieuze Elias. 'En het zijn ook nog eens vodden voor een meisje.'

'Van mama gekregen,' zei Daniel monter. 'Ze staan hem goed, vind je niet?'

Elias streek zich over het hoofd alsof hij een fikse haardos had en ging ervandoor. Een uur later keerde hij terug met een doos vol nieuwe kleertjes, haalde ze naast de wieg uit de verpakking en paste Noah een pakje aan.

'Verbrand die,' beval hij Daniel en hij wees naar de oude kleren op de grond. 'Ik wil niet dat mijn kleinzoon als een pauper gekleed gaat.'

Een paar dagen later vroeg Eva aan Daniel waarom Noah niet de kleren droeg die ze hem gegeven had. 'Daar zijn ze te mooi voor, mama,' antwoordde hij. 'We bewaren ze voor speciale gelegenheden.'

In de maanden die volgden stelde de kleine Noah Meridia's incasseringsvermogen tot het uiterste op de proef. Hij sliep weinig, huilde onophoudelijk, kneusde haar tepels zonder te drinken, schreeuwde als hij in zijn wieg werd gelegd en wilde alleen slapen als een van zijn ouders hem wiegde en de ander voor hem zong. Daniel loste het probleem van het drinken op door geld van onder de losse plank te pakken en dure melk van een speciale samenstelling voor hem te kopen. Voor het slaapprobleem had hij echter geen oplossing. Welke truc hij ook toepaste, het eindigde ermee dat beide ouders de hele nacht wakker waren waarbij ze het kind om beurten wiegden en toezongen. Bovendien had Noah het altijd te warm of juist te koud. Hoe hij ook gekleed was, hij zweette of rilde. Een keer had hij drie dagen achter elkaar diarree. Toen die eindelijk verdwenen was, zagen de ouders er veel uitgeputter uit dan de baby.

Omdat ze zonder broertje of zusje was opgegroeid, wist Meridia niets van babyverzorging. Ze wist niet hoe ze hem moest troosten als hij een slechte bui had, maar vertrouwde in plaats daarvan op haar gevoel. In het begin kon ze nog op de hulp van haar moeder rekenen, maar nadat Ravenna zich onvermijdelijk weer teruggetrokken had achter haar sluier van vergeten moest ze zichzelf zien te redden. Leah en Rebecca hielpen haar zo goed ze konden, maar omdat ze zelf geen kinderen hadden wisten ze nauwelijks meer dan Meridia. Tijdens de moeilijkste uren leek het huilen van Noah zozeer op Eva's bijen dat ze zich afvroeg of ze hem dan uiteindelijk toch te pakken hadden gekregen.

Tegelijkertijd moest Meridia ook een strijd leveren met haar eigen gevoel. Ze was vaak in de war en wist dan niet meer met welke klus ze bezig was geweest. Ze werd onophoudelijk geplaagd door verdriet, angst en onrust. Ze barstte om niets in tranen uit en werd daarna overvallen door een enorme rusteloosheid, die haar ergerde. Haar borsten deden pijn omdat ze geledigd wilden worden en dat de baby er niet aan wilde drinken deed haar meer verdriet dan ze wilde toegeven. Als ze alleen was met Noah voelde ze zich verloren in een oceaan van duisternis. Het was belachelijk te denken dat zij, in al haar stuntelende jeugdigheid en onervarenheid, zorg kon dragen voor het kind, voor zijn welzijn, voor het stromen van zijn bloed en het slaan van zijn hart waardoor hij weer een dag wist te overleven!

Hoe vaker Noah een beroep op haar deed, hoe minder ze Daniels avances op prijs stelde. In de weinige uren die ze doorbrachten zonder het kind huiverde ze als hij haar aanraakte. De hitte van zijn adem deed haar denken aan de bijen, de door hen verwoeste baarmoeder en het kind dat begon te brullen zodra ze haar ogen dichtdeed. Om hem af te weren zei ze dat ze hoofdpijn had of moe was. Vervolgens keek ze vol schuldgevoel toe hoe hij terugkeerde naar zijn kant van het bed. Het gevoel zowel een mislukte echtgenote als een mislukte moeder te zijn verpletterde haar. Was zij misschien ook gegrepen door de koude wind die Ravenna tegen de grond had geslagen en het huis aan Monarch Street op zijn kop had gezet?

Nadat deze gedachte haar eenmaal bekropen had, zag Meridia het als de verklaring voor alles. Toen ze op een ochtend een woedende Noah probeerde te kalmeren, dacht ze Gabriels afkeer van haar beter te begrijpen. Wellicht was Ravenna's verhaal er niet een van een bedrogen vrouw die tot haar ontgoocheling in de steek was gelaten, maar dat van een moeder die door toedoen van haar kind totaal uitgeput was geraakt. Misschien had de koude wind Ravenna niet tegen Gabriel opgezet, maar waren Meridia's eigen behoeften als baby er de oorzaak van geweest. Terwijl ze stukjes kots van Noah uit het haar veegde, vroeg ze zich af of ze toen ze net zo oud was geweest als Noah nu, ook alle aandacht van Ravenna had opgeëist, zo de liefde tussen haar ouders sleets had gemaakt en Gabriel in de armen van een andere vrouw had gedreven. De rest van het verhaal liet zich makkelijk bedenken. Op zeker moment konden Ravenna en Gabriel niets meer van elkaar hebben en waren de ruzies begonnen die onontkoombaar uitgelopen waren op de verwoestende bijlslag. Wat als ze ertoe veroordeeld was hetzelfde lot te moeten ondergaan? Als haar bed een en al ijs was geworden, hoe lang zou het dan duren voordat Daniel elders op zoek ging naar warmte?

Ze schaamde zich voor deze vraag zodra hij in haar opgekomen was. Daniel was geen Gabriel. Sinds ze zich verzoend hadden, had ze geen enkele reden gehad te twijfelen aan zijn toewijding, eerder het tegendeel. Op een avond, toen Daniel naar Eva was om haar de boeken te laten zien, begon Noah ontroostbaar te huilen. Meridia, die de nacht daarvoor al weinig geslapen had, was aan het einde van haar krachten.

'Alsjeblieft,' smeekte ze het kind, 'zeg me wat je wilt.'

Noah begon nog harder te brullen. Haar geduld was ten einde. Ze liet hem alleen in de slaapkamer, ging naar de keuken, hurkte neer naast het fornuis en barstte in snikken uit. Ze hield niet op met huilen totdat ze door een paar sterke armen werd opgetild en naar bed gedragen. Ze was te moe om haar ogen nog te kunnen openen. Toen ze weer wakker werd, baadde de kamer in het zonlicht. Ze stond op en ging naar de woonkamer. Daniel liep rond en hield de baby vast. Zijn vermoeide gezicht maakte haar duidelijk dat hij de hele nacht op was geweest.

'Hij slaapt nu,' fluisterde hij. 'Ik hou hem voor de zekerheid nog even vast.'

Op dat moment besefte ze dat hij een man geworden was.

Ondertussen gingen de winsten van de winkel achteruit. Eva, die zich ervan bewust was dat het stel goede zaken had gedaan, dwong Elias hen alleen nog te voorzien van een tweederangs assortiment. Door haar bemoeienis verhuisden er alleen nog stukken naar Willow Lane die al maanden in de winkel hadden gelegen. Toen Daniel hierover met haar in discussie wilde, luidde haar antwoord: 'Een man moet zichzelf zien te redden, jongen. Verwacht je nu dat je vader, die al zoveel heeft opgeofferd, je weer te hulp komt? Als je vrouw het nou eens wat zuiniger aan deed zou je deze problemen niet hebben. Ik doe je een voorstel. Ze heeft toch nog steeds dat setje sieraden van haar vader? Waarom zeg je haar niet die aan mij te verkopen? Ik weet niet wat ik ermee moet beginnen, maar ik koop het om jou een dienst te bewijzen.'

'Zeg tegen je moeder dat ik liever mijn eigen hand eraf hak,' was Meridia's reactie toen Daniel haar dit vertelde.

Het voorval met de jongen van de kiosk had ertoe geleid dat Eva niet meer elke dag naar de winkel kwam, maar ze vond andere manieren om blijk te geven van haar bestaan. Afgezien van het belabberde assortiment, een lagere toelage voor het paar, en het aan Daniel opleggen van allerlei extra kosten waardoor haar eigen aandeel in de winst toenam, werd ook Patina ingezet in de strijd. De oude vrouw bleek haar beste wapen tot dan toe te zijn.

Elke morgen stuurde Eva Patina naar Willow Lane met de opdracht eten te kopen bij de restaurants in de omliggende buurten. 'Gegrilde calamares en in kokosmelk gesmoord rundvlees bij de lunch vandaag,' fluisterde Patina beschroomd tegen Meridia. 'Voor het avondeten kort gebakken zeeoren en gefrituurde inktvis met champignons.' Eva zette haar bestellingen nooit op papier en zei Daniel dat ze ervoor dienden te betalen van Elias' deel van de winst. Maar als de onderlinge verrekening plaatsvond, ontkende ze bij veel gerechten die ooit besteld te hebben. Tijdens een van zijn avondlijke bezoeken aan Orchard Road liet Daniel zijn moeder de bonnetjes zien, wat er enkel voor zorgde dat Eva kwaad werd op Patina.

'Kom jij eens hier, jij leugenachtig oud wijf!' brulde ze langs de trap naar beneden. 'Heb ik jou ooit gevraagd een met kuit gevulde gegrilde bot te kopen?' viel ze Patina aan zodra zij de zitkamer kwam binnenstrompelen. 'We zijn een eenvoudig gezin – alleen al bij het noemen van de naam van zo'n gerecht draaien onze magen zich om. Weet je wat hier aan de hand is?' Ziedend van woede wendde Eva zich tot Daniel.

'Dat ouwe mens speelt onder één hoedje met de restauranteigenaars! Ik had haar gevraagd een eenvoudige geroosterde kip te kopen maar op de rekening zetten ze dan canard à l'orange. Zeg maar op! Heb jij dit op je geweten?'

Patina trok wit weg en begon van top tot teen te trillen. Daniel kon het niet langer aanzien en mengde zich erin.

'Het is vast en zeker een foutje geweest, mama. Er is geen reden Patina hiervan te beschuldigen. Meridia en ik betalen wel voor deze gerechten.'

De volgende ochtend verscheen Patina in het huis op Willow Lane met striemen in het gezicht en op haar handen brandwonden van sigaretten. Toen ze dit zag, riep Meridia verschrikt uit: 'Heeft zij je dit aangedaan?'

'Het stelt niets voor,' zei de oude vrouw. 'Ik viel en brandde mij aan het fornuis.'

Meridia's ogen vlamden van woede, maar ze wist dat ze met Eva geen gevecht om Patina kon beginnen. Uit angst voor de verdere gevolgen voor Patina verzocht ze Daniel de kassa te openen.

'Het is al goed, Patina,' zei Daniel vriendelijk. 'Koop vandaag voor mama maar alles wat ze hebben wil.'

De oude vrouw begon te huilen. 'Het spijt me. Jullie zijn te aardig voor me. Ik weet hoe hard jullie dat geld nodig hebben voor Noah. Laat mij maar teruggaan zonder eten. Ik verzin wel een smoes. Ik zeg haar dat ik op weg naar de restaurants beroofd ben.'

Meridia drukte het geld stevig in Patina's hand. Ze schrok toen ze haar graatmagere pols voelde en vroeg zich af of de oude vrouw weer ziek was.

'Trek het je niet aan, Patina. We redden het wel.'

Vanaf die dag stelde Daniel geen vragen meer bij Eva's rekeningen. Als ze niet genoeg geld in kas hadden om ze te betalen, pakte Meridia iets van haar bruidsschat onder de losse plank. Telkens weer voelde dat alsof ze zich in haar eigen vlees sneed.

HOOFDSTUK 21

Met het einde van de zomer nam hun behoefte aan geld toe. De opgroeiende Noah had melk, kleren, vitamines, lotions en schoenen nodig. Het oude huis vereiste een nieuw dak, het koude bed een tweede deken en de muren vergden een betere isolatie tegen de herfst. Op een middag trok er een eindeloze stoet kakkerlakken door de winkel waardoor een handvol klanten op de vlucht werd gejaagd voordat ze tot een aankoop waren overgegaan. Toen een huismiddeltje van azijn en ongebluste kalk niet bleek te werken, zag Daniel zich genoodzaakt de ongedierteverdelger in te huren. Vanwege de bestrijding moest de winkel drie dagen dicht. Ze waren nog niet hersteld van deze tegenslag of Eva bracht hun de volgende klap toe.

Naast de gerechten wilde ze nu dagelijks rijst, meel, thee en kruiden hebben. Tegelijkertijd bleef ze de winkel voorzien van afdankertjes: opzichtige ringen en halskettingen, onzuiver goud, aangeslagen zilver, stenen met de kleuren van modder en slootwater. Het jonge stel was al blij als ze twee keer per dag iets konden verkopen. Toen de omzet inzakte, werden Eva's blikken even dodelijk als haar woorden.

Met het geld van de bruidsschat konden ze nog twee maanden voort. Op een ochtend in oktober, toen Meridia onder de vloerplank reikte om Eva's boodschappen te betalen, ontdekte ze dat er nog maar een klein bedrag resteerde. Ze zouden het nog hooguit een week redden en moesten daarna de goudstaven verkopen. Terwijl Meridia door paniek gegrepen werd, viste ze twee nieuwe biljetten op, die ze in de winkel aan Patina gaf. Zodra de oude vrouw de deur uit was, liet Meridia een betekenisvolle blik op Daniel vallen. Hij hoefde haar maar aan te kijken om te weten welke gedachte door haar hoofd tolde.

'Wat als mama erachter komt?' vroeg hij.

Meridia was zo in paniek dat ze huiverde. 'Dat kost ons de kop. Op het hakblok.'

'We kunnen papa om een lening vragen.'

'Voor hoe lang? Als je moeder dat ontdekt, dan liggen we nog sneller op dat hakblok.'

Daniel richtte zijn ogen op de wieg in de hoek. Hij luisterde een tijdje naar Noahs ademhaling voordat hij instemde.

Meridia had het idee op een avond geopperd. Eerst hadden beiden het van de hand gewezen als te riskant, moeilijk en idioot. Eva's gedrag van de laatste weken maakte een drastische ingreep echter steeds noodzakelijker. Vergeleken met het vooruitzicht eeuwig onder haar heerschappij te moeten leven, leek het idee niet eens zo vergezocht. Nu de bruidsschat bijna helemaal verdwenen was, konden ze het zich niet veroorloven de goudstaven op dezelfde manier verloren te zien gaan.

Ze hadden het plan een samenwerking aan te gaan met een andere juwelier, zonder dat Elias of Eva daarvan af wist. Wanneer ze konden rekenen op een vaste toevoer van kwaliteitssieraden hoopte het paar weer winst te draaien en zo onafhankelijk te worden van het huishouden aan Orchard Road. Daniel had uiterst voorzichtig een handvol winkeliers gepolst voor dit idee. Sommigen gaven aan niet genegen te zijn tot samenwerking met een jonge juwelier die niet op eigen benen kon staan, anderen vroegen zich af waarom de coöperatie geheim diende te blijven. Ze liepen groot risico zonder dat succes gegarandeerd was. Meridia was er echter van overtuigd dat wanneer ze de juiste compagnon vonden ze er aardig wat aan over zouden houden.

Vier dagen nadat beiden zich in het plan hadden kunnen vinden, legde Daniel contact met een onafhankelijke handelaar in sieraden. De man woonde in een andere stad, was niet bekend met Lotus Blossom Lane en had de naam graag te investeren in jonge bedrijfjes. Hoewel zijn investeringen lang niet altijd even succesvol waren, was hij te prijzen om zijn durf en vindingrijkheid. Hij opereerde alleen als handelaar en had geen eigen winkel. Het benodigde startkapitaal was minstens twee kilo goud. Daniels eerste indruk van de man was positief, maar voordat ze een beslissing namen, wilde Meridia hem in eigen persoon ontmoeten. Om zich voor te bereiden op het gesprek haalde Meridia in detail Eva's vernuftige handelwijze op de markt weer voor de geest, waarbij ze de toon van haar woorden afzwakte door Gabriels charme toe te passen. Ze oefende wat ze zou zeggen als er dit of dat gevraagd werd, versterkte haar zwakke punten met ijzersterke argumenten en bekeek hun positie vanuit elk mogelijk perspectief. Dit deed ze uur na uur, in een rustig maar onophoudelijk tempo waardoor ze tegen de tijd dat Noah naar bed ging zo afgemat was als een boerenknecht.

De volgende middag liep er een grofgebouwde man met een koolzwarte huid en een volle zwarte baard de winkel binnen. Uit zijn maatpak en zelfverzekerde tred bleek overduidelijk dat hij een geslaagd man was, al was hij in zijn manier van doen nergens arrogant. Zijn langwerpige zwarte ogen straalden al helemaal van het zelfvertrouwen. Hij was ongeveer zo oud als Gabriel, maar waar die zich nors en onbehouwen gedroeg, was deze man geduldig en oprecht. Hij stelde zich voor als Samuel.

Ze namen plaats in de woonkamer terwijl Noah een paar meter verderop aan het slapen was. Nadat ze thee voor hem had ingeschonken, vroeg Meridia de handelaar naar zijn gezin.

'Mijn vrouw en ik zijn nu vijfentwintig jaar bij elkaar,' zei Samuel trots. 'Twee dochters studeren aan de universiteit. De oudste is verloofd met een ingenieur. We hopen volgend jaar opa en oma te worden.'

Meridia was ingenomen met zijn antwoord en informeerde naar zijn bedrijf. Ze stelde hem op zijn gemak door haar vragen op een luchtige manier te stellen, maar bracht toch alles ter sprake. Binnen twintig minuten had ze hem uitgehoord over de verschillende zaken waarmee hij zich bezighield, over zijn manier van handelen, zijn arbeidsethos en zijn sieradenkennis. Zonder ooit haar glimlach te laten verdwijnen, spreidde ze haar net aan vragen over hem uit in de hoop hem op een leugen te betrappen, maar zijn verhaal bleef consistent. Toevallig kwam het gesprek op een onlangs failliet gegane juwelier, die een vriend van Samuel was. De handelaar bekende dat hij de kans had gehad alle waar van zijn vriend ver beneden te marktprijs te kopen, maar dat hij het aanbod had afgeslagen.

'Waarom bent u er niet op ingegaan?' vroeg Daniel. 'Alleen het doorverkopen ervan had u al een flinke winst opgeleverd.'

'Het is niet juist om te willen profiteren van een vriend die in de problemen zit,' zei Samuel. 'Wat mij betreft komt trouw op de eerste plaats, en geld op de tweede.'

Dat gaf voor Meridia de doorslag. Een tevreden Daniel knikte eveneens.

'Hebt u nog vragen voor ons, meneer?' Meridia schonk Samuel nog een kop thee in.

'Slechts één. Ben ik geslaagd voor mijn examen, mevrouw?'

Ze lachten alle drie hartelijk. Daniel, die Noah in zijn wieg had gehoord, stond op om het jongetje te pakken. Meridia verontschuldigde zich even en liep naar de slaapkamer.

'Uw echtgenote is een slimme vrouw,' zei Samuel en streek door zijn weelderige baard. 'Als ze een sieraad was, dan was ze onbetaalbaar.'

'Ik kan en zal u niet tegenspreken,' zei Daniel trots. 'Ik wist wat ze waard was vanaf het moment dat ze op mijn voet ging staan.'

Even later verscheen Meridia met de twee goudstaven. Ze overhandigde ze aan Samuel en schudde hem de hand.

'Nog één ding,' zei ze. 'Mijn man heeft u uitgelegd dat dit geheim moet blijven. Kunt u ons dat beloven?'

De handelaar knikte. Uit een glinstering in zijn zelfverzekerde ogen bleek zijn verbazing over het feit dat, zonder dat hij het in de gaten had, deze knappe jonge vrouw hem met haar vriendelijke stem op de een of andere manier niet alleen te slim af was geweest, maar hem ook haar wil had opgelegd.

Nadat Samuel vertrokken was, vroeg Daniel haar: 'Wie heeft jou zo leren praten?'

'Je moeder,' antwoordde Meridia en nam Noah van hem over.

Ze leefden van het restant van de bruidsschat en wachtten. Meridia rilde soms van angst bij het idee dat de goudstaven niet meer onder het bed verborgen lagen. Wat als de samenwerking mislukte? Of als Samuel een oplichter bleek? Of als Eva het zou ontdekken... Door bezig te blijven probeerde ze deze gedachten verre van zich te houden. Ze had tenminste nog het setje sieraden van Gabriel. Als het echt moest, kon ze die nog altijd verpanden.

Toen Meridia een paar dagen na het gesprek van de markt naar huis terugkeerde, kreeg ze het idee dat ze gevolgd werd. Ze keek over haar schouder, drukte haar boodschappen stevig tegen zich aan, maar zag niemand. Majestic Avenue lag te luieren in een zacht glanzende waas. Kinderen renden, mannen rookten en op een afstandje fluisterden vrouwen. Meridia versnelde haar pas. Al snel zocht ze zich een weg door allerlei stegen. Ze liep zo vlug als ze kon, maar achter haar hield het geluid van een gehaaste ademhaling aan. Toen ze ten slotte de met stenen geplaveide, veilige Willow Lane bereikte, werd haar naam geroepen door een vrouw die buiten adem was.

'Blijf alsjeblieft staan!'

Meridia draaide zich om en tuurde naar de naderende gestalte. Het duurde even voordat ze de persoon herkende.

'Pilar! Je joeg me de stuipen op het lijf!'

Patina's zus was bleek, een stuk dunner en rilde. Ze droeg dezelfde gele tuniek als de vorige keer, maar die zag er nu dof en afgedragen uit.

'Ik wacht al sinds zonsopgang,' zei ze happend naar adem. 'Ik kon de hele nacht niet slapen want ik twijfelde of ik je wel moest aanspreken.'

'Wat is er aan de hand?' Geschrokken zette Meridia haar boodschappen op de grond en nam de hand van de oudere vrouw.

'Het gaat over Patina. Ze is ziek.'

Er stak een koude wind op waardoor de zomen van Pilars jurk begonnen te wapperen. De seringengeur die haar eerder omgeven had, was veranderd in een lucht als teer.

'Ze klaagde steeds over een scherpe pijn in de borst. Ik dacht eerst dat het niets bijzonders was, want iedereen die met die slang moet samenleven zou last hebben van stekende pijnen. Maar toen ik op een dag bij haar was, kreeg ze er opnieuw last van. Het ene moment was er niets aan de hand, het andere lag ze dubbel van de pijn. Ik smeekte haar met mij mee te gaan naar een dokter, maar ze weigerde en zei dat dat zonde van het geld was. Ik bleef het haar zeggen en na weken van pijn en slapeloosheid stemde ze eindelijk toe. Volgens de dokter die haar onderzocht heeft, zit er een gezwel vlak bij haar hart. Het is nog niet te laat om het te verwijderen maar het is een dure operatie. Maar nu komt het, je zult het niet geloven! Patina wilde je schoonmoeder er niet eens over vertellen, laat staan haar om geld vragen. "Ze heeft al genoeg problemen," zei Patina. "Dit is mijn lot. Laat het mij in stilte dragen."

Maar eindelijk had ik er schoon genoeg van gekregen. Ik ben het huis binnengevlogen en heb een gesprek geëist met die adder, maar die wilde niet naar me luisteren! Ze smeet me het huis uit en schreeuwde zo hard dat iedereen het kon horen dat ik moest ophouden met haar geld af te persen. Ik! Degene die ervoor zorgde dat ze in haar slaap niet door muggen gestoken werd! Als ik toen had geweten hoe ze later zou worden, had ik die kleine schedel van haar verbrijzeld zodra ik daartoe de kans had gekregen!'

Pilar zweeg even om naar adem te happen en begon aan de sikkelvormige moedervlek op haar kin te krabben. De scherpe lijnen die zich aftekenden rond haar mond trilden als spinnenwebben in de wind. Sinds hun eerste ontmoeting een jaar geleden was haar haar van graankleurig in een onbestemde grijstint veranderd.

'Ik heb geen idee tot wie ik mij anders zou moeten wenden,' zei Pilar klagelijk. 'Het laatste wat ik wil is jou lastigvallen nu je zelf ook een kind hebt. Maar door die duivelin is Patina haar voeten kwijtgeraakt. Laat haar alsjeblieft ook niet door haar toedoen haar hart verliezen. Als je iets kunt missen, maakt niet uit hoeveel...'

Meridia aarzelde niet. 'Hoeveel heb je nodig?'

Pilar noemde een bedrag waardoor Meridia overvallen werd. 'Wacht hier even,' zei ze. Ze verzamelde haar boodschappen en verdween in het huis. Even later kwam ze terug met in haar hand een diamanten armband, een halsketting en een paar oorbellen.

'Neem dit.'

Pilar hield op met krabben. Direct welden er tranen in haar ogen op die haar het zicht benamen.

'Wat zijn die prachtig. Weet je het zeker?'

Meridia overhandigde haar de sieraden. 'Vertel het alsjeblieft aan niemand.'

Onverwachts greep Pilar haar hand en drukte er een kus op. 'Je bent een engel,' bracht ze met moeite uit. 'Moge de hemel je hiervoor in duizendvoud terugbetalen!'

Meridia trok verlegen haar hand terug. 'Dat is niet nodig. Patina is altijd aardig voor mij geweest.'

Nadat Pilar was verdwenen, bleef Meridia nog even staan en beet op haar lip. Haar blouse was aan de achterkant over haar hele ruggengraat donker van het zweet. Niemand had geweten dat onder de losse plank in haar slaapkamer een fluwelen sieradendoosje lag, het enige wat ze had meegenomen toen ze door Eva uit het huis aan Orchard Road was gezet, maar de inhoud van dat doosje bevond zich nu in een zak van Pilars tuniek. Omdat de bruidsschat en de goudstaven ook al waren verdwenen, leek het haar verstandiger er tegen Daniel niets over te zeggen.

Dezelfde avond keerde Daniel terug van Orchard Road met het nieuws dat Patina een gezwel bij haar hart had. Tot ieders verbazing had Pilar erin toegestemd te betalen voor de ingreep.

'Het klopt niet,' zei hij totaal verward. 'Hoe komt ze aan zoveel geld? Zolang ik Pilar ken, heeft ze nauwelijks genoeg geld voor schoenen.'

Meridia vervolgde het voeden van Noah en liet Daniel alleen met zijn verwarring. De volgende ochtend kwamen Eva en Elias naar Willow Lane 175 om het kind te zien. Meridia was in de keuken de lunch aan het bereiden toen ze Eva's bijen hoorde zwoegen in de winkel.

'God mag weten hoe ze aan dat geld komt. Waarschijnlijk gestolen van een ouwe geile bok die zijn laatste adem heeft uitgeblazen toen hij in haar zat. Ik heb aangeboden de operatie te betalen, maar dat weigerde ze. Ze zei dat het haar taak was voor haar zuster te zorgen. Volgens mij wilde ze alleen maar een goede beurt maken. Dertig jaar lang heeft die aasgier niets anders gedaan dan Patina tegen mij opzetten en nu zou ze ineens een toonbeeld van deugd en vrijgevigheid zijn. Ik zeg je dat er een luchtje aan de hele zaak zit. Ik vertrouw het voor geen meter!'

Noah lag te kirren in de armen van zijn grootvader. Een poos lang was dit het enige geluid dat met de bijen kon wedijveren.

HOOFDSTUK 22

Ze waren voorzichtig. Wellicht te voorzichtig waardoor ze weinig verdienden. Het van Samuel afgenomen assortiment werd overal in huis verstopt: in zakken meel, schoenendozen, olieblikken en koektrommels. Ze lieten de sieraden alleen zien aan klanten van wie ze wisten dat ze geen relatie onderhielden met de winkel op Lotus Blossom Lane. Ze huiverden bij het idee van Eva's wraak als ze dit zou ontdekken, van de vervloekingen waaronder ze hen zou bedelven, van het loslaten van de bijen die Elias tot onvoorstelbare daden zouden aanzetten. Ze hadden 's nachts zelfs moeite in slaap te komen en vreesden het moment dat Eva of een van haar spionnen de winkel binnenviel en hen op heterdaad betrapte.

Hoe spaarzaam Meridia ook met het geld omging, aan het einde van de maand was er nauwelijks iets over. Soms was ze in staat haar ziel te verpanden voor een nieuw paar schoenen, een miniem flesje parfum of vijf minuten haar haren laten wassen bij de schoonheidssalon. Ze schaamde zich als ze zag dat er gaten in Daniels sokken zaten en dat haar eigen nachtjapon versteld moest worden, maar ze konden zelfs geen extra stuk zeep kopen. Toen ze echt bijna aan de grond zaten, verkocht ze een aantal van haar beste jurken. Toen Daniel op een avond terugkwam van Orchard Road met in de hand een papieren zak afdankertjes van zijn vader, sloot ze zichzelf op in de badkamer en barstte in huilen uit. Noah werd dit alles godzijdank bespaard. Elias zag erop toe dat zijn kleinzoon steeds fatsoenlijk gekleed was.

Tijdens deze periode zorgde Eva er altijd voor dat ze er piekfijn uitzag wanneer ze bij hen op bezoek kwam. Tot haar wapenrusting behoorden een jas van roze tweed met gouden knopen en een bijpassende hoed, een glimmend zijden hemd dat afgezet was met antiek kant en een diamanten horloge dat elke vijf minuten geraadpleegd werd. Enkele van deze voorwerpen herkende Meridia als haar huwelijksgeschenken. Ze tandenknarste als Eva een keurende blik op haar versleten rok en schoenen wierp en verdroeg in stilte de alwetende uitdrukking op haar perfect opgemaakte gezicht, dat tegelijkertijd alles en niets zei. Haar eigen huid was ruw en droog omdat ze zich niet de luxe van een fles lotion gunde.

Op een middag, toen ze op het punt stond de winkel weer te verlaten, pakte Eva een potje crème uit haar handtas en zette het met een plechtig gebaar op het dichtstbijzijnde tafeltje. 'Gebruik dit,' zei ze zwierig tegen niemand in het bijzonder voordat ze de deur uitliep. Er ging een dag voorbij, twee dagen, drie dagen, maar Meridia liet de crème staan. Toen Eva de vierde dag weer op bezoek kwam en zag dat het potje onaangeroerd was, smeet ze het kwaad in haar tasje.

Noah bleef voor problemen zorgen. Doordat Meridia zowel de zorg voor hem had als voor het huishouden, de winkel dreef en Eva's bijen moest afweren, putte ze zichzelf snel uit. Haar gestalte verschrompelde tot een samenraapsel van botten; haar bewegingen, die ooit licht en behendig waren, vertraagden door de vermoeidheid. Als ze in de spiegel keek, zag ze het gezicht van een vreemde van wie de ogen dof stonden en de afhangende wangen ziekelijk bleek waren. Toen ze de weerspiegeling één keer smeekte te glimlachen, werd ze vergast op een grijns als een gapende wond. De ontzetting sloeg toe toen ze de gelijkenis opmerkte tussen haar gezicht en dat van de geestverschijning in haar ouderlijk huis. Hoe was het mogelijk dat haar bestaan als moeder haar minder vrouw deed worden?

Ze deinsde steeds meer terug voor Daniels aanrakingen. Hoewel ze het 's nachts altijd koud had, verafschuwde ze zijn omhelzing nog meer dan het ergste noodweer. Soms had ze geen smoes paraat. Uit schuld- en plichtsgevoel gaf ze dan toe. Ze speelde haar rol zonder overtuiging of plezier, raakte hem aan waar hij aangeraakt wilde worden, en uitte zelfs met de juiste hoeveelheid enthousiasme haar kreet. Maar ze besefte dat hij zich niets liet wijsmaken. In de zwakke gloed van haar kreunen voelde hij de winterkou. Op zulke momenten kwam het hem voor dat hoe lang hij ook zou bikken, hij nooit het ijs diep in haar zou kunnen wegbreken.

Daarna draaide ze zich altijd naar de muur om zich voor hem te verbergen. Wanneer hij haar vroeg of er iets was, glimlachte ze en zei dat ze zich zorgen maakte. De winkel. Het moeilijke eten van Noah. Eva's eisen. 'Misschien dat ik papa binnenkort om geld moet vragen.' Ze vertelde hem echter niet dat nu ze hem geen kinderen meer kon schenken ze hem niet meer in de ogen durfde te kijken uit angst dat hij niet meer dezelfde was.

Op een bewolkte ochtend in november kwam er enige verlichting. Na lang weggebleven te zijn, dook Ravenna op vanuit de eenzaamheid van haar keuken, trok haar winterjas aan (zwart volgens Leah, wit volgens Rebecca) en zette door de mist koers naar Willow Lane 175. Haar komst verjoeg Daniel naar de winkel. Maar Meridia, tot wie de geur van verbena doorgedrongen was via haar slaapkamerraam, was dolblij.
'Kind, waarom honger je jezelf zo uit?'
Ravenna pakte roodgeverfde kistjes uit haar mand waarin voedsel, speelgoed voor de baby, avocado-olie voor Meridia's haar en jojobacrème voor haar huid zat. Noah – de deugniet! – gedroeg zich in aanwezigheid van zijn oma als een engel. Toen ze voor hem begon te zingen met haar keelstem viel hij direct in slaap. Die dag leerde Meridia hem te kalmeren met suikerwater, zijn voeten te masseren als hij rusteloos was en muggenbeten tegen te gaan met een zalf van warme eucalyptus. Voordat ze weer wegging, zei Ravenna: 'Kom met hem op bezoek als hij zes maanden is. Het wordt tijd dat hij zijn grootvader leert kennen.'
Na het avondeten vond Meridia buiten een blauwe envelop weggestopt onder de deurmat voor de keukendeur. Er zat genoeg geld in om een maand van te kunnen leven. Een briefje, handtekening en een geur ontbraken. Terwijl ze de envelop in haar binnenzak liet glijden sprak Meridia in stilte de dank uit waarom Ravenna nooit zou vragen.
Op de ochtend van 6 december trok ze Noah zijn mooiste kleren aan en nam hem mee naar Monarch Street. Ravenna was nergens te bekennen, maar een dienstmeid die ze niet herkende vertelde dat Gabriel in zijn studeerkamer was. Bij de deur bleef Meridia even staan om drie keer diep adem te halen. Daarna liep ze met Noah hoog op de arm naar binnen. Gabriel, die aan het monumentale bureau was gezeten en een pak van lichtbruin linnen met een glanzende bruine das droeg,

keurde haar geen blik waardig totdat ze hem groette. Maar zelfs toen richtte hij zijn knappe gezicht met het grijze haar slechts langzaam op en keken zijn harde ogen haar aan alsof ze niet meer dan een schim was. 'Laat mij hem vasthouden,' beval hij haar. Ze liep om het bureau heen en gaf hem Noah. Gabriel pakte zijn kleinzoon onder de oksels beet, schudde hem een keer heen en weer en hield hem toen op armlengte voor zich. De doodsbange Noah trok een zielig gezicht maar gaf geen kik. Meridia herinnerde zich hoe ze zelf bestudeerd en ontleed was totdat haar opstandige bloed op het kleed drupte. Omdat ze Noah dit lot wenste te besparen, wilde ze haar handen naar hem uitstrekken maar Gabriels gegniffel hield haar tegen.

'Het is een prima knul,' zei hij. 'Kom hier elk jaar met zijn verjaardag.'

Gabriel deed vervolgens iets onvoorstelbaars: hij trok de baby naar zich toe en kuste hem op het voorhoofd. Meridia voelde de tranen opwellen in haar ogen. Hij had zich nooit verwaardigd haar zo'n kus te geven.

Noah bleef stil totdat Meridia weer buiten stond. Pas toen begon hij te huilen en plaste hij, een lange goudkleurige stroom die twee minuten aanhield.

Drie maanden na het begin van de samenwerking gaf de handelaar Samuel voor het eerst uiting aan zijn ontevredenheid met de winkel aan Willow Lane.

'Die stukken moeten een prominente plaats krijgen en mogen niet verborgen blijven in zakken en koektrommels. Ze zijn veel meer waard dan de prullen die in de winkel liggen! Het interesseert mij niet wat voor familieproblemen jullie hebben, maar toen wij een overeenkomst sloten had ik het idee dat jullie je best gingen doen de samenwerking tot een succes te maken.'

'Geef ons nog een paar maanden,' verzocht Daniel hem. 'We hebben een plan maar dat heeft nog even tijd nodig.'

'Jullie krijgen nog één maand van me,' zei Samuel. 'Als ik over dertig dagen door het raam kijk en die sieraden niet zie glinsteren, ga ik op zoek naar nieuwe partners.'

Het echtpaar was in paniek. Hoe konden ze voorkomen dat Eva het zou ontdekken? Ze zou hen vast en zeker leugenaars noemen. Dieven.

Ondankbare lui. Ze zouden de ondersteuning verliezen van het huishouden aan Orchard Road. De toelage, de winkel, het huis. Wat nog eens bijdroeg aan de ellende was Gabriels dreigement dat de deuren van het huis aan Monarch Street voor hen gesloten zouden blijven. De weken vlogen voorbij zonder dat ze een oplossing vonden. Drie dagen voordat het ultimatum van Samuel afliep, werden ze door een toevallige ontdekking definitief ontmaskerd.

Die middag kwam Elias in zijn eentje naar Willow Lane om Noah te zien. Hij keek toe hoe de baby lag te slapen in de woonkamer toen hij opeens trek kreeg in thee. Omdat hij Daniel en Meridia niet wilde storen bij hun werk in de winkel liep hij naar de keuken om zelf water te koken. In de kastjes rondsnuffelend vond hij naast een zak meel een groot theeblik en opende het. Het was echter niet gevuld met theeblaadjes, maar met kleine fluwelen doosjes. Hij pakt er één uit, opende het en zag een ring met diamanten en in cabochon geslepen robijnen. Hij opende een volgende en vond een hanger met vier roze parels. Zijn geoefende juweliersoog zag direct dat dit het werk van een vakman was.

Vervolgens doorzocht hij in vliegende vaart de zak meel, de koektrommels en de met een deksel afgesloten keramische potten met het onschuldige BAKOLIE als opschrift. Overal zaten sieraden in verborgen. Elias deed het fornuis uit, pakte een aantal doosjes en keerde terug naar de woonkamer. Een tijdlang keek hij afwisselend naar het slapende kind en de doosjes, glimlachte naar de een en wierp boze blikken op de rest. Vervolgens liep hij de winkel binnen.

Met de handen achter zijn rug wachtte hij tot alle klanten weg waren voordat hij begon te spreken.

'Jullie moeten dit niet in de keuken laten slingeren.' Hij deponeerde de doosjes op de toonbank en zag hoe alle kleur wegtrok uit de gezichten van zijn zoon en schoondochter. In zijn ogen blonk een verdwaasde, maniakale schittering waardoor de lucht vergeven raakte van iets onomkeerbaars.

'Ik kan het uitleggen, papa,' zei Daniel.

'Ik weet al genoeg,' onderbrak Elias hem ruw. 'Ik zal je moeder zeggen dat mijn vriend Samuel vanaf vandaag als een gunst van mij zijn sieraden in jullie winkel mag verkopen. Ik zal haar ook zeggen dat ik het rechtstreeks met die baardaap zal verrekenen.'

Het duurde even voordat de betekenis van zijn woorden tot Meridia en Daniel doorgedrongen was.

'Papa, wat bedoel je?'

'Doe niet zo dom, zoon. Haal die stukken tevoorschijn en laat ze zien waar ze thuishoren: midden en voor in de winkel.'

Elias liep op de deur af. Daniel volgde hem, maar voordat hij iets kon zeggen draaide Elias zich om en wierp hem een snijdende blik toe.

'Waag het niet iets tegen me te zeggen. Ik doe dit voor Noah.'

Zo gebeurde het dat toen Samuel op de dertigste dag terugkeerde naar Willow Lane hij alleen maar kon glimlachen bij het zien van zijn glinsterende sieraden in de vitrines.

'Kent u mijn schoonvader?' vroeg Meridia.

'Alleen van naam,' zei Samuel. 'Waarom vraagt u dat?'

'Als u wilt mag u hem vanaf nu tot uw vrienden rekenen,' antwoordde ze cryptisch.

Op de een of andere manier en tegen alle verwachtingen in kreeg Elias het voor elkaar. De volgende keer dat Eva naar de winkel kwam, was ze zeer geërgerd maar niet moordlustig gestemd. Ruim een halfuur stond ze bij de vitrines en bekritiseerde met een afkeurende blik Samuels sieraden.

'Je vader zei dat hij bij deze man reeds lang in het krijt stond en dat hij nu een gunst terugverlangde. Hij had absoluut lef toen hij je vader vroeg zijn prullen te voeren op Lotus Blossom Lane, maar je vader zei meteen dat ze daar niet pasten. "De winkel van mijn zoon is geschikter daarvoor," zei hij. Ik moet zeggen dat ik het eindelijk eens met hem eens was. Moet je die topazen ring eens zien. Wat een oneindige wansmaak! Het spijt je vader dat hij je hiermee opgezadeld heeft. Ik hoop dat je ze een beetje makkelijk kwijtraakt.'

Nadat Eva was vertrokken, keerde de rust terug in huis en dat bleef zo. Het leek alsof niet alleen Eva het zwijgen was opgelegd maar tegelijk ook een ander lawaai was verstomd. De rest van de dag luisterde Meridia tijdens haar werkzaamheden steeds of ze het verdwenen geluid nog ergens kon bespeuren. De pijpen kraakten nog altijd in hun oude voegen, het fornuis snorde, de spanten knorden. De wind blies door de bomen en geselde onophoudelijk het dak. Wat maakte er dan nu geen geluid meer? Het was al bijna avond toen het antwoord haar te binnenschoot. Sinds Eva vertrokken was, had Noah niet meer gehuild. Hij had gelachen, zelfs geboerd, maar gehuild? Nee. In een onstuitbare drang pakte Meridia haar zoon uit de wieg en kuste hem. En keer, twee keer, twintig keer. Lachend, huilend en met hem door de kamer dansend totdat het vreugdevuur in haar hart haar dreigde te verteren. De moeilijke babytijd was voorbij. Daar was ze zeker van, net zoals ze er zeker van was dat dat krachtige, heldere dat ze in zijn ogen zag de toekomst was, die zijn hand naar haar uitstrekte.

HOOFDSTUK 23

De twee jaar daarna werden gekenmerkt door voorzichtigheid, heimelijk succes en talloze compromissen. De steun van Elias en het assortiment van Samuel bezorgden de winkel behoorlijke winsten, waardoor de bergruimte onder het bed geleidelijk aan weer met biljetten gevuld raakte. Elke avond, met de deur op slot en de ramen dicht, koesterden ze hun droom van onafhankelijkheid; elke ochtend spraken ze op gedempte toon over het wonen in een eigen huis en het drijven van een eigen zaak. Maar zelfs in hun meest optimistische buien bleven ze op hun hoede. Ze wisten nooit waar Eva's bijen waren, welke grieven ze koesterden en wanneer ze vanuit het geniep weer zouden toeslaan. Meridia wist niet meer hoe vaak ze haar al tot het uiterste getergd hadden. Maar juist als ze op het punt stond woedend terug te slaan, kwam Daniel altijd weer tussenbeide. 'Nog niet,' zei hij dan en trok haar terug uit het strijdperk. In de loop van de tijd kreeg ze aan deze twee woorden een even grote hekel als aan de bijen.

Meridia zocht haar toevlucht dan maar in het bedenken van manieren om meer klanten te trekken. Het was geen toeval dat ze haar meest ambitieuze plannen bedacht wanneer de bijen het ergste huishielden. In de zomer dat ze negentien werd, het begin van hun derde huwelijksjaar, kreeg ze het idee foto's te laten maken waarop baby's met sieraden uit de winkel te zien waren. Voor een zacht prijsje huurde ze een fotograaf in, verzamelde met behulp van Leah en Rebecca alle baby's uit de buurt, en liet de man foto's maken van kinderen die met armbanden speelden of tussen de ringen door kropen. Ze overtuigde Samuel ervan een reeks foto's in de krant te plaatsen. De blije, lachende baby's en de prachtige sieraden bleken een onweerstaanbare combinatie. Er kwamen drommen nieuwe klanten op de winkel af, vooral jonge moeders. Een foto in het bijzonder, die van Noah die op een grote smaragden hanger sabbelde, was aan Willow Lane wekenlang onderwerp van gesprek.

In januari, toen het Feest der Geesten werd gehouden, kleedde Meridia Leah, Rebecca, Permony en zichzelf in prachtige kostuums uit voorbije tijden. Ze leende de lange mousselinen gewaden van twee jurkenmaaksters, de pruiken van een kapster en de met lovertjes afgezette kransjes van een hoedenmaakster – allen vrouwen die ze in het gezelschap van Hannah dankzij haar kaneeltoffees had leren kennen, en met wie ze in de afgelopen jaren een vriendschap had opgebouwd. Deze buitenissige kostuums werden behangen met oogverblindende sieraden. Rebecca en Permony konden onderweg naar Independence Plaza niet meer ophouden met giechelen, maar vanaf het moment dat ze de indrukwekkende menigte profeten en geestenbezweerders in het oog kregen, speelden ze hun rol perfect. Ongrijpbaar waren ze in hun lichtgekleurde gewaden en met de haren tot aan het middel toen ze hun sieraden aan de menigte toonden als geesten uit een andere wereld. Wekenlang werd de winkel bezocht door spiritisten, die, betoverd als ze waren door deze wezens, nieuwsgierig waren geworden naar de ringen en halskettingen die de vrouwen zo'n hemelse bekoring hadden gegeven.

Tijdens deze jaren stelde het paar alles in het werk om Eva te misleiden. Zes avonden per week toog Daniel met een goudeerlijk gezicht naar Orchard Road om zijn moeder de boeken te laten zien waarin Elias' stukken bijgehouden werden. Eva nam de getallen argwanend tot zich en hoopte steeds weer een oneerlijkheid te ontdekken, maar met haar beperkte rekenkunsten was ze geen partij voor Meridia's geslepenheid. Eén keer liet ze weten ook Samuels boeken te willen zien, wat Elias gapend van de hand wees. 'Verspil je tijd toch niet aan het armzalige spul van die ouwe bok,' zei hij. Daniel voegde daaraan toe dat Samuels stukken hem alleen maar hoofdpijn bezorgden. Klanten vroegen er niet naar en kochten ze ook niet. Elias speelde het spelletje mee en schudde berouwvol het hoofd: 'Het spijt me, jongen. Hij had nog iets van me te goed.'

Voordat Eva vragen kon stellen over de foto's in de krant of Meridia's opvallende vertoon tijdens het Feest der Geesten, bracht Daniel haar met een beschaamd gezicht op een dwaalspoor. 'We hebben dringend aandacht nodig, mama. Maar om nou te zeggen dat we er iets aan hebben. Daarna hadden we nog minder omzet.'

'Had je iets anders verwacht?' reageerde Eva snuivend. 'Sieraden, baby's, geesten. Die drie passen toch totaal niet bij elkaar!'

Nu Noah haar niet meer zoveel problemen bezorgde, kreeg Meridia langzaam maar zeker haar vitaliteit terug. De geest in de spiegel verdween met in zijn kielzog haar ruwe huid en lelijk uitstekende botten. Ze was niet langer de gevangene van haar emoties. De verlammende periodes waarin ze geen enkele hoop meer had gekoesterd kwamen nu nog maar zelden voor. Ze kreeg weer plezier in het werk, in koken en in de zorg voor haar gezin. En nu hun inkomen groeide, konden ze zichzelf weer kleine, geheime pleziertjes toestaan. Daniel kocht een paar laarzen van runderleer, die hij verborg zodra hij zijn moeder zag opduiken aan Willow Lane. Eens per maand liet Meridia op zaterdag in een schoonheidssalon haar haren en nagels doen. Onderweg erheen lette ze goed op dat ze niet gevolgd werd. Op zondagochtenden in alle vroegte, als alleen de doden al waren opgestaan, gingen ze samen met Noah naar de markt waar ze zichzelf volpropten met gezouten pruimen, kleverige broodjes en zoetebonenpasta in kokendhete gembersoep. Verborgen in de schaduw of achter een boom aten ze dit snel op zodat niemand hen kon betrappen.

Wat Meridia tot grote steun was gedurende deze jaren waren de onregelmatige maar onmisbare bezoeken van Ravenna. De geur van verbena, die al van ver tot haar doordrong, en daarna het aanschouwen van haar moeders gezicht en haar onberispelijke knotje waren voor Meridia voldoende om er weer weken tegen te kunnen. Ravenna bleef op zijn hoogst een uur, wat precies genoeg was om het huis weer op orde te brengen. Na elk bezoek lag er 's avonds buiten bij de keukendeur een blauwe envelop. In de jaren die nog komen zouden, stond Ravenna niet één keer toe dat Meridia dit ter sprake bracht.

Eén keer schrok Meridia na zo'n bezoek midden in de nacht wakker door een plotselinge hitte. Ze schoot overeind met gloeiende ogen en wangen en knipperde in het donker snel met de ogen. Daniel lag naast haar te snurken. Noah sliep in zijn ledikantje. Opeens scheen de hitte haar als een felgele zon in het gezicht, rolde langs haar lijf naar beneden en zette ondertussen elk bloedvat en elke porie in vuur en vlam. Haar adem stokte in haar keel. Haar lippen waren droog. Ze gooide de dekens van het bed en merkte dat de vrieskou eruit was verdwenen. Voor de eerste keer sinds Noah geboren was, wendde ze zich tot Daniel, sloeg haar armen stevig om hem heen, plantte haar vingers in zijn rug, kuste zijn ogen, neus en mond, en verlangde zo hevig naar hem dat hij verward wakker werd. Om zijn blik te ontwijken zette ze haar tanden in zijn schouder en verwondde hem met een begeerte zoals ze die nog niet eerder had ervaren. Dat was lang niet voldoende. Zijn grom toen hij haar de kleren van het lijf rukte, deed in haar gevoelens herleven waarvan ze dacht dat de bijen die vermorzeld hadden. Ze sloot haar ogen en dwong hem dieper in haar. Noahs aanwezigheid was geen enkele belemmering voor haar. Die nacht schreeuwde ze zijn naam zonder ergens op te letten. Ze was zich alleen nog bewust van de smaak van zijn huid, zijn lippen op de hare, de hitte die om hen heen lag waar zo lang koude had geheerst.

De opnieuw opgelaaide passie leidde ook tot ruzies aan tafel. Vanzelfsprekend was Eva de aanleiding. Meridia's zwijgen zag ze ten onrechte aan voor een overgave waardoor ze steeds stoutmoediger werd in haar eisen. Niet alleen stuurde ze Patina 's morgens op eten uit maar nu moest Gabilan 's middags ook op zoek naar olie, kaarsen en zeep. Hoe ouder Noah werd, hoe vaker ze Meridia ongevraagd van advies diende: wat hij moest eten en dragen, hoe hij opgevoed diende te worden, waarom een bad 's avonds beter voor hem was dan 's morgens. Meestal deed Meridia of ze haar niet hoorde, maar soms maakte ze de avondmaaltijd met Daniel tot een slagveld. Bij hun hevigste ruzie draaide het slechts om een stuk fruit.

Op een zondagmiddag keek Eva toe hoe Noah op de grond van de woonkamer aan het spelen was toen ze het idee opvatte hem een banaan te geven. Ze pakte die uit de glazen schaal op de eettafel, pelde hem, brak een groot stuk af en kneep dat fijn tussen duim en wijsvinger. Ze was druk bezig deze pulp aan Noah te voeren toen Meridia uit de slaapkamer kwam en dit opmerkte. Van een enorme walging vervuld rende ze op haar zoon af en pakte hem snel op van de vloer. 'Het is tijd voor zijn middagdutje,' liet ze op scherpe toon weten en nam hem mee naar de slaapkamer. Daniel, die aan de eettafel verdiept was in een stapel rekeningen, was het gedoe nauwelijks opgevallen totdat Eva ontplofte.

'Zie je nu hoe je vrouw tegen mij doet? Ik mag niet eens in de buurt van mijn kleinzoon komen! Je presteert het toch niet om daar zo roerloos te blijven toekijken!'

Meer boze woorden volgden, maar Daniel weigerde zich erin te laten betrekken en reageerde niet. 's Avonds bij het eten wierp Meridia hem dat voor de voeten.

'Waarom zei je vanmiddag niets tegen je moeder?'

'Waarover?'

'Over hoe vies ze Noah voerde. God mag weten wat ze allemaal aangeraakt heeft met die handen.'

'Zo heeft ze mij en mijn zusjes ook te eten gegeven toen we klein waren.'

Ongelovig zette Meridia grote ogen op. 'Probeer je haar gedrag goed te praten? Dat weerzinwekkende, onhygiënische gedrag van haar?'

'Ik vertel alleen maar wat ze deed. Vind je eigenlijk niet dat je toch wel wat onbeleefd handelde toen je Noah bij haar wegtrok?'

Meridia liet een schaal uit de handen vallen die met een klap op tafel landde.

'Je moeder bemoeit zich met ons, Daniel, hoewel ze mijn vader beloofd heeft dat niet te doen. Kies eens partij en zeg haar dat ze te ver gaat.'

'Ik heb partij gekozen. Jouw partij. Maar schat, overdrijf je niet een beetje? Het gaat maar om een banaan.'

'Waar wachten we eigenlijk nog op? Ik heb het in mijn hoofd al duizend keer nagerekend. We hebben genoeg. We kunnen zo een eigen huis kopen.'

Daniel zuchtte en schudde het hoofd. Toen hij de door haar verafschuwde woorden uitsprak, kon Meridia het niet opbrengen hem aan te kijken.

'Nog niet. Je weet net zo goed als ik dat wanneer we dit nu zouden doen we door de kleinste tegenslag in het armenhuis terechtkomen. Wacht nog even, dan gaat het zeker lukken.'

Meridia, die teleurgesteld was maar niet in staat zijn redenering te weerleggen, schoof haar bord van zich af en stond op. 'Ik ga steeds meer geloven dat dit wonder tijdens mijn leven niet meer zal plaatsvinden,' zei ze.

Een ander wonder waarvan ze die jaren wel getuige was, deed haar sprakeloos staan. Drie maanden na haar operatie groeide Patina's dunne witte haar uit tot een dikke zwarte bos, dijde haar hele lichaam uit en verdwenen de rimpels uit haar gezicht. Haar ogen straalden weer een jeugdige levenskracht uit en alsof haar een grote last ontnomen was, verhieven haar schouders zich uit haar bochel, waardoor ze nu boven Eva uittorende. Ook haar hoefachtige voeten waren genezen. Door haar krachtige en niet langer opgekrulde tenen was ze voor het eerst in tientallen jaren in staat te lopen zonder pijn en strompelde ze niet meer.

Verbaasd over de mystieke vreugde die over Patina's gelaat lag, vroeg Meridia haar op een ochtend: 'Je lijkt nu zo gelukkig, Patina. Wat is het geheim daarvan?'

Patina zette een brede, sprankelende glimlach op. Haar gebit was nu wit, gelijkmatig en compleet.

'Kun je een geheim bewaren?' vroeg ze en ze keek in de winkel behoedzaam om zich heen voordat ze fluisterde: 'Dat komt door mijn kind, mijn schatje. Door haar heb ik mijn hart terug.'

Meridia fronste het voorhoofd. 'Je kind? Wat bedoel je?'

Opeens drong het tot haar door. Even wilde ze in lachen uitbarsten, maar in plaats daarvan begon ze te huiveren. Ze richtte haar blik op de grond om die van Patina te vermijden.

'Denk je dat zij voor de operatie betaald heeft?'

Patina straalde helemaal. 'Pilar weigerde te onthullen wie ervoor betaald heeft, maar wie anders heeft zoveel geld? Of geeft er zoveel om mij? Je mag over haar zeggen wat je wilt, maar niemand kent haar zoals ik. Ze doet zich aan de buitenwereld voor als bikkelhard, maar vanbinnen is ze vrijgevig en vol liefde. Ze voerde een hele kermis op toen ze ontkende tegenover Pilar, maar dat was omdat ze geen aandacht wilde trekken. Snap je? Ze heeft me vergeven! Eindelijk, na al die jaren!'

Meridia gaf haar het geld voor Eva's eten en kon het ondertussen niet over haar hart verkrijgen haar uit de droom te helpen.

Maar het wonder ontvouwde zich nog verder. In de loop van het jaar begon Patina een fosforescerende gloed uit te stralen die zo sterk was dat haar botten zichtbaar werden alsof ze enkel door glas omhuld werden. Langzaam maar zeker vervaagden haar gelaatstrekken, te beginnen met haar neus en mond, en vervolgens haar ogen en oren, waardoor haar hele gezicht veranderde in een doorzichtige, fonkelende massa. Telkens als Eva haar onrecht aandeed, verergerde Patina's doorschijnende staat totdat ze met het blote oog niet langer zichtbaar was. Precies twee jaar na haar operatie kon Eva Patina 's ochtends niet meer vinden. Ze zette het hele huis op zijn kop, keek onder de trappen en in de kastjes, maar vond nergens een spoor van haar. 'Heeft iemand dat ouwe wijf soms verkeerd opgeborgen?' schreeuwde ze kwaad tegen Gabilan en haar dochters. Vanaf die dag begon Eva's staalblauwe haar wit te kleuren.

HOOFDSTUK 24

Het toeval wilde dat de loslippige Pilar ervoor zorgde dat ze eerder dan verwacht hun vrijheid kregen.

Een week nadat Patina spoorloos was verdwenen, liep Eva haar oude vijandin tegen het lijf in het slagerspad. Ze beschuldigde Pilar ervan haar zus voor haar te verbergen. Hoewel ze het nieuws gelaten opnam, werd deze beschuldiging door Pilar ten stelligste tegengesproken.

'Als je zo bezorgd bent, waarom licht je de politie dan niet in?'

'Ik heb haar altijd gezegd dat ze mocht gaan zodra ze dat wilde. Waarom zou ik een vinger uitsteken als ze liever met jou in de goot verblijft?'

'Wat jij wilt. Patina is in elk geval een stuk gelukkiger in de goot dan ze bij jou was.'

Vervaarlijk zwaaiend met haar mand antwoordde Eva dat ze heel goed wist hoe Pilar het geld voor de operatie had bemachtigd.

'De hele stad weet hoe jij je brood verdient. De hele stad heeft op welke manier dan ook een keer kunnen genieten van dat stinkende gat tussen je benen.'

Woedend spuwde Pilar de waarheid eruit: 'Ik heb het geld van Meridia gekregen. Ja, die vrijgevige, verstandige, meevoelende vrouw die veel te goed is voor je zoon. Ze heeft me haar sieraden gegeven en zo het hart van je moeder gered.'

'Mijn moeder is al jaren dood!' schreeuwde Eva zo luid dat alle slagers het konden horen. 'En dankzij jouw zus heb ik haar nooit gekend!'

Eva uitte nog meer bittere verwijten voordat ze snel wegliep. Voor het eerst betaalde ze voor haar vlees zonder af te dingen en 's middags beval ze Daniel naar Orchard Road te komen waar ze met haar bijen de aanval op hem opende.

'Het is gewoon misdadig zoals jouw vrouw handelt. Heeft ze met jou overlegd, met haar echtgenoot, de vader van haar kind, voordat ze deze beslissing nam? Dit maakt alleen maar duidelijk hoe weinig ze zich van jouw mening aantrekt. En dat ze ook nog eens voetstoots aanneemt dat ik niet zelf voor mijn lieve Patina zou zorgen! Die goedaardige, toegewijde vrouw heeft me nota bene opgevoed! Natuurlijk heeft ze fouten gemaakt, maar ik zou de laatste zijn om haar te laten lijden. Ik zal je zeggen waarop die vrouw van jou met haar lege hoofdje uit is. Het enige wat ze wil is je laten zien wie de broek aan heeft in huis. Och, je had die verschrikkelijke dingen eens moeten horen die Pilar allemaal over je zei op de markt! "Meridia hoeft maar met haar ogen te knipperen en Daniel doet alles voor haar. Als ze hem zegt dat hij in de sloot moet springen, dan springt hij in de sloot. Als ze een beurt wil, dan trekt hij direct zijn broek uit, maar natuurlijk alleen als het haar uitkomt." Pilar zei zelfs dat je nog niet het lef zou hebben iets te doen als je haar zou betrappen met een ander! Dit soort praatjes komt niet uit de lucht vallen, jongen! Je vrouw moet wel iets gezegd hebben, ergens hebben gepocht over hoezeer ze jou in haar macht heeft. De hele stad lacht je nu uit en denkt dat je te weinig ballen hebt om haar vent te kunnen zijn. Na wat er vandaag gebeurd is, ben ik ervan overtuigd dat je vrouw heeft samengespannen met Pilar om Patina bij mij weg te halen.'

Het eerste uur grinnikte en glimlachte Daniel om alles, haalde hij zijn schouders op en deed hij succesvolle pogingen de bijen van zich af te slaan. Maar toen de insecten in het tweede gonzende uur geen tekenen van vermoeidheid toonden, werd zijn blik en ook zijn oordeelsvermogen troebel. De sluwe en doortrapte bijen legden alle barstjes in hun huwelijk bloot en openbaarden alle onzekerheden die een man heimelijk koestert tegenover zijn vrouw. De avonden dat Meridia zijn toenaderingen had afgewezen omdat ze zich 'niet goed' voelde. Dat ze erop bleef aandringen te breken met Orchard Road hoewel hij haar zei dat de tijd daarvoor nog niet rijp was. Haar weigering zich erbij neer te leggen dat Eva nu eenmaal zijn moeder was en dat hij haar niet volstrekt links kon laten liggen. Het voorval rond de banaan waaruit bleek dat ze in alles altijd het laatste woord wilde hebben.

Daniel kwam die avond thuis met een lang gezicht, zijn armen overdekt met kleine donkere plekjes en een stank in zijn kleren die Meridia uit duizenden herkende. Voor het eerst werd hij boos op Noah en tegen Meridia zei hij geen stom woord. Aangezien ze er eerder getuige van was geweest hoe de bijen bij Elias hun werk deden, kon Meridia wel raden wat er was gebeurd. Ze wachtte totdat ze in bed lagen voordat ze het hem vroeg.

'Wat had je moeder te zeggen?'

Hij draaide zich langzaam naar haar om. Doordat er alleen aan haar kant van het bed een lichtje was, kon hij haar beter bekijken dan zij hem. Onder haar aanhoudende blik wervelden de bijen met veel misbaar rond in zijn hoofd.

'Ze zei dat jij Pilar het geld hebt gegeven voor Patina's operatie.'

Meridia was niet verrast en knikte. 'Ik heb Pilar gevraagd mijn setje sieraden te verpanden. Ik neem aan dat je moeder daarmee weinig ingenomen was?'

Hij was zo verward door de bijen dat Meridia's koele, beheerste toon Daniel direct naar het hoofd steeg. Als ze minder overtuigd had geklonken, misschien zelfs schuldig, dan had hij kunnen denken dat ze besefte fout gehandeld te hebben en dat ze daar spijt van had. Maar door dit kalme, onverstoorbare vertrouwen en het uitgestreken gezicht leek het allemaal opzet te zijn geweest.

'Waarom heb je me dat niet gezegd? Ik zou nooit bezwaar gemaakt hebben maar je had het op zijn minst kunnen vragen. Dat setje sieraden was ons laatste redmiddel.'

Weer gaf Meridia in Daniels ogen iets te makkelijk antwoord. 'Ik wilde je niet ongerust maken. Ik heb Pilar laten beloven het aan niemand te vertellen. Ik wilde niet dat er ooit iemand achter zou komen. Het is jammer dat je het zo hebt moeten ontdekken.' Ze boog naar hem toe en tastte naar zijn hand. 'Trap er niet in, Daniel. Dit is weer zo'n opzetje van je moeder om ons uit elkaar te drijven.'

Op het moment dat haar vingers de zijne vonden, zetten de bijen het op een krijsen. Verdoofd door het lawaai trok Daniel zijn hand terug.

'Heb jij iets te maken met Patina's verdwijning?' vroeg hij.

Ze keek hem aan. Haar van achteren belichte prachtige gezicht leek hem een raadsel dat hij nooit zou kunnen oplossen of zelfs maar begrijpen.

'Natuurlijk niet. Ik wist niet dat Patina was verdwenen totdat je moeder ons dat vertelde.'

Daniel draaide zich op zijn rug. Terwijl ze hem een nachtkus gaf, voelde Meridia hoe er een muur tussen hen werd opgetrokken. Ze zette er haar handpalmen tegen en gaf hem een duwtje, maar hij deed zijn ogen dicht en hield ze gesloten.

Eva was woedend om Meridia's actie en zon op wraak. Aanvankelijk maakte ze toespelingen, die onschuldig leken voor wie ze toevallig opving, maar toen ze Elias er voldoende op voorbereid achtte, vielen haar bijen hem genadeloos aan op zijn zwakste plek.

'Ze leert Noah minachting voor ons te hebben. Heb je laatst gezien hoe dat kind tegen mij zat te pruilen? Nog maar twee jaar en nu al de neus in de lucht! Laten we wel zijn: ze vindt dat we te min zijn voor haar kind. Ik heb gezien dat ze je zit uit te lachen wanneer je met Noah speelt. Ze maakt je belachelijk vanwege je kale hoofd, daarvan ben ik overtuigd. Wie weet wat voor giftige dingen ze allemaal tegen hem zegt wanneer jij er niet bent. Is het je opgevallen dat Noah vorige week twee keer over je heen heeft gespuugd? Gabilan zei net nog dat ze de laatste tijd veel te vaak kots uit je hemden moet boenen. Ik denk dat ze je kleinzoon geleerd heeft allergisch voor je te zijn. Laatst hoorde Malin hoe ze tegen Daniel zei dat jij niet schoon bent! "Noah heeft altijd last van jeuk nadat je vader hem vastgehouden heeft." En in plaats van het voor je op te nemen, was Daniel het met haar eens. Onze eigen zoon keert ons de rug toe! Je moet iets doen. Onze waardigheid is in het geding. Je moet haar tegenhouden voordat ze die helemaal te gronde richt. Hoe kun je ooit je vader en grootvader onder ogen komen als een vrouw met jou spot? Je eer onderpist? Je mannelijkheid bevuilt? De volgende keer dat we er op bezoek gaan, moet je eens opletten hoe Noah zijn neus optrekt als Permony bij hem in de buurt komt...'

Elias wist de aanvallen eenentwintig dagen en nachten te weerstaan zonder een oog dicht te doen. Op de ochtend van de tweeëntwintigste dag stonden zijn zenuwen op knappen, wankelde hij het bed uit en deed een jas aan. Eva kleedde zich snel aan en volgde hem. Tijdens de wandeling naar Willow Lane zei ze niets, maar haar bijen bleven door zijn hoofd razen. Elias' bleke, geplaagde gezicht contrasteerde zo scherp met zijn rode ogen dat enkele schoolkinderen in paniek op de vlucht sloegen. Toen ze bij het huis aankwamen, was Noah in de keuken juist ten prooi gevallen aan een driftbui: hij wilde zijn moeder, die naar de markt was. Daniel deed zijn uiterste best hem te kalmeren en was opgelucht zijn vader te zien.

'Opa is er,' zei hij tegen Noah, en gaf hem over aan Elias. 'Hou nu maar op met brullen.'

'Gooi de winkel maar open, jongen,' zei Eva rustig. 'Wij passen wel op hem.'

Daniel was in zijn hoofd te zeer bij andere dingen om de voortekenen op te merken en liet de drie gezamenlijk achter.

Elias wist Noah die ochtend met geen mogelijkheid tot bedaren te brengen. De jongen weigerde hem gedag te zeggen, krijste, probeerde zich los te wurmen als Elias hem vasthield en begon vervelend om zich heen te schoppen als hij op de vloer gezet werd. Een of twee keer stak hij zijn tong uit naar zijn opa. Elias wist zich niet meer te herinneren dat de jongen een paar weken geleden een vergelijkbare driftbui had gehad en dat hij hem daarop had gekieteld tot Noah begon te lachen. Nu was hij een en al woede en voelde hij zich volledig vernederd. Met een schreeuw zag Eva haar kans schoon.

'Ben je nu overtuigd? Ze heeft hem tegen je opgezet. Kijk hem nou eens!'

Als Elias even niet oplette, keek Eva de jongen kwaad aan waardoor hij vervelend en nukkig bleef doen. Eenentwintig dagen vol bijen zoemden na in Elias' hoofd.

Toen het Noah opviel hoe rood zijn opa was aangelopen wees hij plots naar hem en lachte. In Elias' door slaapgebrek geteisterde geest zwol Noahs lach op tot een verschrikkelijke belediging.

Eva dook er triomfantelijk bovenop: 'Hij maakt je belachelijk. Dat is wat zijn moeder hem leert te doen achter je rug.'

'Hou op, rotjoch!'

Door Elias' brul, gevolgd door een luide klap tegen zijn hoofd, was Noah op slag stil. Zelfs Eva deinsde iets achteruit. Een angstige Noah liet zich op de grond vallen en kroop onder de eettafel.

'Kom ogenblikkelijk tevoorschijn!'

'Mama! Mama!'

Noah trok zich nog verder terug. Elias liet zich buiten zinnen op handen en knieën vallen en stak zijn armen onder de tafel. Hij kreeg Noah bij zijn benen te pakken, maar in paniek schopte de jongen Elias zo hard mogelijk tegen zijn knokkels. 'Verdomd kind!' brulde Elias weer en greep hem bij zijn enkels. Met al zijn kracht trok hij Noah naar zich toe waarbij Eva hem boven zijn hoofd opjutte. Noah schreeuwde en wrong zich in alle bochten als een dier in de val. En toen hoorden ze het: het geluid van bot dat tegen hout knalde. De eettafel kwam omhoog van de klap. Elias liet Noah los. Even later begon de jongen te jammeren omdat hij niet luidkeels durfde te huilen.

'Noah!'

Daniel kwam gelokt door het lawaai vanuit de winkel de kamer in rennen, schoof de eettafel opzij en pakte Noah in zijn armen. Op het gezicht van de jongen zat bloed en op de rechterslaap een grote jaap. Nog voor Daniel tijd had een doek op de wond te drukken, klonk vanuit de deuropening een kreet.

'Wat is hier aan de hand?'

Meridia kwam binnenrennen met de boodschappen in haar handen, die ze allemaal op de grond liet vallen. Zodra hij zijn moeder zag, begon Noah hard te huilen.

'Probeer hem rustig te houden.' Daniel gaf Noah aan haar over. 'Ik ga snel de dokter halen.'

Hij vloog de straat op. Meridia begon al prevelend aan de onmogelijke taak de jongen te kalmeren. Het ontging haar niet dat Noah zijn wijsvinger opstak en daarmee niet naar Elias, maar naar Eva wees, die met ontzet gezicht naast het fornuis stond. Meridia hoefde maar een blik op haar schoonvader te werpen om te weten dat dit het werk van de bijen was geweest.

Elias, die nog altijd op de vloer zat, begon te stamelen, meer tegen Noah dan tegen wie ook: 'Het was een ongeluk, snap je. Een ongeluk.' Zodra zijn opa opgestaan was, begon Noah nog harder te huilen.

'Blijf uit zijn buurt,' zei Meridia scherp, meer tegen Eva dan iemand anders. Ze richtte haar dodelijkste blik op haar schoonmoeder, droeg Noah naar de slaapkamer en legde hem op het bed neer. Prevelend en hem sussend hield ze een doek tegen zijn slaap gedrukt en veegde ondertussen met een andere doek het bloed weg. Het oneindige wachten begon. Noah huilde en huilde maar Daniel was nergens te bekennen.

Meridia bleef bij haar zoon totdat de dokter, die door Daniel naar het huis was gevoerd, haar verzekerde dat de wond niet diep was. Als er een litteken zou ontstaan door de hechtingen, zou het in de loop der jaren vervagen. Pas toen ging ze de woonkamer binnen, trok Eva over-eind uit haar stoel en zette haar tegen de muur. Op Eva's ijzingwek-kende schreeuw kwam Daniel uit de slaapkamer gerend. Als hij niet zo snel had gereageerd, zou Meridia Eva een aantal kiezen uit de mond geslagen hebben.

'Meridia, het was een ongeluk,' zei Daniel terwijl hij haar tegen-hield. 'Niemand wilde Noah iets aandoen. Het was een ongeluk, meer niet.'

'Doe maar niet net alsof je dit niet op je geweten hebt,' spuwde Meridia Eva toe. 'Je mag doen wat je wilt om mij het leven zuur te maken, maar laat mijn kind erbuiten. God verhoede dat ik je met mijn eigen handen verscheur als je hem ooit nog met één vinger aanraakt!'

Ze trilde van woede en haat. Daniel, die haar nog nooit zo had ge-zien, liet haar zachtjes los. Eva zat voor één keer om woorden verlegen. Ze stond met haar rug tegen de muur, de lippen op elkaar geperst, de vuisten gebald, de ogen naar beneden gericht.

Meridia draaide zich om naar Daniel. 'Zo wil ik niet meer leven,' zei ze.

Ze kneep haar ogen samen toen ze zijn aarzeling zag. Op zijn hoofd-schudden verstrakten haar kaken. Uiteindelijk besefte hij dat haar wil sterker was dan de zijne, haalde hij diep adem en schraapte zijn keel. Op dat moment leek ze in het geheel geen vrouw, maar een man die veel vastbeslotener was dan hij.

'We hebben jullie hulp niet meer nodig, mama,' zei hij. 'Vanaf nu doen Meridia en ik het op onze eigen manier.'

Het was gebeurd. Hun droom om onafhankelijk te zijn was uitge-sproken. Het nieuws trof Eva als een bliksemslag. Ze kwam los van de muur en zette haar tong in beweging.

'En hoe denk je dat wonder voor elkaar te krijgen? "Op onze eigen manier." Je hebt geen geld, geen winkel, geen woning. Hoe wil je het redden zonder je vaders reputatie? Denk toch eens na, jongen. Noah sloeg met zijn hoofd tegen de tafel. Het is vervelend dat dit gebeurd is, maar zoiets overkomt kinderen elke dag. Waarom moet je hiervan zo'n drama maken? Je vrouw daarentegen...'

Ze werd onderbroken door een lang en gekweld gegrom dat afkomstig was van Elias.

'Hou nu alsjeblieft je mond. Laat ze hun gang gaan.'

Eva draaide zich om naar haar echtgenoot en schrok van de verandering die hij had ondergaan. Ze had gezien dat hij rustig aan de eettafel zat, zich verre van het gebakkelei hield en gemerkt dat hij al een tijdje niet meer had gesproken of zich verroerd. Maar nu was hij overeind gekomen, stond met gebogen hoofd uit het licht en keek aandachtig naar zijn handen alsof daarin iets was gevaren dat zijn afkeer opwekte. Hij richtte de blik omhoog, ontmoette de ogen van zijn vrouw en huiverde van ontzetting.

'Hoorde je wat ik zei, papa?' vroeg Daniel op stoere toon.

Elias knikte maar zei verder niets. Voordat Eva haar bijen nieuw leven kon inblazen, draaide Meridia zich snel om en keerde terug naar de slaapkamer.

HOOFDSTUK 25

Magnolia Avenue lag twaalf straten ten oosten van Willow Lane en bevond zich midden in een buurt die in opkomst was. Nummer 70, een eenvoudige, lichte woning van twee verdiepingen, stond ongeveer halverwege deze winkelstraat. De benedenverdieping, waar voorheen een bakker had gezeten, bood ruimte aan een winkel, een keuken en een eetkamer. Aan de achterkant lag een kleine tuin. Boven bevonden zich drie slaapkamers, een badkamer en de woonkamer. Tot de omliggende winkels behoorden een banketbakker, twee boekhandels, het atelier van een klokkenmaker, kledingwinkels, eethuisjes en speciaalzaakjes. In de avondschemering ontbrandden de witte lantaarnpalen die in het gelid langs weerszijden van de straat stonden. Tegen die tijd kwamen de artiesten van Independence Plaza aangesneld om in de strijd om het muntgeld een plekje te bemachtigen op het trottoir.

Meridia kocht nieuwe meubels voor het huis. Gebruikmakend van Eva's afdingtechnieken wist ze met een forse korting een mooi eetkamerameublement op de kop te tikken. Verder schafte ze een bank, stoelen, een salontafel en een hemelbed voor de ouderlijke slaapkamer aan. De kamer van Noah werd opgesierd met een helderblauw kleed, een antieke speelgoedkist, gesjabloneerde dieren op de muren en een bed dat als een ark was gebouwd. In de tuin plantte ze orchideeën en bougainvilles. Het was een kleine oase van rust waar ze niets merkten van het straatlawaai.

De winkel liep meteen goed. Het fraaie assortiment en de uitstekende bediening, samen met de scherpe prijsstelling en de strategische plek, hadden niet alleen tot gevolg dat ze de klanten van Willow Lane wisten te behouden, maar ook dat nieuwe kopers de winkel betraden. Omdat hij niet meer aan hun grote vraag kon voldoen, stelde Samuel hen voor aan twee befaamde en betrouwbare handelaren met wie hij reeds lang bevriend was. De nieuwe samenwerking kwam snel tot stand. Drie maanden na opening was de winkel al een van de drukst-bezochte op Magnolia Avenue. Zo begon het echtpaar in goeden doen te raken. Hun geld borgen ze echter niet langer op in een gat onder het bed, maar brachten ze naar een eerbiedwaardige bank op Majestic Avenue, die de vlag van zeven verschillende landen voerde.

Hoe blij Meridia ook was dat hun lot zich ten goede had gekeerd, haar vreugde over hun vrijheid was nog vele malen groter. Dat ze niet langer gebukt hoefden te gaan onder de dagelijkse, door Eva opgelegde verplichtingen – en onder Eva zelf – was een voortdurende bron van verbazing en vreugde. Voor de eerste keer sinds ze getrouwd was, voelde Meridia zich bevrijd van de bijen. De angst, de spanningen en de ruzies over triviale dingen tussen haar en Daniel waren verleden tijd. Het huis was nu van hen, een vrijplaats waarop Eva niet meer invloed kon uitoefenen dan een willekeurige bezoeker. Ze kon Noah nu kleden en opvoeden zoals ze wilde. Ze kon in het openbaar alles eten waar ze trek in had. Ze hoefde niet langer over haar schouder te kijken als ze naar de markt of de schoonheidssalon ging.

In de lente van het jaar daarop gaf Meridia haar eerste etentje met als gasten Leah, Rebecca en hun echtgenoten en vier andere buren van Willow Lane. Ze was de hele dag druk bezig met koken en schoonmaken. Tegen de avond was ze zo ten einde raad dat ze in paniek uitriep dat het dessert nog niet klaar was, de gasten al over een kwartier zouden arriveren en ze nog geen tijd had gehad de trap te vegen en de ramen te wassen. 'Rustig maar,' zei Daniel en hij pakte een bezem van de haak. 'Zolang jij die snor hebt, letten ze toch op niets anders.' Meridia slaakte een gil, wreef een hand over haar mond en zag dat hij onder de stroop zat.

De gasten vonden het een verrukkelijk en gastvrij huis. Leah, die gezetter was nu ze haar eerste kind verwachtte, was een en al bewondering voor Meridia's nieuwe meubels. 'Voordat de baby er is, moet ik ook zo'n stoel hebben,' dreigde ze haar echtgenoot. 'En het kan mij niet schelen wat je moeder ervan vindt, maar zulke gordijnen passen perfect in onze woonkamer.' Rebecca en twee andere vrouwen namen Noah voor hun rekening. 'Wat zie je er geweldig uit in dat pakje! En wat ben jij gegroeid! Zeg maar tegen je moeder dat je vanavond met tante Rebecca mee naar huis gaat.' De jongen reageerde verontwaardigd, om niet te zeggen onthutst, maar aan zijn rode oortjes was duidelijk te zien dat hij ingenomen was met hun woorden.

Bij het eten oogstte Meridia jubelende reacties op haar gerechten, met name op haar goud gebakken garnalen en haar in een römertopf geroosterde eend. Daniel proefde een stukje eend en verklaarde: 'Hij is beter dan die van Patina.' Meridia straalde van blijdschap omdat ze nu over de vaardigheid beschikte meel om te toveren in heerlijke taarten, vlees te stoven zonder de groenten te verprutsen en aan elk gerecht de juiste hoeveelheid zout toe te voegen. Tijdens het etentje was de stemming uitstekend. Terwijl de vrouwen om de recepten riepen, zorgden de mannen ervoor dat alles schoon op ging.

Bij het vertrek van de gasten nam Rebecca haar vriendin even apart en fluisterde: 'Je moet wat vaker bij ons op bezoek komen. Zonder jou spookt het op Willow Lane.'

Meridia lachte. 'Wat bedoel je?'

'Het is echt zo,' voegde Leah toe. 'Op nummer 173 en 177 zweren ze dat er in jullie oude huis nu een vrouw woont, hoewel de verhuurder beweert dat hij na jullie vertrek nog geen nieuwe bewoners heeft gevonden. Ze zeggen dat ze de verschijning heeft van een wijze, oude vrouw, maar de onbestemde gelaatstrekken en het dikke haar van een jong meisje. In elk geval houdt ze van koken. Op alle uren van de dag ruikt het er naar eten.'

'Ik hoorde dat haar huid als water is,' zei Rebecca sensatiebelust. 'Zo helder dat je haar botten ziet.'

Meridia voelde hoe haar nekharen overeind gingen staan. 'Hebben jullie haar al gezien?'

'In de hoop een glimp van haar op te vangen hebben we 's avonds een keer een uur staan wachten. We roken duidelijk dat er gekookt werd, maar het bleef donker in huis en we zagen niemand.'

'Ze zullen er nooit een andere huurder meer voor krijgen,' zei Leah. 'Vooral niet nu het erop lijkt dat die geest daar wil blijven.'

'Na Meridia,' zei Rebecca, 'is iedere buurvrouw hoe dan ook een achteruitgang.'

Nadat ze Noah naar bed had gebracht, ging Meridia naar de slaapkamer waar Daniel haar opwachtte met een blauwfluwelen doosje in de hand.

'Ik heb een oude bekende van je teruggevonden,' zei hij. 'Groet hem maar.'

'Wat is het?' Meridia nam het doosje van hem over en opende het. Haar mond viel open van verbazing toen ze de inhoud zag.

'Hoe kom je hieraan?'

'Via Pilar.' Daniel grijnsde. 'Ik kwam haar laatst tegen en heb haar aan de praat gekregen. Jammer alleen dat de lommerd de armband en de oorbellen al verkocht had.'

Hij nam de diamanten halsketting uit het doosje en deed hem haar om.

Meridia's stem brak bijna, maar ze wist haar tranen te bedwingen. 'Ik had niet verwacht hem ooit nog terug te zien,' zei ze. Ze nam Daniels gezicht in de handen, boog haar hoofd naar het zijne en kuste hem zo hevig dat hij bang was dat zijn lippen ervan gingen bloeden.

Toen ze later verstrengeld in elkaars armen uitgeput in het donker lagen, trok Daniel aan de halsketting en vroeg haar: 'Waar is Patina volgens jou heen gegaan?'

Meridia dacht even na voordat ze hem antwoordde: 'Een plek ver weg waar alle goede zielen rusten. Zelfs als ik zou weten waar ze was, zou ik haar altijd met rust laten.'

In die jaren was Noah een makkelijk kind op één ding na: hij kon erg slecht tegen gepest worden. Eén keer toen hij vier was, zag hij in de etalage van een winkel vlak bij Cinema Garden een mooi knuffelkonijn waar hij zijn ogen niet vanaf kon houden.

'De kleine vent wil dat konijn,' zei Daniel tegen Meridia en knipoogde. 'Zal ik het even voor hem gaan halen?'

Meridia speelde het spelletje mee en antwoordde: 'Alleen als zijn mama een kusje van hem krijgt.'

Noah keerde hun direct de rug toe. 'Wie zegt dat ik dat lelijke ding wil?'

Toen ze weer thuis waren, verraste Daniel zijn zoon met de knuffel, die hij zonder dat Noah het merkte had gekocht. Noah wierp er één blik op en gooide hem toen op de grond.

'Ik zei toch dat ik hem niet wilde! Ik speel er toch niet mee!'

Meridia zette het konijn boven op de oude antieke speelgoedkist. Die avond hoorde ze nadat Noah naar bed was gegaan vreemde geluiden uit zijn kamer komen. Samen met Daniel liep ze naar zijn kamerdeur en opende hem zonder geluid te maken. Met zijn rug naar hen toe zat Noah op de vloer met het konijn te spelen. Hij lachte vrolijk als hij zijn neus in de buik van het dier drukte. Zijn ouders glimlachten tegen elkaar en keerden terug naar de kamer.

Tegenover Ravenna gedroeg Noah zich als een echte heer. Op die bijzondere dagen dat Meridia de geur van haar moeder door het geopende raam opving, rende de jongen naar zijn kamer om zijn haar te kammen en een ander shirt aan te trekken. Zodra Ravenna binnen was, begroette hij haar met een formele buiging die hij ooit had afgekeken van een straatartiest. 'Oma,' zei hij dan vrolijk. Haar verwilderde ogen schrokken hem net zomin af als haar broodmagere gezicht wanneer ze dat zo dicht bij hem hield dat hij haar rimpels zag. Als ze hem op de wang klopte, zette hij van plezier een brede grijns op. Lang na haar vertrek hing de geur van citroenverbena nog om hem heen.

Gabriel was een heel ander geval. Elk jaar op zijn verjaardag waren Noahs tranen niet meer te stelpen als Meridia hem zijn nieuwe kleren aantrok, hoeveel cadeautjes hij bij het ontbijt ook had mogen uitpakken. 'Hou daarmee op,' zei ze dan. 'Ik wil niet dat je opa denkt dat ik een even slechte moeder als dochter ben.' Onaangedaan leidde ze hem de trap af naar buiten waar ze de richting van de zon insloegen. Tijdens hun wandeling liet Noah geen wanklank horen. Wanneer ze Gabriels studeerkamer betraden, hield Noah zoals hem geleerd was zijn schouders recht. Samen liepen ze langs de overvolle boekenplanken waarbij hij zijn hand in die van haar begroef maar recht voor zich keek. Als ze voor het bureau halt hielden, sprak hij zijn ingestudeerde begroeting uit. 'Kom hier jongen!' bulderde zijn grootvader. Hoewel zijn knieën trilden overbrugde Noah het laatste stukje geheel op eigen kracht – hoe jong ook, hij was dapper en wist niet van opgeven. Gabriel tilde hem op van de vloer en nam hem op schoot. Het kon onmogelijk een pretje zijn om zo dicht in de buurt van dat angstaanjagende gezicht te verkeren, maar Noah beantwoordde alle vragen van zijn grootvader zonder een krimp te geven. Als ze de studeerkamer weer verlieten, was zijn overhemd altijd klam. Zodra ze de veiligheid van Ravenna's keuken bereikt hadden, maakte Meridia zijn bovenste knoopje los en omhelsde hem. 'Ik ben zo trots op je,' fluisterde ze keer op keer, waarbij ze lachte en huilde tegelijk.

Noah was bang voor Gabriel en verafgoodde Ravenna, maar Elias' berouw maakte geen indruk op hem. Als hij zijn opa in het oog kreeg, begon hij nog lang na het ongeluk te janken als een hond die een trap gekregen heeft, vouwde hij de handen over het litteken op zijn slaap en was hij niet tot bedaren te brengen totdat de juwelier de wijk had genomen. Elias bracht cadeaus voor hem mee, zong, liep als een aap en mekkerde als een geit, maar wekte daarmee slechts ergernis bij zijn kleinzoon.

In de loop der jaren ontwikkelde Noah de vaardigheid de juwelier te negeren. Meridia realiseerde zich nauwelijks hoezeer dit Elias aan het hart ging, tot eens op een middag toen Noah vier jaar was. Elias zat op de bank en las hardop voor uit een boek. Noah was op de grond aan het spelen en besteedde geen aandacht aan zijn opa. Meridia was een plank achter de bank aan het afstoffen toen Elias midden in een zin plotseling zweeg. Verbaasd draaide ze zich om en zag het achterhoofd van haar schoonvader. Er zaten twee moedervlekjes op het gladde, glanzende oppervlak van zijn onbeweeglijke, vreemd gebogen hoofd. Meridia kwam dichterbij tot ze achter hem stond. Ze keek over zijn schouder om te zien welk boek hij voorlas en zag toen dat er tranen op de pagina's druppelden. Stilletjes trok ze zich terug uit de kamer.

Die avond nam Meridia de jongen apart.

'Je doet gemeen tegen opa Elias. Dat litteken was een ongeluk – hij zal je nooit meer pijn doen. Waarom doe je niet lief tegen hem?'

'Hij laat me nooit met rust, mama! Hij vraagt altijd of hij met me mag spelen. Soms heb ik gewoon geen zin om met hem te spelen.'

'Hij is verdrietig omdat hij denkt dat je boos op hem bent.'

'Zeg dan tegen hem dat hij moet ophouden met die geluiden. Het lijkt helemaal niet op een geit.'

Meridia zuchtte diep. 'Wees lief voor hem. Je opa is een aardige man.'

'Hoe kan hij nou aardig zijn als ik door hem dit litteken heb?'

Meridia wist even niet meer wat ze moest zeggen en streek hem daarom over de wang.

'Er zijn maar weinig mensen die oma Eva aankunnen. Op een dag zul je dat begrijpen.'

'Ben jij er daar één van?'

'Zeer zeker.'

'En papa?'

'Soms. Als hij dat wil.'

'En ik?'

Meridia drukte haar neus tegen de zijne. 'God, ik mag hopen van wel! Ga nu maar slapen.'

HOOFDSTUK 26

Eva had een enorme fout begaan en niemand die dat beter wist dan zijzelf. De slag die voor Meridia bedoeld was, had haar gemist en per ongeluk Noah getroffen. Op Magnolia Avenue was ze niet meer welkom. Als ze elkaar zagen, zei Meridia nauwelijks een woord tegen haar en ze deed vrijwel geen moeite haar afkeer te verbergen. Daniel deed kortaf en had altijd wel weer een onuitstaanbaar smoesje paraat. Hij kwam niet meer zoals voorheen in zijn eentje op bezoek op Orchard Road maar altijd in het gezelschap van vrouw en kind. Dacht hij nu werkelijk dat hij tegen zijn eigen moeder in bescherming moest worden genomen? Hij zat in haar woonkamer haar thee te drinken, maar vroeg om de paar minuten de mening van dat mens alsof hij er zelf geen had. 'Wat vind je daarvan, liefste? Moeten we op mama's voorstel ingaan?' Eva was te trots er iets van te zeggen, maar zijn gedrag kwetste haar. Waarom strafte hij haar voor iets wat duidelijk een ongeluk was geweest?

Noah maakte het allemaal nog erger door te weigeren haar gedag te zeggen. Steeds als hij haar zag, kneep hij zijn mond stijf dicht en trok hij een vijandig gezicht. En elke keer maakte zijn verdomde moeder er voor de ogen van iedereen een poppenkast van. 'Waar zijn je manieren? Zo heb ik je toch niet opgevoed? Zeg eens gedag tegen oma. Zie je haar niet? Daar is ze. Zeg me maar na: "Goedemiddag oma." Dan bleef de jongen daar als verlamd staan en geeuwde! Eva was ervan overtuigd dat het een toneelstukje was dat ze zo vaak hadden geoefend dat ze het tot in perfectie wisten op te voeren.

Natuurlijk hadden ze haar misleid. Hoe goed ze ook opgelet had, op de een of andere manier hadden ze op Willow Lane geld achterovergedrukt. Beter gezegd: zíj had dat gedaan. Hoe konden ze zich anders dat huis veroorloven en een winkel openen? Iets klopte er niet. Volgens

Daniel had Meridia een lening van haar vader gekregen. Dat kon, maar het was onwaarschijnlijk, aangezien die overspelige geile bok nooit in het huis op Willow Lane had willen investeren. Ach, kon ze hun bedrog maar eens achterhalen en die lamgeslagen Elias opnieuw tot leven wekken!

Want hij was niet meer de man van vroeger. Sinds dat ongeluk zat hij vaker dan ooit tevoren in zijn schommelstoel op de veranda, maar niet om die saaie boeken te lezen die nu stof stonden te vergaren op de planken, maar om naar zijn handen te staren. Hij had geen belangstelling meer voor de vogels in hun kooitjes en hoe hevig de bijen ook rond zijn hoofd wervelden, hij werd er niet door geraakt. De vogels stierven een voor een van verwaarlozing en de bijen van uitputting. Elias begon met een been te trekken en zijn gezicht verschrompelde als een stuk fruit. Uit de weerzinwekkende overvloed aan goudsbloemen rond de weinige resterende rozen kon Eva afleiden dat het slecht ging met de zaak op Lotus Blossom Lane. Maar wat interesseerde de winkel Elias nog nu hij zo gekweld werd door de herinnering aan Noahs litteken dat hij zijn vuisten tot bloedens toe in de ogen moest drukken om het te vergeten?

Geërgerd door haar echtgenoot zocht Eva troost bij haar dochters. Het gaf haar buitengewoon veel voldoening dat Malin, die nu bijna twintig was, de belangstelling had gewekt van een knappe vrijer. De jongen, zoon van een rijke zijdefabrikant, maakte Malin zo vurig het hof dat zijn hartstocht door haar onverschillige houding jegens hem alleen maar verder werd aangewakkerd. Gezien zijn fascinatie voor Malin en het aantal cadeaus dat hij haar stuurde, voorspelde Eva dat ze voor het einde van het jaar getrouwd zouden zijn.

Nu ze niet langer op Patina kon schelden, werd Permony het doelwit van haar perfectionisme. Haar gezicht, gewicht en manieren waren een voortdurende en verrukkelijke aanleiding haar te hekelen. Gezien Eva's strenge afkeuring was het een wonder dat Permony opgroeide tot een betoverende en zelfverzekerde jonge vrouw. Als zestienjarige gedroeg ze zich niet langer verlegen en stuntelig, maar bezat ze een vanzelfsprekende charme. Nadat Patina verdwenen was, leek ze een schild te hebben gekregen dat haar beschermde tegen de bijen. Hoe woedend ze ook waren, het gonzen ging haar het ene oor in en het andere uit. Alleen Permony beschikte over de magische krachten om Elias uit zijn neerslachtigheid te wekken. Dit alles ontging Eva, wier afkeer van Permony heviger werd toen ze besefte dat ze niet langer naar haar uitbranders luisterde.

Nadat ze had ingezien dat het zinloos was nog langer rozen te snijden voor de winkel, richtte Eva haar wraakzuchtige blik in de richting van Magnolia Avenue. Daar, ten zuidoosten van Orchard Road, in dat eenvoudige huis van twee verdiepingen, dat in die lawaaiige straat tussen andere tegen elkaar gedrongen, nietszeggende woningen stond, hadden ze geen behoefte aan haar en al evenmin respect voor haar. Daniel en Noah waren door die verachtelijke vrouw overgehaald haar te minachten. Hoe kon ze dit rechtzetten? Deze grove onrechtvaardigheid uit de wereld helpen? Na maanden van razernij zag ze de oplossing opeens duidelijk voor zich.

Nu ze wist wat haar te doen stond, was Eva niet meer te houden. Om Meridia's tegenstand te omzeilen verzon ze waterdichte redenen om naar Magnolia Avenue te komen. De ene keer nam ze zoet rolgebak gevuld met gecondenseerde melk mee waarop Daniel zo gek was, de andere keer kwam ze in het gezelschap van Permony zodat zij met Noah kon spelen. Ze was zo slim haar bijen thuis te laten en probeerde haar kleinzoon tot verzoening te bewegen door hem kleurboeken en puzzels te geven, waarvan ze wist dat Meridia die niet zou afkeuren. Bovendien stopte ze hem heimelijk melkchocolade en citroenkoekjes toe. Door Elias' fout had ze geleerd dat ze de introverte jongen beter niet op de zenuwen kon werken. Het was beter hem eerst met een paar welgekozen woorden voor zich in te nemen om vervolgens weer afstand te houden. Drie maanden nadat Eva aan haar plan begonnen was, boekte ze op een ochtend haar eerste overwinning. Toen Noah haar vanuit de winkel de trap zag opklimmen, rukte hij zich los van zijn moeder en rende hij op haar af. 'Oma,' zei hij op warme toon. Meridia keek als door de bliksem getroffen.

Al snel behaalde ze meer overwinningen. Toen Eva een paar dagen expres wegbleef, werd Noah onrustig en drong hij er bij Daniel op aan een kijkje bij haar te gaan nemen omdat ze misschien wel ziek was. De eerste keer dat Eva weer kwam opdagen, verwelkomde hij haar met een omhelzing, waardoor Meridia verstijfde van schrik. De slimme Noah had wel door dat zijn moeder en grootmoeder op vijandige voet met elkaar stonden en maakte daar dankbaar gebruik van. Als Meridia hem het spelen verbood omdat het bedtijd was, reageerde hij met: 'Van oma Eva mag dat wel. Ze zegt dat als ik bij haar kom wonen ik altijd alles mag.' Meridia was dan te verbaasd om kwaad te worden en liet hem nog een uur spelen.

'Je moeder voert iets in haar schild,' zei ze die avond in bed tegen Daniel. 'Noah is altijd vervelend als zij op bezoek is geweest.'

Daniel trok de wenkbrauwen op maar sloeg het boek dat hij aan het lezen was niet dicht.

'Ik vind het prima als ze goede maatjes met hem wil worden. Of heb je liever dat ze vijanden zijn?'

'Ze heeft hem altijd gemeden, maar nu kan ze opeens geen genoeg van hem krijgen.'

Daniel richtte zijn hoofd op en keek haar geamuseerd aan. 'Noah trekt wat meer naar mama toe. Je bent toch niet jaloers?'

'Natuurlijk niet,' zei ze een beetje kortaf. 'Ik vertrouw haar alleen niet.'

'Ze durft hem echt niet opnieuw iets aan te doen. Ze weet dat we haar in de gaten houden.'

'Hou jij haar inderdaad in de gaten? Ik in elk geval wel.'

Hij glimlachte spottend en keek haar aan met de hulpeloze blik waarmee hij Noah altijd probeerde te paaien.

'Wat moet ik volgens jou dan doen? Ik kan niet tegen hem zeggen dat hij bij zijn oma uit de buurt moet blijven.'

Zijn pesterige toon daargelaten wist Meridia dat hij gelijk had. Vooral omdat ze geen spoor van de bijen had kunnen ontdekken. Voordat ze kon antwoorden, zette Daniel een brede glimlach op.

'Waarom grijns je zo?' vroeg ze.

'Je weet dat ik van je hou, liefste,' zei hij, 'maar zojuist klonk je precies als mama.'

Om duidelijk te maken wat hij bedoelde, sloeg Daniel zijn boek open totdat de rug kraakte. Daarmee bracht hij Meridia in herinnering hoe Eva Elias steeds tot in de uithoeken van zijn encyclopedieën lastig had gevallen. Als reactie gooide ze een kussen naar Daniel.

'Lach er maar om,' zei ze, 'maar zodra je moeder in de fout gaat, krijgt ze met mij te maken.'

Een paar dagen later vroeg Noah of hij een vogel als huisdier mocht. 'Net als opa Elias. Ik wil ertegen kunnen praten als ik me verveel.'

'Een vogel?' vroeg Meridia verwonderd. 'Als je je verveelt, kun je toch met mij praten! Geloof me, als ik mijn best doe dan ben ik minstens zo leuk als een vogel.'

Noah, die ervan overtuigd was dat ze hem plaagde, bleef de rest van de dag boos kijken.

Toen Eva de volgende ochtend op de proppen kwam met een witte kaketoe in een antieke koperen kooi besefte Meridia dat Noah het idee van haar schoonmoeder had.

'Ik hoop dat je het niet erg vindt, liefje,' zei Eva, 'maar Noah vertelde mij hoe graag hij een pratende vogel wil. Ik heb er een gevonden met de stem van een engel.'

Precies op dat moment zong de kaketoe Noahs naam. De jongen kwam de woonkamer binnengerend en schreeuwde: 'Oma! Wat heb je vandaag voor me meegenomen?'

'Rustig maar, vraag eerst aan je moeder of je hem mag houden.'

'O mama, mag ik hem houden? Alsjeblieft... alsjeblieft.'

Meridia wist dat ze in de val zat. Er zat niets anders op dan te knikken.

'Geef oma eens een kus,' zei Eva. 'Ook op de andere wang.' Met een grote glimlach op het gezicht gaf ze Noah de kooi. 'Voorzichtig. Pas op dat er geen krassen komen op de mooie vloer van je moeder. Zullen we hem in je kamer zetten, naast je bed?'

Noah hield de kooi zo hoog mogelijk in de lucht en keek ondertussen zijn moeder triomfantelijk aan. Was hij vergeten dat het evengoed Eva was geweest die hem met dat litteken gebrandmerkt had?

Meridia raakte er spoedig van overtuigd dat de kaketoe betoverd was en op dezelfde manier door Eva was behekst als ooit de gekooide vogels van Elias. Maar in plaats van dat de kaketoe 'Brand!' of 'Dief!' schreeuwde, riep hij uit: 'Wie houdt er heel veel van Noah? Oma Eva.' De pestkop liet het daar niet bij. Meridia's vermoeden dat er zwarte magie in het spel was, werd alleen maar groter toen bleek dat telkens als ze zich uitkleedde om in bad te gaan, de vogel van welke plek ook in het huis zo hard mogelijk gilde: 'Gadver! Schaam je!' Maar zodra ze de badkamer kwam uitgevlogen, begon hij onschuldig te fluiten. Daniel hoorde niets en keek haar aan alsof ze gek was geworden, omdat ze alleen een handdoek om zich heen had geslagen. Het was Eva weer eens gelukt haar toverkunsten voor hem verborgen te houden.

Noah onderging een schrikbarende verandering. Behekst door de vogel riep hij bij het wakker worden niet langer om Meridia, ontweek hij haar kussen en gaf hij voor het slapengaan de voorkeur aan het slaapliedje van de kaketoe boven Meridia's verhaaltjes. Toen ze hem wilde omhelzen, kreeg hij last van huiduitslag. Ook zei hij drie dagen lang geen woord tegen haar en hij kreeg haar maaltijden slechts nog met de grootste moeite naar binnen. Tegelijkertijd at hij alles wat Eva voor hem meebracht en hij stond erop dat ze elke ochtend op bezoek kwam. Zijn oma ging graag op de uitnodiging in en maakte het zich makkelijk op zijn bed tot het tijd was voor het avondeten. De hele dag lachten en fluisterden ze met de armen om elkaar heen geslagen terwijl de kaketoe schunnige taal uitsloeg. Zelfs zonder haar bijen lukte het Eva om met haar koude, parelwitte glimlach het bloed van haar schoondochter naar het kookpunt te brengen.

Meridia's poging de vogel weg te halen uit Noahs kamer stuitte op een schreeuw die oorverdovender was dan een geweerschot. Noah stampte woest op de grond en greep met beide handen naar zijn litteken alsof hij het weer wilde openscheuren. Er zat voor Meridia niets anders op dan zich terug te trekken. Wijselijk genoeg liet Eva zich twee dagen niet zien totdat de rust was weergekeerd. Toen ze terugkeerde, rende Noah op haar af en omhelsde hij haar met alle kracht die hij in zich had.

Daniel maakte zich om dit alles totaal niet druk. 'Blijkbaar heeft Noah een goede invloed op mama,' zei hij op een toon alsof hij altijd al gelijk had gehad. 'Ik heb haar nog nooit zo gelukkig en bedrijvig gezien. Nu ze voor hem zorgt, heb jij meer tijd voor jezelf. Zei je laatst niet dat je nog meer bloemen in de tuin wilde planten?'

Meridia schonk hem een dodelijke blik.

De vernederingen waren nog niet ten einde. Hoewel ze weigerde te geloven dat Noah zich bij de tegenpartij had geschaard, zwol haar hoofd op tot het zo groot was als een pompoen. Haar gezicht ging schuil onder nijdige, paarse puisten die op de geringste aanraking op pijnlijke wijze openbarstten en zich vermenigvuldigden. Omdat de hals niet wilde achterblijven, ontsproot daar een harde bobbel ter grootte van een pinda, die in een dag tijd uitgroeide tot het formaat van een ei en daarna uitdijde tot een kalebas. Een geschrokken Daniel haalde de dokter erbij. De man had aan een blik voldoende om te concluderen dat Meridia slachtoffer was van een virusziekte die de hele stad in haar greep had.

'U moet rust houden tot het virus verdwijnt, dat is voldoende,' verzekerde hij haar. 'Het is grappig maar alleen wilskrachtige vrouwen van in de twintig hebben er last van.'

Omdat ze zich moest verweren tegen een nieuwe pijnaanval liet Meridia het bij zijn diagnose. Maar nadat hij verdwenen was, fluisterde ze met schorre stem tegen Daniel: 'Het is de vogel. Hij is vervloekt om mij ziek te maken.'

'Weet ik niet hoeveel vrouwen in de stad hebben hetzelfde!' reageerde hij geprikkeld. 'Bedoel je nu te zeggen dat dat onschuldige vogeltje deze epidemie op zijn geweten heeft? Hou op met die beschuldigingen. Mama heeft hier niets mee te maken. Ga maar snel rusten, des te eerder voel je je beter.'

De navolgende vier dagen moest Meridia het bed houden. Afwisselend was ze verzonken in een koortsachtige slaap of was ze wakker en voelde ze zich ellendig. Ze moest twaalf keer overgeven in de helft van dat aantal uren: roodgroene gal hoewel ze alleen maar water had gedronken. Terwijl haar gezicht verder opzwol, roerden zich achter haar oogleden zwaarwichtige gedachten en alsof ze een onnoemlijk zware klus verricht had, deden al haar spieren pijn. Toen ze op een middag door het spottende roepen van de kaketoe niet kon slapen, hoorde ze hoe Eva voor haar slaapkamerdeur tegen Noah zei: 'Als mama niet beter wordt, kun je bij mij komen wonen. Ik heb al een mooie kamer voor je ingericht.' Meridia krabbelde overeind. Een schreeuw en een vloek bleven haar in de keel steken, maar het volgende dat ze hoorde verdreef al haar woede. Noah lachte een heldere en klingelende lach en accepteerde Eva's aanbod alsof dat het enige was wat hij ooit had gewild.

Tijdens de zesde avond van haar ziekte viel er een enorme vogelkooi op haar borst waardoor ze wakker schoot. Met een hals zo dik als een pilaar en zere schouders knipperde ze met haar ogen in een pijnlijke verdoving en smachtte naar een slokje water. Het zwakke licht drukte zwaar op haar. Het was nog geen middernacht. Daniel was waarschijnlijk beneden in de studeerkamer in zijn boeken verdiept. Naast de wekker op het nachtkastje stond een halfvol glas, maar ondanks haar dorst wist ze haar hand niet zo te sturen dat ze het kon pakken. Geluiden golfden op haar aan en dreven weer weg – het ene moment drongen er vrolijke kreten van straat tot haar door, het andere moment hoorde ze niets.

Opeens besefte ze dat ze niet alleen was. Met moeite wist ze zich op haar rug te manoeuvreren. Ze keek naar de deur. Noah. Hij stond doodstil toen hun blikken elkaar ontmoetten, maar bestudeerde haar met dezelfde gelaatsuitdrukking als waarmee Gabriel vroeger naar had gekeken: alsof ze een monster op sterk water was. Stond hij daar om haar uit te lachen? Voor een inspectie waarvan hij verslag zou uitbrengen aan Eva? Oma, ze is nu bijna blind want haar neus overwoekert haar ogen. Hoe lang stond hij daar al om haar misvormingen in ogenschouw te nemen?

'Mama,' zei hij.

De kaketoe krijste. De flierefluiters op straat begonnen nog harder te schreeuwen. Meridia kon spreken noch haar hoofd oprichten. Er brandde een hevig vuur in haar longen terwijl haar wangen nat werden van de tranen.

'Mama!'

Hij klonk nu streng, boos zelfs. Voordat ze een geluid kon uitbrengen, had hij de deur al achter zich dichtgeslagen en was hij verdwenen. Ze krabbelde overeind omdat het anders te laat zou zijn, maar uit het niets kwam de gigantische vogelkooi weer aangevlogen en stortte neer op haar hoofd.

In haar dromen krijste de kaketoe. Hij krijste en bleef krijsen.

Toen Meridia de volgende ochtend wakker werd, voelde ze zich alsof ze nooit ziek was geweest. Niet alleen de zwelling, maar ook de pijn en de puisten waren verdwenen. Met een helder hoofd en weer in het bezit van al haar krachten, sprong ze uit bed en liep de kamer uit. De gang baadde in een gouden licht. Ze opende de deur van Noahs slaapkamer en zag hem in bed zitten.

'Waar is de vogel?' vroeg ze overweldigd door de stilte.

'Weggevlogen,' antwoordde de jongen. 'Het deurtje van de kooi was open toen ik wakker werd.'

Hij kreeg geen huiduitslag toen ze hem omhelsde. Hij vroeg zelfs om eitjes bij het ontbijt.

'Natuurlijk,' antwoordde ze. Ze sloot het kooideurtje af en ging terug naar de gang.

Daniel kwam uit de badkamer en groette haar vrolijk. 'Al uit bed? Het is precies zoals de dokter zei: na zeven dagen verdwijnt het virus vanzelf.'

Meridia nam niet de moeite hem op zijn vergissing te wijzen.

Toen Eva die middag op bezoek kwam, beende Noah naar zijn kamer en sloot de deur voor haar neus. Boos en in verwarring ging oma terug de trap af met in haar hand de bitterkoekjes waarmee ze hem had willen omkopen. Twee dagen later dook een hond van de buren de resten van een vogel op uit een regengoot. Zijn nek was omgedraaid en katten of ratten hadden de vleugels te grazen genomen. Noah hoorde het nieuws onbewogen aan.

HOOFDSTUK 27

Malins bruiloft vond acht dagen na Meridia's vierentwintigste verjaardag plaats. In overeenstemming met de favoriete kleur van de bruid had de vader van de bruidegom in het midden van Cinema Garden een enorme oranje tent laten optrekken. De canvaswanden waren bedekt met twintig lagen oranje zijde. Vanuit het taps toelopende dak viel, als een waterval bij zonsondergang, doorschijnend oranje organza. Een constellatie van kaarsen zweefde boven de tweehonderd gasten. Het licht weerkaatste in de kralen en wierp flikkerende schitteringen op de gelukkige gezichten. Op elke tafel stonden een groot boeket, kristallen glazen, verguld porselein en zilveren kandelaars. De bruid en bruidegom zaten aan een tafel in het midden van de tent. Om hen heen hadden zeven bruidsjonkers en zeven bruidsmeisjes plaatsgenomen. De laatsten leken in hun identieke felpaarse jurken zozeer op elkaar dat het eventjes duurde voordat de gasten bemerkten dat het zusje van de bruid niet een van hen was.

Al maanden daarvoor bazuinde Eva rond hoe fortuinlijk haar dochter was. Tegenover de slagers en fruithandelaren somde ze de deugden van de jonge Jonathan op: zijn rijkdom, opvoeding, opleiding, maatschappelijke positie, beschaafde manieren en zijn toewijding aan Malin. Tegenover de bloemisten en kransenmakers sprak ze haar bewondering uit voor zijn familie, maar knipte snel haar portemonnee dicht voordat ze de anjerverkoper op ideeën bracht. 'Zijn vader is een verstandig man, wordt nooit kwaad, is niet arrogant en heeft ook niet de gewoonte er een liefje in de buitenwijken op na te houden. Zijn moeder is een verrukkelijke vrouw in wie geen greintje kwaad schuilt en die zelfs de grootste druiloor nog nooit een verwijt heeft gemaakt. Wist u dat ze voor het paar een herenhuis op Museum Avenue hebben geregeld?'

Dankzij Leah, die altijd met succes uit was op het laatste nieuws, had Meridia binnen twee uur nadat deze woorden waren uitgesproken er al lucht van. In plaats van in woede te ontsteken, lachte ze alleen maar en speelde verder met Leahs zoontje in zijn wandelwagen. Drie maanden eerder hadden Daniel en zij het belendende gebouw gekocht en vervolgens samengevoegd met hun zaak. Na een verbouwing van ettelijke weken vond de heropening van een prachtige nieuwe winkel plaats: hemelsblauwe muren, taupe vloerbedekking, een verguld plafond en vitrines van warm mahoniehout. Elegante leunstoelen en tafels met houtsnijwerk riepen de pracht van een ouderwetse salon op. Het was Meridia's idee het winkelpubliek te vergasten op gratis thee en gebakjes. Het ging hen ogenblikkelijk voor de wind. Hun zakenrelaties, Samuel voorop, waren dolenthousiast. Deze uitbreiding noodzaakte Daniel tot het aantrekken van een bediende en een inwonende dienstmeid. Gezien hun succes wekte het geen verbazing dat Eva steeds jaloerser werd.

Hoewel Meridia juist had ingeschat dat Permony nu het kind van de rekening werd, wist ze niet hoezeer het meisje moest boeten. Aangezien Eva haar schoondochter niet langer kon kwetsen, richtte ze zich met al het venijn dat ze in zich had op haar jongste kind. 'Wat zonde toch dat je niets van je zus hebt. Kijk nou eens naar jezelf. Niets bijzonders, dom, geen charme en geen mooi figuur. Denk je dat het je ooit lukt een man te vinden die ook maar half zo slim en knap is als Jonathan? De duivelse kleur van je ogen is al voldoende om ervoor te zorgen dat je ellendig en alleen eindigt. Zal ik jou voor schande behoeden en je plek van bruidsmeisje aan een ander geven? Aan iemand bij wie de prachtige jurk die je zus heeft gekozen wel tot zijn recht komt? Als je in het gezelschap van al die mooie meisjes verkeert, krijg je alleen maar negatieve gedachten over jezelf. Vind jij ook niet, Malin?

De aanstaande bruid, wier wrede gedrag tegenover haar zus door het vuur waarmee Jonathan haar het hof had gemaakt, was afgezwakt tot een milde minachting, haalde haar schouders op.

Zoals altijd sinds de verdwijning van Patina nam Permony dit stoïcijns op. Of ze inwendig bloedde zou niemand hebben kunnen zeggen. De in zijn stoel gezeten Elias bestudeerde zijn handen en sputterde niet tegen, zo bedroefd was hij dat hij zijn geliefde dochter niet kon redden.

Op de dag van de bruiloft hielden samengepakte wolken de zon tegen en wierpen een schemering over Cinema Garden. Dikke mist omgaf de bloeiende jasmijn en gaf de hemel een koude tint. De gasten kwamen gehuld in hun mantels, met door de wind verwarde haren en vreesden dat het zou regenen voor ze het feest hadden verlaten. Maar eenmaal in de grotachtige tent waren ze verbaasd daar zonlicht en palmbomen te zien. De gasten werden bij de ingang begroet door de ouders, die straalden van trots uitgezonderd Elias, die zijn begroetingen nauwelijks over de lippen kon krijgen. De burgemeester kwam, samen met zijn broer, die rechter was, de generaal met zijn vrouw en vier kolonels. Befaamde bankiers en handelaren namen plaats in de tent – allemaal goede vrienden van Jonathans vader. Het viel iedereen op dat Gabriel noch zijn vrouw er waren.

Wat Meridia niet wist, was dat Eva op het laatste moment nog een poging had gedaan om haar van de hoofdtafel verwijderd te krijgen. 'Jonathans oudtante komt toch,' zo lichtte ze het aan Malin toe. 'Ik weet zeker dat je schoonzus het niet erg vindt niet bij je broer te zitten.' Malin, die de voorbije jaren in het geheim veel meer waardering voor Meridia had gekregen, keek haar moeder even aan en zei: 'Het is niet nodig dat jij bij me aan tafel zit, maar Meridia moet blijven.' Van ongeloof stokte Eva's adem in haar keel waarna ze zich omdraaide naar Permony om haar luid te berispen omdat ze te weinig rouge opgedaan had.

Alle gasten waren het over één ding eens: de bruidegom hield onmiskenbaar van zijn bruid. Hij was lang, had stralende ogen, sluik bruin haar en een lijdzame mond, en volgde al haar bewegingen met een bijna slaafse verering die de bruid slechts als vanzelfsprekend leek te beschouwen. Nu ze twintig was, had Malin een schoonheid over zich die zowel aanbidding afdwong als afstand schiep. Ze was oogverblindend met haar gitzwarte haren en verfijnde jukbeenderen, maar doordat ze onbarmhartig uitstraalde niemand nodig te hebben hield ze bewonderaars op afstand. Haar prachtige witte jurk en het geweld van haar schitterende sieraden waren geen partij voor haar ogen, die haar grootste en afschrikwekkendste wapen waren.

Maar een schoonheid van een heel andere aard wedijverde met die van Malin. Gekleed in een eenvoudige avocadokleurige jurk, die Eva op het laatste moment onder protest had gekocht, wist ook Permony behoorlijk wat ogen op zich gevestigd te krijgen. Velen voelden zich tot haar aangetrokken door haar beleefde en ontwapenende manieren, vonden het prettig met haar te praten en merkten op hoe haar hele gelaat sprankelde zonder daarvoor ook maar één diamant nodig te hebben. Een gedistingeerde buitenlander met kort gelig haar en een grote snor was zichtbaar onder de indruk van haar. Hij kon zijn ogen nauwelijks van haar afhouden.

'Ze ziet er magnifiek uit, vind je ook niet?' vroeg Daniel toen ze voor het diner aan tafel gingen.

Meridia, die juist toekeek hoe de geelharige buitenlander weer een steelse blik op Permony wierp, knikte zonder te vragen op welke van zijn zussen hij doelde.

'Inderdaad,' zei ze liefdevol. 'Ze heeft er nog nooit zo mooi uitgezien.'

Ze keek naar Noah, die aan haar andere zijde zat en met een duwtje moedigde ze hem aan: 'Ga maar even bij opa zitten.'

Noah wilde iets zeggen, deed de mond weer dicht en stond op van zijn stoel. Meridia keek bezorgd toe hoe het bekende tafereel zich opnieuw aandiende. Op Noahs nadering wierp Elias met een luide lach de zwaarmoedigheid van zich af, maar even plots betrok zijn gezicht weer, hield hij op met lachen en viel hij terug in het duister. Noahs pogingen hem op te vrolijken ten spijt, hield hij de blik naar de grond gericht totdat de jongen verward en teleurgesteld terugkeerde naar zijn stoel. Elias wilde niet naar hem kijken omdat hij dan het litteken in ogenschouw moest nemen dat hij eigenhandig had veroorzaakt.

Eva nam de moeilijkste klus op zich. Om de aandacht van Elias af te leiden liep ze de hele avond rond en vereerde elke tafel met een rond haar mond bestorven gastvrouwenglimlach. Ze deed zijn zwijgen vaardig af als een 'eenvoudige indigestie', liet overal gelach opklinken en drong er bij de gasten op aan te eten en te drinken, maar ook 'flink wat ruimte over te houden voor de taart'. Haar haar was wit, een vreemde en bijzonder vervelende toestand waarin geen enkele haarverf verbetering kon brengen, maar verder was ze een stevige, levendige verschijning, gehuld in een waterval aan ruches. Ondanks zichzelf voelde Meridia iets van bewondering voor deze vrouw.

Op een teken van de koppelaar werd het taps toelopende dak geopend waarna glinsterende sterren zichtbaar werden. Er ontplofte vuurwerk dat op wonderbaarlijke wijze uitmondde in het verschijnen van honderd witte duiven. De gasten barstten in juichen uit. Het doorschijnende organza fladderde als linten op en neer. Terwijl de vogels opvlogen naar de donkere hemel sprongen, onder aanvoering van de moeder van de bruidegom, acht matrones overeind en trokken op naar de bruid. Op de een of andere manier lukte het Malin haar waardigheid te behouden terwijl ze zich overgaf aan het blinddoeken en het onophoudelijk kietelen. Te midden van al het rumoer zag Meridia iets zeer opmerkelijks. Elias keek naar de voornaam uitziende buitenlander die steeds blikken op Permony geworpen had. Zijn ogen stonden kwaad en gekweld, alsof hij de man kende van iets waaraan hij het liefste nooit meer herinnerd werd.

In de maanden daarop verslechterde Elias' toestand. Eerst werd hij stom, de woorden glipten als zand door de vingers. Daarna brokkelden zijn gedachten af en met hun vertrek namen ze zijn gewoonten en herinneringen mee. Elke ochtend bij het ontwaken wist Elias zich minder te herinneren en zijn dagen verwerden tot die van een kind. Als hij honger had, was hij onrustig. Als hij iets wilde, trommelde hij ongeduldig met zijn vingers. Niets kon hem nog van zijn stuk brengen. Alles vervaagde in een moment van genade.

De artsen beweerden stuk voor stuk dat ze niets konden doen. Ze zeiden dat er in zijn hersenen een ader gesprongen was waardoor zijn hersencellen snel en onafwendbaar een voor een afstierven. Ze verschilden alleen van mening over het aantal. Drie, vijf, zeven, negen. Ze konden ook niet zeggen of dit weken, maanden of jaren waren. Na elke voorspelling vluchtte Eva naar het gazon aan de voorkant om te huilen tussen de rozen.

Het laatste wat hij niet meer kon, was zich bewegen. De weken voor zijn dood bracht hij door op bed, de ogen strak op het plafond gericht alsof hij op zoek was naar een of ander ongrijpbaar sterrenstelsel. Hij was tot de helft van zijn oorspronkelijke gestalte gekrompen. Zijn lichaam was teruggebracht tot niets meer dan een kleerhanger voor de losse stukken lijf en ineengevouwen rimpels. Om zijn mond had hij de onverwoestbare glimlach van een kind. Geholpen door Permony verzorgde Eva hem trouw. Ze deden hem samen in bad, voerden hem en veegden het speeksel van zijn lippen. Ze hielden hem overeind op de wc als hij daar zijn gang moest gaan.

Tijdens deze weken liet Elias zijn liefde voor Permony blijken. Zodra ze de kamer binnenkwam, begon hij te grijnzen als een dwaas. Hij wilde niet slapen totdat hij haar stem hoorde, wilde niet eten totdat hij haar verkoelende hand op zijn wang voelde. Als hij geplaagd werd door nachtmerries riep hij Permony en negeerde hij zijn vrouw die zich naast zijn bed opvrat van ergernis. Eva reeg deze beledigingen aaneen als kralen aan een ketting en wachtte op het juiste moment om het Permony betaald te zetten.

Die gelegenheid diende zich op een dag in de herfst aan. Sinds Elias ziek geworden was, werd de winkel op Lotus Blossom Lane gedreven door Eva. Omdat er die middag geen klanten waren, sloot ze vroeg af en ging naar huis. Toen ze de trap opliep hoorde ze vreemde, krekelachtige geluiden uit de slaapkamer komen. Ze sloop naar de deur en gluurde naar binnen. Elias sprak in een merkwaardige taal terwijl Permony, met haar rug naar de deur, met een hand zijn nek masseerde. Dit intieme tafereeltje kliefde door Eva als een verroest zwaard. Ze begon te trillen van smart en woede omdat ze de geluiden die opborrelden uit Elias' mond, herkende als liefdesuitingen.

'Wat zegt hij?'

Permony sprong op en draaide zich om naar de deur. Haar lavendelkleurige ogen waren vochtig van de tranen.

'Je hebt me aan het schrikken gemaakt, mama.'

'Wat zegt hij daar?' herhaalde Eva. 'Zegt hij je nu wat voor verschrikkelijke vrouw ik ben? Geeft hij me de schuld van zijn ziekte?'

Permony schudde het hoofd terwijl de tranen over haar wangen liepen. 'Papa vertelt over schoonheid. Over oneindige, hemelse schoonheid. Een onsterfelijk woud in de avondschemering... Een eeuwig stromende rivier... Een toverland waar de zielen ronddwalen als vuurvliegjes... Hij zei dat de lucht daar zuiver is omdat er geen woede, geen oneer en geen schuld bestaat. Is dat niet prachtig, mama?'

Een gevoel van ontzetting kroop over Eva's rug omhoog. Het idee dat Elias zichzelf door de poort des doods zag gaan – het sterven zelfs verwelkomde – was meer dan ze aankon. Ze schonk hem een minachtende, kwade blik en vervloekte de krekelgeluiden die hij Permony bleef toewerpen. Op dat moment trof zijn afwijzing, zijn volledige en onvoorwaardelijke ontkenning van haar, Eva als een pijnscheut. Nu zijn levenseinde naderde, had een hatelijke vuist haar uit zijn bewustzijn geslagen. En ze wist maar al te goed van wie die vuist was.

'Wat is dit voor onzin?' zei ze met een stem als een geweer dat afgeschoten wordt. 'Of jij verzint dit allemaal alleen maar of hij is gek geworden.'

Permony sloeg bedroefd haar ogen neer. 'Hij zei al dat je dit zou zeggen. Hij zei dat je me niet zou geloven als ik je dit vertelde.'

Het was het stomste wat ze had kunnen zeggen. Opeens verstijfde Eva helemaal. Het beeld dat ooit haar woede in het leven had geroepen en het door de jaren heen in stand had gehouden, stond haar scherp en levendig voor de geest. Ze lag op een klam bed terwijl het bloed uit haar baarmoeder stroomde – verzwakt, doodop, vergeten. Ze had hem al gezegd dat ze deze niet had gewild. Ze was te oud en te moe, maar hij had aangedrongen. 'Het komt allemaal wel goed,' had hij gezegd. 'Ik steun je.' Maar hij keurde haar geen blik waardig toen ze daar op dat bed lag te bloeden, zo werd hij in beslag genomen door dat lelijke, lijkbleke geval dat hij in zijn armen hield. 'Deze is bijzonder,' zei hij lachend. 'Zij zal me op mijn oude dag tot troost zijn.' Ze wist dat hij dit meende want toen hij hun eerste twee kinderen in de armen hield, had hij niets gezegd. Op dat moment had ze de vernedering doorstaan door huilend het gezicht in het kussen te drukken. Maar nu, achttien jaar nadat het lelijke, lijkbleke geval zijn liefde voor haar had gestolen, zou ze haar voor eens en altijd duidelijk maken dat ze heus wel wist hoe de vork in de steel zat.

'Je bent altijd al de hoer van je vader geweest,' zei Eva. 'Ik zag wel hoe je altijd naar hem keek. Je zat aan hem alsof hij je minnaar was. Je denkt dat je iedereen voor de gek kunt houden met je onschuldige gezichtje en je meisjesmanieren, maar mij niet! Ik heb al jaren geweten dat er iets tussen jullie was. Waarom denk je dat Malin nooit iets van je wilde weten? Ze vermoedde het net zo goed, maar wilde niets zeggen omdat zelfs God geen vergeving schenkt voor wat jij op je geweten hebt.'

Permony was als door de bliksem getroffen.

'Hoe kun je zoiets over je lippen krijgen, mama?' Ze snakte naar adem en trilde hevig. 'Hoe kun je zoiets denken van je eigen man en dochter?'

Ze begon te huilen op dezelfde manier als ze als klein meisje altijd gedaan had: geluidloos, de kin op de borst en de vingers in de oogkassen gedrukt. Eva wist van geen ophouden.

'Ik wist het al vanaf de dag dat je geboren was. Geen moeder heeft ooit zo moeten lijden als ik, zoiets walgelijks moeten dragen in haar baarmoeder om vervolgens mee te maken dat het zich tegen haar keert!'

Permony protesteerde tevergeefs. Eva's vervloekingen sloegen als hagel op haar hoofd en overmanden haar. In het bed verhaalde Elias verder over hemelse valleien en mysterieuze bergen. Zijn profetieën gingen gepaard met een glimlach en een schommelende klodder speeksel op het puntje van zijn kin. Zijn op het plafond gerichte, nietsziende ogen glansden voldaan.

Vier dagen later daalde er in de vroege ochtend een immense stilte neer over het huis aan Orchard Road 27. Plots hielden de goudsbloemen op met schreeuwen, Gabilan met schrobben, Eva met zich op te winden en Permony met huilen. Verschrikt staarden moeder en dochter naar de bleke lippen van de vader, die niet langer hun profetieën prevelden. Het was dat hij nog op kinderlijke wijze glimlachte, anders zouden ze gedacht hebben dat hij dood was. Eva stuurde meteen Gabilan eropuit om de rest van het gezin te waarschuwen.

Malin had tijdens de laatste fase van zijn teloorgang steeds geweigerd de kamer van haar vader te betreden. Ze werd, zo zei ze, afgeschrokken door de stank, door de onder zijn huid zichtbare botten en de ongeneeslijke doorligplekken. Ze kwam ook zelden op bezoek en gaf daarvoor als reden de drukke bezigheden van een pasgetrouwde vrouw op. Als ze wel kwam, gedroeg ze zich alsof ze boete deed. Maar toen Eva haar op deze noodlottige ochtend ontboden had, betrad ze het huis zonder haar gebruikelijke arrogantie. Zoals gewoonlijk was haar stem gewapend met afkeer, maar degenen die haar al hun hele leven hadden gekend hoorden er een lichte trilling in doorklinken. Ze wierp één blik op haar vader, trok wit weg en verdween zonder nog een woord te zeggen naar haar oude kamer op de benedenverdieping.

Even later arriveerde Daniel in het gezelschap van Noah en Meridia. Ze waren halverwege de trap toen een aangeslagen Permony hen al tegemoetkwam.

'Zeg me alsjeblieft dat hij niet doodgaat,' smeekte ze met een van smart vertrokken gezicht. De stilte die daarop volgde, bevestigde haar grootste angst en ze barstte in snikken uit.

Meridia gaf een teken aan Daniel, die haar begreep en samen met Noah verder de trap opliep. Ze sloeg haar armen om Permony heen en liet haar haar verdriet uitstorten zoveel ze wilde.

'Hij heeft me gezegd dat het hem speet,' wist Permony met moeite uit te brengen. 'Dat hij jullie toen het huis uitgegooid heeft. Al die jaren heeft hij nooit geweten hoe hij het weer goed met je kon maken.'

'Dat zijn gedane zaken,' zei Meridia vriendelijk. 'God weet dat hij het weer goedgemaakt heeft.'

'Je moet weten dat hij helemaal kapot was van wat hij Noah heeft aangedaan. Hij kon dat litteken niet zien zonder over zijn toeren te raken. Hij maakte zichzelf uit voor een monster en zei dat het zijn aard was om degenen te kwetsen van wie hij het meeste hield.'

Meridia drukte haar dichter tegen zich aan. 'Het was niet zijn schuld,' zei ze. 'Noah heeft het hem allang vergeven.'

Permony knikte als in trance en liep verder de trap af. Meridia zag hoe ze naar de veranda zweefde, plaatsnam in haar vaders schommelstoel, het hoofd op de borst liet zakken en geluidloos begon te huilen.

Meridia draaide zich om om naar boven te lopen toen een laag, onderdrukt geluid haar tegenhield. Geschrokken ging ze weer naar beneden en liep op de klanken af die uit de kamer van de meisjes kwamen. De deur stond halfopen. Toen ze hem verder openduwde, zag ze Malin op haar knieën voor het voeteneinde van het oranje bed zitten, heen en weer wiegend met haar handen op haar buik. Toen ze Meridia zag, hield ze direct op met huilen. 'Zeg het tegen niemand,' waarschuwde ze met haar hooghartige ogen rood van de tranen. Meridia knikte en verliet de kamer weer. Ze begreep dat Malin zwanger was. Het meisje had haar vader niet uit gevoelloosheid gemeden, maar om haar kind te vrijwaren van de dood.

Op de bovenverdieping voegde Meridia zich bij Noah en Daniel naast het bed. Elias' lichaam begon al te vergaan. Daniel huiverde bij het zien van zijn vaders op en neer gaande borstkas en de vreemde, kinderlijke maar volhardende glimlach. Op dat moment besefte Meridia hoeveel deze mannen van elkaar gehouden hadden zonder dat ooit uit te spreken, hoe ze hun behoeften opgeofferd hadden om de vrouw tevreden te stellen die met haar losse tong en ondoorgrondelijke verlangens alle wisselingen in hun zielen teweeg had gebracht.

Zonder dat iemand hem daartoe had aangezet deed Noah een paar stappen naar het bed en kuste zijn opa vaarwel. Hij werd niet afgeschrikt door de gruwelijke doorligplekken en wendde zijn blik niet af van de groenige huid. De kus van de jongen bracht Elias tot leven en hij opende zijn ogen. Even keek hij Meridia met een verhitte blik recht in de ogen. Toen vervaagde zijn glimlach en verliet zijn adem het lichaam.

Van achteren naderde snel een schaduw. Voordat ze zich realiseerden wat er gebeurde, had Eva hen weggeduwd van het bed. Ten prooi aan woede, verdriet en ongeloof staarde ze doordringend naar het stoffelijk overschot van haar echtgenoot, waarop ze het hoofd schudde, wat haar tegelijk zwak en onverwoestbaar deed lijken. 'Kom terug, ouwe dwaas!' jammerde ze met een stem schor van verdriet. Ze vergoot haar tranen in stilte en in overvloed. Daniel sloeg zijn armen om haar heen, maar ze duwde hem van zich af.

'Als jij nu de kist regelt, dan neemt Malin de dienst voor haar rekening,' zei ze en veegde snel haar tranen weg. 'Gabilan! Ga snel naar het mortuarium en haal de begrafenisondernemer. Permony! Pak je vaders blauwe pak uit de kast en zorg dat het bij de stomerij komt. De zaakjes met de bloemist regel ik zelf wel. Die man staat bekend als een oplichter van zojuist bestorven weduwen. Ha! Laat hem dat maar eens met mij proberen!'

Meridia besteedde nauwelijks aandacht aan deze uitbarsting. Ze had het idee dat op het moment dat Elias' ogen de hare gevonden hadden, zijn mond een smeekbede uitsprak. 'Red haar.' Red wie? En waarvan? Meridia boog zich voorover naar het dode lichaam en wenste dat het nog een aanwijzing zou geven of zou bevestigen wat ze had gehoord, maar het verroerde zich niet. Ze rilde bij de gedachte dat ze het allerlaatste gebod van zijn leven verkeerd verstaan kon hebben.

HOOFDSTUK 28

Toen Malin drie maanden zwanger was, gaf Eva een waarzegger opdracht haar te behoeden voor alle mogelijke rampen. Tot de gegarandeerde methodes van de man behoorden het zeven dagen lang branden van wierook, zingen, het wurgen van een kip en het brouwen van een drankje op basis van papaja dat miskramen voorkwam. Na weken vol bovennatuurlijke activiteit werd een zilverkleurig vaandel op het dak van het huis aan Orchard Road 27 geplaatst waarmee Eva de stad liet weten dat alle universele elementen hun juiste positie hadden ingenomen voor een probleemloze bevalling.

Het vooruitzicht van het vaderschap leek Jonathan al zijn gezonde verstand te ontnemen. Omdat hij niet kon weten of het een jongetje of meisje werd, richtte hij twee vertrekken in het huis als kinderkamer in: een donkerblauw geverfde voor een jongen, een roze voor een meisje. Hij bestelde van over de hele wereld babykleertjes, speelgoed, dekens en schoenen. Toen de bestellingen binnenkwamen hadden zijn bedienden dagen nodig om alles een plek in de kinderkamers te geven. Hij liet dokter na dokter beoordelen hoe het met zijn vrouw gesteld was. Met de een was hij het altijd eens en de opinies van de ander verwierp hij. Van 's morgens vroeg tot 's avonds laat was het huis aan Museum Avenue bevolkt met kruidendokters, voedingsdeskundigen en massagetherapeuten, die Malin allen behandelden alsof ze het teerste wezen op aarde was. Toen ze liet weten dat ze de baby voor het eerst had voelen trappen, werd Jonathan wild van vreugde en kocht voor haar het grootste sieraad uit de winkel op Lotus Blossom Lane.

Eva was als een verdwaasde volgeling steeds bij haar dochter te vinden. Ze hield het leger doktoren en therapeuten voortdurend in de gaten, zorgde ervoor dat Malin voldoende rust en beweging kreeg en trakteerde haar op alle delicatessen waarvan ze tijdens Meridia's zwangerschap gezegd had dat die funest waren voor haar baarmoeder. Toen de hitte onverdraaglijk werd, gaf ze de bedienden opdracht Malin zoveel mogelijk koelte toe te wuiven. Toen ze dat inderdaad deden, verweet ze hun in het vertrek een wervelstorm te ontketenen. Tegen iedereen die dat maar wilde horen, verhaalde ze in detail over Malins strijd tegen haar ochtendmisselijkheid, haar zere tepels, de vele keren dat ze moest plassen en de ongelooflijke mate waarin haar darmen opspeelden.

Malin zelf was niet meer het meisje dat ze ooit geweest was. Met het naderen van de uitgerekende datum maakte haar kenmerkende spot plaats voor een ongewone tederheid. Haar driftbuien en oneindige irritaties als er niet aan haar wensen voldaan werd, waren verdwenen. Tot ieders verbazing bleek ze in staat Jonathans dwaasheden te accepteren, gaf ze toe aan Eva's bemoeienissen en duldde ze de gebreken van de bedienden. Nog verbazingwekkender was dat haar minachting voor Permony verdween. Voor het eerst in haar leven deed Malin moeite vriendinnen te worden met haar zus, kocht jurken voor haar, nodigde haar uit te komen eten en verdedigde haar zelfs tegenover Eva. Als reactie daarop stelde een overrompelde en dankbare Permony zich geheel en al in dienst van haar zus.

Ondanks haar moeders protesten deed Malin ook pogingen de relatie met haar schoonzus te verbeteren. Vanaf het moment dat Meridia haar op de ochtend van Elias' overlijden huilend betrapt had in haar oude kamer, was er sprake van een stilzwijgend onderling begrip en hield Malin de bewondering die ze de laatste jaren voor Meridia had gevoeld niet langer verborgen. Ze ging nu twee keer per week theedrinken aan Magnolia Avenue en nam daarbij altijd een cadeautje voor Noah en zoet rolgebak voor Daniel mee. Gezeten in de juist opnieuw ingerichte woonkamer van haar schoonzus vuurde ze allerlei vragen op haar af over Noahs geboorte. Wat deed de vroedvrouw om haar rustig te houden? Waren er kristallen om de geboorte van de baby te vergemakkelijken? Was het mes ingewreven met gewijde olie? Had haar baarmoeder gespaard kunnen blijven? Meridia verwelkomde Malins verzoeningspogingen, liet het verleden achter zich en gaf nauwkeurig antwoord op haar vragen. Ze raakte daadwerkelijk gesteld op Malin toen ze besefte dat het meisje in het moederschap haar roeping had gevonden.

Eén onderwerp was onbespreekbaar voor Malin: het recente overlijden van haar vader. Hoewel ze afgesproken had met een bloemist dat Elias' graf elke ochtend opgefleurd werd met gardenia's, moest ze haar eerste bezoek aan de Tuin der Resten nog afleggen. Steeds als het onderwerp ter sprake kwam, greep Malin naar haar buik en verliet de kamer. Eva, door het geloof in de waarzegger gesterkt, probeerde haar ervan te overtuigen dat ze zich nergens druk over hoefde te maken. De aanstaande moeder reageerde dan kortaf met: 'Ik neem geen risico's, dus hou je mond.'

Malins vliezen braken exact op het door de waarzegger voorspelde moment. Ondanks een afschrikwekkende waarschuwing van Eva ('Door die vrouw verkrampt je baarmoeder!') liet het meisje meteen haar schoonzus halen. Zodra Meridia het grote huis aan Museum Avenue betrad, wist ze dat Eva's pogingen het ongeluk af te wenden tevergeefs waren geweest. Malin gilde alsof ze levend gevild werd.

'Vlug! Ze wacht op je.'

Permony gunde Meridia niet eens de tijd haar jas uit te doen, maar ging haar snel voor de trap op en de gang door waar Jonathan liep te ijsberen. Hij was helemaal bezweet en in paniek en bij elke kreet die Malin achter de deur slaakte, ging er een schok door hem heen. Toen hij haar zag, stormde hij meteen op Meridia af en pakte haar bij de armen.

'Je doet toch wel je uiterste best om haar te helpen?'

'Maak je geen zorgen,' zei ze terwijl Permony op de deur klopte. 'Het zit erop voordat je er erg in hebt.'

De kamer was een gekkenhuis met drie dokters en twee vroedvrouwen die aanwijzingen naar elkaar schreeuwden. Meteen nadat ze de deur had gesloten, zag Meridia de dood rond het bed waren. Alles in de kamer herinnerde haar aan haar eigen bevalling: de wanorde, de pijn, de verwarring, de gelijktijdige maar afzonderlijke gevechten om het leven van moeder en kind. Alleen de bijen waren er niet. In plaats daarvan klonk het snelle, ongecontroleerde en wanhopige tikken van de kralen van een gebedssnoer. Voor het eerst zag ze angst op Eva's gezicht.

Boven het lawaai uit riep Malin haar met zwakke stem.

'Jij hebt dit al eens meegemaakt. Zeg alsjeblieft dat het goed komt met mijn kind.'

De angst had Malin in zijn greep. Ondanks de wilskracht in haar ogen en haar enorme buik, leek ze een zielig hoopje mens dat bijna alle moed had opgegeven. Toen Meridia op het bed afliep stond Eva op uit haar bidhoek en ging voor haar staan.

'Ja, zeg haar,' zei ze fluisterend met schorre en ongewoon meelijwekkende stem, 'dat alles goed komt.'

Daarna deed Eva iets wat Meridia haar nooit eerder had zien doen: ze ging opzij en liet Meridia passeren.

Het lawaai verstomde direct. Even waren daar alleen Malin en de twee harten die in haar sloegen. Meridia had nog nauwelijks haar klamme hand gepakt toen ze het direct zeker wist: Malin zou het redden, maar het kind niet. Eva moest op dat moment hetzelfde voorgevoel hebben gekregen, want de kralen klonken verwoeder dan ervoor. Meridia onderdrukte een huivering, glimlachte en zei in een imitatie van Ravenna: 'Er gaat hier vandaag niemand dood. Niet zolang ik erbij ben.'

Malin haalde opgelucht adem. In de zes uur daarna vocht ze alsof ze de hemelen zelf had uitgedaagd. Omdat ze zag dat de artsen en vroedvrouwen het niet met elkaar eens waren, stuurde ze hen op twee na de kamer uit. Als een dier in de strijd klemde ze de kaken op elkaar en bleef dapper en vastberaden ondanks al het bloed en de pijn. Om het kwartier sloeg Jonathan met zijn knokkels tegen de deur om steeds weer hetzelfde ontmoedigende antwoord te krijgen. Permony stond haar zus volledig toegewijd bij en maakte daarmee zelfs indruk op Eva, die afwisselend haar dochter moed insprak en in de hoek haar bidden vervolgde. Tijdens deze uren hield Meridia steeds Malins hand vast. Ze hoopte met haar stevige greep Malin het vertrouwen te geven dat ze zelf niet voelde.

Eva's schreeuw was het teken waarop ze allemaal gewacht hadden. Permony knarste met de tanden. Meridia greep Malin bij de schouders en belemmerde haar het zicht. De vroedvrouw haalde het dode voorwerp snel weg... Te laat. Daartoe aangezet door haar moeders schreeuw wilde Malin het zien.

'Nee!' zei Eva. 'Daar heb je helemaal niets aan.'

De verzwakte en uitgeputte Malin begon te gillen.

'Het is mijn kind. Je kunt mij niet verbieden er afscheid van te nemen!'

Eva drong er bij haar dochter op aan ervan af te zien en ze begonnen te ruziën. Dit vergde zoveel van Malin dat er bloed uit haar baarmoeder vloeide waardoor snel alle kleur uit haar lichaam trok. In een vergeefse poging het bloeden te stelpen, blafte de dokter bevelen waarnaar niemand luisterde. Meridia zag de ernst van de situatie in en zei snel tegen de vroedvrouw: 'Laat haar het kind zien. Ze is er sterk genoeg voor.'

De kracht van het bevel bracht Eva tot zwijgen waardoor de vroedvrouw de kans had op het bed af te lopen. In haar armen lag iets wat op een verschrompelde platte steen leek, beschimmeld en met zwarte vleesklompjes in de oogkassen gepropt. Armen en benen en het kruis, waaraan ze konden zien dat het een jongen was, waren bedekt met klonten. Permony begon te snikken. Malin wierp er één blik op en sloot de ogen.

'Haal hem weg,' zei ze.

Eva hervond zichzelf en wendde zich woest tot Meridia.

'Ben je gek geworden. Dat je gemeen en verwaand bent wist ik al, maar niet dat je ook nog eens wreed en zo stom kon zijn.'

Meridia reageerde niet op haar woorden, maar legde Malins hand in die van Permony en liep snel naar de vroedvrouw.

'Laat het niet aan de vader zien,' zei ze. 'Hij is niet zo sterk als zijn vrouw.'

Meridia ontweek de bijen, die met hun vervloekingen plots de kamer vulden, en vertrok naar de gang. Geflankeerd door zijn ouders kwam Jonathan op haar afgerend. Zodra hij de uitdrukking op haar gezicht zag, besefte hij dat zijn wereld was ingestort. Hij schudde het hoofd, stamelde en was ten einde raad. 'Jullie krijgen nog wel een tweede zoon,' zei zijn moeder. 'Jullie zijn allebei nog jong genoeg.' Kwaad keerde hij zich van haar af en sloot zich van iedereen af. Het licht in zijn wereld flakkerde om daarna te doven.

Drie dagen later regende het aarde op het kistje van de baby. De volgende ochtend kreeg Malin een plek in de annalen van de stad als de zeshonderdtweeëntwintigste moeder die rondspookte op de Tuin der Resten. De man die de graven verzorgde, verklaarde dat ze altijd verscheen in de ochtendschemering en dat ze zich onderscheidde van de andere geesten door de bloemen, oranje vlinderkruid, die ze bij zich droeg. Gehuld in een zware herfstkleurige mantel sleepte ze zich de heuvel op met de blik steeds vooruit, doorkliefde de bijtende rook die over de begraafplaats waakte en bleef even bij het graf van haar vader staan voordat ze koers zette naar de kleine grafsteen achteraan. Voorzichtig verving ze de nog verse bloemen van de vorige ochtendschemering, wreef ze de urn schoon met de zoom van haar jas en liefkoosde de letters op de steen alsof die een boodschap uit een andere wereld bevatte.

De stedelingen beweerden dat er een compleet andere vrouw in Malins huid was gekropen. Haar kleermaakster zei dat ze elk gevoel voor mode was kwijtgeraakt en dat ze niet langer opdrachten van haar kreeg hoewel alle jurken haar om het lijf slobberden. Haar kapper deed een vergelijkbare observatie en vertelde dat hij Malin al weken niet meer in zijn zaak had gezien en dat ze zich niets meer aantrok van haar kapsel. De dienstmeisjes van het grote huis op Museum Avenue voegden daaraan toe dat hun meesteres elke interesse in haar meubels, beeldjes, echtgenoot en familie verloren had. De moeder had geen idee wat ze kon doen, de zus was zo bezorgd dat ze zichzelf niet meer was. De echtgenoot was in zijn eentje ten prooi aan een hevige smart en ijsbeerde 's nachts al zuchtend door de twee kinderkamers in de hoop dat ze haar deur zou openen om hem binnen te laten.

'Klopt dit? Maar het lijkt zo'n fantastisch stel samen!'

Nadat ze dit alles aan Meridia had verteld, wachtte Leah op Meridia's reactie met de begerige blik van een meelevende roddelaarster. Meridia draaide het hoofd weg en weigerde het verhaal op welke manier dan ook te bevestigen.

HOOFDSTUK 29

Voor het eerst in zevenentwintig jaar kwam de blauwe mist te laat terug bij het huis op Monarch Street 24. De hele ochtend kropte Ravenna onder het schrapen van de wortels en het berispen van de rapen haar woede verder op. De postbode had zijn ronde door de wijk al gedaan toen er nog steeds geen teken was van Gabriel. Ravenna gooide de wortels weg en stortte zich zo verwoed op de ham dat de dienstmeiden verkozen uit haar buurt te blijven. Op het moment dat de blauwe mist eindelijk zijn opwachting maakte, stond de zon al halverwege de hemel. Ravenna betrad de eetkamer gewapend met een dampend bord met een omelet met ham en paprika en keek boos naar de man aan het hoofd van de tafel. Hij leek niet op te merken dat ze het bord voor hem neerkletterde. Bij het zien van zijn bleke, vermoeide teint liet Ravenna een gerechtvaardigde grom horen en ze zei in zichzelf dat de erotische eigenaardigheden van zijn minnares eindelijk hun tol hadden geëist. Ze bleef hem minachtend aankijken totdat het onvoorstelbare gebeurde: Gabriel duwde het bord van zich af, stond op en liep naar zijn studeerkamer. Het duizelde Ravenna alsof hij haar een klap had verkocht. Aan hun stilzwijgende afspraak was een einde gekomen. Voor het eerst in zevenentwintig jaar had hij het door haar opgediende eten met geen vinger aangeraakt.

Die avond diende de gele mist zich eerder aan dan gebruikelijk. Zodra Gabriel in de nevel verdwenen was, barstte de knoop van smart die sinds die ochtend in Ravenna's maag had gezeten, open als een steenpuist. Ze vloog de trap af naar zijn studeerkamer. Ze haalde de kastjes en overvolle planken overhoop, smeet de potten en flessen stuk en wierp zijn boeken door de lucht. Ze onderwierp zijn notitieboekjes aan een nauwkeurige studie en trok de kaarten en grafieken van de muur. Ze rende naar het kastje waarin hij zijn kleren opborg en gaf een gil van ongeloof toen ze zag dat het halfleeg was. Woest keerde ze al zijn jaszakken binnenstebuiten met als buit twee vulpennen, vier knopen en wat kleingeld. Vervolgens onderzocht ze het restant van zijn garderobe, maar ook dat leidde niet tot een verklaring voor de verandering in zijn gedrag. Ze rukte een overhemd van een hanger en scheurde het aan stukken, pakte er nog een en nog een totdat er zich aan haar voeten een berg geofferde stof had verzameld. De geur van verbrand vlees bracht haar uiteindelijk weer tot zinnen. Het varkensgebraad! Ze holde naar de keuken, duwde de doodsbange dienstmeiden opzij en sloeg met haar blote handen het vuur uit. Die nacht, toen het huis allang in diepe rust verkeerde, denderde Ravenna de stenen trap op om de aanval te openen op de ivoorkleurige mist. 'Ellendeling! Lafaard! Hoerenjong!' viel ze uit. Toen de ochtend aanbrak stond ze, even angstaanjagend als een storm, dreigend en kaarsrecht in het gras.

Die ochtend kwam de blauwe mist niet opdagen. Ravenna wachtte tot het twaalf uur was voordat ze het ontbijt tegen de muur smeet. Ook de rest van de dag verscheen Gabriel niet noch liet hij iets van zich horen. Bij het vallen van de avond stond Ravenna voor het raam van haar slaapkamer en staarde een eind voorbij de daken in de verte. De bleke herfstlucht strekte zich onmetelijk ver en welwillend uit, maar een ongewone beweging van de sterren verzekerde haar dat de blauwe mist hem nooit meer thuis zou brengen. Plotseling voelde ze het: de scherpe en onherroepelijke pijn van het verlies. Het sluiten van het raam en het dichtschuiven van het gordijn boden geen verlichting tegen deze pijn.

De blauwe mist verscheen de volgende ochtend aan de deur, maar in plaats van dat uit zijn vereniging met de ivoorkleurige nevel Gabriel opdoemde, had hij een briefje gericht aan de vrouw des huizes bij zich. Ravenna stak haar hand uit naar het kloppende hart van de mist en haalde het tevoorschijn. In het schemerige ochtendlicht keek het keurige handschrift van Gabriel haar boos aan. *Ik kan niet langer met jou onder één dak wonen. Je mag het huis houden. Mijn spullen laat ik ophalen.* Teruggeslagen door een vloedgolf van pijn liet Ravenna het briefje vallen. Knipperend met de ogen en al bevend keek ze op en besefte dat zowel de blauwe als de ivoorkleurige mist verdwenen was. Een windvlaag raapte het briefje op en voerde het zwierend mee, eerst naar de overkant van de straat, vervolgens naar de toppen van de bomen en daarna naar de hemel erboven. Ravenna sloeg met een klap de voordeur dicht. Terug in haar keuken verzamelde ze al haar kookgerei, potten en pannen, messen, kruiden, zakken meel en wierp alles in een hoek op een grote hoop. Daar voegde ze het verse vlees en de verse groenten, vis, eieren, boter, fruit, rijst en olie aan toe. De twee dienstmeiden keken verschrikt toe hoe het ijzeren knotje op haar achterhoofd als een degen door de ruimte sneed.

'Pak wat je hebben wilt en vertrek,' beval ze hun. 'Vanaf vandaag wordt er in dit huis niet meer gekookt.'

Ze ontsloot een lade en gaf ze hun loon. Voordat ze bezwaar konden maken, had Ravenna hen al de deur uitgewerkt.

Op de derde avond van Gabriels afwezigheid gooide ze een dikke jas over haar schouders en beende door de mist naar Magnolia Avenue. Een miezerregen besprenkelde de stad met vloeibare parels. Uit de wijze waarop de bladeren bewogen op de wind kon ze afleiden dat er dit najaar veel onweer zou komen. Het was nog niet laat. Onder het helwitte lantaarnlicht van Magnolia Avenue was het vol met voetgangers die paraplu's droegen. Toen ze bij nummer zeventig aankwam, klonken er vriendelijke stemmen uit het raam op de bovenverdieping. Omdat ze niet verwacht had anderen aan te treffen, weifelde Ravenna even, maar drukte toch op de deurbel.

'Je bent een uur te laat, Rebecca!'

Gekleed in een blauwe avondjurk, het haar modieus achterover geborsteld en met pretoogjes opende Meridia de deur. Ze schrok even toen ze haar moeder zag maar had zichzelf snel onder controle.

'Kom met me mee,' zei Ravenna.

Meridia had maar één tel nodig om dit te verwerken. Snel liep ze weer de trap op en kwam even later terug in een tot haar enkels reikende mantel met kap. Daniel volgde haar met een kwade blik in de ogen. Voordat hij iets kon zeggen, gaf Meridia hem een kus en stapte de kou in. 'Ga maar zonder me,' zei ze en ze hoopte dat Ravenna zijn ongenoegen niet opgemerkt had.

Onder een afnemende maan begonnen ze hun tocht. Meridia had geen idee waar haar moeder heen wilde. Het enige wat ze wist, was dat ze in de richting van het duistere centrum van de stad gingen. De grond was nat en modderig, maar Ravenna liep alsof er zich slechts stenen onder haar voeten bevonden. Terwijl de miezer zich verdichtte tot regen haastten ze zich langs vervallen hutten en krotten, langs tempels voor afgezworen goden en hotels die gedreven werden door de vluchtige zielen van de nacht. Ogen zonder lichaam volgden hen vanuit de diepe schaduwen, jammerden en lachten bij elke draai van de wind. Ruwe letters verlichtten stoffige vensters. Voor wat kleingeld kon men de hand leggen op een pil die vergetelheid opriep, een vervloeking voor een overspelige echtgenoot of een brouwsel waardoor het ongewenste werd afgebroken. Meridia zag in een deuropening bij een vuur een tandeloos besje staan dat met luide, schorre stem riep: 'Ik wis uw verleden, ongelukkige! Ik kan de toekomst veranderen en het heden verduisteren!' Meridia rilde en trok de kap over haar hoofd. Ravenna beende verder alsof ze niets gehoord had.

Toen ze bij een steeg kwamen, stak er een vernietigende wind op. Er barstte een hagelbui van bloemen los waardoor ze omgeven werden door rondwervelende, trillende bloemblaadjes die als woest klapperende vleugels op hun huid sloegen. Ze werden kletsnat van de neerkletterende regen. Een tijdlang konden ze iets zien noch bewegen. Toen de wind afnam, veegde Meridia de bloesem uit haar gezicht en zag ze dat Ravenna's knot was losgeraakt. Nat en zwaar hingen de lange haarstrengen over haar kaarsrechte rug.

Moeder en dochter sloegen de steeg in. Bij een bescheiden huisje, dat in geen enkel opzicht opviel te midden van de andere woninkjes, hing de bekende gele mist. Ravenna vloog direct op de nevel af en klopte op de deur. Met een tong als koper door de paniek en haar angstige voorgevoel liep Meridia haar achterna. Zodra ze de koude mist op haar huid voelde, wist ze dat ze hun intrede hadden gedaan in een wereld waarin mannen zich terugtrokken om hun oneer te verbergen.

Ondanks Ravenna's gebons duurde het een hele tijd voordat er voetstappen klonken. Even later werd de grendel weggeschoven en week de deur iets terug. Voordat haar ogen te zien waren, klonk door de kier een beverige vrouwenstem.

'Wat wilt u?'

'Mijn echtgenoot,' antwoordde Ravenna.

'Hij slaapt. Kom morgenochtend maar terug.'

'Doe die deur open, mens!'

'Hij wil u niet zien. Verdwijn alstublieft voordat u de hele stad wakker maakt.'

Plotseling vond Ravenna's woede een weg naar buiten. 'Ik heb al zevenentwintig jaar gewacht, jij schaamteloze ouwe del! Voordat het ophoudt met regenen heeft die ellendeling geluisterd naar wat ik te zeggen heb!'

Ravenna gaf een trap tegen de deur, die in het gezicht van de vrouw sloeg. Er klonk een pijnkreet, gevolgd door het geluid van iemand die hard op de grond viel. Ravenna duwde de deur open en stormde het huis binnen.

'Waar is hij?'

De vrouw was achterovergevallen. Met de ene hand hield ze zich overeind en met de andere omvatte ze haar neus. Een schemerlamp verlichtte de armzalige woonkamer, die uiterst spaarzaam was gemeubileerd met wat versleten leren stoelen en een krakkemikkige tafel. Een muffe maar bekende geur van seringen verstikte de lucht in de woning. Op het moment dat Meridia's blik die van haar vaders minnares trof, ging er een hevige huiver door haar heen. Ze zag direct wie het was.

'Pilar!'

Patina's zus liet het hoofd zakken om haar gezicht verborgen te houden en huilde. 'Het spijt me. Dit had niet mogen gebeuren.'

Meridia staarde haar als verdoofd aan. Ze zag hoe helderrood bloed uit Pilars neus druppelde, maar had niet de neiging haar te hulp te schieten.

'Kom tevoorschijn, zwijn. Jij deugt nergens toe, hufter.'

Ravenna vloog de nauwe gang al door. Er waren twee deuren rechts en één links. Ze probeerde de eerste deur rechts die toegang gaf tot een lege zitkamer en trok hem met een klap weer dicht. De tweede deur sloot ze nog sneller; erachter ging een benauwde, stinkende keuken schuil. Ze liep op de laatste deur af en smeet hem open. Eén tel later deed haar schreeuw het huisje schudden op zijn grondvesten.

Meridia rende naar binnen en zag dat ze zich in een grote, schemerige kamer bevond. Haar blik viel op een enorm, indrukwekkend en met opzichtige tierelantijnen versierd bed in het midden van de kamer waarover Ravenna nu gebogen stond. De lucht gloeide van de hitte alsof een onzichtbaar vuur langzaam zijn weg zocht over de vloer. Toen Meridia dichterbij sloop, brak het zweet haar uit en ze zag dat het bed omgeven was met ijzeren emmers vol gloeiend hete steenkool. Waarom diende de kamer op zo'n overdreven manier verwarmd te worden? De vraag was nog maar net in haar opgekomen toen het antwoord zich al aandiende: in het midden van het bed lag een zuil van ijs. Ze deinsde achteruit waarbij ze bijna haar evenwicht verloor. Ze staarde naar het door het noodlot bezegelde gezicht. De koude ervan ging haar door de ziel.

'Papa!'

Onder het doorzichtige ijs waren Gabriels charmante gelaatstrekken perfect bewaard gebleven. Dikke grijze lokken lagen over zijn voorhoofd, de huid was rimpelloos en de mond rood. Met ongerepte waardigheid klemde hij de kaken op elkaar. Hij droeg een van zijn donkere pakken met een in het knoopsgat gestoken gardenia. Zijn lange, welgevormde handen lagen op koninklijke wijze samengevouwen op zijn borst. Alleen de ogen straalden geen rust uit maar keken recht omhoog in het sombere besef dat de opdracht niet voltooid was. Het leed voor Meridia geen twijfel dat ze een lijk voor zich zag.

'Wat heb je met hem gedaan?' Ravenna draaide zich opeens om naar de deur.

Pilar was met een doek tegen de neus gedrukt binnengekomen. Het snikkende geluid dat ze uitstootte klonk even vreemd en onwezenlijk als het jammeren van een kobold.

'Een paar dagen geleden vatte hij kou en toen hij wakker werd, was hij ziek,' begon ze. Ravenna's blik hield haar gevangen op de plek waar ze stond. 'Ik smeekte hem in bed te blijven maar hij zei dat hij zich goed voelde en wilde per se... terug naar u. Die avond keerde hij veel vroeger dan gewoonlijk terug en dook meteen het bed in. Hij zag er terneergeslagen uit en mompelde steeds iets over een afspraak die niet was nagekomen. Ik dacht dat het niets voorstelde, maar de hele avond klaagde hij over een koude wind die over zijn rug kroop. Ik berispte hem en zei dat hij onzin sprak en haalde wat extra dekens tevoorschijn. Ik had nooit verwacht... Mijn God, als ik dit geweten had...'

Pilar veegde haar tranen af met de bebloede doek. Meridia, die aan honderd verschillende gevoelens tegelijk ten prooi was gevallen, kon niet uitmaken of ze nu medelijden met haar moest hebben of haar een klap diende te verkopen.

'Vertel verder,' beval Ravenna, even onaangedaan als het ijs dat Gabriel omgaf.

Pilar kon met moeite verder spreken. 'De volgende ochtend was hij te ziek om uit bed te komen. Zijn tanden klapperden en wat ik ook deed, het lukte mij niet hem warm te houden. Die middag liet ik een dokter halen die veel vocht en hete kruiken voorschreef. Een paar uur later verscheen rond zijn mond het eerste ijs. Ik raakte in paniek en bedolf hem onder nog meer hete kruiken. Dit leek de kou terug te dringen en het ijs dooide langzaam weg. Die avond drong hij erop aan u een briefje te schrijven. Daarna vroeg hij mij hem zijn beste pak aan te trekken. Ik had geen idee waarom en toen hij mij om de gardenia vroeg, dacht ik dat hij gek geworden was. Hij liet me beloven dat ik u onder geen enkele omstandigheid hier binnen mocht laten. Die nacht sliep hij rustig. Toen ik 's morgens wakker werd, zag ik dat hij opgesloten zat in het ijs. Ik sprong uit bed en liet opnieuw de dokter halen. Deze keer krabde deze heer zich op het hoofd en gaf me opdracht steenkolen te laten bezorgen. We hebben ze uren laten branden, maar het ijs smolt niet. "Het maakt niet zoveel uit want het ijs houdt hem levend," zei de dokter. "Wat u ook doet, zorg dat het ijs niet stukgaat. Dat betekent zijn dood." Dat was gisteren. Sinds afgelopen nacht groeit het ijs niet meer aan en ligt hij er zo bij.'

Toen ze constateerde dat Ravenna roerloos bleef staan, waagde Pilar een stap naar voren. Meridia zag dat haar neus niet langer bloedde.

'Het spijt me dat u het briefje nooit heeft gekregen,' zei Pilar en wreef met een duim over haar kin. 'Nadat hij het geschreven had, heb ik het op het tafeltje in de hal gelegd met de bedoeling het de volgende ochtend te versturen. Maar ik moet het ergens anders hebben neergelegd. Of misschien is hij 's nachts van gedachten veranderd en heeft hij het verscheurd toen hij daarvoor nog de kracht kon opbrengen. Ik zou graag willen dat ik u kon vertellen wat hij geschreven heeft, maar hij heeft het me niet laten lezen. Ik zou het heel erg vinden als...'

'Ik heb het briefje gekregen,' zei Ravenna kortaf.

Pilar viel bijna om van verbazing. 'U hebt het gekregen? Hoe dan?'

Ravenna had geen tijd te antwoorden want juist op dat moment klonk een luid, scheurend geluid vanuit het ijs. Aan de buitenkant van de zuil verscheen een kleine barst, die van de bovenkant van Gabriels hoofd naar iets onder de linkerkant van zijn borst liep. Voordat de twee andere vrouwen iets konden doen, was Ravenna al in actie gekomen.

'Kom overeind, ouwe!' Ze greep een tinnen waskom van het nachtkastje en sloeg er hard mee op het ijs. De barst verbreedde zich. Ravenna sloeg nog harder waardoor er een flinterdun scheurtje ontstond dat naar Gabriels hart liep.

'Je vermoordt hem als je het ijs stukmaakt, mama!' riep Meridia. Ravenna reageerde daarop door nog harder op het ijs te slaan.

Pilar slaakte een gil, maar durfde zich er niet mee te bemoeien. Meridia was als verlamd en dacht dat haar moeder de weg helemaal kwijt was.

'Dacht je dat je met zo'n lullig briefje van me af was?' schreeuwde Ravenna naar het binnenste van het ijs. 'Dacht je nu echt dat deze klomp ijs je tegen mij kon beschermen?'

Terwijl het almaar harder slagen regende en er zich een web aan scheurtjes vormde in het ijs, kreeg Ravenna's gelaat de vastberaden uitdrukking van een krankzinnige. Plotsklaps begreep Meridia wat haar te doen stond. Ze gooide haar mantel op de grond, pakte een koperen kandelaar van de kledingkast en sloeg ermee uit alle macht tegen het ijs.

'Help eens, mens,' zei Ravenna. 'Blijf daar niet zo staan met je bek open.'

Pilar keek alsof ze elk moment kon flauwvallen. 'Hou op! Jullie vermoorden hem!'

'Onzin.' Ravenna gaf een oorverdovende klop met de waskom. 'Die ellendeling overleeft ons allemaal.'

Pilars mond viel open van verbazing. Zonder haar de kans te geven hem te weigeren, duwde Meridia haar de kandelaar in handen. Ravenna gooide de waskom opzij en klauwde in de barsten. Al snel bloedden haar vingers maar dat leek ze niet op te merken of zich in elk geval niet aan te trekken. Meridia nam de waskom en begon direct aan haar sloopwerkzaamheden bij Gabriels voeten. Er vielen ijssplinters op de grond. Sommige landden in de ijzeren emmers wat leidde tot het sissen van de steenkool. Een tijd later, toen Gabriel nog slechts door een dun laagje ijs omgeven werd, schepte Ravenna de brandende kolen met blote handen uit de emmers en wreef ze in het ijs. Hoewel ze snel te werk ging, lette ze goed op of ze zijn huid niet schroeide. Meridia en een voortdurend snikkende Pilar gingen nog verwoed tekeer met hun wapens. Nadat ze het laatste ijs van de verdoemde hadden verwijderd, ging zijn borst nauwelijks merkbaar op en neer.

'Ik neem hem mee naar huis,' zei Ravenna.

Pilar liet de kandelaar vallen en begon te trillen. 'Als u hem hier weghaalt, wordt dat zijn dood! Ik smeek u: luister alstublieft naar me!'

Ravenna antwoordde door de lakens van het bed te trekken, die om Gabriel te wikkelen en haar jas over hem heen te gooien.

'Hou haar alsjeblieft tegen,' drong Pilar aan bij Meridia terwijl haar neus weer hevig begon te bloeden. 'Alsjeblieft!'

Meridia gaf haar een vernietigende blik. 'Het spijt me,' zei ze, 'maar daarvoor moet je niet bij mij zijn.'

Met deze woorden nam ze plaats naast Ravenna.

Samen tilden ze Gabriel uit bed en zetten hem tussen hen in overeind. Afgezien van zijn starende ogen was het niet uit te maken of hij bij bewustzijn was of niet. Alleen uit zijn nauwelijks hoorbare, onregelmatige ademhaling en zijn zwakke pols was af te leiden dat niet al het leven uit hem geweken was.

Pilar deed een laatste vertwijfelde poging hen tegen te houden. 'Jullie zijn twee vrouwen! Jullie zijn nooit sterk genoeg om hem mee te slepen naar de andere kant van de stad.'

Moeder en dochter ontkrachtten dit door hem met groot gemak naar de deur te tillen. Meridia was de klap te boven gekomen zonder eigenlijk maar met de ogen te hoeven knipperen. Deze onvriendelijke, tirannieke man in haar armen, die tijdens haar jeugd een schrikbewind over haar had gevoerd, woog nu bijna niets en was volkomen hulpeloos. Ze bukte om haar mantel op te rapen en sloeg die om hem heen.

Onder het gejammer van Pilar droegen ze Gabriel het huis uit de avond in. De regen plensde nu twee keer zo hard neer en in een woeste werveling botvierde de wind zijn wrok op de aarde. Meridia gebaarde naar Ravenna even te stoppen en bond de kap van haar mantel vast om haar vaders hoofd. Hoe zou Gabriel reageren als hij wist dat ze hem niet in één maar zelfs in twee vrouwenmantels gepropt hadden? Kennelijk was bij Ravenna dezelfde gedachte opgekomen want op dat moment stond ze zichzelf een vluchtige glimlach toe.

Zwijgend gingen ze dezelfde weg terug door het duistere hart van de stad. Terwijl de ruwe letters hen dreigend aankeken in de wind en ogen zonder lichaam hen volgden vanuit de diepe schaduwen, verspreidde Ravenna een heerlijke warmte, die door Gabriel trok en zich in de koudste plek van Meridia's lichaam nestelde. Dezelfde warmte gloeide op langs hun weg en verlichtte die, zodat ze ondanks de zwakke maan en het weinige licht het noodweer zonder struikelen wisten te doorstaan. Toen ze aankwamen bij het huis aan Monarch Street 24 waren de twee vrouwen kletsnat, maar de man die ze tussen zich in hadden gehouden was zo droog als de woestijn. Er was niet één druppel regen op hem gevallen.

HOOFDSTUK 30

Ravenna en Meridia hadden Gabriel juist in bed gelegd toen het ijs ontwaakte. Op zijn gezicht en in zijn nek bloeiden doorzichtige bloemen op en op zijn armen en benen vormden zich druppels van kristal, die zich zo snel vermeerderden dat de lucht zwaar werd van de koude. De vrouwen gingen gewapend met een hamer en een staalborstel de strijd aan, maar het ijs verweerde zich door hem opnieuw helemaal te omzwachtelen. In die cocon verloren Gabriels starende ogen hun glans. Langzaam drong de verlammende kou in Meridia door waardoor de wanhoop vat op haar kreeg.

'Het is zinloos,' zei ze en met een vieze mouw van haar avondjurk veegde ze haar voorhoofd af. 'Het ijs groeit te snel weer aan.'

'Het is hier in huis gewoon te koud,' zei Ravenna. 'Hoe hebben we hier al die jaren kunnen leven zonder ooit te bevriezen?'

Meridia wist hoe het werkelijk zat maar hield dat voor zich. 'Met warmte alleen kunnen we het ijs niet tegenhouden, mama.'

Ze had dit nog maar net gezegd of Ravenna sprong geschrokken achteruit. De borstel staakte het schuren. De hamer viel uit Meridia's hand. Op hetzelfde moment verborgen moeder en dochter hun blikken voor elkaar. Een sissende, zwaar ademende demon was tussen hen in verschenen. Hij was onopzettelijk opgeroepen uit de tombe waarin al het beschamende en onuitsprekelijke begraven ligt. Ravenna drukte de handen voor haar ogen. Ze richtte zich op. Tastte in het rond. Deinsde achteruit. Haar mond stamelde, spon en weefde haar duistere geheimtaal waardoor haar drang tot vergeten terugkeerde.

'Nee!' schreeuwde Meridia en stak haar kin in de lucht. Deze keer zou ze voorkomen dat Ravenna vervaagde. Ze pakte de hamer in beide handen en ging, zonder ook maar één enkele beweging te maken, de demon achterna die deze muur tussen hen had opgetrokken. In gedachten tilde ze de hamer telkens op, sloeg ermee tegen de nek van het wezen, tegen zijn schedel en hersenen totdat ze elk woekerend misverstand dat de man van de vrouw en de moeder van de dochter had vervreemd aan gruzelementen had geslagen. De demon krijste, kromp ineen en was tegen Meridia's wilskracht volstrekt kansloos. Met hem ging ook de muur ten onder. Voor de eerste keer sinds de koude wind het huis op zijn kop had gezet, werd er niets meer verborgen gehouden, achterwege gelaten of verzwegen.

Meridia trok de hamer terug uit de vermorzelde schedel en verstevigde haar greep erop. 'Pak hem, mama,' zei ze.

Ravenna mompelde niet meer. Ze zocht met haar voet naar de demon en toen ze hem vond, trapte ze hem door het raam naar buiten waar hij oploste in het maanlicht.

'Krijg nou wat,' zei ze. Haar verwarde blik trof die van Meridia. Op dat moment zag ze alles heel helder. Ze liet zich op de knieën vallen, kroop vooruit en reikte onder het bed. Het voorwerp dat ze na zevenentwintig jaar van woede en wrok weer tevoorschijn haalde, was geen bijl zoals Eva had verondersteld, maar een schep met een korte steel. Het ooit blinkende blad was verweerd van ouderdom, roest en iets wat op bloed leek.

Meridia kreeg overal kippenvel. Toch wendde ze het hoofd niet af op het moment dat Ravenna de schop met beide handen beetpakte, hem boven haar hoofd zwaaide en met een klap op het ijs liet neervallen. De cocon schrok op, gilde en brak in tweeën. Ravenna gaf nog een klap en nog een. Het glinsterende blad ging met grote snelheid op en neer, en evenals zoveel jaar geleden ving het elke keer een verblindend licht op en kaatste dat weer af. De ironie van de gebeurtenis ontging Meridia niet: hetzelfde voorwerp dat hem ooit bijna het leven had gekost, moest Gabriel nu loswrikken uit de kaken des doods.

Het laatste brok ijs viel op de grond. Gabriel richtte het hoofd iets op, hoestte en maakte toen een vertwijfeld gebaar met de hand. Hij wist net voldoende adem en stem te verzamelen om de twee woorden te spreken die zijn vrouw en dochter de rillingen over de rug deden lopen.

'Mijn liefste.'

Het was een vreemde en angstaanjagende lichtheid. Gelouterd door tientallen jaren van haat wierp het huis zijn last af en zweefde in betoverde lucht. De plafonds deinden op en neer als golven. De muren wiegden heen en weer als bomen in de wind. De onberekenbare trap veranderde in een melodierijke accordeon. Het was een vreemde gewaarwording diep te kunnen inademen zonder wrok te ruiken en om water uit de kraan te drinken zonder woede te proeven. De eeuwige koude en schemer waren verdwenen. Licht stroomde de kamers binnen en verwarmde de muren met honderd gouden schaduwtinten.

De ochtend nadat ze Gabriel naar huis hadden gebracht, schreef Meridia een briefje aan Daniel om zijn toestand toe te lichten. Zoals ze hem had verzocht verscheen hij een uur later op de stenen trap met een koffer vol kleren. Noah was met hem meegekomen, maar geen van tweeën vertoonde de aandrang Gabriel te zien. 'De deur van je vaders studeerkamer stond nooit open voor mij,' zei Daniel. 'Voor zijn slaapkamer zal hetzelfde gelden.' Noah staarde in de verte en ontweek Meridia's blik. Ongetwijfeld wapende zijn achtjarige geest hem al tegen de herinnering aan een opa van wie zelfs de kortstondigste blik voldoende was om hem te doen beven van angst. 'Ik kom zo snel mogelijk weer naar huis,' beloofde Meridia. Ze hoorden haar niet. Met pijn in haar hart zag ze hen heuvelafwaarts weer verdwijnen.

Ravenna had een aantal bloempotten van de tuin naar de slaapkamer verhuisd. Ze had die gevuld met houtblokken en hield ze constant brandend. Aan de hand van haar almanak van oude geneeswijzen brouwde ze een aantal stinkende drankjes en wreef zijn ledematen met bananenbladeren om te voorkomen dat ze zouden verschrompelen. Meridia waste, voedde en kleedde hem en verving de kompressen terwijl Gabriels starende blik haar bleef ontwijken. Het ijs was enigszins tot rust gekomen. Om de paar uur pakte Ravenna de staalborstel en schuurde het weg. Het was duidelijk dat ze wat Gabriel betrof het enige levende wezen in de kamer was. Die dag wisselden de echtgenoten geen woord met elkaar, maar die nacht, lang nadat Meridia zich teruggetrokken had in haar oude bed, maakten hun hevige fluisteringen haar wakker.

'Waarom dook je onder en verliet je me?'

'Omdat ik je medelijden niet wilde zien.'

'Dacht je dat ik medelijden met je zou hebben?'

'Zie me dan! Ik kan niet eens mijn kont afvegen.'

'Je bent altijd al zo trots en koppig geweest.'

'Was dat niet juist waardoor je tot mij aangetrokken werd? Mijn trots?'

'Je was toen aardig. En zachtmoedig.'

'Je was mooi. En vol liefde.'

'Je bent nu ook zachtmoedig.'

'Je bent nog steeds mooi.'

'Waar is het ooit fout gelopen?'

'Jij werd een ander mens.'

'Dat kwam door de wind. Die koude wind.'

'Onzin. Er was in je ogen iets gestorven. Je keek niet meer op dezelfde manier naar me.'

'Ik had je gevraagd me de tijd te gunnen.'

'Ik dacht dat je niet meer van me hield.'

'Ik vroeg je om geduld.'

'Ik dacht dat je me voor altijd in de steek had gelaten.'

'Je gaf het veel te snel op. Ik draaide even mijn hoofd weg en je had haar al.'

'Ik had het koud en ze verwarmde me.'

'Hield je van haar? Nee! Ik wil het niet weten.'

'Jij bent de enige van wie ik ooit gehouden heb.'

'Je hebt mijn hart gebroken. Voordat ik je leerde kennen was het nog heel.'

'En jij vrouwmens, jij hebt me bijna de schedel ingeslagen!'

'Wat een dwazen waren we toch. En jij bent jaloers op je eigen kind.'

'Denkt ze dat? Dat ik haar voor alles verantwoordelijk houd?'

'Je hebt haar nooit iets anders gezegd.'

'Ik kan niet naar haar kijken zonder herinnerd te worden aan wat we zijn kwijtgeraakt.'

'Ik kan niet naar haar kijken zonder te vergeten wat we nu hebben.'

'Zeg haar dat ik van haar hou.'

'Zeg het zelf maar. Je hebt er nu de adem nog voor.'

'Het einde nadert.'

'Rustig maar. Als ik je niet uitput, zal niets dat doen.'

'Zeg het haar. Laat me branden in de hel als ze me niet recht in de ogen durft te kijken voor ik sterf.'

'Rustig maar, rustig. Je moet niet zo praten, idioot. Rustig...'

Meridia klom het bed uit en liep naar de gang. Een dichte waas van tranen verblindde haar en liet haar gedachteloos de ene voet voor de andere zetten. Hoewel Ravenna's kamer maar een paar stappen verder was, leek het een welhaast onoverbrugbare afstand vol gevaren. Bij het naderen van de deur sloot het waas zich om haar keel. Haar hoofd bonkte. Ze hield de deurklink even vast voordat ze hem omlaag drukte.

Ravenna zat gehuld in een deken een eind bij het bed vandaan. Met haar rug naar Gabriel gekeerd bestudeerde ze het raam. Het onberispelijke knotje sierde weer strak en knokig haar hoofd. Op het bed lag Gabriel nog in dezelfde houding als waarin Meridia hem achtergelaten had. Er klonken geen fluisteringen en geen woorden en niets wees erop dat ze op de een of andere manier iets hadden uitgewisseld.

'Hoe is het met hem, mama?'

Ravenna bleef in haar stoel zitten. 'Hetzelfde. Hij heeft geen vinger verroerd en niets gezegd.'

Ongewild ontsnapte er een snik aan Meridia's borst, zo zacht dat Ravenna het niet hoorde. 'Waarom ga je niet even slapen, mama? Ik hou hem wel in de gaten.'

Ravenna stond op en hield even halt bij het bed. Ze trok de deken nog wat strakker om zich heen, opende de deur en verliet de kamer zonder om te kijken.

Nu ze alleen was met Gabriel kon Meridia onmogelijk nog de illusie van de werkelijkheid onderscheiden. Hadden zij, haar vader en moeder, echt deze woorden uitgesproken? Elkaar dingen toegefluisterd die ze al haar hele leven wilde horen? Of was ze door haar geest misleid tijdens een staat van delirium in een droom? Dat moest wel het geval zijn geweest. Zelfs in de toestand waarin hij nu verkeerde, was Gabriel geen man om spijt te betuigen. Of toch wel? Hoe meer ze over deze vraag nadacht, hoe groter de twijfel werd. Wanhopig greep ze de hand van haar vader en verwijderde de ademende laag ijs.

'Hier ben ik, papa. Zeg het me maar.'

Het knappe gezicht bleef even gesloten en onaangedaan. Meridia wachtte en wachtte, maar ogen noch mond kwamen tot leven.

Het aanbreken van de dag bracht een volgend fluisteren. Het diende zich eenstemmig en vrouwelijk aan vanaf de stenen trap beneden en klonk hulpeloos en smekend. Door het raam van haar kamer zag Meridia een rillende grijze gestalte in de tuin staan. Ze liet een boze zucht horen, stormde de trap af en wenste dat de mist er nog was geweest om de indringster te verjagen.

'Laat het me uitleggen,' zei Pilar zodra Meridia de deur geopend had.

'Ik wil niet met jou praten,' zei Meridia. 'Je hebt me al lang genoeg misleid. Wegwezen voordat mijn moeder je ziet.'

Pilar trok wit weg en slikte hevig. De snee op haar neus was verdroogd tot een donkerblauwe nerf en paste perfect bij de sikkelvormige moedervlek op haar kin.

'Ik heb nooit geheimzinnig tegen je willen doen,' zei ze, 'maar door het lot waren wij al vanaf je geboorte elkaars tegenstanders.'

'Dus je kent me al mijn hele leven? Ik had nooit gedacht dat iemand er een loopbaan in zou zien om de minnares van mijn vader te worden.'

Pilars tengere gestalte bibberde onder deze belediging. 'Neem hem niet van me af. Wat wij hadden, wat wij met elkaar deelden was zo bijzonder dat ik mijn recht mag doen gelden.'

Meridia moest moeite doen niet in woede uit te barsten.

'En mijn moeder dan?' wierp ze haar voor de voeten terwijl de seringengeur van Pilars huid haar plots met walging vervulde. 'Je hebt hem van haar afgepakt en haar door een hel laten gaan.'

'Ik heb je vader niet van haar afgepakt. Hij vluchtte elke avond vrijwillig dit huis uit.'

'Omdat je een of andere laaghartige bezwering over hem uitgesproken had!'

Pilar krabde haar kin. 'Geloof me als ik zeg dat ik daar niets mee te maken had. Voordat ik in beeld kwam, werd hij al door iets anders verscheurd.'

Meridia kneep haar ogen samen tot een vervaarlijke blik. 'Bedoel je mij soms? Bedoel je te zeggen dat mijn vader mijn moeder niet langer kon verdragen omdat ze mij op de wereld had gezet?'

Pilar hield op met krabben en keek onthutst op. 'Hoe kom je daar nou bij? Denk je nu echt dat hij... Liefje, je was nog maar een baby! Een volwassen man geeft toch nooit een kind de schuld van zijn fouten?'

Ze keek Meridia aan met een liefdevolle blik die niet in overeenstemming leek met de weeë seringengeur. De in al die jaren van eenzaamheid opgehoopte tranen kropen naar Meridia's keel, maar voordat ze haar konden verraden, wist ze die met moeite weer weg te slikken.

'Wat heeft hem dan wel verscheurd?'

Pilar antwoordde ogenblikkelijk: 'Hun liefde.'

Meridia's lach schelde angstaanjagend in de ochtendlucht. 'Je bent gek.'

'Snap je het niet? Het zijn beide uitgesproken en veeleisende karakters. Ze beleven de liefde met zoveel overgave dat de geringste tekortkoming onacceptabel wordt. Als je hun zou vragen voor elkaar te sterven zouden ze direct het zwaard langs de keel halen. Maar vraag hun de scherpe kantjes eraf te halen, genoegen te nemen met ruzies en dagelijkse beslommeringen en ze verachten elkaar zonder weerga. Die desillusie moet al snel na je geboorte zijn gekomen en om de een of andere reden geloofden ze dat er voorgoed een einde aan hun liefde was gekomen. Maar dat ze met elkaar onder één dak bleven wonen hoewel ze genoeg middelen hadden om uit elkaar te gaan, betekent wel iets. Ik denk dat na alle gebeurtenissen er een ander soort liefde tussen hen is opgebloeid. Aanvankelijk was ze kwetsbaar en leed ze onder de verwarring en teleurstelling, maar ze was er wel en werd steeds sterker. Al die jaren heb ik gedacht dat hij van mij was, maar nu weet ik dat hij altijd van je moeder heeft gehouden. Ik gaf hem mijn lichaam, mijn ziel, mijn jeugd en al mijn liefde, maar hij zocht slechts troost. Toen het ijs hem in de greep kreeg, wilde hij alleen je moeder zien. Om zijn gezicht te redden gaf hij me opdracht om te voorkomen dat ze het huis betrad, maar waarom denk je dat hij zijn beste pak aan wilde? En die gardenia? Toen ik besefte door hem verraden te zijn, werd ik gek van woede. Ik probeerde, tevergeefs probeerde ik...'

Plotseling viel Pilar stil en barstte in tranen uit. 'God vergeef me.'

'Wat heb je dan gedaan?' Meridia's stem verzachtte maar ze bleef haar onafgebroken aankijken.

'Ik heb geprobeerd je moeder bij hem weg te houden.' Pilar krabde en krabde maar. 'Ik verscheurde het briefje – het laatste dat hij geschreven heeft – en gooide de snippers weg in de wind op dezelfde avond dat het ijs hem begon te bedekken. Ik heb het niet gelezen, maar wist precies wat hij zou schrijven om te zorgen dat ze zou komen. Je kunt je voorstellen hoe geschrokken ik was toen je moeder vertelde dat ze het briefje had gekregen. Toen wist ik dat zelfs de wind en de mist samenspanden om hen weer met elkaar te verenigen.'

De harde klank keerde snel terug in Meridia's stem. 'Je wilde hem laten sterven zonder dat hij zijn vrouw nog zou zien?'

Pilar keek haar schuldbewust aan. 'Je moet geen kwaad van me denken. Je bent altijd zo vriendelijk tegen mij geweest, zo grootmoedig. Wat jij voor mijn zus gedaan hebt...'

'Wist Patina het van mijn vader?'

Pilar, die nog steeds haar kin krabde, liet het hoofd hangen alsof haar gedachten te zwaar waren geworden. 'Ik heb het voor haar verborgen gehouden. Ze heeft altijd gedacht dat ik een keurige vrouw was – arm maar eerbaar.'

Meridia stootte een grom uit. 'Hoe kun je arm zijn geweest met al het geld van mijn vader tot je beschikking? En waarom heb je hem niet gevraagd voor Patina's operatie te betalen? Waarom moest je uitgerekend mij benaderen? Daarvoor moest ik het weinige opgeven dat ik nog had.'

De tranen stroomden over Pilars wangen. 'Zo was het niet. Je vader gaf me alleen het noodzakelijke. Je hebt gezien in wat voor huis ik woon.'

Meridia dacht terug aan het groezelige woninkje in de donkere steeg. Het was inderdaad merkwaardig dat Gabriel op zo'n plek wilde verblijven.

'Hij wilde niet dat ik het beter zou hebben dan je moeder. Hij zorgde er zelfs voor dat ik het veel en veel slechter had dan zij.'

'Waarom? Om je te straffen?'

'Om zichzelf te straffen. Omdat hij zichzelf had toegestaan te verworden tot de man die hij was.'

'Iedereen het leven zuur maken? Was dat zijn idee van zichzelf straffen?'

Pilar zuchtte vermoeid. 'Sommige mannen kunnen alleen van een afstand liefhebben. Op zijn manier heeft hij altijd geprobeerd het goede te doen.'

'Wat dan?' viel Meridia opeens uit. 'Wat voor goeds heeft hij ooit gedaan? Noem me eens één onzelfzuchtige, grootmoedige daad uit de afgelopen twintig jaar. Ik daag je uit!'

Haar woede, lange tijd naamloos en verborgen, raasde nu in alle hevigheid door haar heen. In een flits doorstond ze weer Gabriels talloze beledigingen, zijn minachting en kleingeestige treiterijen. Ze zag weer voor zich hoe hij wreed geweigerd had haar te helpen hoewel dat makkelijk had gekund en het zeer van pas was gekomen. Het was meer dan ze op dat moment verdragen kon, te pijnlijk om zich te herinneren. Rood aangelopen en snakkend naar adem spuwde ze Pilar de woorden in het gezicht: 'Nou, zeg het dan.'

Gabriels minnares keek haar aandachtig aan. 'Ik heb hem beloofd dat ik het nooit zou vertellen, maar wie zou jou die goudstaven gegeven kunnen hebben? Wie heeft al dat geld bij de deur neergelegd?'

Meridia's mond viel open. 'Het goud...? Kwam dat dan niet van mijn moeder?'

Pilar schudde het hoofd. 'Ik heb de staven zelf bezorgd en ook de enveloppen, telkens als hij wist dat je moeder bij je op bezoek was gegaan. Hij heeft zelf de goudstaven met haar parfum besproeid. Begrijp je het nu? Jij was veel belangrijker voor hem dan ik ooit geweest ben.'

De laatste woorden hingen als een dolk tussen hen in. Geen van beiden kon het opbrengen de ander in de ogen te zien. De zon rees al snel en onderzocht de aarde met zilveren stralen. Nu ze niet meer geplaagd werden door de nevels, blonken de treden van de stenen trap als pas gepolijste edelstenen.

'Waarom ben je bij hem gebleven?' kon Meridia slechts met moeite vragen.

'Ik hou van hem,' zei Pilar in tranen. 'Mag ik hem alsjeblieft nog een keer zien?'

Meridia schudde vastbesloten en zonder enige verontwaardiging het hoofd. 'Nee. Dat ben je mijn moeder verschuldigd. Je hebt je tijd met hem gehad. Nu mag zij weer.'

Plotseling betrok Pilars gezicht helemaal. 'Mag ik hem echt niet zien?'

Meridia keek haar recht in de ogen en zei niets meer.

Trillend draaide Patina's zus zich om en slofte de stenen trap af.

Eventjes leek ze samen te smelten met het zonlicht, dat een steeds helderder schijnsel over haar stortte totdat ze er geheel in opging. Maar Meridia wist wel beter. Pilar vertrok naar hetzelfde oord waarheen Patina was verdwenen. Ze had al eerder die verdenking gekoesterd maar nu zag ze het allemaal duidelijk voor zich: Patina's operatie was steeds een plan van Pilar geweest. Niet om haar te genezen van haar hartaandoening, maar als een daad van genade teneinde haar te verlossen van Eva. Dezelfde toverkunsten die Pilar had gebruikt om haar zus over te laten gaan naar het rijk der geesten zou ze nu op zichzelf toepassen. Terwijl Meridia toekeek hoe de tengere gestalte vervaagde in het licht, besefte ze dat dit de laatste keer was geweest dat ze Pilar op deze aarde had gezien.

HOOFDSTUK 31

Op Independence Plaza gonsde het van de geruchten. In Cinema Garden speculeerde iedereen erop los. Op het marktplein schudden mensen het hoofd en draaiden met de ogen. Wekenlang werd er op de geruchten gebroed waarna ze hun vleugels uitsloegen en op de wind naar Magnolia Avenue vlogen. Ze sloten de twee panden in waarin de juwelierszaak was gevestigd, spetterden hun uitwerpselen op het dak, ruiden in de tuin en besmeurden de ramen met de drek van het schandaal.

Meridia merkte dit alles niet op hoewel de dienstmeid klaagde dat de tuin overduidelijk een schijtplek voor onzichtbare vogels was geworden. Daniel was degene die het onder haar aandacht bracht. Sinds ze haar tijd was gaan verdelen tussen Monarch Street en Magnolia Avenue was er een onuitgesproken spanning tussen hen ontstaan. Hij keurde het af dat ze zoveel uren elders doorbracht en de winkel verwaarloosde waardoor haar werk op zijn schouders en die van de bediende terechtkwam.

'Er wordt gepraat,' zei hij en keek afkeurend naar de vieze ramen van hun woonkamer.

Meridia, die aan tafel een opstel van Noah aan het nakijken was, keek even op. 'Waarover?'

'Over je moeder. Hoe lang is ze van plan hiermee door te gaan? Klanten vallen me lastig met allerlei vragen.'

Ze verstijfde zichtbaar, maar ging daarna verder met nakijken. 'Laat ze. Ze zullen er snel genoeg van krijgen.'

Daniel keerde zich langzaam naar haar om. 'Begrijp jij waar je moeder mee bezig is?'

Meridia keek hem verbijsterd aan. 'Mijn vader is ziek. Als ik haar was, zou ik precies hetzelfde doen.'

'Dat zal niet nodig zijn, want voor het zover komt ben ik allang verdwenen.'

De spanning hield aan. Een paar dagen later kwam Noah, die in de tweede klas van de basisschool zat, thuis met een blauw oog. Terwijl Meridia zijn verwonding behandelde met ijs vertelde de jongen woedend wat er was gebeurd. Een klasgenoot had hem op het schoolplein gepest door steeds te zeggen: 'Pas op dat de oma van Noah je niet bijt! Ze is gekker dan een dolle hond!' De fijngevoelige jongen was razend geworden dat zijn geliefde oma zo beledigd werd en had zijn kameraad met twee klappen neergeslagen, maar niet voordat hij zelf goed op zijn rechteroog was geraakt. Een lerares was tussenbeide gekomen, maar had het nagelaten zijn klasgenoot bestraffend toe te spreken toen ze de reden voor de vechtpartij vernam.

'Is dat waar, mama?'

Meridia haalde het ijs van Noahs oog en onderzocht de blauwe plek zorgvuldig. Net boven het oog raakte die aan het litteken van Elias, dat onder het wachten op haar antwoord rood werd en koortsachtig klopte.

'Natuurlijk niet,' reageerde ze. 'Haar verstand is wel het laatste wat je oma kwijtraakt.'

Later bij het avondeten vertelde Noah zijn vader over het geleverde gevecht. Met een blik die Meridia niet snel zou vergeten, zei hij haar: 'Doe er iets aan voordat het te laat is.' Ze beet op haar lip en at verder alsof ze hem niet gehoord had.

Het was Eva die haar uiteindelijk aanzette tot ingrijpen. Op een middag in maart, toen de dag nog naar zonlicht rook, stopte Meridia eten in een blik om het mee te nemen naar haar ouderlijk huis toen ze hoorde hoe Eva's weerzin tekeerging op het marktplein, langs de bomen en de daken van de huizen de lucht inschoot, afketste op de wolken, op haar keuken afdonderde en het enige open raam tot doelwit nam, waarna het haar trof met een klap in de maag: 'In elk geval heb ik nog zoveel gezond verstand dat ik geen man ga berijden die geen adem meer in zijn lijf heeft.'

Meridia liet de blikken meteen los. Bleek en duizelig struikelde ze de straat op en zette koers naar het huis op Monarch Street.

'Wat is er aan de hand, kind?' riep Ravenna zodra Meridia het huis betreden had.

Ze antwoordde niet maar wankelde de trap op, viel de kamer aan het einde van de gang binnen en dwong zichzelf de op het bed uitge-strekte gestalte onder ogen te komen. Voor het eerst sinds ze hem zes maanden geleden naar huis hadden gebracht, was ze in staat Gabriel duidelijk in zich op te nemen. Zijn gezicht was blauw en opgezwollen. Zijn neusgaten trilden als die van een zeehond. De huid was overal bedekt met een laag schubben. Hij rook als een verre zee. Ze besefte verschrikt dat hij beter toegerust leek in het water te leven dan op het land.

Haar ogen prikten toen ze zich de woorden van de onheilsprofeten herinnerde: 'Hij zal geen vooruitgang of achteruitgang laten zien,' had een dokter gezegd. 'Schraap het ijs zo vaak weg als u wilt, maar het le-ven is uit dat lichaam geweken.' 'Doe wat u wilt,' zei een ander, 'maar hem laten gaan zal een verlossing betekenen.' Ravenna negeerde hun adviezen met een stem waarin geen enkele twijfel doorklonk: 'Wat we-ten deze dwazen er nu van? Binnenkort opent je vader zijn ogen en wordt hij weer helemaal de oude onuitstaanbare lulhannes die hij altijd was.'

Het was nu zes maanden later. De herfst was overgegaan in de lente. De bomen liepen opnieuw uit en de bloemen bloeiden weer, maar de gestalte in het bed was niet tot leven gekomen. Elke dag weer pompten moeder en dochter melk door het slangetje dat in zijn keel zat. Elke ochtend wasten ze hem, verwijderden ze het weinige dat hij afscheidde en om hem warm te houden wreven ze zijn huid in met eucalyptusolie. 's Middags masseerde Meridia zijn armen en benen, die als balken zo zwaar geworden waren, terwijl Ravenna elke methode uit haar almanak toepaste om het ijs tot staan te brengen.

Hoe lang konden ze hiermee nog doorgaan? En wat was de zin er-van?

Ravenna zag er uitgeput uit. Ze was ervan overtuigd dat Gabriel zou herstellen, maar ging nog maar zelden de deur uit en liet de boodschap-pen aan Meridia over. Ze sliep hooguit twee uur per nacht, at nog maar mondjesmaat en was, afgezien van haar ijzeren rug en onverbiddelijke knotje, een onaanraakbare schaduw geworden. Niet voor het eerst vroeg Meridia zich af of haar moeders volharding niet gewoon koppig-heid was die gevoed werd door een illusie, een eigenzinnige weigering te aanvaarden wat anderen als onvermijdelijk zagen.

Toen Ravenna eveneens de kamer binnenkwam, trok Meridia zich niet terug van het ziekbed. Ze zette alle gedachten van zich af en keek haar vader onbewogen aan. Geef me een teken, papa. Zeg me wat ik moet doen. Ze nam zijn koude hand in de hare. Ze wenste dat hij hem zou optillen, ermee sloeg of dat hij zou trillen, alles behalve dat hij zo slijmerig en amfibieachtig onbeweeglijk bleef liggen. Ze aaide over de gemarmerde schubben waarmee zijn vingers bedekt waren en kon niet uitmaken of ze nu het rommelende geluid hoorde van het bloed dat door zijn aderen stroomde of het brullen van een vreemde, verre zee. Haar andere hand liet ze lichtjes op zijn voorhoofd rusten in de hoop dat er een onweerlegbare waarheid tot haar zou doordringen. Terwijl de tranen in haar ogen opwelden en haar zicht vertroebelden, zei ze tegen zichzelf dat hij nu in haar hand zou knijpen als hij wenste te blijven. Hoe zwak ook, ze zou deze wilsuiting voelen.

Maar Gabriel bleef onbewogen liggen en Ravenna stond nog altijd achter Meridia. De brandende houtblokken in de bloempotten wierpen hun opaalkleurige vlammen in de lucht. Er was geen tocht in de kamer maar de vele schaduwen leefden. Meridia telde tot honderd en vervolgens tot tweehonderd. Er gebeurde niets. Ze stond op het punt haar vaders hand los te laten toen ze de stem hoorde. Door het raam klonk de bekende, hijgende stem van haar oude kinderjuf.

'Hier kijken.'

Meridia draaide haar hoofd om. Buiten voor het raam zweefden de drie nevels – blauw, geel en ivoorkleurig. Voor zover ze wist was dit de eerste keer dat ze samen waren. Opeens herinnerde ze zich haar droom van lang geleden toen de goede vrouw afscheid van haar kwam nemen. 'De volgende keer dat je de drie nevels samen ziet...'

Alle haren op haar armen gingen overeind staan.

'Papa is vertrokken, mama,' zei ze ten slotte. 'Laat hem gaan.'

Ravenna schrok op uit haar mijmeringen en lachte smalend. 'Doe niet zo raar, kind. Die oude dwaas gaat nergens heen. O, kijk eens hoe dik dat ijs is geworden. Geef me snel de borstel.'

Meridia schudde het hoofd terwijl de tranen langs haar wimpers drupten. 'Het is zover, mama. Laat hem gaan.'

Ravenna pakte de staalborstel van het nachtkastje. Meridia versperde haar moeder de weg en trok haar het voorwerp uit de handen.

'Niet doen! Laat hem met rust.'

'Ben je gek geworden?' riep Ravenna. Er ontstond een worsteling. Meridia, die verbaasd stond over haar eigen kracht, wist haar moeder in bedwang te houden en smeet de borstel door de kamer. Ravenna schopte om zich heen, vloekte en vocht als een bezetene, maar Meridia was te sterk voor haar. Ze huilden toen ze elkaar vastgrepen en hun kreten legden alle wonden bloot die de tijd niet had kunnen helen. Toen vloog het raam met een luide grom in stukken. Talloze glasscherven hagelden op hen neer. De twee vrouwen vielen op de grond terwijl de drie nevels als dolle vogels door de kamer vlogen.

Een scherpe pijn trof Meridia in het hart. Te midden van alle rumoer en verwarring zag ze hoe Gabriels ogen voor de laatste keer oplichtten. 'Nee!' schreeuwde Ravenna. De nevels sprongen op het bed, sloegen hun klauwen in Gabriels borst en sneden zijn levensdraad door. Huilend en wiegend hield Meridia haar moeder vast in haar armen. Het volgende ogenblik waren de nevels verdwenen met in hun klauwen een wedergeboren ziel – vredig nu, zuiver en verheven – die in een zwerm van vleugels omhoog werd gevoerd.

Ravenna zweeg en bewoog niet meer alsof zij nu ook slachtoffer geworden was van het ijs. Haar bloedende armen hingen slap langs haar lijf en haar nek wekte de gruwelijke indruk dat hij gebroken was. Voorzichtig zette Meridia haar in een stoel. Ze sprak haar toe terwijl ze de glasscherven uit haar lichaam plukte, maar toen Ravenna bleef zwijgen, schudde Meridia haar hevig heen en weer. Al snel zag ze dat er uit Ravenna's ogen iets geweken was.

Een week na de begrafenis verzamelde Meridia al haar moed en ging de studeerkamer van haar vader binnen. Zonder Gabriels aanwezigheid was er weinig indrukwekkends aan de grote hoeveelheid boeken en ging er van het kolossale bureau evenveel dreiging uit als van een tandeloze hond. In de voorbije zes maanden had niemand de troep opgeruimd die Ravenna tijdens haar laatste bezoek hier had gemaakt. De kapotte glazen bekers rustten in het stof. De omgegooide tafels smeekten om weer overeind gezet te worden. Overal lagen flarden kleding, die nog altijd verbaasd leken te zijn over Ravenna's woedeaanval.

Meridia begon haar klus met het opengooien van de ramen. Een verfrissende ochtendwind stroomde de schemerige kamer binnen, maar kon weinig beginnen tegen de geur van verwaarlozing. Nadat ze de troep van de grond had opgeraapt en de tafels overeind had gezet, zette ze zich aan de papieren in de bureauladen. In de vier uur daarna speurde ze Gabriels investeringen over twee continenten en in zeven landen na en wist zo de werkelijke staat van zijn financiën te achterhalen. Afwisselend fronste ze de wenkbrauwen en trok ze scheve gezichten. Rond het middaguur bereikte ze een onplezierige conclusie: haar vader was veel minder rijk geweest dan iedereen altijd had gedacht. Haar hele leven had ze zich ingebeeld dat er in zijn chequeboek een of ander oersterk beest gezeteld was, dat alle deuren opensmeet en hem verzekerde van de status die hij genoot in de stad. Nu ontdekte ze dat het beest helemaal niet zo sterk was geweest. Afgezien van het huis en een bescheiden bedrag had Ravenna weinig om op terug te vallen.

Deze ontdekking verbleekte bij een volgende: gezien zijn financiële toestand was het afstand doen van de twee goudstaven voor Gabriel allerminst een gering offer geweest, om nog maar te zwijgen van het geld in de enveloppen. Meridia liet haar hoofd, dat plotseling loodzwaar was geworden, hangen. Hij had dus toch van haar gehouden. Op zijn eigen manier had hij geprobeerd het juiste te doen. In de kamer waar hij haar van jongs af aan had geleerd wat angst was, kon ze eindelijk vergiffenis opbrengen voor de man van wie ze zo weinig begrepen had.

De studeerkamer had nog een verrassing in petto. Bij het in dozen opbergen van de duizenden boeken ontdekte Meridia dat een groot deel daarvan geen wetenschappelijke teksten omvatte, zoals Gabriel iedereen altijd had doen geloven, maar zorgvuldig bestudeerde verhandelingen over hoe een lang geleden gedoofde liefde nieuw leven ingeblazen kon worden. Eén plank bevatte louter geschriften over schuld en boete, een andere alleen boeken over het uitvoeren van rituelen waarmee een einde gemaakt kon worden aan smart en vijandschap. In de marges van vele boeken stond een wirwar van aantekeningen van Gabriel. Deze vervaagde woorden getuigden veel duidelijker van zijn verdriet dan welke bekentenis tijdens zijn leven ook. 'Hij wilde alleen je moeder zien,' had Pilar gezegd. Bedroefd en eerbiedig zette Meridia de boeken terug op hun plank.

Een paar dagen later schrok de stad op door verhalen over Ravenna die bij klaarlichte dag het huisvuil doorzocht. Volgens getuigen zwierf ze doelloos van de ene laan naar de andere, vastgesnoerd in een stijve rouwjurk als uit een andere tijd die nauwelijks iets van haar gezicht liet zien. Hoewel haar lippen onophoudelijk bewogen, zei ze tegen niemand iets. Haar panische ogen schoten heen en weer zonder ooit het spookbeeld te ontwaren waar ze naar op zoek waren. Ze zag er ziekelijk en buitengewoon bleek uit. Degenen die haar water aanboden, verbaasden zich erover dat ze niet stikte in die onbarmhartige jurk.

De maandag daarop kwam Leah Meridia vertellen hoe op het marktplein een straatjochie er getuige van was geweest dat Ravenna een maaltijd genoten had in het gezelschap van een gigantisch zwart beest. 's Woensdags beweerde Rebecca dat men gezien had dat Ravenna een schimmelveulen aan de teugel voerde terwijl ze boven het hoofd van het dier een palmtak heen en weer zwaaide. Op vrijdag bekende Noah dat twee jongens uit zijn klas een blinde vrouw met slangenhaar bij de schoolpoort hadden zien zitten. Ze had gelachen en de lippen afgelikt toen ze de adders in haar haar aaiden.

Meridia wist niet wat ze van deze verhalen moest denken. Steeds als ze op bezoek ging in het huis aan Monarch Street trof ze Ravenna aan in de slaapkamer, waar ze naar Gabriels doodsbed staarde met de onveranderlijke uitdrukking van een afgodsbeeld. De verpleegster die ze had ingehuurd om voor haar te zorgen, verklaarde hetzelfde: Ravenna bracht de hele dag zwijgend in die kamer door en weigerde soms maaltijden. Naarmate er meer verhalen de ronde deden, verscheen Meridia vaker op ongewone tijdstippen, maar niet één keer betrapte ze Ravenna erop dat ze aan het rondzwerven was. Ondertussen nam Daniels ongenoegen verder toe. Aan de frons op zijn voorhoofd kon ze aflezen hoe schokkend het verhaal van die dag was geweest.

Een maand later kwam het tot een uitbarsting. Op een middag was Meridia een bestelling van een klant aan het noteren toen er op straat beroering ontstond.

'Uit de weg voor deze zieke vrouw, heren! Kijkt u maar eens hoe beroerd ze eraan toe is!'

Meridia haastte zich het trottoir op. Aangetrokken door het lawaai had zich een menigte verzameld. Even verderop beende Eva met de kin in de lucht en de schouders naar achteren in de richting van de winkel terwijl ze een verwilderde en nauwelijks geklede Ravenna voor zich uit duwde. Toen ze Meridia zag liet ze het volume van haar stem zakken, maar ze sprak nog luid genoeg om door iedereen gehoord te worden.

'Hoe triest is het toch om weduwe te zijn. Ik heb zelf mijn man verloren, maar ik dank God in de hemel dat Hij me een sterkere geestelijke gesteldheid heeft gegeven dan deze arme ziel. Een in de steek gelaten moeder! Op die leeftijd! Haar dochter heeft het vast te druk om voor haar te kunnen zorgen. Raad eens wat ze zojuist aan het doen was. In ruil voor wat eten was ze de toiletten in Cinema Garden aan het poetsen! Ze was zo blij me te zien dat ze begon te huilen en me een kus op mijn wang gaf.'

Voordat de meute nog dichter naderde, vloog Meridia op Ravenna af en verloste haar van Eva's greep. Ze handelde zo snel en lichtvoetig dat de menigte alleen maar een warme luchtstroom opmerkte die langs hun ellebogen streek. Ze kregen haar pas in het oog toen ze, Ravenna aan de schouder leidend, terugliep naar de winkel. Haar gezicht stond op onweer. Het bloed was weggetrokken uit haar lippen, maar haar ogen flitsten als bliksemschichten. Ze wierp een vernietigende blik op Daniel, die haar achterna was gekomen en nu terug de winkel in ging. De spanning tussen hen ontging Eva niet.

'Jongen!' riep ze triomfantelijk. 'Denk je eens in wat er had kunnen gebeuren als ik je geliefde schoonmoeder niet had gered!'

Terwijl deze woorden nagalmden in haar oren begeleidde Meridia Ravenna de trap op. Ze werden door flink wat klanten nagestaard maar uiterst kalm negeerde Meridia hen. Zodra ze in de logeerkamer waren, deed Meridia de deur dicht en liet ze haar moeder op het bed zitten. Ravenna zag er verward en bang uit. Ze klokte als een kip maar zei niets. Haar broodmagere wangen waren vuil, haar knotje zat los, haar jurk was gescheurd en haar adem stonk afgrijselijk. En dat bij Ravenna, die in haar huis nooit één stofje had toegestaan, laat staan op haarzelf! Meridia's woede werd echter overtroffen door haar verdriet over het feit dat men met haar moeder had geparadeerd als een circusdier, hoe ze beklaagd en aangegaapt was zonder dat ze zich ook maar enigszins had kunnen verdedigen. Terwijl ze het vuil verwijderde, construeerde ze in gedachten het harnas dat Ravenna zou moeten beschermen.

Die avond, direct nadat de bediende vertrokken was, liep Meridia het kantoortje achter in de winkel binnen. Daniel borg de sieraden in de brandveilige metalen kluis op. Door de manier waarop hij haar blik ontweek wist ze dat haar een fikse ruzie te wachten stond. Op de avond dat Ravenna haar had meegevoerd naar het duistere centrum van de stad was er een slapende hond in hem wakker geworden. De voorbije zes maanden was hij maar twee keer bij Gabriel op bezoek geweest. Met elk uur dat Meridia buitenshuis doorbracht werd hij, hoewel hij altijd een zachtmoedig en inschikkelijk persoon was geweest, steeds lichtgeraakter. Hij gedroeg zich vaak onhandelbaar zonder dat daarvoor een reden was en uitte vage verlangens, die Meridia slechts met gebruik van al haar psychologische inzichten juist wist te interpreteren. Als ze ernaast zat, stootte hij haar door te zwijgen van zich af. Als ze hem daarna wilde sussen en opvrolijken, maakte hij daar met een norse blik direct een einde aan.

Nu stond ze verheven en met een rug zo recht als een zwaard voor hem. Ze verroerde zich niet totdat hij zijn blik losmaakte van de stapels sieradenplateaus op het bureau.

'Wat is er?'

Door de ongeduldige klank in zijn stem besloot Meridia tot de directe benadering. 'Ik wil dat mijn moeder bij ons komt wonen,' zei ze.

Hij pakte een plateau en gooide hem in de kluis.

'Ze heeft haar eigen huis. Wat schieten we ermee op als ze hier komt wonen?'

'Ze is eenzaam en kan niet langer voor zichzelf zorgen. Je hebt vanmiddag zelf gezien wat er gebeurt.'

'Je hebt al een verpleegster ingehuurd en gaat drie keer per dag bij haar op bezoek.'

Meridia wist haar kalmte te bewaren en schudde het hoofd. 'Ik ben haar dochter en ze heeft mij nodig om voor haar te zorgen. En bovendien, als ze hier woont kan ik meer tijd besteden aan de winkel.'

Daniel schoof de resterende plateaus opzij en richtte zich op. De blik waarmee hij haar aankeek was als die van een vreemde.

'Hoezo denk je voor haar te kunnen zorgen? Van wat ik begrijp zorgt ze voor een hoop werk. Ze loopt door de straten als een krankzinnige, scheldt mensen de huid vol en bekogelt hen met stenen. Je kunt haar alleen maar in huis houden door haar aan de enkels vast te ketenen. Ze zal zichzelf belachelijk maken en schande over ons brengen, net zoals vandaag!'

Meridia voelde hoe haar kalmte snel wegebde. 'Als ik het me goed herinner was het jouw moeder die haar belachelijk maakte.'

'Je zou mijn moeder juist moeten bedanken omdat ze de jouwe voor erger behoed heeft.'

'Omdat ze met haar liep te pronken als met een mythologisch wezen? Ik stuur haar meteen een bos rozen!'

Daniel kneep zijn ogen scherp toe. Op dat moment deed niets aan hem haar nog denken aan de zachtaardige man die ze ooit getrouwd had.

'Er is voor jouw moeder geen ruimte in dit huis,' zei hij.

Met haar blik strak op hem gericht deed Meridia een stap vooruit en siste hem toe: 'Jawel.'

Er verscheen een spottende glimlach op zijn gezicht waardoor haar woede voor even bevroor. Ze had het gevoel dat ze teruggeworpen werd in de tijd en dat de gebeurtenissen van de voorbije tien jaar haar slechts hadden teruggevoerd naar precies dezelfde situatie als toen. Want op zijn gezicht zag ze dezelfde wrede uitdrukking die Gabriels gelaat zo vaak verduisterd had, vaker dan ze zich wenste te herinneren.

'Vertel me eens,' zei hij, 'als mijn moeder in dezelfde omstandigheden komt te verkeren – wat God verhoede – zou je het dan ook goedvinden dat zij bij ons komt wonen?'

Meridia antwoordde direct. 'Ik zal het niet tegenhouden als je vindt dat dat moet.'

Daniel barstte in een harteloos en kleinerend lachen uit dat een zwakkere persoonlijkheid dan Meridia direct gevloerd zou hebben. Ze vroeg hem recht op de man af: 'Waarom heb je zo'n hekel aan haar?'

'Omdat ze mij behandelde als minder dan een vlo toen ik ten einde raad was.'

'Dat deed ze om mij te beschermen.'

'Om jou te beschermen? Tegen mij?'

'Tegen de wanhoop en het ongeluk.' Ze haalde diep adem en hoopte de man terug te vinden van wie ze hield. 'Dat was een vergissing. Vergeef haar deze foute inschatting.'

Daniel blies minachtend. 'Waarom? Ze heeft zich nooit verontschuldigd. En gezien haar ziekte zal ze dat ook nooit meer doen.'

Dat was een gemene opmerking, maar Meridia negeerde hem. 'Dan verontschuldig ik mij daarvoor namens haar. Alsjeblieft.'

Ze vernederde zichzelf, kwam hem met alle liefde die ze in zich had tegemoet, maar ze wist de in hem woedende vijandigheid niet tot bedaren te brengen. Plots realiseerde ze zich dat iets – iemand – al het mogelijke had gedaan om hem te beïnvloeden. Terwijl ze druk was geweest met Gabriel te verzorgen en Ravenna te troosten, had Eva hem met haar bijen omsingeld. Ze was te bezorgd en te zeer door alles in beslag genomen geweest om het op te merken.

'Ik heb meer te verduren gehad van je moeder dan wie ook,' zei ze. In gedachten zon ze op iets wat ze kon zeggen dat krachtig genoeg was om de bijen te verjagen. 'Maar als ze mijn hulp nodig had, als haar geluk om de een of andere reden van mij zou afhangen, dan zou ik haar die bieden omdat ik van je hou. Ik vraag jou nu om hetzelfde te doen. Vergeef mijn moeder zoals jij ooit vergeven bent.'

'Hoe durf je dat tegen me te zeggen!' schreeuwde Daniel. 'Mijn moeder heeft gelijk. Om je zin te krijgen ben jij tot alles in staat.'

Het was Meridia ineens allemaal duidelijk: de muur die met sporen van bijen bedekt was en waarvan ze een eerste glimp had opgevangen op de avond dat Daniel teruggekeerd was van Orchard Road werd voor haar ogen verder opgetrokken en verstevigd. Nooit eerder had ze Daniel zo kwaad gezien. Het bloed trok naar zijn slapen en hij snakte naar adem alsof hij nooit genoeg lucht zou kunnen vinden.

'Je moeder komt dit huis niet in!' brulde hij. 'Is dat duidelijk?'

Meridia deinsde achteruit en verbrak de spanning met zo'n liefdevolle stem dat Daniel eerst dacht dat ze zich bij zijn verbod neerlegde. Maar niets, helemaal niets in hun tien jaar huwelijk had hem kunnen voorbereiden op de woorden die volgden.

'Dan ga ik met Noah in het huis op Monarch Street wonen.'

Daarin klonk geen enkel dreigement door, maar Daniel verstijfde alsof ze hem met een mes gestoken had. Hij greep de resterende plateaus, knalde ze in de kluis en smeet de grendels dicht. Meridia genoot niet van haar overwinning. Ze had gewonnen, maar besefte heel goed dat elke triomf een prijs had die niet van tevoren was in te schatten.

HOOFDSTUK 32

Noah was negen jaar toen Ravenna op Magnolia Avenue bij hen in-
trok. Daarvoor had ze in zijn gevoelswereld al een plek veroverd als dat
betoverende en vluchtige wezen dat op de onverwachtste momenten in
een geurige wolk het huis binnenzweefde. Hoewel hij haar nadat zijn
opa in een zeehond was veranderd nog minder vaak zag, wist hij nog
elk detail van haar verschijning: haar eeuwige zwarte jurk met de parel-
knopen aan de polsen; het ijzeren knotje op het achterhoofd; de lange,
grote neus; de krachtige, schemerig kijkende ogen die in staat waren
het noodlot uit te dagen.

Het verbaasde hem dan ook dat de vrouw die in de kamer aan het
einde van de gang verbleef niet op de grootmoeder uit zijn geheugen
leek. In haar plaats werd het vertrek bewoond door een verward wezen
met een leerachtige huid en sombere grijze ogen, gekleed in een te
wijde, verkreukelde jurk waarin haar graatmagere gestalte verloren
ging. Haar koolzwarte haren hadden plaatsgemaakt voor borstelige,
grijze draden die door zijn moeder 's morgens en 's avonds voor het
slapengaan gekamd werden. Met haar als gewonde klauwen voor de
borst gevouwen handen leek ze stokoud te zijn en alle levenslust verloren te hebben. Het enige wat van haar oude verschijning restte, was
haar geur.

De eerste dagen durfde Noah niet in de buurt van zijn oma te
komen. Haar vreselijke hoest schrok hem evenzeer af als de verwilderde blik in haar ogen en zijn maag draaide zich om bij het zien van
de structuur van haar huid, die verdroogd en hard was als die van een
reptiel. Maar op een dag, toen ze met hun tweeën waren, sprak zijn
oma hem aan. Ze gaf hem in een vreemde en haperende taal die alleen hij begreep opdracht haar geuren te brengen.

Die dag bracht hij haar uit de keuken een fles vanille-extract, waarvan ze de geur opsnoof met een begeerte alsof het het aangenaamste luchtje ter wereld was. De volgende dag plunderde hij het kruidenrekje van zijn moeder en nam hij tijm, kruidnagel en nootmuskaat voor haar mee. Tijdens de dagen erna bracht hij haar bloemen – narcissen, hyacinten en tuberozen – die hij uit zijn moeders tuin plukte of bij de buren pikte. In de loop van de maand nam hij geen genoegen meer met wat gratis verkrijgbaar was, maar wendde hij zijn zakgeld aan om voor haar wierook, kaarsen met sandelhoutolie, rietsuikerstroop, kaneelballen en azijn van citroengras te kopen. Als zijn vader hem 's middags van school haalde en ze over het marktplein naar huis liepen, stak hij zijn neus uit om de bijzonderste geuren op te vangen. Daniel trok een wenkbrauw op als hij zag hoe Noah tussen de marktkramen heen en weer stoof en als een kleine edelman met zijn geld smeet, maar de jongen, gewaarschuwd door zijn scherpe voorgevoel dat zijn vader direct een einde zou maken aan zijn aankopen als hij de waarheid ontdekte, keek hem dan even aan met zijn mopsneus en ronde, donkere ogen en gaf de eenvoudige verklaring: 'Het is voor school, papa.'

Hij genoot van de momenten dat zijn oma de door hem meegebrachte geuren in zich opnam. Het kon gebeuren dat haar ademhaling begon te piepen als ze zich op een alleszeggende manier te goed deed aan het aroma, maar haar dan plots glanzende huid maakte dat meer dan goed. Soms kon hij de verleiding niet weerstaan haar te omhelzen. Ze liet hem altijd begaan en keek hem dan slechts teder aan. Als ze glimlachte, leek ze niet meer oud en verdord, maar louter mooi.

Hun spel eindigde elke dag met de nadering van zijn moeder. Hij verborg dan snel het flesje of de bloem in zijn broekzak en keek toe hoe de gelaatsuitdrukking van zijn oma terugkeerde naar haar gekwelde staat. Maar zij had dan al genoten van de geuren die hij haar gebracht had en hij had al meer van haar geheimzinnigheid in zich opgenomen. Ze deelden samen een geheim waarvan hij het heilige karakter in ere zou houden totdat ze stierf.

In het begin deed Meridia alles om Ravenna voor Daniel verborgen te houden. Ze vertelde hem niet wanneer ze haar intrek zou nemen, maar installeerde haar samen met haar twee koffers op een dag gewoon in de kamer aan het einde van de gang. Ze hield de deur van de kamer altijd dicht en nam 's avonds de extra voorzorgsmaatregel de spleet onderaan de deur met een handdoek aan het oog te onttrekken. Ze maakte zelf Ravenna's maaltijden klaar, die ze haar ook zelf bracht, propte haar kleren in een zak zodat de dienstmeid ze kon wassen, en brouwde haar drankjes met de ramen open zodat de geur niet bleef hangen. Eén keer per dag nam ze Ravenna mee naar beneden voor wat lichaamsbeweging in de tuin, maar alleen als Daniel even weg was voor een boodschap. Deze tactiek werkte zo goed dat het een hele week duurde voordat hij besefte dat er nog iemand anders onder zijn dak woonde.

Toen de lente overging in de zomer verweefde Meridia Ravenna's aanwezigheid met de dagelijkse gang van zaken. Als ze haar post in de winkel verliet, gebaarde ze naar de bediende dat ze alleen even naar boven was en zorgde ze ervoor dat Daniel het gebaar niet ontging. Als de dokter zijn wekelijkse bezoek aflegde, bleef ze voor ze naar boven gingen binnen Daniels blikveld even met hem op de trap staan om hem zacht op de hoogte te brengen van de veranderingen in Ravenna's toestand. Tegenover een paar klanten liet ze zich ontvallen dat haar zieke moeder nu bij haar woonde, waarop ze haar kaarten en bloemen stuurden, die ze allemaal prominent uitstalde in de woonkamer. Tijdens het avondeten hield ze zonder verdere toelichting een bord eten apart en maakte zodoende met een schep rijst en een portie groenten Ravenna's aanwezigheid tot een vaststaand feit.

Ze had een onmisbare bondgenoot in Noah. Sinds de gebeurtenis met de kaketoe (op sommige avonden deed de woede van de vogel de lege kooi op zijn kamer nog rammelen) leed het geen twijfel meer naar wie zijn loyaliteit uitging. De jongen bleek even geslepen te zijn als zij, maar veel genadelozer. Een keer op een middag in de winkel propte hij voor de ogen van zijn vader met veel omhaal een stapel boeken in zijn schooltas.

'Wat ben je aan het doen, zoon?' vroeg een verwonderde Daniel. 'Ga je een bibliotheek beginnen?'

'Nee, papa. Ik ga boven in de logeerkamer mijn huiswerk doen. Je weet wel, die kamer die om onduidelijke redenen naar citroen ruikt en waar altijd gehoest klinkt.'

Daniel verslikte zich bijna. Meridia dook weg en deed alsof ze druk met iets bezig was.

Na een aantal weken van dergelijke sluwheden scheen Daniel helemaal tot bedaren te zijn gekomen. Hij keek haar niet meer vol wrok aan en leek vrede te hebben met de aanwezigheid van zijn schoonmoeder in zijn huis. Meridia vatte moed en haalde Ravenna meer en meer uit haar kamer tevoorschijn. Op een zondag zat ze een hele middag met haar in de woonkamer zonder dat Daniel een woord van protest liet horen. De week erop nam ze haar mee naar de winkel beneden en zette haar aan een tafel tegenover hem en nog steeds zei hij niets. Elke ochtend luisterde ze goed of ze het eerste misbaar hoorde vanuit het huis op Orchard Road, maar de uit westelijke richting komende wind voerde geen bijensporen met zich mee. De zaken gingen uitstekend. Financieel hadden ze alles goed voor elkaar. Hoewel ze minder frequent waren, behielden hun vrijpartijen het vertrouwde karakter.

In werkelijkheid waren de bijen die zomer in vol bedrijf, maar Eva was slim genoeg ze van Meridia weg te houden. 'Hoe durft ze aan dat spook onderdak te verlenen in het huis van je broer!' zoemden ze bij Permony steeds weer rond. 'Uitgerekend in het huis waar ik nog nooit welkom ben geweest en waar ik mijn eerste maaltijd nog moet krijgen! Ik begrijp dat dat walgelijke mens in rouw is, maar ben ik zo in de watten gelegd nadat ik weduwe geworden was? Ik kan me niet eens herinneren dat je schoonzus mij heeft gecondoleerd! En waarom moet dat gekke wijf beloond worden voor haar zwelgen in zelfmedelijden? Ik heb mij sterk gehouden, heb afscheid genomen, je vader begraven en ben verder gegaan met mijn leven zoals iedere vrouw met een beetje zelfrespect zou doen. En dan te bedenken dat die geilaard het grootste deel van zijn leven alleen maar verachting voor haar had, zijn mannelijkheid vergooid heeft in de armen van een sloerie en waarschijnlijk een heel leger bastaarden bij haar heeft verwekt! Huh! Ze heeft me een keer zo'n klap verkocht dat mijn oor na drie dagen nog suisde, maar nu kan ze niet eens meer een mug doodslaan! Hemelse gerechtigheid, nietwaar? Maar ik begrijp niet waarom je broers gemoedsrust verstoord moet worden door die krankzinnige. Ze heeft geld genoeg. Laat haar iemand in dienst nemen om haar in haar eigen huis te vertroetelen. Hoe kan mijn kleinzoon fatsoenlijk opgroeien als zijn met een bijl zwaaiende oma in de kamer naast hem ligt? Als je broer niet snel een eind hieraan maakt, dan begint Noah binnenkort tegen de kamerplanten te schreeuwen of, nog erger, dan hakt hij binnenkort onze ledematen af terwijl we liggen te slapen!'

De bijen werden door drie andere beproevingen nog eens extra aangespoord. De eerste was dat Gabilan, na jaren alles geduldig over zich heen te hebben laten komen, samen met een ander dienstmeisje midden in de nacht de stad verlaten had. Ze had al haar spullen achtergelaten, maar uit de keuken wel een stuk of vijf koperen pannen meegenomen. Eva was van woede een beroerte nabij en dreigde haar te laten arresteren. 'Waarom eigenlijk, mama?' vroeg Permony haar verstandig. 'Om een paar gebutste koekenpannen? God mag weten waarom ze die meegenomen heeft.' Maar heimelijk begreep Permony dit wel. Patina had deze pannen jarenlang dagelijks in handen gehad. In feite behoorden ze tot de weinige voorwerpen in huis die Eva nooit aangeraakt had.

De tweede beproeving was dat de roddels die over Malin in de stad de ronde deden een nieuw dieptepunt hadden bereikt. Als Eva op de markt van de ene kraam naar de andere liep, werd ze voortdurend geteisterd door fluisteringen. 'Jonathan raakt haar al maanden met geen vinger meer aan, wil haar geen kus meer geven en niet meer met haar vrijen. Dat kan niemand hem kwalijk nemen want wat moet je met een vrouw die liever een grafsteen heeft dan het lijf van haar eigen man?' Eva liet duidelijk haar verontwaardiging blijken, maar zelfs al haar afdingen en koeioneren wist hen niet tot zwijgen te brengen.

De derde beproeving was de zwaarste. Als de bewoners van de stad niet over Malin roddelden, dan richtten ze hun pijlen wel op de winkel aan Lotus Blossom Lane. 'Hij is flink achteruitgegaan sinds Elias drie jaar geleden stierf. Door de ondeskundigheid van zijn weduwe laten klanten de winkel massaal links liggen en het assortiment is al even ouderwets als het tapijt. Eva zou de winkel moeten overlaten aan Permony. Het meisje heeft oog voor sieraden en een talent voor zakendoen. Maar haar moeder laat niet toe dat ze op de voorgrond treedt. Ze lijkt wel jaloers op haar te zijn...'

Eva hoorde dit boos aan. Haar van dwaasheid beschuldigen was één ding, maar van jaloezie? Op haar dochter? Haar jongste kind was nauwelijks in staat zonder knoeien een kop thee in te schenken! Ze moesten beseffen dat de winkel alleen maar achteruitging omdat Meridia al haar klanten inpikte. Als ze ergens geld kon vinden, zou ze de winkel opknappen, het assortiment vernieuwen en kon ze die bloeddorstige kakkerlak voor eens en altijd fijnstampen. Ze dacht eraan geld te lenen van Daniel, maar het idee dat Meridia dat zou ontdekken was te onverdraaglijk voor woorden. Geld lenen van Malin was al helemaal niet aan de orde: tegenwoordig was haar dochter tot weinig meer in staat dan het plukken van bloemen voor het graf.

Wat kon een door haar kinderen in de steek gelaten moeder in hemelsnaam beginnen?

Het antwoord kwam als bij toeval op een lome middag in augustus haar winkel binnen. Eva, die alleen was, wilde juist de winkel vervroegd sluiten toen de deur openzwaaide en een gouden bel klingelde. Even zag ze alleen maar hoe felgeel zonlicht een man zonder hoofd in een militaire jas omgaf. Daarna stapte hij uit het licht vandaan. Bleke huid, grote snor en kobaltblauwe ogen. Omdat zijn haar dezelfde schittering had als de zon had ze zijn gelaat niet eerder kunnen zien. Snel probeerde ze zich te herinneren waar ze hem van kende en opeens wist ze waarom hij was gekomen. De stadsbewoners hadden gelijk. Permony zou inderdaad haar redding kunnen betekenen, maar op een andere manier dan ze dachten.

Nu Patina en Gabilan verdwenen waren, kreeg Permony de volle laag van de bijen. Aanvankelijk vertrouwde ze voor het afweren ervan nog op haar opgewekte karakter, maar toen de zomer in de herfst overging maakte haar positivisme plaats voor onrust en wanhoop. Hoe zou ze ooit kunnen ontsnappen aan haar moeder? Ze had geen geld, geen specifieke vaardigheden en geen diploma's. Ze had haar opleiding niet afgemaakt omdat Eva na Elias' dood er het nut niet van inzag haar op school te houden. De voorbije drie jaar had ze haar moeder geholpen in de winkel, maar dat was een bezigheid die haar nauwelijks geschikt maakte om daarna een baan te vinden. De andere mogelijkheid – trouwen en een gezin stichten – leek al even onbereikbaar. Hoewel er zich genoeg kandidaten aandienden, verdween hun interesse snel op het moment dat ze ontdekten dat er geen noemenswaardige bruidsschat was. Was ze veroordeeld haar hele leven in het huis op Orchard Road te blijven, als een slaaf van Eva's buien en uitgehuwelijkt aan haar buitensporige eisen?

Af en toe kwam Permony in de verleiding Meridia in vertrouwen te nemen, maar toen ze zag hoeveel haar schoonzus met Ravenna te stellen had en hoe hoog de spanning in het huishouden op Magnolia Avenue inmiddels was opgelopen, besloot ze haar te ontzien. Evenmin wist ze, hoewel hun relatie veel beter was dan tijdens hun jeugd, door de smart van Malins hart heen te dringen en met haar tot een gesprek te komen. De enige op wie ze zou kunnen afstappen was Daniel. Maar zelfs hij had andere dingen aan het hoofd, zoals ze snel zou ontdekken.

Het was haar opgevallen dat hij weer vaker bij hen op bezoek kwam sinds Ravenna bij hem woonde. Urenlang sloot hij zichzelf met hun moeder op in de zitkamer boven om daarna het huis te verlaten met een chagrijnige, uiterst geïrriteerde uitdrukking op het gezicht. Permony kon slechts raden naar hun gespreksonderwerpen totdat ze op een septemberavond besloot het hem te vragen. Zodra hij zijn mond opendeed, voelde ze het bloed wegtrekken uit haar gezicht. In zijn stem klonken bijen door. Er bevonden zich bijen in zijn adem. Bijen schoten als naalden uit zijn ogen.

'Ik weet dat ze denkt dat ik niks ben zonder haar. Ze denkt dat het dankzij haar talent en slimheid is dat de zaak zo goed loopt. Weet je wat ze gedaan heeft om te zorgen dat ze haar gestoorde moeder in huis kon nemen? Ze heeft gedreigd Noah van me af te pakken als ik weigerde! Ze weet hoezeer ik dat mens verafschuw, maar ze laat geen gelegenheid voorbijgaan om voor mijn ogen met haar te pronken. Weet je nog dat ze achter mijn rug om geld aan Pilar heeft gegeven hoewel dat het laatste was wat ons kon behoeden voor het armenhuis? En dat ze daarna het lef had iedereen te vertellen dat alleen maar dankzij haar goedheid Patina niet was gestorven? Mama heeft gelijk. Ze denkt dat ze boven me staat. Op die dag dat mama zo aardig was haar moeder van straat te halen, gaf ze me een blik waarmee ze mij voor de ogen van jan en alleman onderuithaalde. Waarom probeert ze me altijd weer te vernederen? Ik heb steeds mijn uiterste best gedaan een goede echtgenoot en vader te zijn, maar ze behandelt me alsof ik volstrekt inwisselbaar ben. Ik weet wat iedereen zegt. Ik heb wel gezien hoe ze naar me kijken. Ze zeggen dat ze arroganter is dan een koningin omdat ik over mij heen laat lopen. Dat heeft mama me zelf verteld! En nu heeft ze ervoor gezorgd dat Noah haar steunt. Ze zitten altijd samen plannetjes uit te broeden, brengen uren door samen met dat duivelse mens onder mijn dak. Maar mooi dat ik niet meer de gek met me laat steken! Binnenkort gaat het haar spijten dat ze zich steeds gedraagt alsof ik er niet toe doe!'

De volgende dag stelde Permony, ontsteld en van slag, haar schoonzus op de hoogte van deze uitbarsting. Meridia luisterde zonder haar te onderbreken, maar het was duidelijk dat ze er met haar gedachten niet bij was. Zo nu en dan keek ze met een afgetobd gezicht en van de zorgen vermoeide blik naar de deur aan het eind van de gang.

'Ik heb dat allemaal al eens eerder gehoord,' zei ze nadat Permony haar verhaal had gedaan. 'Het zijn de woorden van je moeder. Laat haar maar zeggen wat ze wil. In zijn hart weet Daniel wel beter.'

'Maar hij klonk zo kwaad!' bracht Permony in. 'Maak je je dan helemaal geen zorgen?'

Van het einde van de gang klonk een kreun. Meridia kwam meteen overeind.

'Ik vind het lief dat je zo bezorgd bent, Permony, maar je broer is een goede man. Misschien koestert hij nu wrok, maar hij weet het verschil tussen goed en kwaad. Dit gaat wel weer voorbij. Ik vertrouw Daniel – hij zou me nooit opzettelijk kwetsen. Dus nee, ik maak me geen zorgen. En nu moet ik helaas weg, mama voelt zich vandaag niet lekker.'

Meridia's zelfvertrouwen was tegelijkertijd zowel indrukwekkend als ergerlijk. Terwijl Permony in de schemering naar huis liep, langzaam om haar volgende confrontatie met de bijen voor zich uit te kunnen schuiven, wenste ze dat zij daar ook iets van had.

Juist toen de bijen haar in hun macht begonnen te krijgen, liep Permony overal de buitenlander tegen het lijf. Hij ging altijd gekleed in zijn lange militaire jas, lakleren laarzen en met een hoekje witte zijde spiedend vanuit zijn borstzakje. Aanvankelijk kwam ze hem alleen toevallig tegen, bijvoorbeeld bij het oversteken van Majestic Avenue of tijdens een wandeling door Cinema Garden. Daarna zag ze hem dezelfde kramen bezoeken als zij en de winkels verlaten die zij juist binnenging. Hij sprak haar niet aan en deed alsof hij haar niet opmerkte. Had hij dat wel gedaan, dan had ze gedacht dat hij haar volgde.

Nadat ze hem twee maanden lang steeds in het openbaar was tegengekomen, drong hij haar persoonlijke ruimte binnen op een manier die ze nooit had verwacht. Toen ze op een middag samen met Eva in de winkel op onbestaande klanten stond te wachten, gooide de buitenlander de deur open en kwam direct op hen af. Hij begroette hen niet maar keek Permony met zijn uitpuilende blauwe ogen eenvoudigweg aan alsof hij haar wilde verslinden. Eva verloste haar uit deze precaire situatie.

'Hemeltje! Wat doe ik nu?'

De spanning werd verbroken door wild over de vloer stuiterende parels. Door het geluid sprong Permony overeind en ging ze achterna. Eva, die de gebroken halsketting tussen haar duimen koesterde, wendde zich geagiteerd tot de buitenlander.

'Wat onhandig van me! Zou u mijn dochter even willen helpen, meneer?'

De buitenlander stemde toe. Samen met Permony schoof hij de tafels en stoelen opzij, keek hij in donkere, stoffige hoekjes en liet bij elke parel die hij opraapte een glimlachje zien. Rondkruipend op hun handen en knieën stootten en botsten ze regelmatig tegen elkaar aan. Zijn sterke geur van zon en tabak vulde haar neusgaten met een aangename reuk. 'Daar!' Eva hield hen aan het werk. 'Zorg er alsjeblieft voor dat jullie ze allemaal vinden.'

Nadat ook de allerlaatste parel opgeraapt was, bedankte Eva de buitenlander uitvoerig.

'Ik kan u niet zeggen hoe dankbaar we u zijn. Het zou ons anders een hele dag gekost hebben de parels terug te vinden. Maar hebben wij elkaar niet eerder ontmoet? U komt me zo bekend voor.'

'U mij ook, mevrouw,' antwoordde hij met schorre stem. 'Volgens mij was dat bij een bruiloft.'

'Natuurlijk! Die van mijn dochter Malin! U bent een goede vriend van Jonathans vader.'

'En u was de moeder van de bruid. Ik herinner het me. Deze jongedame hier was het mooiste meisje op de bruiloft.'

Permony werd rood alsof ze in vuur en vlam was gezet. Zijn ruwijzeren accent stak haar als een distel op een scherpe maar niet onplezierige manier. Hij was groot en had een robuuste, pezige bouw; zijn haar en snor hadden de kleur van maïs en zijn bolle neus deed haar aan een tulp denken. Te oordelen aan de rimpels rond zijn ogen was hij ten minste veertig.

Eva bemerkte haar interesse en duwde haar een stukje naar voren. 'Dit is Permony, mijn jongste dochter.'

Permony bood hem haar hand, die hij naar zijn lippen bracht. Niet gewend aan een dergelijke vrijmoedigheid, deinsde het meisje achteruit.

'Het genoegen is geheel aan mijn kant,' zei hij. 'Ik heet Ahab.'

Zijn glimlach had een parelwitte glans die zijn rimpelige, harde blik verzachtte. Het was deze plens zonlicht die Permony inpakte, deze krans van wit licht die haar deed sidderen en haar doorweekte toen ze hoopvol haar hand terugtrok.

In de zes weken daarna ontmoette ze hem alle dinsdag- en zaterdagmiddagen. Hoewel Permony door zijn aandacht aanvankelijk met stomheid geslagen was, kon ze in de tweede week al niet meer wachten totdat hij met een bosje bloemen in de hand kwam opdagen. Ze vond niet dat hij knap was. In tegenstelling tot de slanke, verfijnde edelen uit de sprookjes van haar jeugd, had hij grove trekken, was zijn manier van doen kortaf en deed zijn bleke huid haar denken aan doek dat te lang in de zon had gelegen. Maar wat hij in zijn voorkomen te kort kwam, maakte hij meer dan goed met zijn hartstocht. Hij kuste haar alsof hij haar wilde opslokken. Hij draaide en tolde haar rond en klemde haar in zijn forse armen totdat ze dacht doormidden te zullen breken. Ze kon er niets aan doen maar zijn ruwe onhandigheid deed haar plezier. Langzamerhand begon ze hem te zien als een reus die voor geen vuur zou terugdeinzen om haar in veiligheid te brengen.

Tot haar verbazing deden de bijen er het zwijgen toe vanaf het moment dat Ahab de parels van de vloer geplukt had. Nog merkwaardiger was dat Eva zich gedroeg alsof ze de gelukkigste moeder op aarde was. Ze was hartelijk en beminnelijk, bracht hun thee en gebak op de veranda, drong er bij Ahab op aan dat hij bleef eten en deed de hele dag niets anders dan glimlachen. Voor Permony was haar gedrag een bevrijding. Ze was lief, kocht jurken voor haar en nam haar elke zaterdagochtend mee naar de schoonheidssalon. Toen ze op een avond Permony's haar borstelde zei ze haar: 'Ahab is de beste man die je kunt krijgen. Vriendelijk, een harde werker, hij weet wat hij wil en is rijk. Je moet dit niet tegen Malin zeggen, maar ik vind hem een betere partij dan Jonathan.'

Permony's lot werd bezegeld op een middag in november. Ze liep arm in arm met Ahab in Cinema Garden toen ze plotseling halt hield en hem aankeek. Het was dat uur van de dag waarop de zon met talloze minieme lichtjes alles doet glimmen. In die talloze lichtjes laaide Ahabs gezicht op als vuur, kreeg zijn haar een gouden glans en uit deze vuurzee rees het beeld van een ander gelaat op. Permony was verbijsterd over zichzelf. Hoe kon het dat ze dit niet eerder gezien had: de luie mond, hetzelfde brede voorhoofd, deze man en haar vader? Ze voelde hoe er iets in haar samenkromp. Opeens smachtte ze ernaar zich in het midden van deze schittering te werpen, zo lang mogelijk het wonder van deze talloze lichtjes te koesteren en te liefkozen. Ze wilde zich weer verroeren, maar Ahab was haar voor. Hij tilde haar op en drukte zijn lippen krachtig op de hare. In zijn armen werd ze week als een klein meisje. Na haar overgave volgde direct een rauwe grom.

'Trouw met me,' zei hij eenvoudig.

Permony antwoordde door haar handen om zijn nek te slaan. Zijn grote, ruwe hand kroop over haar buik omhoog en plette haar borsten. Zijn snor prikte toen ze haar ogen sloot en ze wegglipten naar een plek waar ze hem kon zoenen met alles wat ze in zich had.

Voor het eerst in haar leven omhelsde Eva Permony terwijl de tranen haar over de wangen stroomden. 'Je vader zal trots op je zijn,' bleef ze herhalen en van ontroering schudde ze het wit geworden hoofd. 'Wil je hem zeggen dat ik het goed gedaan heb met jou?' Permony, die zelf ook de tranen in de ogen had, nam haar zegeningen gretig in ontvangst. Het gebeurde voor het eerst en misschien ook wel voor het laatst, maar haar moeders ogen te zien overstromen van liefde, haar trots te zien over wie ze was en wat ze had bereikt, raakte haar dieper dan alles wat er tussen hen was voorgevallen. Verlost van alle twijfel knikte ze.

HOOFDSTUK 33

Meridia was helemaal overrompeld door het nieuws. Hoewel Permony er wel op had gezinspeeld dat ze afspraakjes had met een man met een gele snor die sprak met een dikke tong, had ze nooit over een huwelijk gerept. Evenmin had Daniel er iets over gezegd. Sinds Ravenna haar intrek had genomen in de kamer aan het eind van de gang, wist Meridia niet meer wat er in hem omging. Als ze hem iets vroeg, wierp hij haar meestal een geërgerde blik toe en al snel liet ze het na hem naar zijn mening te vragen. Uiteraard werd er eindeloos geroddeld. 'Eva's jongste en de reusachtige buitenlander,' deinde het door Magnolia Avenue in de richting van het marktplein. 'Als hij haar niet snel een aanzoek doet, zal ze tonnetjerond naar het altaar lopen.' Maar dergelijke geruchten, hoe sappig ze ook waren, konden Meridia nooit lang boeien.

Meridia ontmoette Ahab uiteindelijk toen Eva hem meebracht naar de winkel. Onmiddellijk herkende ze de gedistingeerde man die op Malins bruiloft de hele avond naar Permony had gestaard. Hij was zonder meer hartelijk maar wel op een vrijpostige manier en ze wist niet wat ze van hem moest denken. Nog afgezien van zijn accent en eigenaardige manieren bevreemdde de incidentele glinstering in zijn ogen haar nog het meest. Het leek dan wel alsof hij hen uitlachte. Daniel mocht hem echter graag. Voordat de thee werd opgediend, gaven de twee elkaar zakelijk advies. Permony zag er gelukkig en bekoorlijk uit maar haar blijdschap viel compleet in het niet bij die van haar moeder. De triomfantelijke Eva was de hartelijkheid zelve, met haar warme stem en lach die alle stiltes opvulde. Maar in tegenstelling tot bij haar eerder behaalde overwinningen leek ze zich deze keer niet te verkneukelen. Haar bijen waren nergens te bekennen en ze deed zelfs aardig tegen Permony. Meridia vertrouwde het zaakje niet.

Omdat ze nieuwsgierig geworden was, maakte ze voor de volgende dag een afspraak met Samuel op zijn kantoor. De onafhankelijke handelaar kende ongeveer alle handelslui in een omtrek van vijftig kilometer en was graag bereid te helpen. Hij vertelde haar dat Ahab in naburige steden verschillende bedrijven bezat, waaronder een houtzagerij, een rubberplantage en een suikerfabriek.

'Hij exporteert goederen met enorme winst naar andere werelddelen,' zei Samuel terwijl hij samenzweerderig over zijn baard streek. 'Ik heb gehoord dat hij met steun van zijn vaderland naar dit continent is gekomen. Je zou hem een pionier kunnen noemen die moet uitzoeken wat er nog meer te krijgen is.'

'Een geheim agent?'

Samuel barstte in lachen uit. 'Eerder een buitengewoon avontuurlijke zakenman.'

'Wat weet je van zijn persoonlijke leven?'

'Hij is erg op zichzelf en heeft weinig vrienden. Je weet hoe buitenlanders zijn. Maar naar mijn weten is hij niet in een of ander schandaal verwikkeld. Gaat thuis alles goed?'

Hij stelde deze vraag zo onverhoeds dat ze van haar stuk was gebracht. Even meende Meridia dat als er iemand was bij wie ze haar hart kon uitstorten, het de geduldige en verstandige Samuel was.

'Ja natuurlijk,' zei ze. 'Waarom vraag je dat?'

'Je ziet er moe uit. Dat is alles.'

Met zijn brutale donkere ogen keek hij haar doordringend aan. Ze voelde haar pantser verslappen en diende hem snel van repliek.

'Ik heb tegenwoordig mijn handen vol aan mijn moeder,' zei ze. In de wetenschap dat ze erg ongeloofwaardig overkwam, pakte ze haar jas en nam afscheid.

Vervolgens probeerde ze het bij Leah. Haar vriendin, inmiddels zwanger van haar tweede kind, was maar wat graag bereid voor detective te spelen. 'Ik kan wel wat beweging gebruiken,' verklaarde ze en wreef over haar dikke buik. Enkele dagen later keerde de vastberaden vrouw terug met nog grotere blossen op haar wangen. Ze had overal in de stad navraag gedaan maar was aanvankelijk niets over Ahab te weten gekomen. Die ochtend was ze echter toevallig een oude wolverfster tegen het lijf gelopen die haar het volgende had verteld.

Enkele jaren geleden was Ahab van plan geweest in een verre stad een pakhuis te bouwen. Nadat hij echter de inwoners onder druk had gezet om hun huizen te verkopen, vervloekten ze zijn blauwe ogen en verjoegen hem met stokken en stenen. Drie weken na het incident begonnen twaalf dochters van stadsbewoners tekenen van hysterie te vertonen. Nacht na nacht droomden de meisjes op steeds hetzelfde tijdstip hoe een wezen dat half varken half mens was zich aan hen vergreep. Bij zonsopkomst krijsten ze even luid als de hanen kraaiden, was hun gezicht bezweet, hun kleding gescheurd en bloedden ze pijnlijk uit hun baarmoeders. De meisjes waren niet van hun kamers geweest en niemand had zich er toegang toe verschaft. De wetenschap dat hun dochters geen maagd meer waren, vervulde de ouders met afschuw. Ze hielden de hele nacht de wacht, sloegen op de gong en zwaaiden met wierookvaten, maar de droom liet zich niet verjagen. Kort daarna kregen alle twaalf meisjes een vuurrode, bloemvormige uitslag in hun schaamstreek die brandde en etter afscheidde. De ouders dachten dat het het werk van de duivel was, verkochten hun grond voor een schijntje aan Ahab en ontvluchtten de stad.

'Niemand heeft ooit iets kunnen bewijzen maar ze zagen hem wel degelijk als de schuldige,' zei Leah, zichtbaar genietend van haar rol als nieuwsbrengster. 'Ik moet er wel bij zeggen dat de wolverfster een pompoen nog voor een kip aanziet, dus ik kan er niet voor instaan dat haar verhaal klopt.'

Nadat de winkel die avond was gesloten, zocht Meridia Daniel op in zijn kantoortje.

'Permony lijkt dolgelukkig de laatste tijd,' begon ze voorzichtig. 'Iedereen denkt dat Ahab een goede partij voor haar is.'

Zonder haar een blik waardig te keuren legde Daniel de sieradenplateaus in de kluis.

'Hij is meer dan goed. Iedereen vindt hem perfect.'

Meridia had hem nog niet tegen zich in het harnas gejaagd en wachtte tot hij haar aankeek.

'Denk jij er ook zo over?'

Daniel fronste het voorhoofd. De rimpels vormden een bijna griezelige afspiegeling van alle beroering die hun relatie de laatste tijd kende.

'Hij is aardig, aanbidt haar en is een vooraanstaande zakenman. Is er een reden waarom ik dat niet zou moeten vinden?'

Meridia koos haar woorden zorgvuldig. 'Als ik het mis heb moet je dat zeggen, maar ik kan me niet aan de indruk onttrekken dat Permony een verkeerde keus maakt.'

Een nog diepere frons verhardde zijn gezicht, dat een baard van enkele dagen had.

'Waarom denk je dat?'

'Ik heb een raar voorgevoel over Ahab.'

'Kom ter zake. Wat wil je zeggen?'

Ze vertelde wat Leah te weten was gekomen. Halverwege haar relaas verscheen er een gemeen lachje op Daniels gezicht dat niet meer verdween.

'Begrijp ik het nu goed,' zei hij toen ze klaar was, 'dat jij hem ervan beschuldigt dat hij zich aan maagden vergrijpt, althans in hun droom?'

'Ik vertel je alleen wat ik heb gehoord.'

'Het is oudewijvenpraat.'

'Zelfs in het vreemdste verhaal schuilt een kern van waarheid.'

Daniel gooide zijn handen in de lucht. 'Waar zijn de getuigen, de verklaringen of het bewijs? Met loze praatjes kun je iemand niet van een schandaal betichten. Ik heb me lang genoeg ingehouden maar nu zeg ik het toch: het lijkt me beter dat je wat minder tijd met je moeder doorbrengt. Je begint al net zo gestoord te klinken als zij.'

Door de beschuldiging werd Meridia witheet. Daniels irissen waren ongewoon bleek en zo kil als sneeuw. Zijn verlangen om haar te kwetsen viel erin af te lezen. Deze confrontatie tussen vuur en sneeuw haalde iets naar boven wat onomkeerbaar zou zijn.

'Mijn moeder is niet gestoord,' zei ze zo kalm mogelijk.

Zijn lege lach was oorverdovend. 'Je bent de kilste vrouw die ik ken. Altijd beheerst en zo ongenaakbaar als marmer. Laat jij ooit zien wat er werkelijk in je omgaat?'

Een ader in haar ranke nek klopte van alle emoties maar ze weigerde op zijn schimpscheuten in te gaan. Langzaam maakte ze haar blik van hem los.

'Ik wil alleen maar het beste voor Permony. En voorkomen dat ze een vergissing begaat.'

'Ik stel je bezorgdheid op prijs. Maar denk je nu echt dat ik het huwelijk zou laten doorgaan als ze er niet goed aan zou doen? Ze is mijn zus. Waar zie je me voor aan?'

Kwaad sloeg hij de kluis dicht en sloot hem af. Meridia wist dat voor hem de kous daarmee af was en zette zich schrap.

'Ze schelen ruim twintig jaar, Daniel. Ze is nog maagd en hij is een man van de wereld. Wat hebben ze nou gemeen?'

Met een ruk draaide hij zich om. 'Heb je niet gezien hoe hij naar haar kijkt?'

'Hij is een minnaar, dat lijdt geen twijfel. Een gretige. Maar een echtgenoot?'

'Ik wist niet dat jij zo cynisch kon zijn.'

'Het gaat allemaal zo snel. Vind jij het dan helemaal niet vreemd?'

'Wat moet ik vreemd vinden?'

'Tot een week geleden wisten wc niets van deze man af.'

'En uiteraard verdenk jij...'

Meridia haalde diep adem en legde haar rechterhand op het bureau dat tussen hen in stond. 'Je moeder voert iets in haar schild. Volgens mij heeft zij hen aan elkaar gekoppeld.'

In een oogwenk schoot de muur weer tussen hen op en borrelde al Daniels wrok naar de oppervlakte. 'Ik wist het wel! Hou op met die verdachtmakingen! Dit heeft niets met mama te maken. Dit gaat over jou.'

Meridia legde haar andere hand nu ook op het bureau en duwde met haar volle gewicht tegen de muur.

'Je weet best dat zij hier het brein achter is. Ik zie haar ervoor aan dat ze Permony opoffert om er zelf beter van te worden.'

Met grote woeste ogen sprong Daniel naar voren en sloeg met beide handen op de tafel. 'Mijn moeder is niet het monster waarvoor jij haar houdt!'

Koppig bleef Meridia de muur bestoken.

'Moet ik je eraan herinneren wat ze ons in de loop van de jaren heeft aangedaan? Mij? Patina? Noah?'

'Dat met Noah was een ongeluk. Als iemand daar schuld aan had, was het papa.'

'En Patina's voeten dan?'

'Dat is een leugen die Pilar door de jaren heen steeds verder heeft uitvergroot. Niemand weet wat er precies is gebeurd. Patina heeft zelf nooit iets willen bevestigen.'

'En mijn baarmoeder? Beweer je nu ook dat ze die niet heeft verwoest?'

'Geloof je echt dat ze je toen wilde vermoorden? De moeder van haar kleinkind? Tijdens een bevalling kunnen zich complicaties voordoen. Waarom houd je haar verantwoordelijk voor dingen waartoe ze niet eens in staat is? We zijn familie, Meridia. Je doet er beter aan te vergeven en te vergeten en geen wrok te koesteren.'

Even was ze met stomheid geslagen. Hoewel er geen tocht was, ruiste haar jurk, wat haar innerlijke beroering verried. De muur torende massief boven haar uit. Meridia trok haar handen terug en balde haar vuisten.

'Je bent geen kind meer, Daniel. Ben je blind voor wat anderen wel zien? Je moeder is een vrouw die nergens voor terugdeinst om te krijgen wat ze wil. Hoe vaak moet ze je nog kwetsen voordat je dit gaat beseffen? Het is hoog tijd dat je de confrontatie aangaat en je niet langer achter haar rokken verschuilt.'

Razendsnel veegde hij met zijn hand over het bureau waardoor een lamp en de versierde tafelklok op de vloer vielen.

'Rotwijf!' schreeuwde hij. 'Hoe durf je zo tegen me te praten! Je loopt rond met die hooghartige houding van je en oordeelt, minacht en pretendeert te weten wat voor iedereen het beste is. Bemoei je met je eigen zaken! Ik laat jouw moeder met rust hoewel het hier zo naar haar stinkt dat ik het nauwelijks kan verdragen. Waarom doe jij dat dan niet met de mijne?'

Opeens leek ze te bedaren. Haar schouders ontspanden, haar blik werd milder en nu ze haar handen niet langer gebald hield, bonsde haar hart niet meer in haar keel. Maar hij wist dat ze geen duimbreed toegaf. Hem hield ze niet voor de gek. Ze mocht zoveel glimlachen als ze wilde, ze was niet dezelfde als de vrouw die tien jaar geleden bij hem was teruggekeerd nadat ze van elkaar gescheiden waren geweest. Toen was ze een mens van vlees en bloed, maar de vrouw die nu voor hem stond was van vuursteen.

'Ik zal het er niet meer over hebben, op één voorwaarde,' zei Meridia met een verpletterende vastberadenheid. 'Permony moet me zeggen dat dit huwelijk helemaal haar eigen keus is.'

'Vraag het haar dan!' schreeuwde Daniel, verstikt van haat. 'God weet dat je het zult bezuren als je je vergissing inziet!'

Toen Meridia na het avondeten naar Orchard Road toog, was ze niet van gedachten veranderd. Ze moest die muur tussen Daniel en haar zien af te breken. Eva was niet te vertrouwen en Ahab verborg iets. Wie weet wat die twee samen aan het bekokstoven waren. In de zwoele avondlucht lag Independence Plaza er verlaten bij. Toch weerklonken er onzichtbare voetstappen terwijl de stichter van de stad zijn vuist schudde. Meridia versnelde haar pas. De Tuin der Resten werd gehuld in een koude, bijtende rook. Zodra ze er een vleug van opving, zette ze haar kraag op en hield haar adem in. De stadsklok sloeg twee keer voordat ze Orchard Road 27 bereikte. Toen ze het vertrouwde bouwwerk van hout en baksteen in het oog kreeg, besefte ze nog iets: sinds Gabriel ziek was geworden had Daniel haar nooit meer meegenomen naar dit huis. Het gazon aan de voorzijde was nu een zee van goudsbloemen en er was geen roos meer over. In het licht van de maan leek het huis nog bouwvalliger dan ze het zich herinnerde.

Nadat ze twee keer had aangeklopt, deed Permony open. Het klopte dus: sinds Gabilan met de koperen pannen was vertrokken had Eva geen meid meer gehad.

'Mama dacht al dat je misschien zou komen.'

Permony zag er volwassen uit in een gifgroene jurk van tule die de welving van haar jonge borsten fraai deed uitkomen. Haar glimlach was minstens zo schitterend als de diamanten ring aan haar vinger.

'Hoe wist je moeder…'

Meridia maakte haar zin niet af. Daniel moest Eva van haar komst op de hoogte hebben gesteld.

Permony's lach werd nog breder. 'Kom binnen. Ik wil je iets laten zien.'

Ze nam Meridia bij de arm en bracht haar naar de slaapkamer. Nu Malin was vertrokken, had Permony de hele kamer in bezit genomen en zich het oranje meubilair toegeëigend. De twee bedden lagen met jurken bezaaid. Op de tafel stond een vaas met lelietjes-van-dalen. Permony pakte een olijfkleurige jurk van kasjmier en streelde die teder.

'Is hij niet prachtig? Ahab wil dat ik me mooi kleed nu ik zijn vrouw word.'

Ze ging voor de spiegel staan en hield de jurk tegen zich aan. Haar zuivere, oprechte vreugde bracht een zachte blos op haar wangen. Meridia besloot er niet omheen te draaien.

'Ik wil weten of je ergens ongelukkig over bent.'

Permony draaide zich om en keek haar stomverbaasd aan.

'Waarom zou ik ongelukkig zijn? Ahab is alleen maar goed voor me geweest.'

'Maar weet je zeker dat je met hem wilt trouwen?'

Permony bloosde nog heviger. 'Mama heeft er niets mee te maken als je dat soms wilt weten. Ik heb hier helemaal zelf voor gekozen.'

Boven hun hoofd kraakte het plafond. Hoe ze haar oren ook spitste, Meridia hoorde geen bijen. In feite rook het huis niet langer naar ze. Was ze te ver gegaan en had haar argwaan een loopje met haar genomen? Meridia dacht dat Eva hen misschien in haar zitkamer afluisterde, nam de jurk van Permony over en legde hem op het bed.

'Hou je van hem?' fluisterde ze.

Permony werd nog roder. 'Ik ben erg dol op hem. Hij is sterk en ongelooflijk mannelijk.'

'Maar ken je hem ook? Weet je hoe hij over dingen denkt, wat hij leuk vindt en wat hem raakt?'

Permony keek omlaag en was in de greep van een innerlijke worsteling. Meridia legde haar hand op Permony's schouder en zocht naar tekenen van Eva's bijen maar vond ze niet. Geen dreiging, kneuzing of intimidatiepoging. Permony glansde van top tot teen alsof ze van stofgoud was.

'Herinner je je onze verhalen nog?' zei het meisje. 'Die vriendelijke koningen die hun liefjes met liederen en hoffelijkheid voor zich wonnen? Zo is Ahab niet. Hij wint me voor zich door me zo lang te kussen dat ik er duizelig van word en naar adem moet happen. Soms is hij zo sterk en hunkerend dat ik bang ben te breken onder zijn gewicht. Maar ik krijg er nooit genoeg van, want als hij me vasthoudt, sta ik in vuur en vlam. Dan doet verder niets er nog toe. Al mijn hele leven zit ik aan mama vastgeketend, moet ik aan al haar grillen toegeven en haar hatelijkheden verdragen. Maar toen kwam Ahab en hij brandde mijn ketenen weg. Kijk dan naar me! Al die jurken en de bloemen! Ik weet dat het stom en onbetekenend is maar wanneer heeft iemand mij ooit op de eerste plaats gezet? Als je me dingen komt vertellen die ik liever niet wil horen, smeek ik je die voor je te houden. Nu Ahab me heeft bevrijd, ga ik niet terug naar mama's ketenen.'

Hoewel haar stem was gedaald en triest klonk, sprankelden haar lavendelblauwe ogen. Haar blik liet niets te raden over. Het meisje had besloten om te trouwen zonder dat er liefde in het spel was.

Meridia liet Permony na enige aarzeling los. 'Dus je weet ervan? Heb je het gehoord?'

Permony knikte. 'Ik geloof er geen woord van. Geef me alsjeblieft je zegen, meer vraag ik niet van je.'

'Ik wil niet dat je wordt bedrogen. Ik zou het mezelf nooit vergeven als ik je niet genoeg zou hebben geholpen.'

'En daar ben ik je ook dankbaar voor – meer dan je ooit zult weten – maar ik heb mijn besluit genomen en zal dit jaar nog met Ahab trouwen.'

Permony graaide een bontjas uit de stapel kleren op het bed en deed hem aan. Ze glimlachte, trippelde naar de spiegel en draaide rondjes. Hoewel het er kinderlijk uitzag, overtuigde dit gebaar Meridia ervan dat ze geen meisje meer voor zich had maar een vrouw die precies wist wat ze deed.

'Valt er niets meer te zeggen? Kan ik je echt niet van gedachten doen veranderen?'

Permony schudde haar hoofd. 'Ik wil alleen je zegen.'

Meridia keek haar enige tijd aan en daarna knikte ze. Permony gilde en bedolf haar onder zoenen. Op dat moment wist Meridia het zeker. Ondanks haar beste bedoelingen had ze een belofte gebroken waarvan ze zich niet kon herinneren dat ze hem had gedaan.

HOOFDSTUK 34

Tegen februari was de stank in huis ondraaglijk geworden. Aanvankelijk had Meridia iets zwaveligs opgesnoven toen ze op een ochtend
wakker werd. 's Middags rook het in de slaapkamer zo smerig dat ze de
ramen openzette. Ze beval de meid de tapijten uit te kloppen, de gordijnen te wassen, de vloer te boenen en de lakens uit te koken maar in
plaats van de geur te verdelgen, voegde dit alleen een lichte reuk van
slachtafval en rotte vis toe. Binnen drie dagen had de stank zich over
het hele huis verspreid. Omdat de meid naar frisse lucht snakte, was ze
zoveel mogelijk in de tuin om de planten eens flink te snoeien. Noah
liep rond met dichtgeknepen neus. Zodra de winkel sloot, vertrok Daniel en keerde dan pas na lange tijd terug. Klanten spoedden zich naar
de uitgang zonder hun aankopen te laten inpakken.

Alleen Ravenna's kamer bleef gevrijwaard en Meridia zocht er dan
ook steeds vaker haar toevlucht toe. Hoe langer ze in het vertrek bleef
des te erger werd de stank, maar omdat ze er zo door in beslag werd
genomen, viel het haar niet op. Maar zelfs deze toevlucht had geen
waarde meer toen ze op een ochtend wakker werd en rook dat de lucht
zelfs in haar huid was getrokken. Ze sprong uit bed, rende naar de badkamer, kleedde zich uit en schrobde zich met puimsteen, maar de geur
vervloog niet. Terwijl het vroege ochtendlicht tussen de houten latten
van de luiken door scheen, trok ze haar nachtjapon weer aan, kroop in
bed en merkte dat Daniels lijf dezelfde geur afscheidde. Plotseling besefte ze dat hij in bed al een eeuwigheid met zijn brede rug naar haar
toe lag. De door de bijen opgetrokken muur was in een compleet fort
veranderd. In het afgelopen halfjaar had hij als de nood erg hoog was
enkele malen een touw neergelaten en haar opgetrokken, maar die her-
enigingen waren even betekenisloos als kortstondig geweest. In het
kille ochtendlicht had ze opeens het gevoel dat als ze haar gezicht in

zijn huid kon begraven of met haar lippen zijn borstkas kon beroeren, de stank zou verdwijnen. De kromming van zijn naakte rug was lang en sierlijk en de haartjes in zijn nek vormden een tedere uitdaging. Ademloos van verlangen drukte ze haar borsten tegen zijn rug en legde een hand op zijn schouder. Hij schudde zowel haar borsten als haar hand van zich af, alsof ze klam en smerig waren, en schoof van haar weg.

Toen enkele dagen later de wind draaide, voerde hij de winterkou met zich mee. De stadsbewoners merkten het echter nauwelijks, zozeer werden ze in beslag genomen door de aanblik van een stralende Eva die in een nieuwe nertsmantel over het marktplein paradeerde. Het was voor het eerst in jaren dat ze zo openlijk blijk gaf van haar triomf. Zelfs toen Permony in de maand december was getrouwd, hadden ze weinig van haar vernomen. Ze had niet één keer opgeschept over het paar, over de door de waarzegger gedane voorspellingen, het overdadige feest in het Majestic Hotel of het grote aantal genodigden. Deze voor haar doen ongekende discretie stelde hen niet alleen voor een raadsel maar beroofde hen ook van het grote genoegen over haar te kunnen roddelen. Toen ze die winterse februariochtend in haar prachtige, nieuwe mantel liep te stralen, waren ze maar wat blij met haar terugkeer.

'Ik ben de gezegendste moeder op aarde,' pochte ze tegen de fruitverkopers. 'Mijn zoon is succesvol in zijn werk, mijn dochters zijn met een goede partij getrouwd en het zijn stuk voor stuk liefdevolle, vrijgevige kinderen. Mijn kleinzoon Noah is een knap en heerlijk mannetje. Hij houdt zelfs zoveel van me dat hij, zodra hij wakker wordt, meteen naar me vraagt. Tot nu toe is hij mijn enige kleinkind maar dat zal niet lang meer duren! Moet je deze jas zien. Die heb ik vanochtend van mijn schoonzoon Ahab gekregen. Is hij niet oogverblindend?'

Iedereen was het erover eens dat Permony zwanger moest zijn.

Toen Eva aan Magnolia Avenue haar opwachting maakte om het nieuws te vertellen, stelde Daniel haar aan alle aanwezigen in de winkel voor als 'mijn lieve, lieve moeder'. Hij schonk Meridia een triomfantelijke blik en zei tegen Eva, die de tranen in haar ogen had, dat ze een sieraad mocht uitkiezen, maakte niet uit welk. In de loop van de middag vertelde hij het nieuws aan al hun buren. Zijn grijns was zo vrolijk en breed dat Noah het niet kon laten hem te plagen: 'Kijk uit, papa! Je tanden vallen er zowat uit.'

Bij het avondeten zei hij voor het eerst die dag iets tegen Meridia. 'Je had op zijn minst kunnen glimlachen. Je gedrag geeft de mensen aanleiding te denken dat je niets om Permony geeft. Vind je dan niet dat ze maar mooi terecht is gekomen?'

Meridia gaf geen antwoord. Tot nu toe waren haar zorgen om Ahab ongegrond gebleken want hij had Permony voortdurend op een voetstuk staan. Telkens als ze het stel tegenkwam, leken ze aan hun heupen en hoofd tot één wezen vergroeid. Volgens Leah kocht Ahab elke dag een bosje lelietjes-van-dalen voor Permony. Rebecca beweerde dat de naaister voor wie ze werkten tot volgend jaar vol zat met opdrachten voor Ahab. Onlangs had Permony zelf gezegd dat ze zich niet kon voorstellen ooit nog tevredener en gelukkiger te kunnen zijn dan nu. Toch bleven Meridia's twijfels bestaan. Hoe harder ze probeerde ze de kop in te drukken, des te meer beheersten ze haar gedachten.

Ondertussen bleef Ravenna's toestand zich verslechteren. Ze was nu bijna blind en zo broos als de vleugel van een mot. Haar trotse rug was gebogen en ze haalde moeilijk adem. Als ze niet werd verplaatst, zat ze de hele dag als een standbeeld in haar kamer. Als ze niet werd gevoerd, speelde ze met haar eten zonder een hap te nemen. Als ze iemand hoorde praten, glimlachte ze vriendelijk maar herkende ze de stem van de spreker niet. Het deed Meridia veel verdriet dat Ravenna sinds Gabriels dood geen woord meer tegen haar had gezegd.

De ochtend nadat Eva het nieuws was komen brengen, nam Meridia haar moeder mee naar Cinema Garden om naar de bloesems te kijken. Ze nam haar als een kind bij de hand, zette haar op een warm bankje voor de Zwanenfontein en probeerde haar met de bloemen uit de bomen te verleiden. De lucht was koud en rokerig en met uitzondering van enkele moeders met hun kinderen was het park uitgestorven. Meridia was net de bloemen in Ravenna's schoot aan het schikken toen een vrouw in een jurk van zware stof in de richting van de begraafplaats strompelde.

'Malin!' riep Meridia vanaf het bankje. 'Gaat het wel?'

Het meisje bleef stokstijf staan en liet een bosje vlinderkruid vallen. Meridia zag haar dikke ogen en vermoedde dat ze de hele nacht had gehuild.

'Krijgt Permony een baby?' fluisterde ze. 'Permony... Een baby?'

Achter haar vraag schuilde geen jaloezie maar angst. Meridia pakte Malins handen en kneep er zachtjes in.

'Jij zult heus ook kinderen krijgen,' zei ze. 'Over een jaar heb je misschien wel een zoon of dochter die jou 's nachts uit je slaap houdt.'

Malin schudde haar hoofd en begon te huilen. 'Dat is voor mij niet weggelegd.'

'Dat moet je niet zeggen. Je weet niet wat de goden voor jou in petto hebben.'

Malin schudde nog heftiger het hoofd. 'Je begrijpt het niet. We hebben het al zo vaak geprobeerd en steeds is het fout gegaan. Dat ligt aan mij. We hebben tal van artsen bezocht, maar wat ze ook aanraadden, telkens krijg ik een miskraam. Jonathan heeft de moed opgegeven en me al maanden met geen vinger meer aangeraakt. Hij zegt dat hij er kapot aan gaat om telkens weer hoop op te vatten en die vervolgens te verliezen. Hij geeft het niet toe maar volgens mij geeft hij mij de schuld. Ik ben gewoon geen echte vrouw! Anders zou ik hem toch wel kinderen kunnen schenken?'

Meridia kneep nog harder in haar handen. 'Als jij geen echte vrouw bent, wat ben ik dan?'

Malin hield op met snikken. 'Het spijt me,' zei ze. 'Het was niet mijn bedoeling om...'

'Dat weet ik wel,' zei Meridia en liet het meisje los. Een geluid dat haar niet aanstond trilde door de lucht en bestookte haar oren met de monsterlijke vasthoudendheid van bijen. Meridia keek naar haar moeder: Ravenna was bezig de bloesem in stukjes te scheuren. Haar blik schoot de andere kant op en nu hoorde ze het luid en duidelijk. Het waren de andere moeders. Ze bekommerden zich niet meer om hun kinderen, maar wezen en fluisterden.

Meridia begon te lopen en gebaarde Malin haar te volgen.

'Weet je moeder ervan?'

Malins gezicht vertrok opeens van woede. 'Kon iemand haar maar tegenhouden! Ze bazuint overal rond dat ze binnenkort grootmoeder van mijn kinderen wordt. "De kiemen van tienduizend generaties nestelen in Malins baarmoeder. Ze kunnen elk moment naar buiten komen en de wereld opluisteren." Met zo iemand valt toch niet te praten?

Iemand die zichzelf zo'n rad voor ogen draait dat ze alles gelooft? En nu ratelt ze maar door over Permony en zegt dat ze geen van allen kunnen wachten totdat het bij mij ook zover is. Och, ik ben gewoon zo kwaad en verdrietig en voel me zo waardeloos...'

'Je moet dit gewoon niet toestaan.'

'Ze zegt dat iedereen... Iedereen...'

Malin kwam niet meer uit haar woorden. Het gefluister van de vrouwen werd luider. Meridia staarde naar hen. In een paar minuten tijd was hun aantal ineens verdubbeld.

'Luister eens, Malin, je hebt ontzettend je best gedaan het goed te maken met je zus en ik ben trots op je. Snap je dan niet waar je moeder mee bezig is? Ze probeert jou tegen Permony op te zetten door je jaloers te maken. Als je haar daarmee laat wegkomen, zul je je zus weer gaan haten en krijgt ze weer invloed op jullie allebei.'

Malin knikte instemmend. 'Dit doet ze al ons hele leven. In mijn jeugd zei ze keer op keer: "Papa heeft geen ruimte meer voor jou want je zus heeft al zijn hele hart veroverd." Ze vertelde me altijd wat Permony allemaal achter mijn rug om deed om bij papa in het gevlei te komen. Vroeger werd ik dan razend en maakte Permony het leven zuur. Dan was mama blij, gaf ze me een zoen en kreeg ik alles wat ik maar wilde. Had ik haar gekonkel maar eerder doorzien.'

Toen ze dit zei, was er geen spoor meer te vinden van het wrede, stuurse meisje dat ooit de schrik van haar zus was geweest. Op dat moment besefte Meridia dat ze van heel ver waren gekomen maar elkaar nu erg na stonden.

'Je hebt mij ook ooit gehaat, Malin,' zei ze.

Het meisje ontkende het niet. 'Mama zei altijd de vreselijkste dingen over jou, dat begon al voor jullie huwelijk. Volgens haar had je de geesten omgekocht om Daniels hart voor je te winnen. Als hij eenmaal in je ban was, zou je pas ophouden als je het in huis voor het zeggen had en onze familie kapot had gemaakt. Op een gegeven moment had ze zoveel haat bij mij gezaaid dat ik je het walgelijkste schepsel op aarde vond. Nog altijd grijpt ze elke kans aan om jou te kunnen kwetsen. Ik zou maar uitkijken als ik jou was. Je weet nooit wat iemand als mama aan het bekokstoven is. Sinds je moeder bij je is ingetrokken, is ze laaiend.'

Malin keek met een bezorgde blik naar het eenzame figuurtje op de bank. 'Hoe gaat het met je moeder?'

Nu was het Meridia's beurt het hoofd te schudden. 'Niet beter en niet slechter. Ik weet niet of ze zwijgt omdat ze mijn vader mist of kwaad is op mij.'

'Je hebt gedaan wat je moest doen.'

'Daar denkt mijn moeder waarschijnlijk anders over.'

Malin bleef staan en keek haar recht in de ogen. 'Je bent de sterkste vrouw die ik ken. Ik wil dat je me helpt als het moment daar is.'

Meridia aarzelde geen seconde. 'Wat moet ik dan voor je doen?'

'Dat kan ik nog niet zeggen. Maar beloof je het?'

De twee vrouwen drukten elkaar de hand en gingen ieder hun weg: Malin naar de ijskoude, doodse stilte van Museum Avenue en Meridia naar het bankje met haar moeder die haar niet wilde herkennen.

'Kom mama, het is tijd om te gaan.'

Zodra ze haar hand op Ravenna's schouder legde, werd het met hellevuur gewapende gefluister oorverdovend.

'Waarom praat Malin nog met haar? Als zij haar de dode baby niet had laten zien, zou ze er niet zo door achtervolgd worden. Ze deed het uit wraak, wist je dat? Ze verwoestte de baarmoeder van die meid omdat haar eigen baarmoeder ook is beschadigd. En nu heeft ze haar moeder ook nog kapotgemaakt. Wist je dat ze Gabriel heeft laten sterven hoewel hij nog springlevend was? Zeker weten! Haar moeder probeerde haar nog tegen te houden maar ze wilde niet luisteren. Daar is ze aan kapotgegaan. Moet je die arme weduwe zien. Ze snuift als een idioot aan die bloemen en weet van voren niet meer dat ze van achteren leeft. Wees maar blij dat je geen dochter zoals zij hebt.'

Meridia trilde van woede. Ze keerde zich om en beende op de vrouwen af, ervan overtuigd dat Eva – glinsterde haar nieuwe mantel daar niet in de zon? – zich onder hen bevond. 'Zeg het dan recht in mijn gezicht, lafaard!' Haar schreeuw sneed door de lucht en dreef de goudkleurige zwanen in de fontein uiteen. Boze tranen brandden achter haar ogen en vertroebelden haar blik. De vrouwen zwalkten, de kinderen vervaagden. Langzaam maar zeker verstomde het gefluister. Toen ze aankwam bij de plek waar haar belagers hadden gestaan, trok alle kleur uit haar gezicht.

Er waren geen moeders, geen kinderen en geen Eva. Het was winter en het park was verlaten.

De adem stokte niet langer in haar keel. Haar hart, dat even had stilgestaan, bonsde nu als een bezetene. Waar waren ze gebleven? Wat had ze gehoord? Die stemmen hadden zo echt geklonken en waren van zo dichtbij gekomen. Was het mogelijk dat ze het zich had verbeeld? In de vrieskou vond Meridia het antwoord niet en langzaam wandelde ze terug naar haar moeder.

Enkele dagen later kondigde Eva aan dat de winkel aan Lotus Blossom Lane tijdelijk dichtging voor een opknapbeurt. Hij werd helemaal verbouwd, zei ze. Er kwamen extra ramen, het tapijt en de vitrage werden vervangen en de winkel kreeg mooie, nieuwe vitrines van teak. Ze schakelde Daniel in om op de werkzaamheden toe te zien en met oprecht enthousiasme wijdde hij zich aan wat hij 'mama's grote kans' noemde. Na verloop van tijd besteedde hij een steeds groter deel van zijn vrije tijd aan Lotus Blossom Lane. Hij sloeg maaltijden over en bleef zelfs in het weekend tot laat daar. Meridia, die niet nog meer ruzie wilde, zei er niets van maar merkte dat de stank in huis nog overweldigender werd zodra Daniel de deur achter zich dichttrok. De verbouwing scheen betaald te worden door Ahab.

In de lente werd de winkel heropend op een door de waarzegger als gunstig bestempelde dag. Eva was gekleed in bordeauxrode zijde, droeg fonkelende diamanten en was het toonbeeld van hartelijkheid en gastvrijheid. Ze vermaakte de gasten met talloze anekdotes en spoorde hen vakkundig aan een aankoop te doen terwijl ze hen fêteerde op champagne en krabkoekjes. Aan haar rechterzijde straalde de hoogzwangere Permony. Ahab, die er nog nooit zo gedistingeerd had uitgezien, stond links van haar. Het viel iedereen op hoe liefdevol Eva met haar familie omging: ze masseerde Permony's dikke vingers, noemde Daniel 'de liefste zoon die een moeder zich maar kan wensen' en zorgde ervoor dat Noah genoeg te eten kreeg. Ze straalde zo dat zelfs het schitterende nieuwe interieur erbij in het niet viel en het niemand opviel dat Malin noch Jonathan aanwezig waren.

Meridia schonk Eva weinig aandacht omdat haar oog was gevallen op het jonge, knappe winkelmeisje dat Permony zou gaan vervangen.

Het meisje had een gave albasten huid, een lach als klingelende, zilveren belletjes en magnetiserende ogen die nu eens groen en dan weer grijs oplichtten. Ahab was duidelijk in haar ban. Hij staarde steeds naar het meisje als hij dacht dat niemand keek. Zijn gedrag voedde Meridia's argwaan omdat het dezelfde keurende blik was waarmee hij op Malins huwelijk naar Permony had gekeken.

'Ze heet Sylva,' zei de aanstaande moeder die zag dat Meridia naar het meisje keek. 'Ze is mooi, hè? Ze werkt hier nu een maand en heeft geholpen bij de herinrichting. Mama heeft haar hoog zitten. Volgens haar kan ze goed met klanten overweg.'

'Ze is zonder meer aantrekkelijk,' zei Meridia. Ze zag dat Sylva Ahabs glimlach beantwoordde en duidelijk genoot van de aandacht die ze kreeg.

Later die avond werd er aan Orchard Road 27 een diner gegeven waaraan dertig gasten aanschoven. Met de grootst mogelijke zorg had Eva de door een kok bereide gangen uitgekozen, een variatie van oesters in gelei, gebraden kwartels en deegrolletjes met tonijn. Als dessert diende ze een uit verschillende lagen bestaande citroentaart op. Tot laat op de avond wist ze de gasten met koffie en gelach te vermaken. Toen sommigen spontaan in de smalle gang begonnen te dansen, moedigde ze dat zelfs aan. Kort na middernacht gingen Meridia en Noah weg maar Daniel besloot te blijven. 'Wacht maar niet op mij. Ik help mama met schoonmaken,' zei hij luid en duidelijk zodat het voor iedereen te horen was.

De volgende ochtend schrok Meridia al vroeg wakker omdat ze door een onverdraaglijke eenzaamheid werd verteerd. Ze tastte rond in het ragfijne ochtendlicht, ging overeind zitten en reikte zenuwachtig naar Daniels kant van het bed. Er was geen fort, geen verschansing en geen muur. Er was zelfs geen Daniel. Meridia wreef in haar ogen en plotseling merkte ze het: de lucht van rotting was verdwenen. In plaats daarvan stond er een kille wind die haar akelig bekend voorkwam en haar tot op het bot verkleumde. De kamer leek onwerkelijk, evenals het fletse licht dat door het raam naar binnen viel. Dit was niet haar huis, noch haar gezin. Haar hart bonsde in haar keel en ze schoot overeind toen een dierlijke schreeuw door het huis schalde. Ze rende door de gang naar Ravenna's kamer.

'Mama! Wat is er?'

Tot haar verrassing was Noah er al. Hij oogde bleek en geschrokken maar had zijn armen stevig om zijn grootmoeder heen geslagen.

Ravenna stond midden in de kamer. Ze trilde en brulde zonder dat er een touw aan vast te knopen was. Haar donkere ogen straalden woede en afschuw uit.

'Wat is er, jongen? Wat zegt ze?'

Noah wees naar het raam en greep zijn grootmoeder nog steviger vast. Het gordijn was van de roede getrokken en het vuile raam bood uitzicht op een kleurloze, mistroostige ochtend. Meridia rende naar het raam en keek naar buiten. In de verte trok een helderblauwe mist snel in de richting van Magnolia Avenue. Hij omhulde Daniel die een zwerm bijen in zijn kielzog had.

HOOFDSTUK 35

Het was Meridia een raadsel hoe ze het die eerste dagen kon volhouden. Lange tijd lukte het haar niet te huilen of te schreeuwen en keek ze zuchtend toe hoe haar wereld in elkaar stortte. De aanvankelijke schok maakte geleidelijk aan plaats voor ongeloof en vervolgens al snel voor ontkenning. Nacht na nacht keek ze tegen de steeds hogere muur van Daniels rug aan en probeerde ze zichzelf ervan te overtuigen dat er niets aan de hand was, dat de blauwe mist slechts een zinsbegoocheling was geweest – een slechte grap, een ongelukje, een herinnering aan Gabriel die ze maar beter kon vergeten. Ze wilde een verklaring en negeerde Ravenna's opwinding en Noahs vertwijfeling. Omdat Daniel er niets over wilde zeggen, gaf ze zichzelf overal de schuld van. Zij had het zover laten komen dat het huis nu van stank was vervuld, zij had er niets tegen gedaan toen die muur tussen hen in was komen te staan. Had ze dan helemaal niets geleerd van de koude wind die het leven aan Monarch Street op zijn kop had gezet? Ze was zo in beslag genomen en geobsedeerd geweest door haar argwaan jegens Ahab dat de schaduwen onopgemerkt haar eigen huis waren binnengegleden.

Pas toen zes dagen na Eva's diner de gele mist ook verscheen, voelde Meridia voor het eerst een vlaag van woede. Een uur na sluitingstijd zat ze boven in de woonkamer met een stapel facturen toen het raam begon te rammelen. Ze keek op van haar werk en verstarde. Het alwetende oog van de mist staarde haar recht aan. Haar hand trilde zo dat de rekeningen als meel naar de grond stroomden. Voetstappen haastten zich de trap af, een deur sloeg dicht en even later dreef de mist weer door de straat. Terwijl het raam trilde, bleef Meridia stilletjes zitten. In haar door tranen vertroebelde blik leek de glazen vaas op het bureau in het luchtledige te zweven. Ze moest de neiging bedwingen hem te grijpen en tegen de muur te smijten zodat ze de loden last die op haar drukte zou kwijtraken. Maar in plaats daarvan stond ze op, liep naar het raam en legde haar hand tegen de ruit. Hij bood eerst nog weerstand maar kwam daarna weer tot rust. Ze keerde terug naar haar stoel en raapte de facturen op.

Aanvankelijk arriveerde de blauwe mist klokslag middernacht. Maar naarmate de tijd verstreek, leverde hij Daniel steeds dichter tegen de ochtendschemering af. Meridia wachtte hem op en deed haar best kalm te blijven hoewel zijn smoesjes slap en beledigend waren: hij was met een klant op stap geweest, had een zakelijke overeenkomst gesloten, had een afspraak met een vriend gehad maar meestal moest hij zijn moeder helpen met 'een dringend probleem'. Hoewel ze hem dan kritisch aankeek, zweeg ze. Ze had geen bewijs. Als ze verwoordde wat ze diep in haar hart wist, zou hij dat afdoen als 'haar zoveelste stompzinnige verdachtmaking'. Ze kon hem toch moeilijk uitleggen dat het komen en gaan van de mist haar enige bewijs van zijn ontrouw was?

Toen begon ze dingen te ontdekken die tijdelijk haar bange vermoedens bevestigden. De ene avond vond ze een met lippenstift bevlekte stropdas, de volgende rook zijn hemd naar parfum. Op een ochtend vond ze een liefdesbrief in een van zijn broekzakken. Deze tekenen van verraad hadden echter het lef van gedaante te veranderen zodra Meridia ze als bewijs wilde opvoeren. De stropdas was 's ochtends weer brandschoon. Het hemd droeg geen geur meer als ze Daniel ermee voor zijn neus wapperde. De liefdesbrief veranderde in een bonnetje van de kapper. Ondanks alles vroeg ze zich af of ze het zich misschien allemaal verbeeldde. Misschien had ze het gewoon te druk gehad met het huishouden, de winkel, de verzorging van Ravenna en de aandacht voor Noah. Niemand zou haar geloven. Eva zou de gelegenheid absoluut aangrijpen om haar kapot te maken. 'Waanzin zit nu eenmaal in die familie,' hoorde ze haar schoonmoeder al zeggen. 'Jongen, ik heb altijd geweten dat het ooit zover zou komen.'

Vaak overwoog ze de gele mist te volgen, zoals Ravenna dat vele jaren terug moest hebben gedaan om een glimp van Pilar op te vangen. Haar enorme trots weerhield haar er echter van. Hoewel ze door verdriet werd verteerd nam ze zich voor niet zo'n vrouw te worden die haar rivale door vervloekingen liet wegkwijnen of haar bij de haren naar een plein sleepte om haar te schande te maken en aan het oordeel van anderen bloot te stellen. Maar hoe harder ze zich ertegen verzette, des te meer werd ze door geesten geplaagd. Zowel mannelijke als vrouwelijke verschijningen paradeerden in prachtige kleding of helemaal naakt langs en beweerden stuk voor stuk Daniels geliefde te zijn. Deze levensechte geesten kwelden haar dag en nacht. Ze verstoorden haar slaap, zorgden ervoor dat ze zich niet meer kon concentreren en verzwakten haar zo dat de meid, de klanten, Leah en Rebecca en vele buren zich zorgen om haar maakten. Daniel zei er echter niets over.

Vooral Noah trok zich haar toestand aan. Hij bestudeerde haar met verbaasd onbegrip. 'Wat doet het daar, mama?' vroeg hij steeds als de gele mist zijn vader kwam halen. Meridia antwoordde niet. Hoewel er woorden op haar lippen brandden die de band tussen vader en zoon voorgoed konden beschadigen, wist ze zich telkens in te houden. 'Het is niets. Het is gewoon koud vandaag, dat is alles.' Noah keek haar dan op zo'n manier aan dat ze haar hoofd snel afwendde. Voor het eerst sinds zijn geboorte was ze bang dat hun hechte band, die tijdens haar zeven dagen durende ziekte onbewust door de betoverde kaketoe tot een onbreekbare was gemaakt, haar zou verscheuren en verpletteren. De zoon die ze niet in de ogen kon kijken zou over een maand tien jaar worden.

Maar Noah liet zich niet voor de gek houden. Hij voelde de onzekerheid achter haar dappere voorkomen en de droefheid achter haar glimlach. In deze periode ontwikkelde zijn gevoeligheid zich bijna tot helderziendheid, een karaktereigenschap waarmee hij zich de rest van zijn leven zou onderscheiden. Zonder iets te zeggen greep hij haar hand voordat die zelfs maar trilde; tijdens de wandeling naar school trok hij haar al met zich mee voordat ze bleef staan. Hij begon Daniel overal te volgen, controleerde de kranten die hij had gelezen, de brieven die hij had geschreven en het eten dat hij tot zich had genomen, precies zoals Meridia jaren eerder bij Gabriel had gedaan. Hij plaagde zijn vader niet meer noch lachte hij om zijn grapjes. Hij keek hem steeds gereserveerder aan en zei alleen het hoognodige tegen hem.

Opnieuw vond Meridia troost bij Ravenna. Door met haar te gaan wandelen, haar voor te lezen of met citroenwater en amandelmelk te wassen, wist ze de angst te bezweren. Inmiddels was Ravenna broodmager geworden. Ze sprak nog steeds geen woord, was blind, liep krom en haar gebaren waren onnauwkeurig. Toch werkte haar aanwezigheid als een talisman tegen de geestverschijningen. Haar kamer was het enige vertrek in huis waar de kwelgeesten Meridia niet durfden lastig te vallen. Toen Daniel eens tegen de ochtendschemering thuiskwam, trof hij dan ook een leeg bed aan. Hij ontdekte dat zijn vrouw in de kamer aan het eind van de gang lag te slapen, werd woedend en ging er weer snel vandoor.

Zo verliep het leven totdat Eva op een avond op bezoek kwam, een uur nadat de gele mist Daniel had meegevoerd. Zonder naar Meridia te vragen overhandigde ze de meid een pakketje. 'Geef dit aan mijn zoon,' zei ze luidkeels. 'En zeg maar tegen mevrouw dat Sylva, mijn assistente, haar de groeten doet. Ze zou die schat van een meid echt eens beter moeten leren kennen.'

Boven in de woonkamer zat Meridia voor het open raam. Ze probeerde het kasboek sluitend te maken. De naam die Eva zo terloops liet vallen raakte haar als een mokerslag. Ze liet haar pen vallen en sprong op uit haar stoel. Ze vroeg zich af waarom ze dit in hemelsnaam niet eerder had geraden. De heimelijke glimlachjes en steelse blikken tijdens het diner, gebaren waarvan ze dacht dat ze voor iemand anders bedoeld waren en door een ander werden opgeroepen... Tegelijkertijd besefte ze iets wat haar nog meer verkilde: Eva had de verhouding tussen Daniel en Sylva gearrangeerd. Eva had Daniel van huis gelokt met de verbouwing van de winkel als voorwendsel. Eva was alleen maar naar Magnolia Avenue gekomen om haar van Sylva's bestaan te doordringen.

Meridia voelde zich duizelig worden en haar handen beefden. Ze wachtte de meid boven aan de trap op en nam het pakje aan.

Eenmaal terug in de woonkamer bekeek ze de grote bruine envelop die niet was dichtgeplakt. Ze leidde eruit af dat Eva de inhoud niet voor haar wilde verbergen. Even aarzelde ze omdat ze niet in de val wilde lopen maar uiteindelijk won haar nieuwsgierigheid het. Als een uitgehongerd dier opende ze de envelop en schudde hem leeg.

Een stapel facturen viel op het bureau. Er zaten kopieën bij van cheques van soms wel vier maanden geleden. Ze waren van gereedschapwinkels en van een behanger die manuren en materiaal in rekening had gebracht. Elke factuur had een corresponderende cheque. Ze waren alle veertien door Daniel ondertekend en betaald van een rekening waarvan Meridia het nummer niet herkende. De handtekeningen waren echt. Daniel, en niet Ahab, had de verbouwing van Eva's winkel betaald. Hoewel hij wist wat zij van zijn moeder vond en wat zij hen en hun zoon had aangedaan, had hij haar gewoon verraden door te liegen, dit voor haar te verbergen en hun geld te gebruiken. Wat had hij nog meer gedaan? En waarom? Om haar te straffen dat ze voor haar eigen moeder zorgde? Deze dubbele klap was te laag en te boosaardig. Haar liefde en vertrouwen waren als vuil afgedankt. Plotseling vlogen de vermaledijde papieren uit haar handen. Enkel en alleen om iets stuk te maken, greep Meridia de glazen vaas en smeet hem tegen de muur.

Bevend van woede liet ze zich weer in haar stoel vallen. Ze probeerde adem te halen, maar de lucht was een dikke brij van bijen. Al die tijd had Eva toegekeken, geduldig haar kans afgewacht en haar insecten koest gehouden. Zij was zelf degene die te roekeloos en te zelfverzekerd was geweest. Permony en Malin hadden haar gewaarschuwd, maar ze had niet geluisterd. Nu had Eva toegeslagen en Daniel in de positie gemanoeuvreerd waar ze hem hebben wilde – aan haar zijde, vol wrok jegens zijn vrouw. Meridia sloot haar ogen en zakte weg in de stoel. Ze voelde zich zwak en kotsmisselijk en had de kracht niet de bijen te verjagen. Ze wilde dat haar hartzeer verdween want ze stikte bijna in de ingehouden tranen.

Enige tijd later opende ze haar ogen en ontwaarde een stralende figuur in de deuropening. Met een mengeling van afschuw en berusting hield ze het voor een kwelgeest die haar nu eindelijk niet meer in het dromenrijk maar in levenden lijve kwam lastigvallen. Toen het wezen naderbij kwam, stoven de bijen angstig uiteen. Meridia hield haar adem in. Het was Ravenna, mooier en magistraler dan ze in jaren was geweest. Haar haar was weer samengebonden tot het onberispelijke knotje, op het chique zwart was één witte lelie gespeld en een wapperende witte mantel maakte van haar tengere figuur een imponerende verschijning. De schittering kwam van binnenuit. Het kwam van het onverbiddelijke vuur waarmee ze in de lange jaren van eenzaamheid en vernedering de kin in de lucht had gehouden en de rug recht.

'Mama.'

In Meridia's stem klonk evenveel schrik als verbazing door. Ravenna staarde niet langer blind voor zich uit maar haar ogen schoten als bliksemflitsen in het rond. Ze droogden Meridia's tranen, rechtten haar rug en trokken haar overeind. Door die intense blik kwam Meridia met een schok weer in het hier en nu, niet langer zwak en verward, maar een en al moed. Ze rende naar de deuropening en stak haar handen uit om haar moeder te omhelzen maar reikte in het niets. Haar hart sloeg een slag over toen ze besefte welk offer voor haar werd gebracht. Ze rende de gang door en kon maar aan één ding denken: ze moest haar moeder tegenhouden voordat het te laat was.

Toen ze de kamer aan het eind van de gang binnenstormde, zag ze dat haar angst werkelijkheid was geworden. Ravenna was verdwenen. Iemand had het bed keurig opgemaakt en de geur van citroenverbena was vervlogen. Meridia trok kasten en lades open maar Ravenna's eigendommen waren verdwenen. Ze rende naar het open raam, tuurde Magnolia Avenue af en schrok de menigte op straat op met verwoede ondervragingen. Niemand had Ravenna gezien. Meridia keerde zich om en keek de kamer rond. Elk voorwerp, van de stoel met de liervormige leuning tot de verzilverde wastafel, weersprak dat haar moeder hier ooit had vertoefd. Terwijl honderd angstbeelden door haar hoofd spookten, viel haar oog op één enkele witte lelie op het tapijt.

Meridia liet zich op haar knieën vallen om hem op te rapen. Zodra haar vingers de stengel omklemden, ontsnapte haar een oerschreeuw. Ze greep de lelie vast alsof haar leven ervan afhing, rende de gang op en slaakte een kreet van verrassing toen ze Noah daar zag. De winkelbediende had hem eerder samen met twee klasgenootjes meegenomen naar het rondreizende circus. Meridia's hart brak toen ze zag dat haar zoon met een stralend gezicht een gekonfijte appel ophield. 'Voor oma,' zei hij trots. Meridia aaide hem over zijn bol. 'Ga je eerst maar even opfrissen,' zei ze. 'Dan kom ik zo terug met oma.' Ze voelde de tranen achter haar ogen prikken en bleef niet wachten op zijn vragen. Ze duwde de lelie in zijn hand, riep naar de meid dat ze avondeten voor hem moest maken, rende naar beneden en begaf zich in het schitterende schouwspel dat Magnolia Avenue bood.

Haar voetstappen vlogen over het trottoir. Onder de heen en weer zwaaiende lantaarns zweefden gezichten langs haar heen, dan weer helder dan weer vaag. Steeds weer stelde ze die onvoorstelbare vraag: 'Hebt u mijn moeder ergens gezien?' Ze liep snel en schichtig en had niet in de gaten dat onder haar de weg van steen in gras, van gras in modder en van modder weer in steen veranderde. Al snel maakten het rumoer en de lichtjes van Magnolia Avenue plaats voor de stille duisternis van de woonwijken. Achter een raam schraapte een vrouw met een botermesje de borden leeg. Haar dochter, die op een krukje stond en dezelfde groene schort droeg als zij, spoelde de borden onder de kraan af. Meridia voelde een steek in haar hart en verruilde de stoep voor het midden van de straat. Even later passeerde ze een verlaten speeltuin waarvan ze sterk het gevoel had er al eens te zijn geweest. Had ze hier op een zomerdag geschommeld, met een witte strik in het haar en groenblauwe schoenen aan haar voeten terwijl Ravenna haar duwde totdat ze gilde van het lachen en haar benen in de lucht gooide? Ze kon het door de zon verwarmde gras nog ruiken, de wind nog op haar wangen voelen en zelfs nog de andere kinderen jaloers horen praten, maar toch berustte deze herinnering niet op waarheid. Ravenna, die haar wrok in de keuken van zich af aan het koken was, zou haar daar nooit mee naartoe hebben genomen.

Het huis aan Monarch Street 24 lag er verlaten en naargeestig bij. In het licht van de afnemende maan en een straatlantaarn was de stenen trap net genoeg te onderscheiden om een val te voorkomen. Boven aan de trap had iemand de enorme voordeur open laten staan. Wit weggetrokken ging Meridia naar binnen. Het was binnen veel donkerder dan ze had verwacht. Op de tast schuifelde ze verder langs de muur. Ze schreeuwde om Ravenna en baande zich een weg naar de vestibule waar Gabriel 's ochtends had zitten roken en haar had getreiterd. Er hing een bedompte, zure lucht. De stoffige, over het meubilair gedrapeerde witte lakens bewogen als in hun dromen verstoorde geesten. Plotseling kwam er vanuit de keuken een heldere flits, vergezeld van een luide knal die het huis deed schudden. Meridia rende verder langs de muur. Toen ze enkele passen van de keuken was verwijderd, schoot een fonkelende kogel recht op haar af. Ze wist net op tijd te bukken. De kogel zoemde omhoog, maakte een boog en schoot toen in een snoekduik door de hele gang heen. Voordat ze zich kon verroeren, kwam er nog een kogel, en toen nog een, en nog een. Het duurde even voordat ze besefte dat het vuurvliegjes waren.

Ze begon te rennen. In de keuken hing een glanzende zwerm vuurvliegjes boven het fornuis. Het waren er honderden, misschien zelfs wel duizenden, en het leek erop dat die luide knal ze zojuist had voortgebracht. De overweldigende stank van rook en verkoold vlees bezorgde haar een hoestbui. De vloer lag bezaaid met Ravenna's eigendommen: haar koffer, haar jurken, schoenen, poederflesjes en alle voorwerpen die Noah voor haar had gekocht om te ruiken. Meridia zocht houvast aan het fornuis, maar trok haar hand onmiddellijk terug. Het was gloeiend heet. Plotseling werd ze overvallen door een rauw gevoel van afschuwelijk en ontzaglijk verlies. Ravenna was nergens te bekennen, de geur van as, rook en vuur was het enige wat restte.

'Mama!'

Door haar schreeuw kwamen de vuurvliegjes in beweging. Met dat ene woord zei ze alles wat ze haar hele leven niet had kunnen zeggen.

HOOFDSTUK 36

Ze wist dat hij op haar zou wachten en naar hem keerde ze terug. De vuurvliegjes begeleidden haar onder de afnemende maan op haar weg naar huis. Ze leidden passanten af zodat niemand oog had voor haar verdriet of de koffer die ze met zich meezeulde. Terwijl ze op haar schreden terugkeerde, van steen naar modder, van modder naar gras en van gras weer naar steen, durfde ze er niet over na te denken wat ze hem moest zeggen. Bij thuiskomst verspreidden de vuurvliegjes zich niet maar vlogen ze als duizend glinsterende edelstenen naar het dak.

Ze droeg de koffer de trap op en bracht hem naar de kamer aan het eind van de gang. Het verbaasde haar niet hem daar te vinden. Hij zat op het bed van zijn grootmoeder en zijn gezicht was in duisternis gehuld. Hij hield nog altijd de lelie en de gekonfijte appel vast. Toen hun blikken elkaar kruisten, gaf hij haar geen kans om iets te zeggen.

'Ze komt niet meer terug, hè?'

Hij klonk kalm en het was eerder een constatering dan een vraag. Nauwelijks merkbaar schudde Meridia het hoofd. Hij zweeg maar bleef haar aankijken met zijn helderziende blik die weerloos maar ook kalm was. Pas toen hij zijn gezicht naar de lamp keerde, zag ze het mozaïek van tranen op zijn gezicht. Elias' litteken klopte op zijn rechterslaap.

Meridia trok haar zoon tegen zich aan en voelde hoe hij in haar armen lag te rillen. Noah liet zich door haar troosten maar klampte zich niet aan haar vast. Uit haar blik had hij op de een of andere manier afgelezen wat er komen ging. Over haar schouder keek hij naar de sjofele leren koffer bij de deur.

'Wat is dat, mama?'

Ze keek niet om maar nam zijn natte gezicht in haar handen.

'Oma's laatste wens,' zei ze. 'Uiteindelijk heeft ze toch een manier gevonden om tegen me te spreken.'

Ze bracht hem naar bed en sleepte de koffer naar haar kamer, deed hem van het slot, legde de inhoud ervan onder het bed en stopte hem daarna vol kleding. Twintig minuten later liep ze naar het kantoortje beneden, voerde de code van de kluis in, opende hem en stopte het geld en de sieraden die erin lagen in een zak. Samen met de koffer verborg ze die in de gangkast. Daarna ging ze met al haar kleren nog aan in bed liggen, deed het licht uit... en wachtte.

Een uur voordat de haan zou kraaien arriveerde de blauwe mist. De bekende reeks geluiden liet niets meer te raden over: eerst werd de voordeur zachtjes dichtgedaan, vervolgens klonken er voetstappen op de trap en dan kwam er met het opendoen van de slaapkamerdeur een tochtvlaag. Zo stil als een dief hing Daniel zijn jas aan de haak achter de deur, trok zijn kleren uit en stapte met enkel zijn ondergoed aan in bed. Alsof hij wist wat zijn vrouw van plan was, streek hij deze keer echter met zijn been langs haar kuit. De onverwachte aanraking werd Meridia bijna te veel. Even kwam ze in de verleiding haar ogen te openen, zich niet meer te bekommeren om wat ze onder het bed en in de kast had verstopt, niet voor de doffe ellende weg te lopen en het door hem neergelaten touw te grijpen. Toen ze echter op zijn huid de gloed en geur van een andere vrouw rook, laaide haar woede weer op. Ze kneep haar ogen stijf dicht, dacht aan Ravenna en verroerde zich niet. Daniel kreunde en rolde van haar af. Het duurde lang voordat zijn ademhaling regelmatig werd.

Ze wachtte nog enkele minuten voordat ze opstond. Geluidloos verzamelde ze zijn kleren en nam ze mee naar het raam. Ze deed het gordijn een stukje open en onderwierp de kledingstukken aan een grondige inspectie. Op zijn broek zat links van het kruis een kleverige, donkere vlek en het overhemd werd ontsierd door een vuurrode afdruk van lippenstift. Zodra ze de vlekken zag begonnen ze echter al te vervagen.

Ze legde de kleren op de stoel bij het raam en reikte onder het bed naar het voorwerp dat ze onder de hoede van de vuurvliegjes in de koffer had meegesleept door de stad. Ze stond op, richtte het blad van de schop omlaag en greep de steel met beide handen bovenaan beet. Ze hoefde slechts één blik op Daniel te werpen om Ravenna's zevenentwintig jaar oude woede in haar bloed te voelen koken. Ze zette drie passen achteruit zodat de stoel precies tussen hen in stond, hief de schop op en liet hem op de juiste plek neerkomen. Zodra het blad door de kleding scheurde, begonnen de hanen te kraaien. De stoel slaakte een afgrijselijke kreet maar de schop zat stevig vast. De kleverige vlek en de vuurrode mond keken haar kwaad aan. Niets kon hen nu nog uitwissen. Door Ravenna's offer waren ze vereeuwigd. Meridia deed haar trouwring af en smeet hem op het bed waar Daniel nog altijd lag te slapen.

Toen ze de koffer uit de kast haalde, verscheen Noah in de gang. Hij was aangekleed en had zijn jas aan. Zijn eigen koffertje stond gepakt en wel naast hem op de grond. Ze wisselden geen woord maar keken elkaar alleen even aan. Meridia knoopte haar jas dicht en liep met beide koffers de trap af. Hij volgde haar zonder nog een blik te werpen op de deur waarachter zijn vader lag te slapen. Buiten was het koud. Alles was in een oranje ochtendlicht gehuld en de zuidenwind voerde berglucht met zich mee. Op een straatveger na was Magnolia Avenue verlaten. Niemand zag hoe een zwerm vuurvliegjes moeder en zoon door de straat volgde en samen met hen verdween.

Daniel werd pas laat wakker. Hij had gedroomd dat hij de zachte, slanke maar oneindig lange nek van een vrouw aan het zoenen was. Hij was onderaan begonnen en zijn lippen moesten kilometers huid hebben beroerd. Soms waren er sproeten geweest en elders weer kleine donshaartjes, maar de huid had steeds naar bessen geproefd en nog altijd was hij niet klaar. Na wat een inspanning van vele uren leek, had zijn mond het uiteindelijk opgegeven. Toen hij zijn hoofd echter probeerde op te richten, duwde een ijzeren hand hem weer tegen de nek aan. Snakkend naar adem zag hij hoe de bleke sproeten opbolden tot puisten en de donshaartjes groeiden en veranderden in heen en weer schietende tongen van reptielen. Hij schrok wakker en hijgde van afschuw. De trouwring van zijn vrouw zat tussen zijn lippen geklemd.

'Stom mens,' riep hij uit.

Aanvankelijk dacht hij dat de ring in haar slaap van haar vinger moest zijn gegleden. Toen hij zag dat ze al was opgestaan, legde hij de ring op het nachtkastje en schonk er verder weinig aandacht aan. Hij sloot zijn ogen en was alweer half in slaap gevallen toen hij opeens de geur van bloed rook en klaarwakker was. Met een ruk kwam hij overeind en keek wild in het rond. Hij was al uit bed gesprongen toen hij de schop uit de stoel zag steken.

Hij zag dat het hemd en de broek die hij de avond ervoor had gedragen door de schop waren doorboord. De geur van bloed was daarvan afkomstig. 'Wat is er nu weer?' snauwde hij alsof zijn vrouw voor hem stond. Hij wilde de stoel net wegtrappen toen zijn oog op de kwaad kijkende vlekken viel. Een donkere en een rode vlek, beiden gutsend van het bloed.

Even trok hij wit weg en was hij met stomheid geslagen. Toen rukte hij woedend de schop uit de stoel en smeet hem tegen de muur.

Hij trok een broek en een hemd aan. 'Waar is mevrouw?' beet hij de dienstmeid in de gang toe. Toen het doodsbange meisje zei dat ze haar niet had gezien, moest hij zich inhouden om haar niet ruw opzij te duwen. Daniel stormde achtereenvolgens de woonkamer, eetkamer en logeerkamer door, smeet lampen stuk en vernielde het meubilair. Moeder en dochter waren echter nergens te bekennen. Zijn hart bonsde in zijn keel toen hij naar de enige kamer rende waar hij nog niet was geweest. Hij hield zichzelf voor dat ze zijn zoon nooit zou durven meenemen. De deur gaf al mee voordat hij hem opende en hij wist meteen dat zijn grootste angst werkelijkheid was geworden. De vloer was met een laag pluizen bedekt, de matras door schimmel aangevreten en in een hoek van het plafond weefde een dikke spin zijn web. De kamer oogde alsof hij al in geen maanden meer bewoond was.

Daniel rende de trap af. De begane grond was verlaten en hij besefte dat het zondag was en de winkel gesloten. Hij spoedde zich naar het kantoortje en ontdekte dat de kluis op een kier stond. Toen hij hem verder opende, zag hij dat het geldkistje en de plateaus met sieraden leeg waren.

'Vervloekt rotwijf!' schreeuwde hij. Trillend van woede ging hij op weg naar Orchard Road. Eenmaal daar liep hij meteen door naar de kamer van zijn moeder die net haar haar aan het verven was. Hij begon direct zijn gal te spuwen maar vertelde niet over de schop en de vlekken. Eva luisterde ernstig en bijna sereen terwijl de zwarte henna van haar hoofd drupte en de handdoek om haar schouders bevuilde (niet dat het zin had: binnen enkele uren zou haar haar weer spierwit zijn).

Toen Daniel klaar was, veranderde Eva's mond in een monsterlijk ding dat hem zonder mededogen belaagde.

'Ga je zoon halen. Heb geen genade met je vrouw. Als je nu weer tekortschiet, God sta je bij, dan krijgt ze je mannelijkheid op een presenteerblaadje.'

Meer hoefde hij niet te horen. Verontwaardigd verliet hij het huis met een rechtere rug en een opgehevener hoofd dan toen hij was gekomen. Nu zou hij haar eens laten zien uit welk hout hij gesneden was! Wat hij had gedaan – waar zij hem in feite toe had gedreven – viel in het niet bij wat zij op haar geweten had. De brutaliteit! De achterbaksheid! Toen hij de stenen trap van Monarch Street 24 naderde, maakte een nieuwe woede zich van hem meester. Ruim tien jaar geleden, toen hij arm, naïef en doodsbang was geweest, had Ravenna hem van deze trap verjaagd als een hond die onder de vlooien zat. Dat moest dat afschuwelijke mens niet nog eens wagen! Al beschikte ze over een duivelse kracht, deze keer zou hij niet van wijken weten totdat hij zijn zoon terug had!

Met een vastberadenheid waarmee hij een boom zou kunnen vellen beende hij naar de voordeur. Het huis tekende zich grijs en doods af tegen de felle middagzon. Hij bonsde met zijn vuist op de deur. Niemand deed open. Hij bonsde nog harder.

Net toen hij meende dat zijn zoon vanachter een raam naar hem stond te gluren, gebeurde er iets onvoorstelbaars. Een hagel van kleine, glinsterende kogels daalde uit de hemel neer. Na een verblindende flits stortten de kogeltjes zich op zijn ogen. Voordat hij ook maar iets kon doen, trok een felle, kloppende pijn door zijn hele lichaam. Hij viel, rolde de stenen trap af en klapte met zijn schouder tegen de stoep. De fonkelende kogels bleven hem genadeloos opjagen. Gillend van de pijn krabbelde hij overeind en begon te rennen. Even later lag hij weer op de grond, rillend en jankend. Hoewel hij stemmen hoorde, schoot niemand hem te hulp. Het laatste wat hij zich nog kon herinneren was dat hij zijn hoofd tegen een hard voorwerp stootte. Daarna slokte de duisternis hem op, tolde om hem heen en sloeg de grond onder zijn voeten vandaan.

Toen hij weer bijkwam, was de pijn verdwenen. Het duurde even voordat hij besefte dat hij niets meer kon zien. In de overtuiging dat iets hem het zicht belemmerde, bleef hij maar met zijn ogen knipperen. Toen het eindelijk tot hem doordrong dat hij blind was, schreeuwde hij het uit en verzette hij zich als een gedoemde demon. Hij wist niet waar hij was. Een onbekende vrouw probeerde hem met haar zachte handen te kalmeren, maar hij bleef om zijn vrouw roepen. Hij moest niets van die handen hebben. Ze waren niet van Meridia en wisten hem niet te kalmeren. Toen hij uiteindelijk uitgeput zijn verzet opgaf, ging hij weer liggen en rook dat de kussens toch naar zijn vrouw geurden. Hij lag dus wel in zijn eigen bed. Maar wie had hem van Monarch Street naar huis gebracht? Met barse stem vroeg hij nogmaals om Meridia, maar de vrouw met de zachte handen zei dat ze er niet was. Hij herkende haar stem niet en toen ze zich over hem heen boog en hij een vleug van haar parfum opving, werd hij kotsmisselijk. Hij sloeg lukraak om zich heen, raakte haar in haar zij en beval haar weg te gaan. De vrouw begon te snikken.

'Wacht buiten maar, Sylva,' zei een andere stem. 'Ik zorg wel voor hem.'

Het was zijn moeder. Ze legde kompressen op zijn ogen en vertelde hem dat twee vrienden hem liggend op straat hadden gevonden. Hij had liggen kronkelen als een bezetene. Omstanders hadden hem aangegaapt omdat hij om zich heen had geslagen en gegild: 'Haal ze toch weg!' Iedereen zag echter dat hij in het luchtledige sloeg. Telkens als ze hem probeerden te helpen, duwde hij hen weg en schreeuwde dat de kogeltjes uit de lucht zijn ogen pijnigden en kapotmaakten. Hoe harder hij schreeuwde, des te groter werd de verwarring want voor zover men kon zien was er op zijn gezicht noch op zijn kleding zelfs maar een spoortje bloed te zien.

'Nadat je jezelf helemaal schor had geschreeuwd, ben je uiteindelijk flauwgevallen,' zei zijn moeder. 'Je vrienden hebben je naar huis gedragen. De meid is mij toen snel gaan halen.'

Perplex schudde hij het hoofd. Voordat hij alles kon laten bezinken, stak zijn moeder al een hele tirade af. Ze beweerde dat zijn vrouw hem had vervloekt, verlamd en publiekelijk te schande had gemaakt, en als hij dat nu nog niet doorhad, dan had zij, zijn moeder, oprecht met hem te doen. Ze had hem immers geleerd zelfrespect te hebben en de moed en wijsheid op te brengen om het juiste te doen, en als hij dacht zich nu nog in de stad te kunnen vertonen...

'Hou daarmee op!' smeekte hij. Hij was zo moe dat hij zijn ledematen niet eens meer kon voelen, alleen maar de duisternis die zwaar op zijn ogen drukte.

Volgens de arts was zijn blindheid tijdelijk en waarschijnlijk veroorzaakt door overspannen zenuwen en een te lange blootstelling aan de zon. 'Zorg dat hij een paar weken het bed houdt en doe de gordijnen dicht. Dan krijgt hij zijn gezichtsvermogen vast weer terug.' Naast kruidenthee en honing schreef de arts verschillende zalfjes en smeersels voor die op gezette tijden op de ogen moesten worden aangebracht. Hij waarschuwde ook tegen slapeloosheid en al te veel gepieker, iets wat de blindheid onomkeerbaar zou kunnen maken.

De tot zijn bed veroordeelde Daniel deed zijn uiterste best om nostalgische gedachten uit te bannen. Hij maakte sommen, telde op en terug, componeerde muziek op straatgeluiden en beeldde zich in dat de neuriënde meid een geest in de gedaante van een leeuwerik was. Voordat het slaapdrankje van zijn moeder 's avonds ging werken, versterkte hij zijn gedachten met woede en wrok en mompelde hij alles wat zijn vrouw hem had misdaan totdat het zijn dromen verduisterde. Maar niets hielp. Na drie dagen van verzet besefte hij dat de herinneringen, die elke hoek van de kamer opvulden, hem de baas waren. Ze was tegelijkertijd overal en nergens. Hoezeer hij zich ook verweerde, hij kon maar niet vergeten hoe ze had geroken en gesmaakt. Hij werd steevast wakker met een vreselijk gevoel van gemis als hij in de rafelranden van zijn slaap een schitterende glimp van haar opving.

Op de vijfde dag van zijn blindheid zette hij zijn trots opzij en vroeg zijn moeder of ze iets van Monarch Street had vernomen. 'Nee,' antwoordde Eva eenvoudigweg. Toen hij verder aandrong vertelde ze dat ze tegen beter weten in Meridia op de hoogte had gesteld van zijn aandoening maar dat die kille, berekenende, egoïstische vrouw hem niet had willen zien. '"Daniel heeft dit over zichzelf afgeroepen en moet nu met de gevolgen leven," zei je vrouw. En alsof dat al niet erg genoeg was, had ze ook nog het lef om naar haar spullen te vragen! "Je mag ze komen halen wanneer het je maar uitkomt," heb ik gezegd, "maar wanneer mag die jongen zijn vader weer zien?"' En toen was de deur in Eva's gezicht dichtgeslagen.

Stomverbaasd luisterde hij toe hoe zijn moeder huilde. Het beeld dat ze geschetst had, paste niet bij de vrouw die hij kende. In deze duistere tijden wist hij echter zelf nog amper wie hij was, laat staan dat hij kon bevroeden hoeveel zijn vrouw was veranderd sinds ze bij hem was weggegaan. Terwijl zijn moeder steeds harder en verontwaardigder huilde, lag hij in zijn bed en zweeg, niet tot woede of afwijzing in staat.

Toen hij van de dokter eenmaal weer uit bed mocht, bedacht hij stiekem een spel om de eenzaamheid te verdrijven. 's Ochtends en 's middags liep hij op de tast door de kamer, op zoek naar een voorwerp dat hij nog niet eerder in handen had gehad. Als hij er één vond, probeerde hij zich te herinneren wanneer zijn vrouw dat specifieke voorwerp had aangeraakt. Zo schoot hem weer te binnen dat ze vele jaren geleden altijd gedroogde citrusschillen had gelegd op de blauwe keramische schaal die hij nu vasthield totdat de vierjarige Noah ze op een dag per ongeluk had opgegeten. Op een middag rook hij aan haar kam van bukshout. Haar zakdoek. Het kleine ivoren borsteltje waarmee ze haar neus had gepoederd. Elke dag werd zijn wereld van verlangen door meer voorwerpen bevolkt. Hij dacht er verder weinig over maar hoopte dat als hij zijn wereld reconstrueerde op de puinhopen van het leven dat zij had verwoest, hij misschien een manier zou vinden om haar stilzwijgen te doorbreken.

Het viel hem op dat haar trouwring nergens te vinden was, ook al had hij de meid opgedragen het hele huis ernaar af te zoeken. De schop en de stoel waren ook verdwenen, evenals het hemd en de broek die zijn oneer hadden aangetoond. Hij vermoedde dat zijn moeder ze had weggehaald en ontdekte al snel dat het daar niet bij bleef. In de loop van de tijd verdwenen er steeds meer eigendommen van zijn vrouw uit het vertrek. Op een ochtend was de keramische schaal weg, gevolgd door haar boeken en hoeden, en nog later haar pantoffels en kousen. Op een nacht schrok hij helemaal bezweet wakker omdat de kamer niet langer naar haar rook. Hij greep haar kussens en begroef zijn gezicht erin, maar rook alleen de geur van de zon en van pas gewassen linnengoed.

Op de tiende dag van zijn blindheid werd Daniel overweldigd door een ongebreideld verlangen, dicteerde een brief aan zijn moeder en vroeg haar die aan zijn zoon te bezorgen. Er gingen drie dagen voorbij maar een antwoord bleef uit. Hij stond op het punt om nog een brief te laten opstellen toen zijn moeder in tranen uitbarstte.

'Het heeft geen zin, jongen. Ze heeft Noah onomwonden gezegd dat je zijn vader niet bent. Ik stond nog voor de deur toen ze je brief al verscheurde.'

Eva raakte helemaal over haar toeren en schreeuwde: 'We krijgen haar wel! We krijgen haar wel!' Ze wilde dat hij een advocaat in de arm nam voordat die helleveeg hem zelfs nog van de sokken aan zijn voeten zou beroven. Hij had het gevoel alsof hij vanuit een diepe grot naar haar luisterde – elk woord hoorde hij duidelijk maar gedempt en ondanks haar woede klonk ze oud en vermoeid. Hij was zich alleen maar bewust van de kussens die niet meer naar zijn vrouw roken en de woorden die hij als een vloek telkens opnieuw mompelde: 'Ze wil me niet zien, ze wil niets meer met me te maken hebben.'

HOOFDSTUK 37

Van Magnolia Avenue leidden de vuurvliegjes hen naar de Tuin der Resten. Noah, die zijn zondagse kleding droeg, liep zonder iets te zeggen vooruit. Meridia volgde hem met de koffers. Toen de zon hoger aan de hemel kwam te staan, gingen de vuurvliegjes feller stralen en omhulden ze hen als een gouden schild. De enkeling die vroeg genoeg op straat was om getuige te zijn van het schouwspel, dacht een ziel te zien die het tijdelijke voor het eeuwige verwisselde en nam zijn hoed af. Telkens als de stadsklok sloeg, bleef Meridia staan en mompelde een gebed. Verder was het stil in de stad.

Bij de Tuin der Resten viel Noah iets merkwaardigs op. Naast Gabriels graf, op de plek die al voor Ravenna was gereserveerd voordat de mist zijn intrede had gedaan, lag een hoop verse aarde met een verzameling stenen erop. 'Kijk mama,' zei hij, ernaar wijzend. Meridia zag meteen dat hier iemand volgens eeuwenoude rituelen was begraven. Noah maakte de lelie los, haalde de gekonfijte appel uit zijn zak en legde ze tussen de stenen. Met uitzondering van het getjilp van enkele eenzame vogels en de bijtende rook die op de begraafplaats hing, verstoorde niets de rust, totdat de vuurvliegjes opstoven en op de hoop aarde neerdaalden. Meridia schrok ervan, keek op en zag dat een in het zwart geklede vrouw van een afstandje toekeek. Het was Malin. Ze stond bij het graf van haar kindje en hield een bosje vlinderkruid vast. Hun blikken kruisten elkaar maar ze keken ieder meteen weg omdat ze de ander niet wilden storen in haar verdriet. Toen Meridia later nog een keer keek, lagen alleen de bloemen er nog, ter versiering van de mooiste en glanzendste grafsteen van de hele begraafplaats.

Meridia gunde zich geen ogenblik rust. Zodra ze op Monarch Street 24 arriveerden, stroopte ze haar mouwen op en onderwierp het huis aan een veel grondigere poetsbeurt dan Ravenna ooit had uitgevoerd. Eerst maakte ze de keuken van onder tot boven schoon. Ze veegde kastjes af, boende de muren en zeepte het fornuis in totdat het niet meer naar as en verkoold vlees rook. In de woonkamer sloeg ze het stof uit de gordijnen, trok ze de witte, op rouwkleden lijkende lappen van het meubilair, veegde de vloer en legde het donkerblauwe tapijt weer op de oorspronkelijke plek. Ze droeg Noah op de matrassen uit te kloppen en daarna moest hij het houten krukje vasthouden terwijl zij erop klom om met een bezem de spinnenwebben weg te halen. Toen ze lakens en kussens uit een kast trok, spoorde ze hem aan het huis te verkennen en het zich eigen te maken want vanaf vandaag 'zal dit ons thuis zijn'. De jongen knikte zonder iets te zeggen en ging in zijn eentje op onderzoek uit.

Toen ze rond het middaguur met een zwabber en emmer door het huis kuierde, zag ze Noah uit het raam naar de straat staren.

'Waar kijk je naar?'

Hij keerde zich om en leek een ogenblik gemeen te grijnzen.

'Een idioot klauwde zichzelf de ogen uit. Je had moeten zien hoe hij als een aap in het rond sprong en zomaar wild om zich heen sloeg.'

Meridia keek uit het raam. Een paar mensen krabden zich nog op het hoofd, maar het was duidelijk dat de hoofdact was beëindigd.

'Arme man,' zei ze. 'Hopelijk zorgt er iemand voor hem.'

Een uur later gingen ze voor de lunch naar een café in de buurt van Independence Plaza. Beiden aten biefstuk met champignons, een kippasteitje, kaaskroketjes en twee bolletjes kersenijs met chocoladesaus. Ze vielen erop aan alsof ze al dagen niets meer hadden gegeten en spraken pas weer toen alles op was. Nippend van haar koffie zei Meridia tegen haar zoon dat ze het huis zouden opknappen en tot hun eigen plek zouden maken. Hij mocht haar oude kamer en de studeerkamer van zijn grootvader hebben en de vertrekken inrichten zoals hij wilde. Noah luisterde met zijn alwetende blik en stelde pas op het laatst zijn vraag. 'Zullen we weer gelukkig worden, mama?'

'Natuurlijk,' antwoordde Meridia ogenblikkelijk. 'Zolang we elkaar maar hebben.'

Na de lunch nam ze hem mee naar de zondagsmarkt en kocht de nieuwste wonderen voor hem. Een zwevende tol. Knikkers die van kleur veranderden. Een rechthoekige steen die nachtmerries op afstand hield als je hem voor het slapengaan kuste. Bij een boekenkraam kocht Meridia een tiental romans waarvan ze wist dat ze tijdens de lange avonden die komen gingen haar eenzaamheid konden verdrijven. Vervolgens gingen ze naar Cinema Garden waar ze een film in kleur zagen over mensen die in vliegende kastelen woonden en in zwevende strijdwagens zaten. Noah vond de film zo leuk dat hij overwoog zijn geliefde knuffelkonijn bij thuiskomst op de zwevende tol te binden. Op de terugweg kochten ze op de markt vis, groenten, eieren en olie. Het was al bijna donker toen ze thuis kwamen. Het duister hulde Monarch Street in een stemmige plechtstatigheid. Alleen daardoor wist Meridia haar teleurstelling te verbergen toen bleek dat niemand hen stond op te wachten.

Die avond aten ze een eenvoudige maaltijd van gebakken vis en eisoep. Toen Noah in bad ging, pakte Meridia haar weinige spullen uit en verborg ze het geld en de sieraden op verschillende plekken in het huis. Omdat Noah tegen bedtijd niet in zijn eentje in haar oude kamer wilde slapen, kropen ze samen in Ravenna's bed onder een grote deken. Hij vroeg of ze een verhaal wilde vertellen en een uur lang bracht ze de fantastische verhalen die ze ooit met Permony had bedacht, weer tot leven. Nadat de jongen in slaap was gevallen, lag Meridia wakker. Ze dwong zichzelf te lezen maar haar ogen weigerden de letters in zich op te nemen. Toen het licht begon te worden, gaf ze het op. Ondanks alles hoopte ze nog altijd dat een hand vanuit het duister toenadering zou zoeken en haar verdriet zou wegnemen.

Al voor het ontbijt stond Eva buiten te schreeuwen en op de deur te bonzen. Zodra de deur openging, probeerde ze zich naar binnen te wurmen.

'Geef me mijn kleinzoon,' tierde ze. 'Je hebt het recht niet hem bij zijn vader weg te halen.'

Meridia posteerde zich in de deuropening en weigerde haar binnen te laten.

'Ik heb het volste recht me toe te eigenen wat van mij is,' zei ze. 'Als hij zoveel om Noah geeft, waarom komt hij hem dan niet zelf halen?'

Haar ongenaakbare toon had het gewenste effect. Eva werd nog razender en snoof vol minachting.

'Denk je dat hij jou nog wil zien? Mijn zoon heeft me gestuurd omdat hij niets meer met je te maken wil hebben.'

Meridia bestudeerde haar schoonmoeder een tijdje. Haar hart liep niet over van woede maar van medelijden. Ze keek naar het dunne, witte haar, de gebochelde rug, de doffe blik en de gerimpelde huid en vroeg zich af hoe dat oude, uitgeteerde lichaam nog altijd in staat was vijftig jaar van zwartgalligheid te herbergen.

'Daniel is oud genoeg om zelf te beslissen,' antwoordde Meridia.

'Je gelooft me niet, hè?' hoonde Eva. 'Als je denkt dat hij je hier op zijn knieën komt smeken bij hem terug te komen, ben je nog veel gestoorder dan ik al dacht. Je huwelijk is kapot en geen macht ter wereld kan dat nog herstellen. Jouw man, míjn zoon, is al heel lang ongelukkig en dat komt allemaal door jou. Jij hebt hem gedwongen elders troost te zoeken. Je bent op zoveel vlakken tekortgeschoten dat je hem met je vertrek een enorme dienst hebt bewezen.'

Meridia sloeg meteen terug. 'Ik wist van meet af aan dat jij erbij betrokken was. Vertel op, hoe heb je haar eruit gepikt? Heb je haar beloofd dat ze aan Magnolia Avenue de vrouw des huizes zou worden? En met welke leugens heb je Daniel in de tang gekregen? Heb je, God verhoede het, oogluikend toegestaan dat ze in jouw bed de liefde bedreven?'

'Het is een schande!' gilde Eva. 'Hoe durf je me van zoiets laaghartigs te beschuldigen? Als jouw man het gezelschap van een andere vrouw heeft opgezocht, heb je dat alleen aan jezelf te wijten. Je hebt zijn liefde bespuugd, bespot en kapotgemaakt, en waarom? Heb je dan helemaal niets geleerd van je met een bijl zwaaiende moeder? Daniel heeft niets verkeerds gedaan. Met je trots en koppigheid heb je hem uit je bed verjaagd, hoewel hij zo goed was ondanks je onvruchtbaarheid bij je te blijven!'

De pijl trof doel, en meer dan dat. Eva bespeurde een trilling in Meridia's ogen en zei op nog bitsere toon: 'Geef me de jongen. Dat is wel het minste dat je kunt doen.'

Het bleef stil en toen besefte Eva dat ze de situatie verkeerd had ingeschat. Wat ze voor een moment van zwakte had aangezien was slechts een pauze om nieuwe kracht te verzamelen. Al snel was de trilling in staal gegoten. De ogen keken Eva met een hartstochtelijke oprechtheid aan en ze kon niets anders doen dan haar blik af te wenden.

'Er is hier niets wat van hem is,' zei Meridia. 'Nog geen streng haar of een druppel zweet. Als je me niet begrijpt, wil ik het best nog eens herhalen.'

Deze kalme, bijna onmenselijke reactie was een klap in het gezicht. Onwillekeurig deinsde Eva achteruit. Even werd ze zich gewaar hoe iets fonkelends haar het zicht belemmerde en opeens gloeiden haar wangen weer met de stekende pijn van Ravenna's hand. Het was dezelfde onvergeeflijke pijn, dezelfde verpletterende vernedering. Snel vermande ze zich: 'Ik zal Noah krijgen. Wacht maar af!'

Meridia gaf geen krimp. 'Als je ooit nog in zijn buurt komt, zweer ik uit naam van mijn vader en moeder dat ik je hart uit je lijf zal rukken en het je bij stukjes en beetjes zal voeren.'

Ze sloeg de deur dicht. Een ziedende Eva bleef er nog enkele minuten naar staren maar kon niet de moed voor een tegenaanval opbrengen.

Meridia hield Noah die dag thuis onder het voorwendsel dat ze van hem wilde horen wat er met het huis moest gebeuren. Tegen zichzelf durfde ze echter wel toe te geven dat ze met een vrouw als Eva geen enkel risico wilde lopen. Noah voelde haar rusteloosheid aan en vond het prima. Ze wilde net van hem weten welke kleur zijn kamer moest krijgen toen er een brief van Permony werd bezorgd. Het meisje had een moeilijke zwangerschap en verexcuseerde zich dat ze niet langs kon komen. Vervolgens schreef ze: *Je hebt alle reden kwaad te zijn. Mama probeert dingen voor me te verbergen, maar ik ben niet gek. Daniel had er geen enkele reden toe. Ik ben ontzet over zijn gedrag en had nooit verwacht dat hij jou zo zou kwetsen. Ik weet niet of het enig verschil maakt, maar ik heb reden aan te nemen dat hij zijn daden flink moet bezuren. Mama was net hier. Ze was erger van streek dan ik ooit heb meegemaakt en vertelde me dat hij ziek op bed ligt. Ze wilde niet zeggen wat er aan de hand is, maar volgens mij is zijn hart gebroken. Ik vond dat je dit moest weten, ook als je hem niet kunt vergeven...*

Meridia las niet verder. Haar eerste opwelling was te lachen en de brief te verscheuren. Laat hem maar mooi lijden! Laat hem maar rondwentelen in de hel die hij zelf had geschapen! Maar toen de triomf van gerechtigheid geleidelijk aan bekoelde, kwam dat deel van haar weer tot leven dat ze met het neerkomen van de schop ter dood had veroordeeld. De brief bood een verklaring voor het feit dat Daniel gisteren in plaats van zelf te komen Eva had gestuurd om Noah te halen. Hij was ziek, gekwetst en kapot van verdriet. Stel nu dat Permony gelijk had en dat hij oprecht spijt had? Dat hij ontroostbaar was en zou willen dat hij alles ongedaan kon maken? Haar verstand zei haar dat het stom was zo te denken maar het kwaad was al geschied. De rest van de ochtend schalden Permony's woorden door haar hoofd. Ze gaven haar hoop, maakten haar kwaad en ontkrachtten reeds genomen besluiten. Maar hoe ze ook piekerde, het werd er allemaal niet duidelijker op.

Om twee uur toog ze met Noah naar Magnolia Avenue. 'Waarom, mama?' vroeg de jongen haar onomwonden. Ze vertelde hem dat ze in de buurt nog wat zaken moest afhandelen, 'dingen ophalen en rekeningen voldoen', en natuurlijk zou ze niet zo stom zijn om in de buurt van hun huis te komen. Noah boog zijn hoofd en deed er het zwijgen toe. Ze leidde eruit af dat hij maar half naar haar smoezen had geluisterd.

Ze waren bijna bij de winkeldeur toen ze besefte dat ze een vergissing had begaan. Binnen klonk een vrolijk deuntje, gevolgd door een lach die als klingelende, zilveren belletjes klonk en haar deed verstijven. Meridia wist maar al te goed waar ze die lach eerder had gehoord. Even later bevestigde Eva's hartelijke stem haar bange vermoeden. 'Schenk nog eens wat thee in, Sylva. De vrouw des huizes mag haar gasten nooit van de dorst laten omkomen. Daniel, kom toch beneden bij ons zitten!'

Meridia stond als versteend. Woede en vernedering sloegen in golven de grond onder haar voeten vandaan. Haar blik vernauwde zich tot één enkel punt en in haar hele lichaam voelde ze haar hart bonzen met een ongekende heftigheid. Ze knipperde met haar ogen. Het verlangen naar binnen te stormen, haar woede de vrije loop te laten en in haar razernij een enorme, onherstelbare schade aan te richten wakkerde met elke pijnscheut verder aan. Ze knipperde nogmaals met de ogen. Eén seconde voordat ze de onomkeerbare passen zou hebben gezet en de winkel zou zijn binnengegaan, greep een kleine hand haar bij de pols en trok haar weg. Meridia hapte naar adem alsof ze uit een droom ontwaakte.

'Kom mama, we gaan,' zei Noah.

Zonder verder nog iets te zeggen voerde hij haar met zich mee. Door de druk van zijn hand besefte ze dat als ze met spijt omkeek naar het huis met de deinende muziek en het ontspannen gelach, of als ze om welke reden dan ook zou terugdenken aan de manier waarop de zon in de woonkamer had geschenen als zijn vader de krant las en koffiedronk, niets ter wereld hen dan nog zou kunnen behoeden voor de zware dagen die komen gingen.

In de twee weken die volgden deed Meridia er alles aan om het huis van zijn oude wrok te ontdoen. Ze liet de muren schilderen in een warme gele kleur, richtte de kamers in zoals het Noah goeddunkte, verving de spookachtige spiegels en de door motten aangevreten gordijnen en wekte de tuin weer tot leven door tulpen en hortensia's te planten. Ze schakelde een team deskundigen in die de tochtstroom in het huis onderzocht en huurde op advies van haar vriendin Rebecca een machine die de lucht van zijn eeuwige kou kon ontdoen. Het apparaat werkte niet alleen uitstekend, maar maakte ook een eind aan de streken van de trap – er waren nu nog maar vijfentwintig treden die naar boven of beneden leidden. Om de keuken van Ravenna's rancune te bevrijden trok Meridia werklui aan die de vloer en het plafond vernieuwden, geruit behang op de muren plakten en gloednieuwe kastjes en apparatuur plaatsten. Om de nieuwe keuken in te wijden bakte Meridia honderd taarten volgens een recept van Patina waarna Noah en zij zich volpropten totdat ze er misselijk van waren. Ze bleven uren met suiker in hun haar en pudding op hun lippen op de bank zitten en dwongen zichzelf te blijven eten totdat ze uiteindelijk in een droomloze slaap vielen.

Meridia kon Eva's dreigement maar niet uit het hoofd zetten. 's Ochtends bracht ze Noah naar school en als 's middags de laatste bel ging, wachtte ze hem op bij het hek. Zijn vrienden bespotten de jongen om deze voorzorgsmaatregel, maar dat leek hem niet te deren. Hij maakte er geen bezwaar tegen dat zijn moeder hem steeds begeleidde. In deze periode begonnen zijn klasgenoten ook te merken hoezeer hij op zichzelf was. Noah was altijd vriendelijk en wilde overal mee helpen maar toch was er een kloof tussen hem en de rest. In de pauze vond hij het niet vervelend in zijn eentje te zitten eten en als hem werd gevraagd aan een spel mee te doen, toonde hij altijd beleefde belangstelling, maar nooit oprecht enthousiasme. Door die eenzelvigheid zou hij nog vele jaren in hun herinneringen voortleven. Een gevoelige, ondoorgrondelijke jongen, zeiden ze dan tegen elkaar. Hij tuurde altijd voor zich uit alsof hij in een kristallen bol keek.

In werkelijkheid duurde het een tijd voordat Noah aan zijn nieuwe leven gewend was geraakt. Zelfs toen zijn moeder niet meer koortsachtig met de herinrichting bezig was, bleef het oude huis met de herfstige vertrekken en talrijke schaduwen hem angst aanjagen. Na die eerste nacht sliep hij in zijn eigen kamer en hoewel hij zo bang was dat hij geen oog dichtdeed, repte hij hierover met geen woord tegen zijn moeder. Noah zou het nooit toegeven maar hij was als de dood zijn grootvader Gabriel ergens in de schaduwen te ontwaren. Telkens als hij zich voorstelde dat het barse, wasachtige gezicht met de spitse neus en nietsontziende wenkbrauwen zich onder zijn bed schuilhield, brak het zweet hem uit en begroef hij zijn gezicht in een kussen.

Hoewel Meridia er steeds op aandrong duurde het lang voordat hij de studeerkamer van zijn opa durfde te betreden. Hij had er jaar in jaar uit op zijn verjaardag voor het kolossale bureau staan zweten. Gekleed in een overhemd met stijve boorden en een stropdas had hij dan zijn best gedaan niet te beven, terwijl zijn grootvader hem met een angstaanjagende blik bestudeerde. Daarom wilde hij de ruimte koste wat kost vermijden. Op een middag spoorde uitgerekend zijn grootmoeder Ravenna hem aan er naar binnen te gaan. Hij zat in de vestibule zijn huiswerk te maken toen hij haar vanuit de keuken hoorde aankomen. Ze oogde veel gelukkiger dan toen ze nog leefde. 'Vooruit,' zei ze met heldere stem. 'Die rotzak heeft niets meer aan zijn speeltjes nu hij met mij zit opgescheept.' Zodra hij haar hand op zijn schouder voelde, was hij niet bang meer. Hij deed de deur van de studeerkamer open en liep naar binnen. Ze moedigde hem meteen aan om te gaan spelen met het kompas en de wereldbol, het schrijfgerei, de kristallen flacons en de albasten kruiken waarin miljoenen zaadjes zaten. Hij bestudeerde de eeuwenoude landkaarten aan de muur, geïntrigeerd door niet meer bestaande continenten, en voegde met rode pen dapper zijn eigen archipel toe. Hij nam boek na boek van de overvolle planken en terwijl hij raadselachtige teksten en ingewikkelde diagrammen probeerde te ontcijferen, scharrelde zijn grootmoeder Ravenna vrolijk rond. Tegen etenstijd trof Meridia hem slapend in Gabriels stoel aan. Zijn mond hing open en hij had zijn benen op het statige bureau gelegd.

Vanaf die dag bracht Noah al zijn tijd in de studeerkamer door. Niemand kon echter voorzien dat in die eenzame uren de haat voor zijn vader werd geboren. Zonder het te laten doorschemeren hield de jongen Daniel verantwoordelijk voor het overlijden van zijn grootmoeder, voor zijn verdriet en angst en de wanhopige blikken van zijn moeder. Als hij door Gabriels boeken bladerde, gaf hij al snel fluisterend uiting aan zijn woede. Het had wel wat weg van de manier waarop Ravenna bijna dertig jaar eerder haar duistere geheimtaal in de keuken was gaan gebruiken. Enkele weken na hun verhuizing was Meridia boekenplanken in de studeerkamer aan het afstoffen toen ze ontdekte dat een hele rij boeken was weggerot. Sommige vielen op onverklaarbare wijze in stof uiteen zodra ze ze aanraakte.

Rond die tijd was Meridia ook getuige van de terugkeer van de vuurvliegjes. Elke avond, ongeacht het weer, maakten ze om elf uur hun opwachting. Als flakkerende kaarsen dwarrelden ze door de lucht en bleven dan bij haar raam zweven. Ze bleven nooit langer dan een paar minuten, net lang genoeg om haar met hun fonkeling te betoveren en haar eenzaamheid voor even te verdrijven. Leunend tegen het raam probeerde ze de patronen die ze aan de duistere hemel maakten te onthouden, zodat de wervelende en kronkelende arabesken haar na hun vertrek zouden bijblijven. Ze was ervan overtuigd dat achter die patronen een boodschap van Ravenna schuilging. Als ze aan de warboel van lijnen betekenis wist te ontlenen, zou ze haar misschien kunnen terughalen.

Toen Meridia klaar was met het opknappen van het huis werd ze rusteloos. Ze had geen contact gezocht met Daniel, had ook niets van hem gehoord en afgezien van haar tochtjes naar de school en de markt, verliet ze het huis amper. Toen Leah en Rebecca op bezoek kwamen, opperden ze dat ze weer aan het werk moest gaan. 'Dat zorgt voor wat afleiding,' zei Rebecca. 'Bovendien verdien je dan ook nog wat geld,' vulde Leah praktisch aan. Meridia dacht hier serieus over na. Hoewel de verborgen voorraad geld en sieraden financiële problemen voorlopig op afstand hielden, wilde ze graag weer iets omhanden hebben. Ze nodigde Samuel uit de avond erop te komen eten. De onafhankelijke handelaar, die precies op tijd zijn opwachting maakte, was dikker en behaarder dan toen ze hem voor het laatst had gezien. Meridia gaf hem geen kans zijn medelijden te uiten. Ze sprak snel en zelfverzekerd en toonde geen spoor van twijfel toen ze hem over haar ideeën vertelde. Ze zei dat ze had besloten zelf een winkel te beginnen waar ze niet alleen de mooiste sieraden van de stad wilde verkopen, maar ook haar eigen ontwerpen. Ze zat nu tien jaar in het vak, was goed op de hoogte van wat klanten wilden en had in het geheim een paar schetsen gemaakt. Het was haar bedoeling traditionele stukken in een modern jasje te steken en sieraden te verkopen die de persoonlijkheid en levensstijl van de eigenares weerspiegelden. Ze kon zelf de helft van het startkapitaal ophoesten en vroeg of hij de andere helft voor zijn rekening wilde nemen. Uiteraard hoefde dit zijn samenwerking met Daniel op geen enkele manier te beïnvloeden en ze had er alle begrip voor als hij liever had dat ze naar een andere financier uitkeek. Op dat moment boog Samuel, die aandachtig had zitten luisteren, zich naar voren en onderbrak haar.

'Ik zou u bij elke onderneming steunen, mevrouw. Zonder u zou Magnolia Avenue niet zijn geworden wat het nu is. Hij is een stomme idioot dat hij u laat gaan.'

In de dagen erop richtte Meridia al haar energie op haar werk. Ze bezocht over de hele stad verspreid liggende locaties waar ze haar winkel eventueel kon vestigen, voerde gesprekken met talentvolle ambachtslieden die haar ontwerpen konden verwezenlijken en begon aan de opwindende taak haar ideeën op papier te zetten. Ze ontdekte dat ze er talent voor had en zag het beoogde sieraad al duidelijk voor zich voordat ze haar potlood op papier zette. Inspiratie ontleende ze aan alles wat ze zag. Ze had vooral oog voor vormen en structuren, kleuren, contouren en optische illusies. Toen ze op een avond naar de vuurvliegjes keek, werd ze gegrepen door een sterke behoefte zowel hun fonkeling als hun vluchtigheid te willen vatten. Ze bleef de hele nacht op om te ontwerpen en maakte lussen en krullen met haar potlood. Toen het licht werd had ze naast haar elleboog een stapel schetsen liggen. Ze was te opgewonden om te gaan slapen en wilde net koffie gaan zetten toen er hard op de voordeur werd gebonsd. In haar ochtendjas rende Meridia naar beneden om open te doen. Op de bovenste trede stond Malin met een klein hoopje in haar armen.

'Wil je me helpen?' vroeg het meisje.

Meridia dacht aan haar belofte en liet haar binnen.

HOOFDSTUK 38

In veel opzichten was die noodlottige avond in juli precies verlopen als alle andere. Na het eten had Ahab zich in de bibliotheek teruggetrokken om sigaren te roken en brieven te schrijven. De zeven maanden zwangere Permony was hem even later met een boek en een breimandje gevolgd. Hoewel ze maar weinig begreep van de epistels die Ahab naar zijn vaderland stuurde, genoot ze ervan hem aan het werk te zien. Rond tien uur verontschuldigde ze zich en ging naar haar slaapkamer. De meid had de beker met het bittere drankje al op de kaptafel gezet. Ahab stond erop dat ze het elke avond dronk omdat het een makkelijke bevalling zou garanderen. Die avond gaf de baby echter een flinke schop toen Permony naar de beker reikte waardoor hij op de grond viel. Permony gaf haar kind voor de grap een standje en maakte alles weer schoon. Tien minuten later kwam Ahab binnen en hielp haar in bed. 'Heb je het drankje op?' vroeg hij zoals gewoonlijk terwijl hij haar buik streelde. Permony wees naar de lege beker. 'Brave meid,' zei hij. 'Als het zover is, zul je geen kik geven.' Hij knipoogde wellustig en veelbetekenend naar haar en met zijn grote handen kneep hij in haar borsten tot ze het half van pijn en half van genot uitgilde. Na afloop bedekte hij haar met een deken en liep weg om zich te wassen. Toen hij terugkwam was Permony, zoals gebruikelijk, al als een blok in slaap gevallen. Haar blozende huid rook sterk naar zijn zweet.

Sinds ze getrouwd was sliep Permony als een os: negen uur lang was ze door geen geluid of beweging wakker te krijgen. Maar die avond schrok ze vier uur nadat ze naar bed was gegaan wakker van een enorme motor die onder het huis stond te ronken. De muren trilden en zelfs in bed voelde ze hoe hitte en stoom van de vloer opstegen. Het geluid deed haar denken aan enorme klauwen van staal die in de aarde groeven, gesteente verpulverden en mineralen opdiepten. Toen ze naast dat geluid ook nog een gedempte schreeuw hoorde, schoot Permony geschrokken overeind.

'Ahab,' fluisterde ze. Hij had het bed verlaten. Ze dwong zichzelf kalm te blijven, deed het licht aan en wist met moeite uit bed te klauteren. Trillend op haar benen trok ze haar ochtendjas en pantoffels aan en liep naar de hal. Het ronkende geluid werd harder. Het kwam uit de oostelijke vleugel van het huis.

Ze liep zo snel als haar opgezwollen voeten haar konden dragen. Toen ze door de duistere hal liep, kreeg ze het angstige gevoel dat ze dit huis helemaal niet kende. De kostbare oude wandkleden met de lichtblonde meisjes en de met bloemen bezaaide weides die ze altijd zo mooi had gevonden lieten nu talloze boze heksen zien. De spiegels toonden duizend mismaakte ogen en de prachtige vazen loerden als kolossale zwevende hoofden naar haar. Permony sloeg een hand voor haar mond en liep snel verder.

Toen ze bij de oostelijke vleugel was aangekomen, klonk het geluid niet meer als een ronkende motor maar als een groot, hijgend monster. Het leek erop dat in de kelder, waar Ahab zijn wijn en jachtgeweren bewaarde, iets steigerde, hijgde en met zijn staart of vin sloeg waardoor het huis op zijn grondvesten schudde. De gedempte menselijke schreeuw verlamde haar bijna van angst maar haar nieuwsgierigheid won het uiteindelijk. Iets in deze botsing tussen paniek en woede kwam haar bekend voor, het was iets wat ze al vele malen in haar dromen had gehoord. Permony sloop verder naar de kelderdeur en opende die.

Flakkerend kaarslicht verlichtte het plafond. Afgetekend tegen een muur zag ze een schaduw heftig op en neer stoten. Stilletjes daalde ze met muizenpasjes de trap af. Het gehijg was tegen die tijd oorverdovend en het gegil nog hoger. Eenmaal beneden klopte het hartje van haar baby nog sneller dan haar eigen hart. Permony streek over haar buik en gluurde langs de trap.

Het duurde even voordat ze begreep wat ze zag. Eerst was daar het naakte, enorme, slijmerige monster. In het kaarslicht leek het half varken half mens. Het stond met de rug naar haar toe op handen en voeten te kreunen en te hijgen en stootte woest tegen een bed van stro. Ze kon het zweet dat over zijn rug stroomde, ruiken en zag hoe zijn enorme, vuurrode ballen tegen het stro ketsten. Het licht van de druipende kaars flikkerde en het tafereel veranderde. Het monster paarde niet met stro maar met een meisje, en nog een meisje, en nog één. Het waren nog kinderen en in hun doodsangst schopten en gilden ze hulpeloos. Voordat Permony zich kon verroeren, flikkerde het kaarslicht nogmaals. Deze keer was het monster verdwenen en zag ze alleen nog strogeel haar, een lijkbleke huid en gespierde rug. Ahab bereed de meisjes op een werktuiglijke manier.

Permony gilde en viel tegen de muur. Het monster nam Ahabs plek weer in en ging zonder haar te zien verder. Lamgeslagen bleef Permony staan totdat de baby weer begon te schoppen. De gedachte aan haar kindje zette haar tot actie aan. Ze sleepte zich de trap op, ging de deur door en keerde terug naar de gang. Ze worstelde zich de hal door en verliet het huis door de voordeur. Pas toen ze op straat stond besefte ze dat ze alleen een ochtendjas en pantoffels droeg. Toch was het uitgesloten dat ze terugkeerde en het risico zou lopen nog een glimp van dat monster op te vangen.

Het was een warme, duistere nacht. Er was niemand op straat en honden die naar de hemel blaften, vormden het enige teken van leven. Om de zoveel tijd schoot een felle pijn door Permony's onderbuik waardoor ze zo vaak ten val kwam dat ze de tel kwijtraakte. Hoewel ze doodsbang was, stond ze geregeld even stil om haar knieën wat rust te gunnen en de druk op haar hoofd te verlichten. Hoe lang was dit al gaande? Hoe was het mogelijk dat ze vanavond het geluid pas voor het eerst had gehoord? Het drankje! Dat was het natuurlijk! Was het gerucht dat Ahab meisjes had misbruikt om land te verkrijgen dan juist? Permony had het gevoel dat haar hoofd uit elkaar knalde en verlangde naar iemand die haar kon troosten en de gruwel kon wegredeneren.

Eigenlijk had ze naar Magnolia Avenue willen gaan. Ze was zo van streek dat ze pas halverwege besefte dat Meridia daar niet meer woonde. Ze overwoog alles aan Daniel te vertellen maar hoeveel ze ook van haar broer hield, ze vond dat ze in dit geval het advies van een vrouw nodig had. Inmiddels was Permony te ver van Monarch Street of Museum Avenue verwijderd, dus besloot ze haar heil in het huis op Orchard Road te zoeken, een besluit dat ze al snel zou betreuren.

Om halfvier klopte ze buiten adem en bezweet bij haar moeder aan. Een verbaasde Eva begon te schreeuwen toen ze haar zag.

'Wat is er aan de hand?' Ze legde haar handen op Permony's buik. 'Is er iets met de baby?'

'Nee, met de baby is alles goed, mama. Het is Ahab...'

Eva ging met haar in de woonkamer zitten. De tranen stroomden Permony over de wangen terwijl ze over de verschrikkingen en de angst van het afgelopen uur vertelde. Ze sloeg geen detail over, maar raakte vaak in de war. Dan schudde ze haar hoofd, zweeg en werd zichtbaar door emoties overmand. Eva luisterde zonder haar te onderbreken. Toen Permony klaar was, zweeg ze even en zei toen: 'Ik kan het niet geloven.'

'Ik ook niet,' snikte Permony. 'Ik had nooit gedacht dat hij zo'n man zou zijn. O, ik voel me zo verloren en ellendig, mama. Zeg me wat ik moet doen.'

'Je kunt maar één ding doen,' zei Eva zonder omhaal. 'Zet dat belachelijke verhaal uit je hoofd en ga meteen naar huis.'

Permony keek alsof ze een klap in het gezicht had gekregen.

'Ik snap het niet, mama.'

'Wat snap je niet? Ahab is een fatsoenlijke man met een smetteloze reputatie. Je bent zenuwachtig vanwege de baby en daarom is je verbeelding met je op de loop gegaan. Luister naar me. Wees een verstandige meid en ga naar huis.'

Eva stond op. Permony was geschrokken door het definitieve van dat gebaar en bleef zitten. Vervolgens greep Eva haar dochter bij de polsen en trok haar overeind. Gezien haar leeftijd en Permony's vergevorderde zwangerschap deed ze dat met verbijsterend veel kracht.

'Je luistert niet, mama,' zei ze zwakjes.

'Ik heb genoeg gehoord!' bulderde Eva woedend. 'Ik heb mijn best gedaan je een goede toekomst te bezorgen en dankzij mij was je de benijdenswaardigste bruid uit de geschiedenis van deze stad. Je hebt me er nooit voor bedankt en nu kom je ook nog eens met een kletsverhaal aanzetten om mij dwars te zitten. Denk je nu echt dat ik het soort moeder ben die haar dochter aan de duivel zou overleveren? Als je vader nog had geleefd, had je hem misschien om je verwende vingers kunnen winden, maar mij niet! Ik maak je kapot als je mij bij een schandaal durft te betrekken!'

Ruw duwde ze Permony in de richting van de deur. Het bleke en bevende meisje kon niets beginnen.

'Ik breng je naar huis voordat je man zich nog ongerust maakt,' zei Eva.

'Mama, alsjeblieft! Hoe kun je me terugsturen na alles wat ik heb verteld?'

Eva duwde haar naar buiten. 'Je houdt mijn hand vast en tijdens het lopen zeg je geen woord meer.'

Met tranen in haar ogen keerde Permony zich om om haar moeder eens goed te bekijken. Op dat ogenblik doorgrondde ze de vrouw wier liefde ze ondanks levenslange gehoorzaamheid nooit had gewonnen, als nooit tevoren. Er zat niets anders op dan haar hand los te maken.

'Doe geen moeite, mama. Ik loop zelf wel.'

Ze zei het op een toon die Eva verraste. Voordat ze kon protesteren was Permony al verdwenen in de nacht. 'Dan moet je het zelf maar weten,' riep Eva haar na. Pas later, nadat ze de voordeur had dichtgedaan, de trap was opgelopen en weer naar bed was gegaan, besefte Eva dat de lavendelblauwe ogen van haar dochter nooit eerder zo'n opstandige blik hadden gehad.

Permony ging op weg naar Monarch Street maar al snel volgden haar voeten het dwaalspoor van haar verwarde gedachten en raakte ze uit koers. Aan de hemel kondigden saffraankleurige flarden de dageraad aan en de stilte was niet meer zo allesomvattend nu zwaluwen op de daken begonnen te tjilpen. Lange tijd schuifelde Permony langs de eindeloze rij in slaap gehulde huizen totdat ze bij een boomstam in elkaar zakte. Omdat ze dunne pantoffels droeg, zaten haar voeten onder de blaren. Toch viel de pijn daarvan in het niet bij de gapende wond van haar hart. Terwijl ze zachtjes lag te huilen vulden haar longen zich met een bijtende rook. Pas op dat moment besefte ze dat ze haar toevlucht tot de Tuin der Resten had gezocht.

De eerste druppels bloed verbaasden haar niet. Integendeel, het onverwachte gevoel van verlossing was een opluchting. Maar toen ze zag hoe zich een dikke, donkere poel tussen haar benen vormde, raakte ze in paniek. 'Help,' gilde ze, maar haar schreeuw klonk zelfs haar te zwak in de oren. De dauw druppelde neer en parelde op haar huid. Het saffraankleurige licht schitterde en zette de stad in een fonkelende gloed. Plotsklaps zag Permony een grote groep geesten naar hun graven terugkeren. Zodra ze haar roken, schreeuwden ze en wrongen haar buik uit als een doek, totdat ze geen lucht meer kreeg en duisternis haar opslokte.

Toen Permony haar ogen weer opende, wees niets erop dat ze nog leefde. Een stralend gouden licht omhulde haar als een aureool en een boze, bovenaardse stem hield de duisternis op afstand. Ze deed haar ogen verder open en zag hoe een schitterende fee de kwade geesten met schuddende vuisten verjoeg. 'Ga onmiddellijk terug naar jullie graf! Als je het waagt haar nog een keer aan te raken, trommel ik alle gekken in de stad op om jullie botten op te graven!' Vervolgens trok een warme gloed door Permony's lichaam en keerde het gevoel in haar ledematen terug. Iets zachts en kwetsbaars kriebelde aan haar voeten en ze zag tot haar verbazing dat de poel bloed was veranderd in prachtige oranje bloesem. De baby leefde. De kwade geesten gingen ieder hun eigen weg. Dankbaar keek Permony op naar de goede fee en herkende haar zus Malin.

Even later merkte ze dat ze op een draagbaar werd getild. De tocht duurde lang en viel haar zwaar maar Malin hield de hele weg haar hand vast. Het eerstvolgende dat Permony zich kon herinneren was dat ze op een zacht, wit bed werd getild. Een oude vrouw begon zo voorzichtig mogelijk haar buik te kneden. De pijn kwam en ging in vlagen. Malin smeekte haar al haar kracht te gebruiken. Permony hoorde zichzelf huilen, kreunen, gillen en opnieuw huilen totdat uiteindelijk haar laatste woorden als damp van haar lippen gleden.

HOOFDSTUK 39

Malin zweeg, maar van haar gezicht waren woede, ontzetting, walging en verdriet af te lezen. Meridia, die naast haar op de bank in de vestibule zat, kampte met dezelfde emoties. Achter hen drukte de ochtendnevel zwaar tegen het raam. In de kamer van Noah op de bovenverdieping was het nog stil. Malin had de baby de hele tijd stevig vastgehouden.

'Heeft ze je dit allemaal verteld?' vroeg Meridia. 'En wat is er toen gebeurd?'

Malin legde het slapende kindje op haar rechterarm en veegde met haar linkerhand de tranen uit haar ogen.

'Toen we bij de vroedvrouw kwamen, had ze al veel bloed verloren. Ze heeft nooit geweten dat ze een zoon op de wereld heeft gezet.'

'Permony!' riep Meridia uit. 'Wat hebben ze je aangedaan?'

Met tranen in haar ogen keek ze naar de baby. Het was een prachtig jongetje met de lange wimpers en ronde wangen van zijn moeder. Hij bezat Ahabs bleekheid noch zijn eigenaardige zware bouw. Zijn slapende gezichtje was roze en zorgeloos. Meridia's hart kromp ineen toen ze zijn handje vastpakte.

'Begin nog eens bij het begin,' zei ze. 'Probeer je precies te herinneren wat ze heeft gezegd.'

Stukje bij beetje wisten de twee schoonzussen de gruwelijke gebeurtenis te doorgronden. Meridia bekende dat ze al vanaf Malins bruiloft haar bedenkingen bij Ahab had gehad en ook Malin bleek zich vaak ongemakkelijk hij hem te hebben gevoeld.

'Ik vond hem altijd iets duisters hebben. Die gretige, roofzuchtige grijns, alsof hij Permony wilde verslinden. Ik had moeten weten dat hij iets in zijn schild voerde. Mannen met zo'n afwijking zoeken vaak een keurige vrouw als dekmantel.'

Overmand door spijt boog Meridia haar hoofd.

'Ik heb Permony nog proberen te waarschuwen… Ik heb gefaald… Ik had beter mijn best moeten doen…'

'Je had er niets tegen kunnen beginnen. Permony was vastbesloten met hem te trouwen. Ze hoorde alleen wat ze wilde horen. Bovendien was mama vol lof over Ahab en zij had altijd een veel grotere invloed op Permony dan jij.'

'Denk je dat je moeder wist wat Permony te wachten stond?'

Malin werd opnieuw razend. 'Waarom wilde ze haar anders meteen naar hem terugsturen? Dat monster! Ze geeft alleen om haar goede naam, haar comfortabele leventje en haar geld. Ze is even schuldig als wanneer ze haar eigenhandig had vermoord!'

De schoonzussen keken elkaar doordringend aan. Meridia wilde vragen of Daniel van deze list van zijn moeder op de hoogte was en er zijn goedkeuring aan had gegeven. Ze dacht dat haar hoofd uit elkaar zou barsten als ze het antwoord niet te weten kwam, maar op het laatste moment zag ze er toch vanaf het te vragen omdat ze vreesde de waarheid niet te kunnen verdragen.

Maar Malin had haar gedachten al geraden. 'Volgens mama wilde jij niet hebben dat Noah hem bezocht hoewel ze je heeft verteld dat hij ziek was. Ik snap het wel. Wat Daniel je heeft aangedaan, zou ik ook niet kunnen vergeven.'

Meridia verstijfde en keek haar schoonzus verbaasd aan. 'Je moeder is inderdaad langsgekomen om Noah op te eisen maar ze heeft niet gezegd dat Daniel ziek was. Volgens haar wilde hij niets meer met me te maken hebben. Permony heeft me uiteindelijk laten weten dat het niet goed met hem ging.'

Malin fronste haar wenkbrauwen. 'En de brief?'

'Welke brief?'

'De brief die Daniel aan Noah heeft geschreven. Volgens haar heb je die in het bijzijn van je zoon verscheurd!'

Terwijl het Meridia begon te dagen wat er aan de hand was, trof de woede haar als een bliksemschicht.

'Ik heb hem nooit gekregen,' zei ze. 'Bedoel je te zeggen dat Daniel heeft geprobeerd contact met me te leggen?'

Vervolgens vertelde ze Malin over haar mislukte bezoek aan Magnolia Avenue; over de muziek, het gelach en Sylva die de winkel bestierde. Malin slaakte een kreet toen ze dit hoorde.

'Het zijn allemaal leugens! Sinds Daniels ziekte is de winkel gesloten en hij wil die slet niet in zijn buurt hebben. Mama moet haar daar hebben geposteerd om jou op afstand te houden. Ik wilde naar je toe gaan om met je te praten, maar ze overtuigde me ervan dat je hem echt niet wilde zien. Het spijt me. Ik werd zo in beslag genomen door mijn eigen verdriet dat het niet in me is opgekomen dat ze loog.'

'Wat heeft je moeder nog meer gezegd?'

'Volgens haar blijft hij de hele dag op zijn kamer en wil hij niemand zien. Toen ik op bezoek kwam, zei ze dat hij sliep en niet gestoord wilde worden.'

'Hoe erg is het dan?'

'Ik weet alleen dat hij tijdelijk blind is. Volgens de dokter komt het door uitputting, maar volgens mij heeft zijn slechte geweten er meer mee te maken.' Malin keek Meridia strak aan. 'Wat gaan we nu doen?'

Meridia zweeg lange tijd. Toen streek ze haar rok glad en kwam rustig overeind.

'Je moeder laat ons geen keus, toch? Maar eerst ga ik eens een bedje voor dit knappe kereltje zoeken.'

Ze liep naar de deur om haar oude wieg van zolder te halen toen de baby begon te huilen. Meridia bleef staan en keek om. Het was onmiskenbaar: vreugde, liefde en verrukking straalden van Malin af terwijl ze de baby al fluisterend probeerde te kalmeren. Het kind dat haar jarenlang in haar dromen had bezocht, dat haar had gedwongen de strijd met demonen aan te gaan en bij elke zonsopkomst de bijtende rook van de begraafplaats te verdragen, was niet meer blauw en bedekt met bloed, maar leefde. Vol verwondering draaide Meridia zich om en glipte weg.

Toen de klok net acht uur had geslagen, liet Meridia Leah halen en vroeg haar op Noah en de baby te passen. Een halfuur later trok ze haar jas aan, zette een hoed op en verliet samen met Malin het huis. Lopend door Monarch Street maakten ze een vervaarlijke indruk. Buren die de vastbesloten uitdrukking op hun gezicht en hun oorlogszuchtige houding zagen, waren blij dat zij zich niet hun woede op de hals hadden gehaald. Aan het eind van de straat sloeg Meridia links af en Malin rechts af. Snel wisselden ze een blik van verstandhouding die hun nieuwe verbond bekrachtigde. Beiden wisten dat haast geboden was.

Malin zette er stevig de pas in en doorkruiste de stad. Ze passeerde Cinema Garden, het marktplein en het kleine park waar het hele jaar door winterbloemen bloeiden. Haar einddoel was een groot, in oude stijl gebouwd huis met witte zuilen en een dikke laag klimop. Het lag drie straten ten noorden van de rechtbank. Eenmaal daar greep ze de in de vorm van een leeuw gegoten deurklopper vast en liet hem met al de woede in haar lijf neerkomen. Zodra een bediende opendeed, duwde ze hem opzij en eiste ze de heer des huizes te spreken. Even later verscheen Ahab. Hij had ternauwernood een broek aangeschoten maar zijn harige, kolossale borst was ontbloot. Het was duidelijk dat hij nog maar net wakker was en niet wist dat zijn vrouw was verdwenen. Malin besprong hem als een panter.

'Je vrouw is dood. En je kind ook. Ze zijn gestorven toen ze jou probeerden te ontvluchten.'

Haar donkere ogen fonkelden van woede terwijl ze Permony's biecht woord voor woord herhaalde. Omdat de bedienden stonden te luisteren in de hal sloot Ahab de deur, maar Malin ging alleen maar harder schreeuwen. Ze maakte hem uit voor duivel en misdadiger en riep dat zijn verachtelijke aard en aberratie van zijn gezicht af te lezen waren. Na wat hij Permony en al die andere ongelukkige meisjes had aangedaan, wilde ze niets meer van hem weten.

'Je hebt een uur de tijd de stad te verlaten,' zei ze, zijn tegenwerpingen overstemmend. 'Dan stap ik naar de autoriteiten en vertel ik wat mijn zus op haar sterfbed heeft verklaard. Als je je ooit nog in de buurt van mij of mijn familie waagt, zal ik iedereen in de stad vertellen wat je op je geweten hebt, de politie en alle geesten erbij halen en ervoor zorgen dat jonge meisjes je naam als een vloek uitspreken. Je denkt misschien dat je onoverwinnelijk bent en je mag dan de steun van je vaderland hebben om ons te bestelen, maar wij beschikken over de middelen om je te verslaan. We zullen je verjagen. We zullen je verscheuren. Als je het tegen ons opneemt, zullen we je achterstevoren terugsturen naar de windmolenhel waar je vandaan komt!'

Malin vertrok voordat Ahab goed en wel begreep wat er was gebeurd. Toen ze de deur uit liep, lieten haar voeten de aarde los en voordat ze het wist, zweefde ze hoog boven de straat. Terwijl de zon haar huid verwarmde en de boomtoppen voor het grijpen lagen, wierp ze het verdriet dat haar jarenlang in zijn greep had gehad als een slangenhuid van zich af. Onder haar spoedden mensen zich voort, vriendelijke figuurtjes als in een droom die zonder betekenis waren in vergelijking met de kracht die in haar klopte. Zo dreef ze verder, over het park met de winterbloemen, het marktplein en Independence Plaza totdat Museum Avenue in zicht kwam en ze op een geurige heuvel haar eigen huis ontwaarde. 'Jonathan,' riep ze terwijl ze de hal in zweefde, neerdalend van de duizelingwekkende hoogte waarnaar ze was opgestegen. Pas toen ze hem afwezig uit het raam zag kijken, keerde ze terug op aarde. Hij stond niet op uit zijn stoel en keek zelfs niet op, maar dat deed er niet toe. Ze had de woorden gevonden waarmee ze hem in beweging kon krijgen.

'Luister naar me,' zei ze. Zonder te gaan zitten vertelde ze wat er de laatste uren was gebeurd: het tafereel dat Permony in de kelder had aanschouwd, haar vlucht van Ahab, Eva's ongelooflijke wreedheid, Permony's dood en de geboorte van de baby.

'We kunnen hem als ons eigen kind opvoeden,' vervolgde ze vol vuur. 'Geef jij hem maar een naam. Je vond David toch altijd zo mooi? We kunnen weer gelukkig worden, mijn lief. Denk je eens in. We kunnen het gezin krijgen dat we altijd hebben gewild.'

Tijdens haar verhaal verraadde Jonathans blik zijn emoties niet. Daarna verscheen er een flauw, geforceerd glimlachje alsof hij een lastig kind tevreden wilde stellen.

'Vergeet je niet iets? Hoe moet het dan met Ahab? Het is tenslotte zijn zoon.'

'Ik heb hem erin geluisd. Hij kan geen kant meer op,' zei Malin triomfantelijk. 'Hij denkt dat de baby dood is en hij weet dat door Permony's getuigenis het leven hem in deze stad onmogelijk zal worden gemaakt. Hij zal geen vinger naar ons durven uitsteken.'

Ze vertelde hoe ze de confrontatie met Ahab was aangegaan. Jonathan luisterde onbeweeglijk toe. Hij was een en al aandacht maar toch kregen zijn ogen een uitdrukking die haar aan het schrikken maakte. Toen ze klaar was, wist ze al voordat hij had gesproken wat hij ging zeggen.

'Het is te laat. Er is te veel gebeurd wat niet meer te herstellen is.' Malin knielde neer en greep zijn hand.

'Het is niet te laat. We komen er samen wel uit. Je hebt ooit van me gehouden en volgens mij schuilt die liefde nog steeds in jou. Gooi onze toekomst niet weg nu hij eindelijk gaat beginnen.'

Hoewel ze hun liefde voor elkaar in herinnering probeerde te brengen, voelde ze hoe hij haar ontglipte. Of was ze hem al met het verlies van de baby kwijtgeraakt en waren ze sindsdien enkel uit gewoonte en gemak bij elkaar gebleven? Het had geen zin. Zijn vriendelijke gezicht was een open boek dat ze al lang geleden had weggelegd. Voordat ze wist wat ze moest zeggen, sprak hij de vreselijke woorden uit.

'Hou jezelf niet voor de gek, Malin. Je houdt niet meer van me en ik niet van jou.'

Ze had dit lang geleden al zien aankomen en zich een voorstelling gemaakt van de pijn die het zou doen, maar nu de woorden werden uitgesproken, kliefden ze haar niet doormidden. Ze stond nog overeind. Ze ademde nog. Hij keek haar aan en zijn blik was als een streling, zacht en koel tegelijk. Ze beantwoordde zijn blik en voelde het gewicht van de liefde die was gestorven.

'Nee, mijn lief, dat is niet waar. Het is niet waar!'

Jonathan trok zijn hand terug. 'Het is voorbij. Wat er tussen ons was hebben we verbruikt totdat er niets meer over was. Ik zal ervoor zorgen dat het je aan niets ontbreekt.' Malin zakte weer op haar knieën en keek hem lange tijd zwijgend aan. Zijn knappe gezicht was lijkbleek geworden – de afgelopen paar minuten hadden klaarblijkelijk een grote tol geëist. Terwijl de doodsklok nog nagalmde in haar oren, stond Malin bevend op en liep weg van de stoel. 'Ik zal de stad verlaten en het kind in mijn eentje opvoeden,' zei ze. 'Ik wil geen risico's lopen met Ahab en er zal geroddel van komen als ik blijf.'

Malin draaide zich om en liep meteen naar de deur om te voorkomen dat hun laatste moment samen in stilzwijgen zou verlopen. Met opgeheven hoofd passeerde ze de bedienden in de hal en liep de trap op. Pas toen ze alleen in haar kamer stond, kwamen de tranen.

'Hou op, stommeling,' zei ze boos tegen zichzelf. 'Pak je spullen en vertrek. Je hebt geen tijd te verliezen want je kind wacht op je.'

Meridia toog eerst naar de vroedvrouw. Ze liep net de kleine voortuin in toen de vrouw, die ook Noah op de wereld had gezet, in de deuropening van het huisje verscheen. Haar wijze, vriendelijke gezicht had een verbijsterde blik.

'Er is iets uitermate vreemds gebeurd, mevrouw.'

Zonder verder uit te weiden bracht ze Meridia naar een kleine ruimte zonder ramen waar het naar ontsmettingsmiddel rook. Onder een wit laken lag Permony daar op een ijzeren bed. Haar onbedekte gezicht was ongeschonden, haar huid had een gezonde kleur en haar lange zwarte haar glansde. Meridia betrad de kamer en pakte haar hand. Die was gloeiend heet.

De vroedvrouw schudde vol verwondering het hoofd. 'Ik heb nog nooit meegemaakt dat een lijk zo goed intact blijft. Het is niet koud of stijf en stinkt ook helemaal niet. En haar gezicht – het was compleet vertrokken van pijn toen haar ziel haar lichaam verliet, maar nu oogt ze zo sereen als een heilige. Uiteraard heb ik verhalen gehoord over mensen die zo geliefd zijn bij de goden dat hun lichaam pas na lange tijd tot ontbinding overgaat. Maar zouden die echt waar zijn? Ik heb een keer gehoord van een jongen die door een val om het leven kwam zonder ook maar één bot te hebben gebroken…'

Terwijl de vroedvrouw doorpraatte, kreeg Meridia van schuldgevoel een dikke knoop in haar maag. Permony's kalme gezicht bracht het meisje in herinnering dat tijdens haar ongelukkige jeugd de kwellingen van haar moeder en zus in stilte had ondergaan en de jonge vrouw die nooit het geluk had gevonden dat ze verdiende. Meridia dacht terug aan de fantastische verhalen die ze vroeger hadden verzonnen – over zeemeerminnen en drakenkoninginnen – en hoe ze hadden gelachen en troost bij elkaar hadden gevonden als Eva's bijen zich tegen hen keerden. Destijds waren ze onafscheidelijk geweest en hadden ze een hechtere band gekend dan twee zussen, maar uiteindelijk had ze haar in de steek gelaten. Ze had niet hard genoeg voor haar gevochten, zich door uiterlijke schijn laten inpakken en haar met de verkeerde man laten trouwen. 'Red haar,' had Elias op zijn sterfbed gezegd. Nu wist ze eindelijk wat hij daarmee had bedoeld. Al die jaren was ze te traag van begrip en te dom geweest om het te begrijpen.

'Wilt u een glaasje water, mevrouw? U ziet wat bleek.'

Door de stem van de vroedvrouw schrok Meridia op uit haar gedachten. Met zeer veel moeite draaide ze zich om en keek in de lieve ogen van de vrouw.

'Het gaat prima, dank u wel.' Ze kneep haar lippen samen, haalde diep adem en pakte geld uit haar zak.

'Nee mevrouw, dat is te veel,' protesteerde de vroedvrouw. 'Dat kan ik onmogelijk aannemen!'

Meridia drukte haar het geld in de hand. 'Laat het lichaam alstublieft naar het mortuarium overbrengen. De vader van het kind zal misschien vragen stellen. Als hij dat doet...'

'Dan zal ik zeggen dat de baby ook bij de geboorte is overleden,' zei de vroedvrouw. 'Gisteravond beviel een zwerfster van een doodgeboren kindje. De arme vrouw kan de begrafenis niet betalen. Zonodig zal ik het dode schepseltje in zijn gezicht duwen en zeggen dat het zijn kind is. Na alles wat Permony voor haar dood heeft verteld kan ik dat kind nooit tot zo'n afgrijselijk leven veroordelen.'

Ondanks Meridia's vasthoudendheid wilde de vroedvrouw alleen het bedrag aannemen waar ze recht op had. Meridia knikte dankbaar, keerde terug naar het ijzeren bed en bleef daar nog enkele minuten zwijgend staan. Toen ze uiteindelijk naar de deur liep, schitterden haar betraande ogen als ijzer en steen. De vroedvrouw deed een stap naar achteren om haar te laten passeren.

Meridia stak het plein over en liep twaalf straten oostwaarts naar Magnolia Avenue. Het was kort na negenen toen ze weer de lege flarden muziek en het gelach opving. Deze keer liep ze meteen naar de deur. Midden in de winkel zaten vier vrouwen rond een tafel. Ze dronken thee en speelden een bordspel met stenen. Meridia liep op hen af en smeet de tafel omver.

'Maak dat je wegkomt,' zei ze bijna op fluistertoon terwijl ze de jongste vrouw doordringend aankeek.

Eén vrouw gilde, een andere hield haar adem in. Porseleinen kopjes en ivoren speelstenen kletterden op de grond. De jongste, Sylva, sprong op en sloeg een hand voor haar mond. Met een zwaai van haar arm smeet Meridia haar richting de deur.

'Beter opletten om wie je je dijen slaat,' zei ze alsof ze een kind berispte. 'De volgende keer kom je er niet zo genadig vanaf.'

Eva had zichzelf hervonden en kwam zo abrupt overeind dat haar stoel omviel.

'Waar ben jij mee bezig?'

Meridia negeerde haar en staarde dreigend naar de twee andere vrouwen. Ze gingen er als een haas vandoor. Sylva was lijkbleek geworden en beefde over haar hele lichaam. Ze durfde Meridia niet aan te kijken, maar snikte zacht en liep achter haar vriendinnen aan de straat op.

'Hoe durf je hier binnen te lopen en mijn gasten zo te laten schrikken!' gilde Eva. 'Denk je soms dat het huis van mijn zoon een soort pension is waar je kunt komen en gaan als het jou uitkomt?'

Meridia keurde haar geen blik waardig en stoof de trap op. Eva greep zich vast aan de trapleuning en volgde haar veel minder snel en lichtvoetig.

'Schaam je je dan helemaal nergens meer voor? Daniel wil je niet, heeft je niet nodig en verlangt al helemaal niet naar je!'

Meridia hield geen halt noch verlaagde ze zich tot het uiten van beledigingen. Ze spoedde zich over de overloop naar haar slaapkamer en gooide de deur open.

Het was precies zoals ze had verwacht. Het plafond, de vloer en de muren waren bedekt met een dikke laag bijen. De duivelse insecten zwermden rond het bed, de stoelen, de lampen en tegen het raam waardoor geen licht of geluid naar binnen kon komen. Zodra ze de deur opende, werd Meridia bestookt met het oorverdovend krijsen van duizend bijen tegelijk. Meridia raakte niet in paniek maar deed precies wat Ravenna tijdens de bevalling van Noah had gedaan. Ze greep een stoel, rende naar het raam en sloeg de ruit stuk. De bijen gilden het uit toen de kamer opeens baadde in het zonlicht. De snelste exemplaren wisten te ontsnappen maar de meeste vatten vlam en verbrandden ter plekke. Hun stoffelijke resten dwarrelden neer en bedekten de vloer met een laag as.

'Ik wist dat je zou komen.'

Daniel lag op bed en sprak met zwakke stem. Daarvoor hadden de bijen hem volledig bedekt.

'Blijf waar je bent,' zei Meridia bits. 'Zwijg en luister naar me.'

Op dat moment stormde een verontwaardigde en rood aangelopen Eva binnen. 'Je kunt gewoon niet wachten hem de genadeklap te geven, niet?' riep ze uit. 'Je walst hier naar binnen en stoort een zieke man nadat je hem ijskoud in de steek hebt gelaten!'

Pas toen keerde Meridia zich om en ging ze het gevecht met haar schoonmoeder aan. Ze was buiten zinnen van woede en had het liefst elke zenuw en elk stukje weefsel in het valse gezicht van die vrouw verwoest. Hoe het haar toen gelukt is om rustig te blijven staan en op duidelijke toon te zeggen wat ze moest zeggen, kon ze later met geen mogelijkheid vertellen.

'Permony is vanochtend in het kraambed gestorven,' zei ze. 'Kort nadat je haar de deur uit hebt gezet. Malin heeft haar op de begraafplaats gevonden. Vlak voor haar dood vertelde ze dat de schok dat haar eigen moeder haar wegstuurde toen ze haar zo nodig had haar te veel is geworden.'

Even was Eva uit het veld geslagen, maar toen zette ze grote ogen op. 'Waar heb je het over?'

'Ze is gestorven aan een gebroken hart. Permony, je dochter, herinner je je haar nog? Ze baadde in haar eigen bloed toen Malin haar vond.'

'Permony? Dood? Ben je wel goed wijs? Het ging prima met haar toen ze gisteravond naar huis ging!'

'Daar is ze nooit aangekomen, wat niet zo verwonderlijk is gezien haar toestand. Maar dat kon jou niets schelen, hè? Jij dwong haar terug te gaan naar Ahab hoewel ze afgrijselijke dingen over hem had verteld. Hoe voelde het om je zwangere dochter midden in de nacht op straat te zetten? Om je eigen vlees en bloed af te wijzen toen ze je hulp nodig had? Hoe heb je het gepresteerd weer naar bed te gaan en te slapen nadat je de deur in haar gezicht had dichtgeslagen?'

'Wat is hier aan de hand, mama?' wilde Daniel weten terwijl hij probeerde op te staan. Hij stak zijn handen uit en tastte blind in het rond maar Meridia hield hem opnieuw tegen.

'Ga zitten,' zei ze op scherpe toon. 'Bereid je maar voor op wat je moeder allemaal heeft gedaan.'

Eva's gezicht was lijkbleek en uitdrukkingsloos. Ze hield haar ene hand tegen haar keel en had de andere over haar hart gelegd. Meridia bleef haar strak aankijken terwijl ze Daniel vertelde hoe Permony het monster had ontmaskerd, naar Orchard Road was gevlucht en door Eva was weggestuurd. Ze beschreef de ontmoeting tussen de twee zussen op de begraafplaats en zei dat Malin Permony naar de vroedvrouw had gebracht, had gehoord hoe ze haar laatste woorden uitsprak en had moeten toekijken hoe ze stierf voordat haar kind was geboren. Tijdens het praten werd Meridia's stem hees, maar al die tijd bleef haar blik strak op Eva gevestigd.

Lange tijd bleef het doodstil in de kamer. 'Leeft de baby nog?' vroeg Daniel toen.

Meridia knikte. 'Een zoon die sprekend op Permony lijkt. Malin heeft besloten hem als haar eigen kind op te voeden.'

'En Ahab dan?'

'Die zal niet om zijn zoon vragen. Daar heeft Malin voor gezorgd.'

Daniels gezicht kreeg een strenge, onverbiddelijke uitdrukking. Hij kneep zijn nietsziende ogen dicht, wendde zich tot Eva en zei: 'Is het waar, mama? Heb je Permony op straat gezet? Geef antwoord, mama!'

Eva gaf een schreeuw en kreeg een zenuwstuip waardoor ze heftig beefde. Haar rechterhand schoot door de lucht terwijl haar linkerhand nog altijd tegen haar keel was geslagen. Als een gekooid dier keek ze wild om zich heen.

'Zeer zeker niet! Toen je zus haar toevlucht bij me zocht heb ik haar meteen gezegd dat ze Ahab moest verlaten. "Blijf hier. Ga niet terug. Ik maak me zorgen om je veiligheid." We hebben een hele tijd zitten praten maar uiteindelijk zei ze dat ze nog altijd van hem hield en naar hem terug wilde gaan. Ik zei dat daar geen sprake van kon zijn, maar ze was koppig en vastbesloten. "Laat me je dan op zijn minst naar huis brengen," zei ik. "Nee mama," zei ze toen. "Ik wil alleen zijn en mijn hoofd leegmaken. Ga maar weer slapen. Sorry dat ik je heb gewekt." Ik was het er niet mee eens, maar daar wilde ze niets van weten. Ze leek me sterk genoeg dus ik heb geen moment gedacht... Och, mijn lieve meisje! Ik ben je moeder, jongen. Denk je nu echt dat ik mijn eigen dochter in de steek zou laten? Je vrouw mag zeggen wat ze wil maar jij weet wel beter. Ik zou me nog eerder van het leven beroven dan mijn kinderen in gevaar brengen!'

Ze begon luid te snikken en stormde met uitgestrekte armen op hem af. Bliksemsnel ging Meridia tussen hen in staan. Er ging zo'n kracht uit van haar woede dat Eva teruggedreven werd naar de deur.

'Hoe lang blijf je nog liegen? Je dochter is dood en jij bezoedelt haar nagedachtenis. Je wist van meet af aan dat Ahab niet degene was voor wie hij zich uitgaf. Geef het nu maar toe! Je hebt hem met Permony proberen te paaien, haar mooi aangekleed en op een presenteerblaadje aangeboden terwijl je wist wat voor monster hij was. Ontken het maar niet. Malin heeft me alles verteld. Als jij niet zo hebzuchtig was geweest, had Permony nu nog geleefd!'

'Nee, ik wist het niet!' schreeuwde Eva. 'Ahab heeft mij ook bedrogen. Als ik het had geweten zou ik nooit met het huwelijk hebben ingestemd. Neem het toch voor me op, jongen! Ik heb je verschillende keren om raad gevraagd en jij vond toch ook dat Permony bofte met een echtgenoot als Ahab? Je was het toch met me eens dat hij gezien zijn oprechtheid en smetteloze reputatie een uitstekende huwelijkskandidaat was?'

'Dat klopt, mama,' zei Daniel ernstig. 'Maar jij overtuigde me ervan dat we ons nergens zorgen om hoefden te maken. Toen ik meer over hem wilde weten, zei jij dat dat niet nodig was. Meridia heeft me gewaarschuwd maar ik weigerde te luisteren. Ik geloofde jou en heb Permony aan hem overgeleverd. Mama, besef je wel wat we hebben gedaan? Wat jij hebt gedaan?'

Verontwaardigd begon Eva nog harder te huilen. 'Hoe kun je me nu de schuld geven? We zijn het altijd met elkaar eens. Waarom geloof je me niet als ik zeg dat ik onschuldig ben? Zie je dan niet waar je vrouw mee bezig is? Ze probeert ons uit elkaar te drijven en tegen elkaar op te zetten. Dat doet ze al vanaf de dag dat je met haar bent getrouwd! Ik zweer het, jongen, ik heb nog nooit iets voor jou verborgen gehouden!'

Hier had Meridia op zitten wachten. Zonder oog te hebben voor de tranen die over Eva's wangen stroomden, besprong ze haar als een leeuwin.

'Dat lieg je. Je hebt ons allemaal gemanipuleerd. Wat heb je gedaan met de brief die Daniel voor Noah heeft geschreven? Die heb je nooit bezorgd.'

Eva keek met een ruk op. Haar mond was door haat samengeknepen tot een smalle streep.

'Mijn brief? Heeft Noah mijn brief nooit gekregen? Maar mama, je zei dat...'

'Dat ík de brief heb verscheurd voordat Noah hem zelfs maar kon lezen?' Meridia was nu niet meer te houden. 'Maar dat is nog niet alles. Ze heeft me ook nooit verteld dat je ziek was. Ze is één keer langsgekomen, maar alleen om te zeggen dat je niets meer met me te maken wilde hebben. Ze dreigde Noah van me af te pakken, goedschiks of kwaadschiks, en zette die... die hoer beneden in de winkel zodat iedereen haar kon zien en ze kon doen alsof ze de vrouw des huizes was. En dat is nog niet eens de helft!'

Haar stem brak toen ze deze laatste zin eruit had geperst. Ze stak haar hand in haar zak en greep iets vast alsof haar leven ervan leek af te hangen.

'Maar mama... Mama zei dat je me niet wilde zien,' stamelde Daniel. 'Ze zei dat je enkel je schouders ophaalde toen je hoorde dat ik ziek was. Volgens haar mocht Noah van jou niet op bezoek komen hoezeer ze het je ook smeekte... Ik dacht dat je me haatte en niets meer om me gaf... Ik heb haar nooit gevraagd Noah van je af te pakken en Syl... Ze... Het stelde niets voor...' Plotseling brak hij zijn zin af. Op zijn voorhoofd klopte een gezwollen ader boosaardig. 'Waarom mama. Waarom? Terwijl ik hier doodziek lag te wezen!'

Eva schudde verwoed het hoofd. 'Je ziet het helemaal verkeerd, jongen! Ik wilde je alleen maar beschermen. Het leek me voor jou het beste gewoon verder te gaan met je leven. Ik kan het allemaal uitleggen. Stuur me alsjeblieft niet weg... Alsjeblieft!'

Daniel strompelde in de richting van zijn vrouw en besteedde geen aandacht meer aan zijn moeder.

'Kom niet dichterbij,' zei Meridia terwijl ze hem tegenhield. 'Het is voorbij tussen ons. Je hebt alle liefde opgebruikt die ik ooit voor je koesterde.'

Ze haalde haar hand weer uit haar zak en smeet iets voor zijn voeten neer. Sissend gleed het over de vloer en deed op zijn weg het as opstuiven. Zonder Daniels reactie af te wachten duwde ze Eva opzij en rende de kamer uit.

'Meridia!' schreeuwde hij haar na. Toen rees een zwerm vuurvliegjes op uit de as en omsingelde hem. In een oogwenk herkende hij de furieus fladderende vleugels en de fonkelende kogeltjes die hem van zijn gezichtsvermogen hadden beroofd. Eva gilde vol afschuw. Daniel maaide als een dolle met zijn armen om zich heen en viel op de grond. De vuurvliegjes dreven hem in het nauw en trokken aan zijn ogen waardoor een vreselijke pijn door zijn oogkassen trok. 'Meridia!' riep hij, schreeuwend van de pijn. 'Meridia!'

Op de tast zocht hij de vloer af en vond het voorwerp dat ze hem had toegeworpen. Op het moment dat hij het aanraakte, zakte de pijn. De furieuze vleugels fladderden niet meer en de fonkelende kogeltjes namen zijn ogen niet langer onder vuur. Een dun geel lijntje danste aan de rand van zijn gezichtsveld; het was vaag maar onmiskenbaar. Het was het eerste straaltje zonlicht dat hij zag sinds ze bij hem was weggegaan.

Eva liet zich neervallen en sloeg haar armen om hem heen. 'Wat heeft ze je aangedaan? Twijfel je nu nog steeds aan me? Ze is een duivelin! Ze heeft die schepsels rechtstreeks uit de hel gehaald!'

Hij krabbelde overeind en worstelde zich los. Meer licht overspoelde zijn ogen nu de muren van de duisternis waarin hij wekenlang gevangen had gezeten, ineenstortten. Vol verbazing keek hij van de deur naar het stukgeslagen raam, van de omgegooide stoel naar het bed dat met verbrande vleugeltjes bezaaid was. Hij wankelde als een dronkenlap en keek naar het hoopje goud in zijn hand dat hem zijn gezichtsvermogen had teruggegeven. Het was Gabriels halsketting die Pilar ooit had gekregen om het leven van Patina te kunnen redden en als teken van zijn liefde door hem was teruggekocht.

'Laat los, jongen! Ze heeft hem vast vervloekt! Laat los!'

Daniel negeerde haar en drukte de ketting tegen zijn hart. Toen draaide hij zich om en zei tegen zijn moeder: 'Verlaat mijn huis en kom nooit meer terug, mama. Je hebt genoeg gezegd. Ik wil geen woord meer van je horen.'

HOOFDSTUK 40

De herdenkingsdienst was drie dagen later. Om de laatste dingen te regelen arriveerde Malin al vroeg bij de rouwkamer. Kalm en doelmatig plaatste ze kaarsen naast de bloemen, zette de stoelen recht, betaalde de begrafenisondernemer en controleerde of er rond het middaguur inderdaad een warme lunch zou worden opgediend. Om halftien werden twee kisten uit de niet voor het publiek toegankelijke vertrekken gehaald en voor in de zaal geplaatst. Het kistje met de baby van de zwerfster was verzegeld. De mannen die de kist van Permony binnendroegen, behandelden hem alsof het een relikwie was. Malin vroeg of ze even alleen kon worden gelaten en liep naar de kist.

Meridia had niet overdreven. Gekleed in de schitterende, bleekgroene tuniek die ze een dag eerder hadden uitgekozen was Permony het toonbeeld van liefde en bekoorlijkheid, bevrijd van pijn en vervuld van gratie. Haar aderen blaakten met dezelfde fosforescerende gloed die Patina in de laatste dagen van haar leven ook had uitgestraald, waardoor haar honingbruine huid bijna doorzichtig was. Malin was diep onder de indruk van dit wonder en bleef doodstil staan. Ze had Permony gekweld en haar afschuwelijk behandeld om Eva voor zich te winnen. Elke verachtelijke daad stak haar nu als een mes in het hart. Als kinderen hadden ze zich vaak als pionnen laten uitspelen en zich dom genoeg overgeleverd aan hun moeder. Maar zelfs toen ze haar trucs hadden doorzien waren ze nooit goede vriendinnen geworden. Daarvoor had Eva te veel verdeeldheid tussen hen gezaaid. Nu was het te laat voor vergeving en kon Malin alleen nog boete doen. Ze wist wat haar te doen stond: ze zou het kind zo goed mogelijk opvoeden, van hem houden als was hij haar eigen vlees en bloed en ervoor zorgen dat hij zijn moeder tot zijn dood in ere zou houden. Malin bezegelde deze belofte door de warme hand van de dode te pakken en drukte toen voor de eerste en laatste keer een zoen op de wang van haar zus.

Na afloop wist ze niet meer of ze het oorverdovende jammeren al had gehoord voordat de deur openging of daarna. Ze draaide zich pijlsnel om maar Eva stond al in de zaal. Ze had een verwilderde blik in haar ogen en zag er verfomfaaid uit alsof ze al dagen geen kam of bed meer had gezien.

'Wat is er toch met ons gebeurd, Malin? Jouw zus, mijn lieve Permony!'

Malin schoot door het gangpad naar de deur.

'Jij hebt hier niets te zoeken. Ga weg voordat ik je laat verwijderen.'

Verbijsterd bleef Eva staan. Haar gezicht was vies, bezweet en met tranen besmeurd.

'Wees lief voor me,' smeekte ze en friemelde ondertussen aan de zoom van haar zware jurk van crêpe. 'Ik heb helemaal niemand meer. Je broer is woedend op me. Hij geeft me overal de schuld van en wil mijn kant van het verhaal niet horen. Die vreselijke vrouw van hem heeft me zo zwartgemaakt en alles zo verdraaid en overdreven dat mijn eigen zoon me nu voor een monster houdt...'

'Hou op, mama! Ik ben hier niet om naar je leugens te luisteren. Permony heeft me voor haar dood alles verteld. Ga nu weg voordat je jezelf nog belachelijker maakt.'

Eva slikte moeizaam en de grote donkere kringen om haar ogen trokken samen. Terwijl ze de situatie probeerde in te schatten, knipperde ze snel met de ogen, waardoor ze slechts nog verbijsterder leek.

'Wees lief voor me,' herhaalde ze zwakjes. 'Ik ben oud, moe en ziek. Zie je dan niet hoe bleek ik ben? Ik heb eindeloos rondgelopen en al drie dagen geen oog meer dichtgedaan. Steeds opnieuw liep ik de weg van huis naar de begraafplaats, vandaar naar Ahab en weer terug en ik begrijp gewoon niet waarom ze niet is thuisgekomen. Het is maar een klein eindje en er was niets aan de hand toen ze wegging. Dat heeft ze me verzekerd... Malin, vanaf de dag dat je bent geboren heb ik je altijd gesteund... Waarom wil je me niet geloven?'

Malin gaf onmiddellijk antwoord: 'Je verdoet mijn tijd. Ik ben niet geïnteresseerd in je zielige verhalen en verzinsels. Jij wist precies wie Ahab was en toch heb je Permony met hem laten trouwen. Ik weet dat hij je heeft gevraagd haar prijs te noemen en dat heb je gedaan! En nu is Permony dood. Wat je ook zegt, ze kan niet meer tot leven worden gewekt. En dat zal ik je nooit vergeven. Van meet af aan heb je mij tegen haar opgezet om je eigen ijdelheid te strelen. Je vond het maar wat leuk om te zien hoe ik tegen haar tekeerging, of niet soms? Je hebt nooit van haar of van ons gehouden. Jij houdt alleen van jezelf. Ik heb genoeg van je. Vanaf nu zijn wij geen familie meer van elkaar.'

Eva slaakte een gesmoorde kreet. 'Ze heeft jou ook vergiftigd. Ik ben je moeder, Malin. Laat je me in de steek, zoals je broer?'

'Nee, zoals jij Permony in de steek hebt gelaten. Ik meen het. Ik wil je nooit meer zien. Ga nu voordat de gasten komen en je aanzien voor iemand die tot verdriet in staat is.'

Snikkend en bevend keek Eva geschokt naar haar dochter. Ze had het merkwaardige gevoel dat ze terug in de tijd was geworpen en nu naar haar eigen jonge gezicht staarde. Ze herkende die vastbesloten, opstandige en genadeloze blik en de afwijzende woorden die haar als een molensteen verpletterden. Ze had deze scène al eens gespeeld – en er een overwinning mee behaald – maar toen was zij degene die had verstoten en was Patina het slachtoffer geweest. Plotseling vermengde het verleden zich met het heden en voelde Eva hoe een oude grafsteen haar omversloeg. Door de klap zakte ze door haar knieën en viel ze neer.

'Doe me dit niet aan,' zei ze terwijl ze gepijnigd aan Malins rok trok. 'Ik heb het recht om om mijn dochter te rouwen.'

'Wat een onzin,' riposteerde Malin terwijl ze haar rok terugtrok. 'Jij rouwt alleen om jezelf. Je houdt nooit rekening met andermans gevoelens. Weet je wat jij bent? Je bent een gemeen, ellendig, boosaardig loeder dat nog niet eens deugt de moeder van een monster te zijn!'

Eva zeeg weer neer en huiverde alsof ze een enorm brok in de keel had. Langzaam keek ze op en staarde ze haar dochter met betraande ogen aan.

'Je bent wreed,' probeerde ze nogmaals. 'Ik heb fouten gemaakt en daar moet ik zwaar voor boeten. Maar ik heb altijd van je gehouden en snap niet waarom wij gebrouilleerd zouden moeten raken. Mag ik alsjeblieft mijn kleinzoon zien, Malin? Als je dat wilt, zal ik gaan maar mag ik hem één keertje vasthouden?'

Tot haar verbazing begon Malin nu te glimlachen. Even vlamde de hoop in Eva's hart op en ze klampte zich eraan vast zoals een drenkeling aan drijfhout.

'Wil je hem vasthouden?' vroeg Malin zachtjes. 'Goed, ik zal je laten zien waar je kleinzoon is.'

Eva kwam met moeite overeind. Haar benen trilden zo dat ze amper kon staan. Toen ze opkeek lachte Malin niet meer.

'Zie je dat kistje naast die van Permony? Daar ligt je kleinzoon. Had je het nog niet gehoord? Hij heeft het toch niet gehaald... Het is gisteren allemaal erg snel gegaan.'

Hoewel Malin niet had geschreeuwd, maar juist een stuk zachter was gaan praten, had Eva het gevoel dat deze woorden haar doof maakten. Ze wankelde naar achteren en keek met een wezenloze blik van Malin naar het kistje. Toen de schreeuw kwam, voelde ze hem diep uit haar binnenste opkomen en wild als een oerwezen uit haar mond scheuren.

'Nee! Dat kan niet waar zijn... Meridia zei dat het goed met hem ging... Nee!'

Malins lach werd nu breder. 'Maar je gelooft toch nooit wat Meridia zegt? Waarom zou dat nu anders zijn?'

Al voordat de vragen haar als een net omsloten, wist Eva dat ze in de val zat. Even schudde ze alleen maar het hoofd en keek haar dochter vol ongeloof aan. Malins glimlach was een niet-aflatende bespotting, een ijzeren muur die uit levenslange rancune was opgebouwd. Het duizelde Eva. Hoe hard ze ook haar best deed, ze kon het niet opbrengen die krachtige bespotting met een lach of gebaar te verdrijven.

'Nee,' zei ze. 'Dat mens heeft nog nooit een waar woord gesproken.'

Met haar laatste krachten krabbelde Eva overeind. Ze wankelde in de richting van de uitgang. Toen ze haar schouders probeerde te rechten, trok de verlammende pijn van de klap met de grafsteen door haar rug. Later zou ze ontdekken dat haar ruggengraat voorgoed vergroeid was. Met de armen over elkaar geslagen keek Malin toe hoe haar moeder vertrok. Geen enkele maal toonde ze haar verbazing over het feit dat Eva zich voortsleepte met voeten die dezelfde hoefachtige vergroeiing hadden als Patina had gehad.

De man stond nu al drie dagen en nachten voor het huis. Noah had hem voor het eerst gezien toen hij vlak na het avondeten uit het woonkamerraam had gekeken. Met ontbloot hoofd en zijn dunne gestalte in een zware overjas gehuld leunde hij tegen een lantaarnpaal. Toen zijn tante Malin een uur later de baby naar bed bracht, had Noah de man vanuit het slaapkamerraam opnieuw gezien. Deze keer had hij op de stenen trap gestaan en hem met een smekende blik aangestaard. Om tien uur ging Noah naar bed, maar die nacht werd hij twee keer wakker en telkens keek hij uit het raam. Beide keren stond de man bij het huis, weliswaar in een andere houding of op een andere plek maar altijd met diezelfde intense blik. Als Noah weer naar bed terugkeerde, prevelde hij de woorden die de woede die hij koesterde, versterkten: 'Ga weg. Je hebt hier niets te zoeken.'

Tijdens de derde nacht merkte zijn tante Malin, die bij hem op de kamer sliep, zijn onrust op en vroeg wat er aan de hand was. Omdat hij er niets over kwijt wilde, vertelde hij dat hij een nachtmerrie had gehad. 'Maar waarom kijk je steeds naar buiten?' vroeg ze, terwijl ze naar het raam liep om zelf ook een blik te werpen. Ze zweeg een tijdje maar meldde toen dat er niets te zien viel. 'Je voelt wel een beetje warm aan,' zei ze, nadat ze naar zijn bed was gelopen en haar hand op zijn voorhoofd had gelegd. 'Ga toch lekker slapen. Het kan toch niet zo zijn dat de baby de enige in dit huis is die zijn rust krijgt?' Hij knikte en ze stopte hem in, waarna ze weer haar plek bij de wieg innam. In de kamer naast de zijne hoorde hij zijn moeder ijsberen. De afgelopen nachten was ze dat steeds langer en vaker gaan doen. Over de reden daarvoor wilde hij niet nadenken, vooral niet nu die man zich bij het huis ophield. In plaats daarvan richtte hij zijn blik op zijn tante. Terwijl ze neerkeek op de baby en glimlachte, straalde haar gezicht nog feller dan het licht van de lamp.

Die ochtend scheen de zon volop maar de man was er nog steeds. Inmiddels stond hij in de tuin waar hij met zijn knieën achteloos de door zijn moeder geplante geraniums plette. Noah vreesde dat de man elk moment kon aanbellen. Toen zijn tante Malin om kwart voor acht de deur uitging om op tijd bij de herdenkingsdienst te zijn keek hij angstig toe. Hij zag hoe ze de deur opende en de stenen trap afliep. Door het raam bemerkte hij dat de man naar haar zwaaide om haar aandacht te trekken. Hoewel ze hem recht aankeek, wekte ze niet de indruk hem te zien of horen. Plotseling stoof zijn moeder naar buiten.

Hij schrok zich wild toen ze op de man dreigde af te rennen. In plaats daarvan bleef ze echter op de veranda staan en herinnerde ze zijn tante eraan in de gaten te houden dat de lunch bezorgd werd. De man schreeuwde en gebaarde vergeefs naar haar en droop vervolgens af. Het drong tot Noah door dat hij de enige was die hem kon zien. Hij was als enige bij machte de man een gedaante te geven of voor eeuwig tot on- zichtbaarheid te veroordelen.

De hele ochtend keek hij toe hoe zijn moeder bezig was. Ze maakte een rusteloze en afwezige indruk. Zo betaalde ze de kruideniersjongen zonder de biljetten te tellen, waste ze borden af die al schoon waren en knoeide met de melk toen ze een flesje voor de baby maakte. Hij keek toe hoe ze de baby in de vestibule voedde. Hij wist dat ze drie dagen eerder bij zijn vader was geweest en totaal uitgeput en neerslachtig thuisgekomen was. Nu zag ze er zelfs nog vermoeider en bleker uit, alsof alle licht en kracht uit haar verdwenen waren. Het geluid van haar heen en weer gaande voetstappen weerklonk nog in zijn oren. Ook vielen hem haar nerveuze gebaren en fletse, ingevallen wangen op. Hij liep naar haar toe en knielde neer bij haar stoel. 'Ben je ongelukkig, mama?' vroeg hij zonder op te kijken.

Ze wiegde de baby niet langer en klemde haar vingers om het flesje melk. 'Doe niet zo gek,' zei ze lachend. 'Hoe kan ik nu ongelukkig zijn als jij bij me bent?'

Hij antwoordde niet, maar boog het hoofd nog dieper. Wat ze ook zei, hij wist dat de waarheid in haar ogen te lezen was.

Toen de baby genoeg had gedronken, legde ze hem weer in het wiegje dat ze eerder in de vestibule had gezet. Ze glimlachte flauwtjes naar het kind, streelde het dikke, donkere haar dat zijn tante Permony ook had gehad en ging weer bij het raam staan. Noah sloop naar de wieg en deed alsof hij met zijn neefje speelde, maar ondertussen hield hij zijn moeder nauwlettend in de gaten.

Ze had haar gezicht tegen het raam gelegd en maakte een bedacht- zame en afwezige indruk terwijl ze de tuin rondkeek. Toen de man haar in het oog kreeg, stormde hij op het raam af en bleef pal voor haar staan. Noah hield zijn adem in. Ze werden nu alleen nog door de ruit geschei- den. De man legde zijn hand erop en staarde haar met een bedroefde blik aan. Zij keek echter dwars door hem heen. Hij tikte op het raam maar dat leek ze niet te horen. Met haar rug naar de kamer toe ging ze achter het bureau zitten. Hoe harder de man bonsde, des te zachter klonk het Noah in de oren. Zijn moeder haalde haar schetsen een voor een uit de la. Vanwaar hij stond leek haar rug een stenen zuil. Ze heeft hem helemaal niet nodig, dacht hij bij zichzelf. Ze kan ook zonder hem.

Muisstil liep hij van de baby naar haar toe. Hoewel het bonzen een zacht tikken was geworden, probeerde Noah de blik van de man te vermijden. Hij sloop om het bureau heen en bleef vlak voor zijn moeder staan. Hij had zijn mond al geopend om iets te zeggen, maar deed er toch het zwijgen toe. Haar rug had hem toch bedrogen. Haar gezicht dat op een vreemde manier boven de schetsen hing, bood een aanblik die hij wilde noch verwachtte te zien.

Ze hijgde, fronste haar voorhoofd en beet compleet verslagen op haar lip. De tranen liepen over haar wangen en veranderden haar ogen in donkere poelen vol bloed. Ze had haar nek op zo'n eigenaardige manier gebogen dat hij gebroken leek. Noah huiverde van afschuw. Hij kreeg het in vol ornaat te zien: de hunkering die haar heen en weer lopen had gevoed, was zo rauw en onverdraaglijk dat het op sterven leek. Zijn uitstekende intuïtie zei hem dat haar eenzaamheid nu het dieptepunt had bereikt. Hij beschikte niet over de kracht of de middelen om die te verdrijven. Als hij haar niet zou bevrijden uit de ketenen die hen verbonden, zou ze geen uitweg meer zien.

Noah richtte het hoofd op en liep langzaam weg van het bureau. Al die tijd had zijn moeder hem niet opgemerkt. Het gebons op het raam werd weer luider. Hij zag het als een teken, rende naar de voordeur en gooide die open.

'Papa!' riep hij naar de man waardoor die eindelijk een gedaante kreeg.

Eerst was daar de streling van de nek, een trage, tedere warmte die als een blos over haar gezicht gleed. Even genoot ze met volle teugen van dit heerlijkste gevoel ter wereld maar al snel kwam haar geest in opstand... Met een ruk schoot ze overeind, keerde zich om en keek hem aan.

'Niet doen!' Ze legde een hand over haar gezicht en liep achteruit totdat ze aan de andere kant van de kamer stond.

'Luister alsjeblieft,' zei hij op kalmere toon dan zijn angstige oogopslag zou doen vermoeden. 'Geef me de kans het uit te leggen.'

'Uitleggen?' reageerde ze, terwijl ze zich nog verder terugtrok in een donkere hoek van het vertrek. 'Wat valt er dan nog te zeggen? Ik ken de feiten en daar is geen excuus voor mogelijk. Het is gebeurd en kan niet meer ongedaan worden gemaakt. Voor jou zit er niets anders op dan te vertrekken, en wel onmiddellijk.'

Ze wilde haar woorden onherroepelijk laten klinken, maar dat lukte niet omdat haar stem heel even brak. Hij merkte dat en deed een stap naar voren.

'Ik ben niet gekomen om smoesjes te vertellen,' zei hij. 'Ik neem de volle verantwoordelijkheid voor mijn daden op me. Ik heb veel tijd gehad om na te denken...'

'Dus je geeft het toe? Alles?' liet ze zich daar in die duistere hoek ontvallen.

'Alles.'

'Als je niets ontkent, wat valt er dan nog te zeggen?'

'Luister alsjeblieft. Sinds je vertrek heb ik veel nagedacht en één ding is me wel duidelijk geworden: ik wil je koste wat kost terug.'

Ze lachte hem in zijn gezicht uit waarmee ze zijn betoog aan gruzelementen sloeg.

'Mij terug? Koste wat kost? Denk je nu werkelijk dat je je dat kunt veroorloven? Ik ben namelijk niet te koop. Dat ben ik nooit geweest.'

'Zo bedoelde ik het niet.'

'Hoe bedoel je het dan wel?'

Daniel zweeg. Sinds de laatste keer dat ze elkaar hadden gezien was hij duidelijk ouder geworden, maar ondanks de afgetobde en geplaagde aanblik die hij bood, was hij nog altijd de naïeve, dromerige jongen die machteloos had toegekeken toen Eva haar uit het huis aan Orchard Road had gezet.

'Ik heb zo'n spijt van alle vreselijke dingen die ik heb gedaan,' begon hij. 'Ik was kwaad, dom en voelde me beledigd. Toen je je moeder ondanks mijn bezwaren toch in huis nam, voelde het alsof je mij tot een vreemde in mijn eigen huis had gemaakt. Je werd afstandelijk en afwezig en leek mij niet meer te willen of nodig te hebben. Het was altijd koud in huis en overal hing spanning en verdriet. Ik weet dat ik het je niet makkelijk heb gemaakt. Jij maakte je zorgen om je moeder – en terecht – en ik had je meer moeten steunen. Ik dacht alleen aan mezelf, aan hoe kwaad en ongelukkig ik was. Toen ik vaker van huis was, zei je er niets van. Ik dacht dat het je niet kon schelen, dat het je misschien niet eens opviel. Al die tijd zei mama steeds wat ik wilde horen. Ze overtuigde me ervan dat ik volledig in mijn recht stond, dat je te ver was gegaan en mij voor schut had gezet. Toen ik een keer erg in de put zat, stelde ze me voor aan…'

'Vooruit, zeg het maar!' beet ze hem opeens toe. 'Waag het eens haar naam uit te spreken!'

Hij schrok van de heftigheid van haar uitbarsting, maar vermande zich snel.

'Ik schaam me voor wat ik heb gedaan. Ik leek wel betoverd. Alles was wazig en ik zag niets meer helder. Soms voelde het alsof zelfs mijn gedachten niet van mezelf waren. Ik besefte niet waarmee ik bezig was totdat het kwaad al was geschied. Ik ben egoïstisch en stom geweest maar dat is dankzij jou nu voorbij. Vergeef me alsjeblieft. Dat is de enige manier waarop wij opnieuw kunnen beginnen.'

Hij kwam nog verder naar voren en dreef haar helemaal in een hoek. Uit de manier waarop ze het hoofd boog en de handen achter haar rug ineensloeg, leidde hij af dat zijn nabijheid haar iets deed. Maar net toen hij dacht dat haar woede wegebde, diende ze hem op zo'n manier van repliek dat hij er de koude rillingen van kreeg.

'Volgens mij begrijp je me niet helemaal,' zei ze. 'Ik wil helemaal niet opnieuw beginnen. Iets wat dood en begraven is, kun je niet meer tot leven wekken.'

Hij keek haar ongelovig en verbijsterd aan. Hij wilde de strijd opgeven, maar werd daarvan weerhouden door het feit dat ze hem geen enkele keer had aangekeken sinds hij het vertrek betreden had.

'Ik hou van je, Meridia. Ik ben altijd van je blijven houden. Zelfs toen ik blind en ziek was, zag ik je voor me en kon ik je voelen alsof je nooit was weggegaan. Mijn gevoelens zijn er niet minder om geworden. Je bent mijn hart, het bloed in mijn aderen en je zult altijd de enige vrouw zijn…'

'Hou op, Daniel! Ik ben niet langer de jouwe.'

'Maar waarom wil je me niet meer? Denk aan de vreugde en het geluk dat we hebben gekend. We kunnen het opnieuw krijgen en nog veel meer. Denk aan onze zoon. Wil je dat hij zonder vader opgroeit? Vergeef me dan omwille van hem. Kijk me aan. Ik ben nog altijd dezelfde man met wie je ooit bent getrouwd. Herken je me niet meer? Begrijp je niet dat ik een vreselijke fout heb gemaakt, maar dat ik nu terug ben – en nooit meer weg zal gaan?'

Voor het eerst keek ze hem aan. Haar ogen gloeiden als de ondergaande zon. Op haar gezicht was een lichte tederheid te zien en toen ze begon te praten bespeurde hij een vleug van de oude warmte in haar stem.

'Nee, ik begrijp het niet. Je hebt me al eens om vergeving gevraagd en tegen de zin van mijn vader heb ik je die geschonken, omdat ik dacht dat het eenmalig zou zijn. Maar nu zijn we weer terug bij af. Je mag net zoveel beloftes doen als je wilt, maar sommige dingen nemen geen keer. Sommige banden en neigingen zijn onveranderlijk, hoe goed of oprecht je bedoelingen ook zijn. Uiteindelijk zul je daaraan altijd toegeven… Ik ben het aan Noah en mezelf verplicht niet nog eens dezelfde fout te maken.'

Hij snapte meteen waarop ze doelde. 'Als dit over mama gaat, dan zweer ik je dat ik haar uit mijn leven heb gebannen…'

'Ging dat zo makkelijk? Is ze geen deel meer van je leven?'

'Nee.' Hij kneep zijn ogen samen en zijn gezicht was verwrongen van woede. 'Ik kan je verzekeren dat je haar nooit meer zult zien. Ze is niet langer welkom in ons huis.'

Meridia bleef hem zwijgend aankijken. Het duurde lang voordat ze antwoordde. 'Je doet alsof het zo makkelijk is. Maar zij is niet degene die me zorgen baart.'

'O nee? Wie dan wel?'

Opnieuw zweeg ze en verroerde ze zich niet.

'Wie dan wel?' herhaalde hij bijna fluisterend. Langzaam keerde ze zich om naar het raam en maakte haar op haar rug verstrengelde handen vrij.

Het vertrek werd overgoten door een helder, goudkleurig licht dat op haar bedroefde gezicht viel. Bij deze aanblik stokte de adem in zijn keel en zonder nadenken overbrugde hij de afstand die hen scheidde. 'Meridia,' fluisterde hij en nam haar in zijn armen. Toen hij zijn wang tegen de hare legde, voelde hij haar tranen prikken op zijn huid. Plotseling voelde het alsof hij door de volle omvang van zijn daden werd neergesabeld. Hij had haar nog nooit zo openlijk zien huilen en nooit eerder had ze zich zo weerloos opgesteld. Hunkerend zocht hij naar haar mond en terwijl hij zijn lippen op de hare drukte, voelde hij haar beven in zijn armen.

'Vergeef me,' zei hij gesmoord. 'Ik zal je nooit meer kwetsen.'

Ze verzette zich niet maar beantwoordde zijn kus evenmin. Haar armen hingen stijfjes langs haar lichaam. Even liet ze hem begaan maar toen duwde ze hem subiet van zich af. Gekwetst keek hij haar aan.

'Het gaat me om jou,' zei ze uiteindelijk. 'Je hebt me helemaal kapotgemaakt en dat geneest nooit meer. Het doet me pijn om je te zien of in je buurt te zijn en die pijn is groter dan mijn liefde voor jou. Nu ik weet waartoe je in staat bent, kan ik dat maar niet uit mijn hoofd zetten, hoezeer ik ook mijn best doe. Als ik naar je kijk, zie ik je moeder die me aanstaart, tegen me liegt, de boel bedriegt en elke mogelijkheid aangrijpt om me onderuit te halen. Je woorden klinken als haar woorden en je beloftes als haar leugens. Vroeger dacht ik dat je de enige in de hele wereld was die nooit iets voor me verborgen zou houden, maar nu weet ik dat niet meer zo zeker. Je lijkt gewoon te veel op haar... Ik ga mijn hart niet voor de derde keer in de waagschaal stellen. Je bent altijd meer de zoon van je moeder geweest dan mijn echtgenoot.'

'Dat kun je niet menen!' Hij zocht haar handen maar ze had die weer achter haar rug ineengeslagen. 'Ik zal bewijzen dat ik mijn leven heb gebeterd en het allemaal goedmaken. Geef me alsjeblieft een kans, eentje maar, dan kan ik je laten zien dat ik niet de man ben voor wie je me houdt!'

Hij haalde Gabriels halsketting uit zijn zak. Even bleef ze roerloos staan, betoverd door de zuivere, warme glinstering van de diamanten. In de overtuiging dat ze hem toch een kans gaf, reikte hij haar de halsketting aan.

'Je hebt hem al eens van me teruggekregen. Zeg me wat ik moet doen voor je hem nogmaals van me aanneemt.'

Ze zweeg lange tijd. Toen keek ze op en schudde zachtjes haar hoofd. 'Het is voorbij. Er is hier voor jou niets meer te halen.'

Zijn mond viel open en hij liet zijn arm weer zakken. Er kwamen wel honderd argumenten in hem op, maar onder haar blik verdorden ze als bloemen. Waarom liet ze zich nu toch niet door hem omhelzen?

'Maar je begrijpt het niet...'

De baby begon te huilen. Ze waren al die tijd niet alleen geweest. Terwijl hij toekeek hoe ze naar de wieg snelde, kromp zijn hart ineen vanwege het aanstaande verlies.

Ze pakte de baby op en troostte hem. Daniel liep achter haar aan. Hij zag dat ze niet meer huilde. Aan haar gezicht was niets meer af te lezen.

'Het is een blakende jongen,' hoorde hij zichzelf zeggen met een stem die hij niet herkende.

'Zeg dat wel,' zei ze instemmend. 'Permony zou trots op hem zijn geweest. Wist jij voor het huwelijk wie Ahab was?' vroeg ze op luchtige toon, alsof die vraag nooit eerder in haar was opgekomen.

'Natuurlijk niet,' zei hij onomwonden. 'Als ik dat had geweten had ik er nooit mee ingestemd.'

Ze knikte nogmaals maar hij kon er niet uit afleiden of ze hem geloofde.

De voordeur ging open. In de gang klonk een vrouwenstem. Meridia legde de baby weer in de wieg.

'Ik heb aan Rebecca gevraagd of ze op hem wil passen,' zei ze. 'Malin wacht op me bij de rouwkamer. Neem jij Noah mee?'

'Dat is goed,' zei hij. 'Maar eerst wil ik even met dit kleine kereltje spelen.'

Hun ogen ontmoetten elkaar voor de laatste keer. Plotseling stak ze haar hand uit en legde die op zijn wang.

'We hadden een grote liefde,' zei ze. 'Laat niemand je ooit iets anders wijsmaken. Zorg goed voor jezelf. Je zult met een ander ook gelukkig worden.'

Ze draaide zich om en liep naar de deur. Hij klampte zich aan de wieg vast en maakte zo weinig geluid als hij kon. Nadat de deur was dichtgevallen werd hij zich direct van twee dingen bewust: hij hield de halsketting nog altijd vast en de baby keek hem stralend aan. Hij probeerde te glimlachen maar liet zijn kin op de borst vallen. Hij beefde aan een stuk door terwijl de tranen over zijn wangen liepen en de wereld om hem heen wazig werd.

In de herfst werd de winkel aan Lotus Blossom Lane gesloten. Ondanks een poging van de waarzegger het tij te keren, bleef de zaak verlies lijden. Lang voordat in oktober de goudkleurige bladeren vielen, klingelde de winkelbel boven de deur voor de laatste keer. Al gauw deed het gerucht de ronde dat Elias' weduwe haar hele vermogen was kwijtgeraakt. Volgens de bakker aan de overkant van de straat had de grootscheepse verbouwing niet het gewenste resultaat opgeleverd – in de laatste weken voordat de winkel zijn deuren had gesloten was het aantal klanten op de vingers van twee handen te tellen geweest. Zijn vrouw, een kleermaakster, was het niet met hem eens en beweerde dat het allemaal aan Eva's spilzucht te wijten was geweest. 'Vroeger was ze een erg zuinige vrouw maar vlak voordat de winkel dichtging, bestelde ze drie jurken in één week. En dat terwijl de schuldeisers bij haar op de stoep stonden!' Deze theorie kreeg bijval van Eva's kapster die erop zinspeelde dat haar klant sinds het overlijden van Permony niet meer 'goed bij haar hoofd' was. 'Malin ging weg en verbrak al het contact. Daniel heeft niet meer met haar gesproken sinds Meridia van hem is gescheiden. En we weten allemaal dat Ahab opeens in rook is opgegaan…'

Eva kwam nog maar zelden buiten de deur. De slagers en groenteverkopers misten haar bedrevenheid in het afdingen en bij gebrek aan beter haalden ze herinneringen op aan hoe schaamteloos ze altijd te werk was gegaan om haar zin te krijgen. De bloemisten en winkeliers misten haar scherpe tong en haar vermogen een verhaal in geuren en kleuren uit de doeken te doen. Volgens sommigen was ze ziek en bedlegerig. Anderen zeiden dat ze aan ouderdomskwalen leed. Als ze uit belangstelling bij haar langsgingen werd er opengedaan door een kribbige meid die dan op laatdunkende toon zei: 'Mevrouw rust en wil niet gestoord worden.'

De winkel aan Magnolia Avenue trok nog altijd een gestage stroom klanten, al was er een groot verschil met de tijd waarin de zaak de smaak van de stad bepaalde. Nu gingen mensen ernaartoe voor iets 'zekers' en 'traditioneels', onopvallende, degelijke sieraden die afkeuring noch bewondering opwekten. Daniel bediende zijn klanten met een bijna mechanische beleefdheid. Vele mannen en vrouwen vonden hem nog altijd aantrekkelijk, maar daar schonk hij geen aandacht aan, zelfs niet als er openlijk met hem werd geflirt. In de afgelopen maanden was hij lusteloos geworden en was er een gelatenheid over hem heen gekomen. Zijn haar werd dunner en hij zag er ouder uit dan hij was. Soms hield zijn zoon hem gezelschap maar nooit voor lang. De stadsbewoners hadden het juist gezien toen ze meenden dat Noah meer de zoon van zijn moeder dan van zijn vader was.

Meridia zorgde echter op twee vlakken voor opschudding. Ten eerste was haar nieuwe winkel aan Willow Lane 175 een doorslaand succes. Ze dreef haar handel nu vanuit haar oude woning (waar het nog altijd spookte en het dag en nacht rook alsof er iemand aan het koken was). Hoewel iedereen het haar had afgeraden, had ze het aangedurfd haar eigen ontwerpen aan de man te brengen. Toen de winkel zijn deuren eenmaal had geopend, bleek dat jongeren verzot waren op haar rozetringen en gevlochten armbanden. Oudere mensen hadden juist oog voor het feit dat over elk stuk zo goed was nagedacht. Ze schrok er niet voor terug kleur te gebruiken of vijf verschillende edelstenen in één armband te verwerken. Haar ontwerpen vielen op door hun gedurfde vorm, heldere lijnen en dynamische rondingen waarin de krachtige vlucht van een gevleugeld wezen vervat leek te zijn. Haar zakenpartner, de onafhankelijke handelaar Samuel, liet haar begaan met de winkel. Hij scheen weleens gezegd te hebben dat zelfs als ze dat gewild had, ze nog geen verlies kon draaien.

Maar de geruchtenmachine van de stad werd vooral draaiende gehouden door de bedenkelijke zaken die zich aan Monarch Street 24 afspeelden. Sinds enige tijd, al voordat de scheiding officieel was, leken moeder en zoon in dat ontzagwekkende huis van glas en staal een huisgenoot te hebben. Niemand had de persoon in kwestie daadwerkelijk gezien, maar voor het raam hadden twee volwassenen dicht tegen elkaar gestaan (volgens een buurman), in de tuin waren drie paar voetstappen te zien geweest (volgens de melkboer) en er waren extra bood-schappen afgeleverd (volgens de kruidenier). Drie avonden per week werd de piano bespeeld en viel er tot zonsopkomst gezang en gelach te horen. Volgens sommigen had Meridia de goede geest van Willow Lane gelokt om het huis met een kookucht te vullen. Anderen meenden dat Ravenna van een raadselachtige reis naar het eind van de wereld was teruggekeerd. Maar een prozaïscher reden werd ook geopperd: 'Zo in-gewikkeld is het allemaal niet. Meridia heeft gewoon een minnaar…'

Haar goede vriendinnen Leah en Rebecca kwamen met het idee aan Willow Lane 175 een winkel te beginnen. 'Waarom niet? De geest heeft de plek min of meer voor jou vrijgehouden,' zei Rebecca. Aanvan-kelijk had Meridia zo haar twijfels. Ze werd nog altijd gekweld door herinneringen aan de moeilijke jaren die ze er had gehad, maar besloot een kijkje te nemen. Toen ze Patina's geest langs haar arm voelde strij-ken, had ze het huurcontract ondertekend. In oktober verbouwde ze de woning tot een elegante winkel. Alleen de kamer waarin Noah was geboren en zij en Daniel in gelukkigere tijden de liefde hadden bedre-ven, werd apart gehouden van de winkel. Van die ruimte maakte ze haar kantoor, uitgerust met een nieuw dakraam en ingericht met leun-stoelen, een ijzeren kluis en Gabriels oude bureau waarvan het grote blad vol stond met familiefoto's. De winkel was niet zo groot of licht als die aan Magnolia Avenue maar bood veel warmte en geborgenheid. Meridia nam twee meisjes uit de buurt aan als assistentes. Het waren eerlijke, hardwerkende, jonge vrouwen die blij waren met de geboden kans. Toen de winkel in november openging had ze er alle vertrouwen in, en terecht, zo zou blijken.

Tegen het eind van het jaar was Meridia gewend geraakt aan haar nieu-we leven. Ze stond 's morgens vroeg op en bracht Noah naar school. Daarna ging ze naar de winkel. Eens per week lunchte ze met Samuel. Daarna keerde ze terug naar de winkel. 's Avonds at ze thuis, vaak met Leah en Rebecca. Als Noah zijn huiswerk maakte, boog zij zich over schetsen, rekeningen en brieven. In het weekend ging de jongen naar zijn vader en dwaalde ze in haar eentje door de stad.

Toen ze op een avond met haar schetsboek en potlood voor het raam stond, bleven de vuurvliegjes weg. Ook de avond erop kwamen ze niet opdagen. Op de derde avond begon het te regenen. Warme, naar bloed smakende druppels spetterden op haar gezicht, schetsboek en nachthemd. In het besef dat de vuurvliegjes voorgoed waren verdwenen, sloot ze het raam maar veegde haar gezicht niet schoon. Vlak voordat ze door verdriet werd overmand, zag ze een bekend gezicht op de door de regen gegeselde ruit. Het was niet langer gerimpeld en het grimaste niet, maar glimlachte. De nog altijd rondtollende gele ogen straalden als de maan. Meridia moest lachen toen ze haar oude vriend, de lang vervlogen geest in de spiegel, begroette. Als ze zich in de avonden daarop eenzaam voelde, verscheen hij, de laatste ontcijferde en begrepen boodschap van Ravenna.

Zo verliep het leven tot aan een dag eind januari. Ze liep van Samuels kantoor terug naar de winkel toen ze naar Independence Plaza werd meegevoerd door een optocht van nonnen die kappen droegen, een zweep vasthielden en een halfontklede man aan een kruis begeleidden. Het Feest der Geesten werd weer gehouden.

Het was twaalf jaar geleden toen ze die tenten en gekleurde banieren voor het eerst had gezien. De met relieken volgestouwde kraampjes. De pamfletten. De handlezers, profeten en duiveluitdrijvers. Ook deze keer hield een reusachtige herdershond de boze geesten blaffend op afstand. De vrouw met de witte tulband verkocht nog altijd aflaten. Achter de groep flagellanten stond een grijsblauwe tent. De Grot der Betovering. Nu zag Meridia dat op het dak heel sluw een installatie stond die onnozele meisjes met muziek betoverde.

In een nostalgische bui slenterde ze naar de tafel waarop het Boek der Geesten lag. Het was nu zo groot als een baby. De onderste pagina's waren vergeeld en gevlekt van ouderdom. Ze trok zich niets aan van de starende blik van de monnik, streek over de rug van het boek en was net het gedeelte aan het bekijken waarin haar eigen naam moest staan toen ze een duw in haar rug kreeg. 'Neem me niet kwalijk!' riep iemand uit. Meridia draaide zich om en de adem stokte in haar keel.

Ze had haar rode haar bruin geverfd. In plaats van de buitenissige kleding van vroeger droeg ze nu een eenvoudige jurk. Maar het gezicht, weliswaar ouder en molliger, was niet veranderd. Ze grinnikte alsof ze

weer die twee spijbelende meisjes waren die jurken pasten in de zigeu-
nerwijk.

'Hannah!' bracht Meridia uit.

'Ik ben weer terug,' zei haar oude vriendin lachend. 'Voorgoed.
Mijn man is afgelopen zomer overleden. Volgens de artsen waren het
zijn nieren, maar hij weet het aan mijn belabberde kookkunsten. Nu
ben ik te oud en te dik om nog te reizen. Weet jij misschien een plek
waar ik kan logeren?'

Meridia keek haar aan alsof ze een geest was. 'Ben je echt terug?' zei
ze, denkend aan de brief die ze nooit had geopend. 'In levenden lijve?'

'Knijp me maar in mijn wang als je me niet gelooft.'

'Voorgoed?'

'Voorgoed.'

'Hoe weet ik zeker dat je morgen niet weer zult vertrekken? Of over-
morgen?'

Hannahs grijns veranderde in een glimlach die tegelijkertijd teder
en weemoedig was. Op dat moment kwam alles aan de oppervlakte wat
tussen hen onuitgesproken was gebleven.

'Omdat mijn hart zou breken als ik je opnieuw zou moeten verlaten.'

Misschien was het Meridia, anders was het Hannah die begon, maar
voordat ze het wisten, barstten ze in lachen uit en omhelsden elkaar. Ze
stonden in de weg en de stugge monnik leek in de verleiding te komen
hen opzij te duwen maar het kon hen niets schelen. Opgetogen liepen
ze arm in arm over het plein. Al knuffelend en elkaar kusjes gevend
gingen ze op weg naar Monarch Street. Nog diezelfde middag haalden
ze de twee koffers van Hannah op uit het hotel aan Majestic Avenue.
Het vormde het begin van de geruchtenstroom. Voor zover de stadsbewoners het konden beoordelen sleepte Meridia in haar eentje met die
koffers. Er was niemand bij haar.

Op een zaterdagochtend in maart ging Meridia naar het postkantoor
om een brief te posten. Noah had die nacht bij Daniel geslapen en zou
rond het middaguur naar de winkel komen, zodat ze ergens in de buurt
samen konden gaan lunchen. Om één uur hadden ze met Hannah in
het café van de boekhandel afgesproken. Noah had aangegeven dat hij

een woordenboek nodig had voor school. Ze bedacht dat ze ook langs de kleermaker moest om nieuwe broeken voor hem te bestellen. Hij groeide als kool en was nu bijna even groot als zij.

Meridia overhandigde de brief aan de bediende en betaalde voor de postzegel. Hoewel ze Malin sinds de vorige zomer niet meer had gezien, schreven ze elkaar vrijwel wekelijks. Het ging ontzettend goed met Joshua en als ze Malin moest geloven werd hij met elke brief nog knapper. De jonge moeder bestookte Meridia met vragen over vitamines, het krijgen van tandjes, de werkzaamheid van kokosnoot- versus eucalyptusolie en wilde weten hoe Meridia Noah destijds aan het eten had gekregen. Ook beschreef Malin tot in detail hoe de baby zich ontwikkelde – van zijn eetlust en kwaaltjes tot zijn slaappatroon, motorische ontwikkeling en stoelgang. Hoewel ze zich voortdurend druk maakte, liepen haar brieven over van geluk. *Hij is alles wat ik me maar kan wensen... Ik ben nog nooit zo gelukkig geweest...* Enkele maanden geleden had Malin een foto van Joshua bijgevoegd waarop het lachende jongetje zo sprekend op Permony had geleken dat Meridia even dacht dat het verleden een streek met haar uithaalde.

Hun grootste angst was geen werkelijkheid geworden. Ahab had de stad verlaten, was spoorloos verdwenen en had hen niet meer lastiggevallen. Misschien had Malin hem zo de stuipen op het lijf gejaagd dat hij niet meer terug durfde te komen. Misschien dacht hij echt dat zijn kind dood was. Toch leek het Malin hoe dan ook beter nog een jaar weg te blijven.

Nadat Meridia de brief had gepost, had ze nog wat tijd over. Ze liep naar het marktplein. Het was een heerlijke ochtend en de menigte en het rumoer, dat op zaterdag altijd wel meeviel, voerde haar al snel terug in de tijd. Hier was ze Ravenna kwijtgeraakt en doodsbang geweest voor de hakbijl van de slager. Daar had ze met Hannah voor het eerst aardappelkoekjes gegeten. Hier had Daniel haar gezoend. En daar ook. En daar ook. Ze luisterde een tijdje naar de stemmen uit haar geheugen. Sommige klonken helder, andere gedempt, totdat er eentje, blakend van zelfvertrouwen, de rest overstemde. Het was die van Eva. Voordat ze zich ertegen kon verzetten, werd Meridia meegevoerd naar de tijd waarin ze haar op marktdagen had moeten volgen. Eva die met ontblote armen en een vervaarlijk heen en weer zwaaiende mand langs deze kraampjes was gelopen en zich een meesteres in het afdingen had betoond. Ze wist nog goed dat ze volledig overdonderd was geweest door Eva's vaardigheid en vernuft om te krijgen wat ze wilde. Och, wat was ze toen nog jong, goedgelovig en beïnvloedbaar geweest! Er was zoveel veranderd dat ze haar oude zelf niet eens meer herkende.

Plotseling kreeg ze haar in het oog. Ze zag er precies zo uit als tien jaar geleden. In een bruine, met sabelbont afgezette mantel was Eva in een discussie met de slager verwikkeld. Ze had een uitgestreken gezicht, maakte een kordate indruk en stond met haar rondborstige gestalte dreigend voor hem. Voordat Meridia kon laten bezinken wat ze zag, nam Eva afscheid van de slager, tilde haar rokken op en vertrok met het beste stukje vlees in haar mand.

Verdwaasd maar niet in staat de betovering te weerstaan ging Meridia haar achterna. De mooie, bruine mantel bolde op terwijl Eva hier en daar iemand groette. Meridia kon niet uitmaken of het de echte Eva was of een geestverschijning en dat weerhield haar ervan haar te roepen. Aan de rand van het marktplein bleef Eva vlak bij een paar bankjes staan. Meridia maakte voort. Toen ze naderbij kwam, slingerde de mand heen en weer, wapperde de bruine mantel en maakte Eva een scherpe bocht naar rechts.

Meridia volgde haar door een brede, met ceders geflankeerde laan. Hoe verder ze liep, des te rustiger het werd op straat. Het duurde niet lang of ze zag tijdens haar achtervolging geen andere mensen dan Eva meer. Na enige tijd drong het tot haar door dat de lente in de herfst was overgegaan. De lucht was grijs, de zon koud en de bomen die zo-even nog een dik bladerdak hadden gehad, waren nu zo kaal als lantaarnpalen. Het geruis van de wind vormde het enige geluid en aan weerszijden van de straat stonden huizen die een volstrekt desolate indruk wekten. Meridia versnelde haar pas en klampte zich vast aan het idee dat dit enkel een zinsbegoocheling was. Toen ze aan het eind van de brede laan was aangekomen, daalde een dikke, kolkende mist neer, niet de blauwe, gele of ivoorkleurige mist die haar het grootste deel van haar leven gekweld hadden, maar een kille, groene nevel. In een mum van tijd maakte hij bomen en huizen onzichtbaar en zag ze alleen nog de wapperende, bruine mantel voor zich.

Ze probeerde Eva bij te houden. Soms versnelde Eva haar tred en dan weer ging ze langzamer lopen zodat Meridia slechts een paar passen van haar was verwijderd. Doordat Meridia was omgeven door de mist en alleen de bruine mantel zag, had ze geen idee waar ze was of waar ze naartoe ging. Misschien liepen ze eindeloos in een kringetje rond. Eva keek geen enkele keer om. Af en toe stootte ze een lachje uit, ijskoude, onmenselijke klanken die de verwarring in Meridia's hoofd alleen maar vergrootten.

Uiteindelijk hield de bruine mantel stil. De mist vervloog en een gele bloemenzee strekte zich voor hen uit. Goudsbloemen. Ze kwamen tot heuphoogte en zwiepten koortsachtig heen en weer alsof ze aan het dansen waren. De geur, zo scherp en zoet dat ze er bijna tranen van in de ogen kreeg, zette Meridia's longen in brand. Ze keek op en ontdekte dat ze voor de deur van Orchard Road 27 stond.

De goudsbloemen die het hele gazon overwoekerden, gingen voor de vrouw des huizes opzij. Op Eva's nadering trokken de dansende bloemen haar als een glijdend tapijt met zich mee. Toen ze op de veranda kwam, waar Elias' stoel nog steeds heen en weer schommelde, ging de voordeur op magische wijze voor haar open. Zonder om te kijken liep Eva naar binnen. Haar ijskoude lach doorboorde de stille, grijze lucht. Het gebaande pad was nog zichtbaar tussen de bloemen en leek Meridia uit te dagen.

Meridia nam de uitdaging aan. Ondertussen dacht ze terug aan de tijd waarin de goudsbloemen de grond op de rozen hadden veroverd en ze stuk voor stuk tot de laatste stengel hadden opgeslokt. Ze dacht terug aan de plek midden op het gazon waar Patina had liggen kronkelen van pijn, daar waar het graf van haar dochter was geweest totdat Eva opdracht had gegeven het te verwijderen. Op de avond van haar bruiloft had ze zich daar, pal onder het raam aan de linkerkant van het huis, achter de rozen verstopt en fluisterend afscheid genomen van Ravenna...

Toen ze de hal binnenkwam, werd ze tegengehouden door een slonzige, brutale meid die uit de keuken kwam. De houding van het meisje veranderde al snel toen ze ontdekte wie de gast was.

'Het... Het spijt me heel erg, mevrouw. Ik herkende u niet.'

'Waar is je mevrouw?' Hoewel Meridia niet op berispende toon sprak, leek de meid alleen maar meer van slag te raken.

'Mevrouw is niet in orde. Ze... Ze heeft me opgedragen niemand binnen te laten.'

'Dat interesseert me niet. Ik zag haar net naar binnen gaan. Is ze boven in haar kamer?'

De meid keek haar stomverbaasd aan. 'Naar binnen gaan? Net? Maar sinds ze ziek is heeft mevrouw haar kamer niet meer verlaten!'

'Hoezo? Ik heb haar net nog gezien...'

Meridia slikte haar woorden in. Een akelig voorgevoel deed haar ogen fonkelen. Ze glipte langs de meid en liep de trap op. Het meisje keek doodsbang en hield haar niet tegen. Meridia had nog maar twee treden genomen toen haar neus een walgelijke geur opving. Ze wierp zich tegen de leuning aan, greep die vast met een hand en kneep met de andere haar neus dicht. Braaksel, bloed, zweet en uitwerpselen. In haar oor klingelde een waarschuwingsbelletje dat duizend gruwelijke gedachten opriep. Ze bereidde zich snel op het ergste voor.

De trap was eindeloos lang, een griezelige en onwelkome imitatie van Monarch Street. Meridia was halverwege toen het huis plotsklaps begon te vergaan. De verflaag bladderde van de trapleuning af, de houten traptreden versplinterden, het tapijt scheurde en brokken pleisterwerk dwarrelden als sneeuwvlokken van het plafond. Het grote raam op de overloop werd door roofzuchtige doornen verbrijzeld en uit de muren sijpelde overal een slijmerige, bruine schimmel die zich snel over de vloeren verspreidde. Het huis was vergeven van vuil en viezigheid en een winterse duisternis daalde erop neer. Meridia kneep nog altijd haar neus dicht en keek goed uit waar ze liep, ervan overtuigd dat de trap elk moment kon instorten.

Na wat een oneindigheid leek bereikte ze de overloop en wankelde door de gang. Haar maag keerde zich om en alleen met de grootst mogelijke moeite wist ze de misselijkheid de baas te blijven. Opeens zag ze weer voor zich hoe ze op de eerste ochtend na haar huwelijk door dezelfde gang had gelopen, toen Eva haar bij zich had geroepen. Die dag had Eva haar huwelijksgeschenken afgepakt en haar duidelijk gemaakt welke plek zij in het huishouden innam. Nu, ruim tien jaar later, werd ze opnieuw bij haar geroepen.

Wat wilde Eva?

Toen Meridia de slaapkamer betrad, hoorde ze gekreun. Naast zweet en uitwerpselen rook ze nu ook de geur van rottend vlees, van een ongewassen lichaam en etterende zweren. Het vertrek was kleiner en sjofeler dan ze zich herinnerde. Het behang was van de kale muren getrokken, het meubilair gehavend en er zaten grote gaten in het tapijt. Alleen de viezigheid en de schimmel hadden deze kamer nog niet bereikt. Meridia wachtte tot de golf van misselijkheid was weggezakt en liep toen naar het bed.

Eva's ruggengraat was verschrompeld. Onder de dunne deken lag ze als een hulpeloos kind in de foetushouding. Ze kwijlde en kreunde terwijl de tranen onophoudelijk over haar graatmagere gezicht stroomden. Haar twee als gras verdorde handen staken net boven de deken uit en ze hield die gepijnigd tegen haar borst en deed ze afwisselend open en dicht. Met een intense, smekende blik staarde ze naar de muur zonder te merken dat ze niet langer alleen was.

Meridia naderde haar van achteren en tilde de deken op. Een smerige geur overrompelde haar en ze liet de deken terugvallen. Eva lag daar in haar eigen uitwerpselen. Het was niet te zeggen wanneer ze voor het laatst was gewassen of verschoond.

Verbijsterd deinsde Meridia achteruit en probeerde zich te herinneren wat ze het afgelopen jaar over Eva had gehoord. Er schoot haar maar weinig te binnen, aangezien de vrouw een verboden onderwerp tussen haar en Daniel was geworden, en Malin sinds haar vertrek geen contact meer met haar moeder had gehad. Leah had eens terloops laten vallen dat Daniel Eva na de sluiting van de winkel een maandelijkse toelage stuurde, maar verder weigerde haar te zien. Hij had er klaarblijkelijk geen idee van hoe ziek zijn moeder was. Dat moest wel want Meridia kon zich niet voorstellen dat hij zo hardvochtig kon zijn. De meid verborg het waarschijnlijk. Ze hield Eva gevangen en streek zelf het geld op.

Meridia wilde het meisje net ter verantwoording roepen, toen ze werd tegengehouden door een emotie die sterker was dan woede: de herinnering aan alle valse streken die Eva door de jaren heen had geleverd. Ze was deze vrouw helemaal niets verschuldigd. Ze was vrij de kamer te verlaten en dat misvormde mens aan haar lot over te laten. Na alles wat Eva haar, Noah, Patina, Permony en Elias had aangedaan, had ze het volste recht dit huis de rug toe te keren zonder iemand te vertellen wat ze er had aangetroffen. Dat zou gerechtvaardigd zijn. Ze kon het met een zuiver geweten doen en niemand die enigszins op de hoogte was van hun voorgeschiedenis zou haar dat nadragen.

En toch kon ze het niet. Eva's gekreun raakte haar recht in het hart en verjoeg haar verlangen te vertrekken. Degene die daar gehavend op dat bed lag te rillen in haar eigen drek was geen misdadigster die voor haar vergrijpen werd gestraft, maar een mens dat pijn leed. Haar helpen was de enige optie. Meridia liep om het bed heen en maakte haar aanwezigheid kenbaar.

Even was Eva te verbaasd om iets te zeggen. Toen kromp ze nog verder ineen, als een dier dat zich klaarmaakt voor de aanval, en slaakte een oorverdovende schreeuw. Het speeksel vloog uit haar mond, ze schudde wild haar hoofd en haar kleine ogen fonkelden als vlijmscherp obsidiaan. Het duurde even voordat Meridia begreep wat ze zei, aangezien Eva's tong, die tot dan toe altijd haar sterkste wapen was geweest, als een verstrengelde klimplant vol knopen zat. Maar opeens drongen de woorden in al hun venijn als zweepslagen tot haar door.

'Laat me met rust, duivelin! Blijf uit mijn buurt! Lazer op! Lazer op!'

Meridia probeerde haar tevergeefs te kalmeren. De afschuw in Eva's blik had zich nu verhard tot haat. Met haar laatste krachten brulde ze aan een stuk door schelle, onsamenhangende kreten die als vloeken klonken. De stank van braaksel, bloed en zweet verdikte zich tot een schild om haar heen. Meridia liep van het bed vandaan. De meid die op de commotie was afgekomen betrad doodsbang de kamer.

'Was haar,' beval Meridia streng. 'Kom naar beneden als je klaar bent. Ik heb je het een en ander te zeggen.'

Ze liep naar de deur en zag dat de schimmel en het vuil in het kielzog van de meid de kamer waren binnengekomen en de muren, de vloer en het plafond aanvraten. Meridia voelde zich plotseling niet goed worden, rende de gang door en holde zo snel mogelijk de trap af. Eva's gegil hapte naar haar als een jachthond. Het huis deinde vervaarlijk heen en weer. De met schimmel bedekte treden waren zo glad dat ze goed moest opletten waar ze haar voeten zette. Alles ademde verval. Het was niet te zeggen wanneer het dak zou instorten en haar zou verpletteren.

Zwak en misselijk bereikte Meridia de veranda. Dankbaar zogen haar longen zich vol frisse lucht en het beurde haar op de hemel weer te zien. Maar zelfs de geur van goudsbloemen kon de stank van bloed en uitwerpselen niet verdrijven. Eva's vervloekingen weergalmden nog in haar oren. Ze zag nu pas dat haar handen nat waren van het zweet.

Na twintig minuten voegde de meid zich bij haar. Tegen die tijd wist Meridia precies wat ze moest zeggen.

'Ik zie dat je je plichten hebt verzaakt. Je steelt van je bazin en laat haar in haar eigen vuil liggen. Dat is voorbij. Vanaf nu leg je aan mij verantwoording af.'

De meid, die nauwelijks ouder dan twintig was, keek naar de grond en beefde, maar Meridia liet zich niet vermurwen.

'Misbruik en opzettelijke verwaarlozing. Je hebt met voorbedachten rade gestolen en schade toegebracht. Geef me één goede reden waarom ik je niet meteen gevangen zou moeten laten zetten! Heb je enig idee wat ze dan met een jong meisje als jij zouden doen? Er zou een ijzeren kogel aan je voeten worden geketend. Je tanden worden uit je mond geslagen. Je wordt verkracht. En als de levenden je niet te pakken krijgen, dan wacht je in elk geval de dood. Weet je hoeveel mensen achter de tralies van woede zijn gestorven?'

In tien minuten tijd joeg Meridia het snikkende meisje de stuipen op het lijf.

'Vergeef me, mevrouw! Ik zal het nooit meer doen en al het geld teruggeven. Ik zal doen wat u zegt, maar stuur me alstublieft niet naar de gevangenis!'

Meridia vertrouwde haar voor geen cent. Ze wilde nu meteen met Daniel praten.

'Ga naar boven en verzorg haar zo goed mogelijk,' zei ze kwaad. 'Vergeet niet dat ik je voortdurend in de gaten houd.'

Verlamd van angst keerde het meisje terug naar het huis en klauterde de trap op. Meridia deed de voordeur dicht en liep het gazon op. Bij het passeren van de goudsbloemen besefte ze iets waar ze niet blij mee was. Toen ze tegen de meid was uitgevaren, was het alsof Eva via haar had gesproken. Haar woorden leken rechtstreeks uit Eva's mond afkomstig te zijn geweest en de meedogenloze manier waarop ze het meisje had aangekeken was als een kunst die ze van Eva's ogen had afgekeken. 'Er zit te veel van je moeder in jou,' had ze tegen Daniel gezegd. Terwijl de goudsbloemen hun dans uitvoerden en de groene mist naar de hemel opsteeg, vroeg ze zich af hoeveel van Eva er in haar zat, er misschien altijd al had gezeten.

Aan het eind van Orchard Road keerde de lente plots weer terug en werd de lucht door roze en gouden flarden gesierd. De winterse somberheid verdween. De bomen stonden weer in bloei en hadden hun tooi van gebladerte en bloesem terug. Meridia wandelde in haar eentje door de met ceders geflankeerde laan en genoot van de aanblik van spelende kinderen, rondrennende honden, lachende mannen en pratende vrouwen. Door het geluid verstomden ook de laatste vervloekingen van Eva. Vanuit Cinema Garden droeg de wind zo'n sterke geur van jasmijn en gardenia met zich mee dat de stank van rotting erdoor verdreven werd. Toen Meridia de straat overstak, voelde ze de levenslust door haar aderen stromen. Ze voelde zich energiek en krachtig en had het idee dat de hele wereld voor haar openlag. Ze was nog jong, nog geen dertig, en kon nog veel bereiken. Met dat idee in het achterhoofd nam ze zich iets voor. Ze zou zich nooit meer wanhopig of eenzaam voelen. Ze was Gabriels kind, Ravenna's dochter, en in staat het leven te leiden dat zij wilde.

Bij het inslaan van Willow Lane zag Meridia dat Noah en Daniel voor de winkel stonden te wachten. Beiden droegen een donkerblauw pak, een gele stropdas en lakschoenen. Ze draaiden zich tegelijkertijd om. De een keek blij, de ander schuw maar ze hielden hun hoofd op dezelfde manier gebogen.

'Ik verga van de honger, mama,' zei Noah. 'Gaan we eten?'

'Natuurlijk, schat,' zei Meridia terwijl ze de boord van zijn overhemd onder zijn jasje duwde. 'Maar zeg eerst binnen de meisjes even gedag. Anders worden ze nog boos.'

De jongen keek haar met zijn helderziende ogen aan en leek zonder meer te begrijpen wat Meridia's bedoeling hiermee was. Hij glimlachte geheimzinnig, bijna onverschillig, maar voor haar was het voldoende te weten dat hij geen bezwaar maakte. Ze keek hoe hij de winkel binnenging en was trots op hem.

Toen richtte ze zich tot Daniel. Hij was afgevallen en leek kleiner geworden. Hij had een eenzame, vervreemde uitstraling alsof hij onder zwaar verdriet gebukt ging. Zijn ogen hadden hun glans verloren. Toch riep zijn harde, ongeschoren gezicht onverwachts tederheid in haar op.

'Je moeder is ziek,' zei ze. 'Ik vermoed dat ze niet lang meer te leven heeft.'

Hij was oprecht geschokt. Ze bleef hem strak aankijken terwijl ze vertelde wat ze had gezien en met de meid had meegemaakt en stelde voor dat hij haar zo snel mogelijk zou vervangen.

'Ik wist niet dat ze ziek was,' zei hij. 'Ik ga er meteen naartoe en zal het regelen met de meid. Ik heb mama niet meer gesproken sinds wij…' Hij aarzelde, sloeg zijn ogen neer en leek verdwaald in een wereld die hij niet langer kende of koesterde.

Ze geloofde hem en gesteund door haar kalme, vaste blik keek hij uiteindelijk weer op. Even wist hij niet wat hij moest doen, maar toen vroeg hij haar met gebroken stem: 'Klopt het dat je een ander hebt?'

Ze keek niet weg en veranderde evenmin van gezichtsuitdrukking. In haar hoofd hoorde ze weer de geluiden van Independence Plaza uit die lang vervlogen tijd: de blinde violist met zijn symfonie, de gemaskerde aap die heen en weer sprong op het ritme van klappende handen en de fluisterende ziener in de Grot der Betovering. Voordat de akelige herinneringen dit verdrongen en haar zouden vermorzelen, vergaarde ze alles wat bewaard was en zei: 'Hannah is een goede vriendin. Zonder haar zou ik erg eenzaam zijn.'

Hij boog zijn hoofd. Maar voordat hij haar antwoord kon laten bezinken, boog ze zich naar hem toe en greep zijn hand. Het was voor het eerst sinds hun scheiding dat ze zo'n gebaar maakte. Haar glimlach was lief en zacht. Hij keek haar aan met een mengeling van verwondering en ongeloof toen ze de woorden uitsprak waarmee ze hem terughaalde.

'Je moeder is stervende. Ze lijdt en behalve jou heeft ze niemand meer. Begraaf haar en kom dan bij me terug.'

DANKWOORD

Ik wil mijn agent Alex Glass bedanken voor zijn enthousiasme en vasthoudendheid en omdat hij altijd overal het juiste antwoord op had.

Mijn redacteur, Kerri Kolen, begreep het boek niet alleen op alle niveaus maar zorgde er bovendien voor dat het redigeren een waar genoegen was. Ik heb ongelooflijk veel geluk gehad dat zij me heeft geholpen.

Cat Cobain, van de overzijde van de Atlantische Oceaan, zou haar opmerkingen misschien als irritant hebben bestempeld, maar voor mij waren ze van onschatbare waarde. Haar enthousiasme is eenvoudigweg aanstekelijk

Speciale dank aan Lara Lea Allen, die het manuscript als eerste las en het zo mooi vond dat ze het heeft doorgestuurd.

Iedere wijze ziel die me ooit een boek heeft gegeven en me aanmoedigde het te lezen ben ik mijn onuitsprekelijke dank verschuldigd.

ORLANDO
uitgevers

ERICK SETIAWAN

Over bijen en mist

O+

INTERVIEW,
LEESCLUBVRAGEN,
EXTRA'S & MEER

Zie ook:
www.orlandouitgevers.nl
www.ofbeesandmist.com

OVER DE AUTEUR

Erick Setiawan (1975) is geboren in Jakarta, Indonesië, als kind van Chinese ouders. Op zijn zestiende vertrok hij naar de Verenigde Staten. Hij studeerde psychologie en informatica en werkte daarna als softwareontwikkelaar. Momenteel woont hij in San Francisco en hij reist regelmatig naar China, Japan en Hongkong. *Over bijen en mist* is zijn debuutroman, die in meer dan acht landen in vertaling verschijnt.

INTERVIEW MET ERICK SETIAWAN

Waarom bent u gaan schrijven? En hoe kwam u op het idee voor Over bijen en mist?

Ik ben met schrijven begonnen toen ik nog werkte als ontwikkelaar van software. Toen ik dat een jaar deed, besefte ik dat dat beroep niets voor mij was. In plaats van op de hoogte te blijven van de laatste ontwikkelingen op het gebied van computers las ik steeds meer romans. Hierdoor kreeg ik zelf ook inspiratie om te schrijven maar ik had geen idee hoe ik het moest aanpakken. Ik had nooit een schrijfcursus gevolgd en was ook niet bij een schrijverscollectief aangesloten. Aangezien het Engels niet mijn moedertaal is, werd ik bovendien vaak geplaagd door een verlammend gevoel van ontoereikendheid. Dit heeft jaren geduurd. Voor *Over bijen en mist* heb ik twee romans en talloze korte verhalen geschreven. Ze waren vreselijk slecht en ik heb honderden afwijzingen gekregen. Toch heb ik doorgezet. Toen ik in de zomer van 2004 op het idee van *Over bijen en mist* kwam, dacht ik dat dit misschien wel bijzonder kon worden.

Het boek vloeit voort uit familieverhalen die ik door de jaren heen heb verzameld. Ik ben opgegroeid in Indonesië en was als kind erg verlegen. In plaats van met kinderen uit de buurt te spelen zat ik in de woonkamer te luisteren naar de gesprekken van mijn moeder met haar zussen en vriendinnen. Ze zaten altijd boordevol verhalen en geen onderwerp was taboe (als kleuter wist ik al wat sm was omdat ze vertelden over een stel dat ervan genoot elkaar te slaan in de slaapkamer. Omdat ik zo bedeesd was, vergaten ze waarschijnlijk vaak dat ik ook nog in de kamer zat). Later besefte ik dat hun kijk op het leven een merkwaardige mengeling was van traditionele Chinese waarden en normen en Indonesisch bijgeloof. In de loop der tijd werd mijn geest als het ware een gootsteen die met zulke verhalen was gevuld – een verstrikte warboel waar geen touw aan vast te knopen was. Met dit boek ondernam ik een poging orde te scheppen in die verhalen (en bijgevolg ook in mijn jeugd). Ik wilde de vreugde, het verdriet en de intriges verbeelden die ooit deel uitmaakten van het innerlijk leven van deze vrouwen.

Wat bewoog u ertoe een zich op vrouwen concentrerende familiegeschiedenis te schrijven? Was het moeilijk een roman te schrijven waarin het perspectief voornamelijk bij vrouwen ligt?

Omdat ik altijd zoveel meekreeg van de gesprekken van mijn moeder lag het voor de hand het boek vanuit het perspectief van de vrouwelijke personages te schrijven. Ik deed dat als een eerbetoon aan de vrouwen die hun verhalen, bewust dan wel onbewust, met mij hebben gedeeld. Dat was volgens mij niet gelukt als ik vanuit het perspectief van een man had geschreven. Bovendien vind ik de manier waarop vrouwen omgaan met uitdagingen in hun leven oneindig veel fascinerender. Mannen handelen een meningsverschil vaak met hun vuisten af terwijl vrouwen veel inventiever moeten zijn. Ze gaan subtieler en ingewikkelder te werk maar het resultaat is veel doeltreffender. Dat zijn naar mijn mening belangrijke ingrediënten voor een meeslepende familiekroniek.

U bent in Indonesië geboren uit Chinese ouders. Als tiener bent u naar de Verenigde Staten verhuisd. In welke zin is Over bijen en mist *een afspiegeling van de verschillende culturen waarin u bent opgegroeid?*

Volgens mij is het boek een wandkleed dat is geweven met draden van deze verschillende culturele invloeden: de Indonesische, Chinese en Amerikaanse. De Indonesische cultuur is diepgeworteld in folklore, volksverhalen en bijgeloof. Toen we klein waren hadden mijn broers en ik een Javaans kindermeisje dat ons voor het slapengaan verhaaltjes vertelde. Zij bracht me voor het eerst met geesten in aanraking en dankzij haar heb ik menig nacht doorgebracht in de overtuiging dat een djinn zich onder mijn bed schuilhield. Ze was een moslim, waardoor haar verhalen een bijzondere mengeling waren van eeuwenoud Javaans bijgeloof en islamitische overtuigingen. Voor de geesten die door de stad dwalen vormden haar verhalen de inspiratiebron en het bijgeloof in dit boek is voor een groot deel op haar overtuigingen gebaseerd. Een voorbeeld hiervan is Eva's gewoonte rozen af te knippen en als talisman boven de winkeldeur te hangen. Hiermee heb ik een eigen draai gegeven aan de Indonesische gewoonte offerandes te brengen om kwade geesten te behagen. Nog zo'n voorbeeld zijn Eva's voorzorgsmaatregelen om elke denkbare catastrofe tijdens Malins zwangerschap uit te bannen, een ritueel dat van oudsher in veel Indonesische families wordt uitgevoerd. Een Javaanse legende over een duivels monster dat huizen plundert als mensen liggen te slapen bracht me op het idee Ahab de gedaante te geven van half varken en half mens.

Het boek weerspiegelt ook mijn Chinese afkomst, voor zover ik daarop in mijn jeugd kon bogen. In Indonesië was er veel haat jegens Chinezen waardoor ik in mijn jeugd heb geleerd mijn Chinese identiteit te ontkennen en te verachten. Kungfu-films waren in feite het enige onderdeel van de Chinese cultuur dat ik destijds leerde kennen en koesterde. Met die films als inspiratiebron bedacht ik een mythisch land van toverij en magie, waar onoverwinnelijke mannen schurken bestrijden met bliksemsnelle zwaarden en ontzagwekkende vrouwen in wervelende zijde door de lucht scheren. Deze sfeer van hekserij en betovering wilde ik in het boek tot leven wekken, zowel als een eerbetoon aan die films als uit nostalgie over het enige aspect van mijn Chinese afkomst dat ik wel mocht omarmen. Vandaar dat Ravenna met een zeemannenbries wordt meegevoerd als ze na de geboorte van Noah bij Meridia op bezoek gaat. En zo betovert Eva de kaketoe. Gabriel verdwijnt in de mist zoals de helden uit de films plots verdwijnen om aan hun achtervolgers te ontkomen.

De invloed die de Amerikaanse cultuur op mij heeft gehad, is het derde ingrediënt dat ik aan het boek heb toegevoegd. Het feit dat Meridia de confrontatie met Eva durft aan te gaan is in mijn ogen iets typisch Amerikaans. Een vrouw in een traditioneel Chinese of Indonesische familie zou het niet in haar hoofd halen haar schoonmoeder op deze manier dwars te zitten. Dat geldt ook voor Meridia's stellige besluit Daniel te verlaten en haar eigen leven te gaan leiden. In de Chinese of Indonesische maatschappij zou een vrouw met een kind dat pas na lang aarzelen aandurven. Ook is het feit dat ik veel westerse literatuur heb gelezen van invloed geweest bij de totstandkoming van dit boek. In zekere zin is *Over bijen en mist* een eerbetoon aan alle boeken waarvan ik heb geleerd dat je taal op verschillende manieren kunt gebruiken om een verhaal te vertellen. *Grote verwachtingen. Beminde. Honderd jaar eenzaamheid. Woeste hoogten.* De manier waarop de gele mist op Gabriels raam klopt is ontleend aan een zin van T.S. Eliot. Voor de aanvaringen tussen Meridia en Daniel vormden de dialogen tussen Newland Archer en Ellen Olenska uit *De jaren van onschuld* een inspiratiebron. Dit zijn slechts een paar voorbeelden.

Het wordt nooit duidelijk waar het verhaal zich precies afspeelt. Waarom hebt u gekozen voor een onbepaalde tijd en een naamloze plek?
Ik wilde de verschillende culturen waardoor ik ben beïnvloed aan bod laten komen. Daarom kon ik geen echte stad of echt land kiezen, aangezien er nooit een plek op aarde is geweest waar Chinese tradities, Indonesisch occultisme en Amerikaanse ideologieën harmonieus naast elkaar bestonden. Daarom had ik een volstrekt denkbeeldige plek nodig met een eigen smeltkroes van gebruiken en culturen waar iemand van gemengde afkomst, zoals ikzelf, zich thuis zou voelen en zich niet als een buitenstaander zou beschouwen. Het resultaat is de tijdloze, fabelachtige stad in het boek waar het onverklaarbare en bovennatuurlijke net zoveel invloed hebben en van even groot belang zijn als de logica en individuele wil. Door die stad te creëren had ik de vrijheid uit verschillende culturen en tijden te putten en legendes en fabels van eigen signatuur te construeren.

Waarom hebt u de roman in magisch-realistische stijl geschreven? Hoe komt dat het verhaal dat u wilde vertellen ten goede?
Aanvankelijk hadden de eerste hoofdstukken van het boek geen magisch-realistische elementen. Nadat ik er enkele maanden aan had gesleuteld, besefte ik dat er iets aan ontbrak, maar ik had geen idee wat. Ze leken me te simpel, te beperkt, te weinig tot de verbeelding sprekend, met name het gedeelte waarin Eva voor het eerst haar woede koelt. Mensen klagen elke dag, waarom was het gemopper van deze ene vrouw dan zo bijzonder? Maar toen kwam mijn vader over uit Indonesië en vertelde een verhaal over een vriend die 's nachts vaak door bijen uit zijn slaap werd gehouden. Verbaasd vroeg ik hem of zijn vriend dan imker was. Mijn vader begon te lachen en zei dat zijn vrouw de arme

man uit zijn slaap hield met haar grieven die als het gezoem van bijen klonken. Als bij bliksemslag kreeg dat beeld vat op me. De bijen waren de perfecte fysieke manifestatie van Eva's geklaag. Op dat moment wist ik wat er aan het boek ontbrak. Ik herschreef de reeds voltooide hoofdstukken en voegde magisch-realistische elementen toe. Toen ik over Gabriels ontrouw schreef, zag ik opeens voor me hoe de mist een passende metafoor was voor zijn situatie. In mijn ogen is een nevel tegelijkertijd betoverend, onheilspellend, bovenaards en mysterieus. Het duidt op geheimen, weglatingen, verborgen en nooit uitgesproken zaken. De nevels in het boek omhullen Gabriel ook op die manier en brengen hem naar een andere wereld. Ze beschermen zijn geheim, verbergen zijn schande en houden anderen op afstand. Telkens als Gabriel zich in de mist stort, wordt hij een ander mens. Net als Eva en haar bijen zag ik de mist als de perfecte fysieke manifestatie van Gabriels – en later Daniels – innerlijke beroering.

Zijn er personages gebaseerd op mensen die u kent? (We zijn uiteraard vooral nieuwsgierig naar Eva.)
Eva is gebaseerd op mijn grootmoeder van vaderskant. Nog altijd rilt mijn moeder van afschuw bij het horen van haar naam. Mijn wantrouwende en ontevreden grootmoeder kreeg tien kinderen die ze voortdurend tegen elkaar uitspeelde zodat ze voor steun en bemiddeling altijd bij haar aanklopten. Ze eiste altijd de aandacht op en bekeek haar schoondochters met de kritische blik van een gevangenisbewaarder. Ze was zo licht ontvlambaar en moeilijk tevreden te stellen dat mijn moeder menig scheldwoord voor haar had. Met Eva laat ik mijn grootmoeder van haar duisterste kant zien. Ik vond het ook erg belangrijk dat Eva vindingrijk en onweerstaanbaar was, aangezien ik geen personage wilde dat inslecht was of waarvoor geen verlossing mogelijk was. Gabriel is ook geïnspireerd op iemand die echt heeft bestaan, namelijk mijn grootvader van moederskant. Net als Gabriel had mijn grootvader een minnares en was hij opvliegend van aard. Vaak gedroeg hij zich als een ware tiran waardoor zijn vrienden hem met Mao Zedong vergeleken. Zoals bij tirannen wel vaker het geval is, was hij voor zijn kleinkinderen gelukkig een ontzettend lieve man. Mij is het angstzweet bijvoorbeeld nooit uitgebroken als ik in zijn buurt was.

Meridia heeft een passie voor de edelstenen waarmee zij en Daniel hun brood verdienen. Later ontwerpt ze ook zelf sieraden. Had u voordat u Over bijen en mist schreef al interesse in edelstenen of hebt u tijdens het schrijven er kennis over opgedaan?

Ik ben opgegroeid aan Kenanga Alley – wat vroeger in Jakarta de wijk van de edelsmeden was – en mijn beide grootvaders waren juwelier van beroep (ze waren zelfs zakelijke concurrenten aangezien hun winkels tegenover elkaar lagen). Als kind was ik gefascineerd door de vitrines van mijn grootvaders, de prachtig gekleurde stenen op hun bureaus, hun brandveilige kluizen en de piepkleine, glinsterende briljantjes die ze zo nauwgezet in blauw vloeipapier wikkelden. Achter in beide winkels bevond zich een ruimte waar de edelsmeden werkten. Vroeger keek ik toe hoe ze diamanten vastzetten, goud smolten of zilver sloegen. Maar hoewel mijn voorouders dus in het vak zaten, weet ik verder weinig van edelstenen! Tijdens het schrijven van het boek moest ik wel het een en ander nazoeken om meer te weten te komen over de verschillende edelstenen en hun eigenschappen. Wat ik me vooral herinner is dat ik uren in de winkels van mijn grootvaders was en zag hoe ze met klanten omgingen. Mijn herinneringen aan die voorbije periode zetten me ertoe aan Meridia en Daniel deze professie te geven.

Welke schrijvers bewondert u? Is de meester van het magisch-realisme, Gabriel García Márquez, een van hen?

Ik ben inderdaad een groot bewonderaar van García Márquez. Van hem heb ik geleerd zowel in het echte leven als in proza naar magie te zoeken. Andere schrijvers die ik zeer waardeer zijn Virginia Woolf, Edith Wharton, W. Somerset Maugham en Toni Morrison. Ik heb fases waarin ik alleen detectives lees, of alleen korte verhalen, of alleen het werk van Evelyn Waugh. Naar mijn mening is Dennis Lehane een fantastische schrijver en net als iedereen kijk ik uit naar het nieuwe boek van Jhumpa Lahiri.

Wat vonden uw familie, vrienden en de eerste lezers van uw roman?

Mijn familie – ook mijn vader – wacht nog op de Indonesische vertaling. Mijn moeder, die het Engels een beetje beheerst, mag van mij niet in de buurt van het boek komen. Als ze het leest, zegt ze vast:

'Waarom is Eva zo aardig? Ze is een engel in vergelijking met je grootmoeder!' Mijn vrienden waren na lezing aangenaam verrast. Eerst vonden ze me vreemd. Nu vinden ze me interessant. De reacties van de eerste lezers waren echt geweldig. Ze zijn ontzettend enthousiast over het boek. Omdat ze geen familie of bekenden van me zijn, ben ik ervan overtuigd dat hun enthousiasme oprecht is.

Gaat u nog een roman schrijven? Zo ja, waar zal die over gaan?
Ik werk momenteel aan een nieuwe roman waarover ik erg te spreken ben. Ik wil er niet te veel over kwijt, want ik ben bijgelovig, maar meer nog dan bij *Over bijen en mist* verwerk ik er mijn eigen culturele achtergrond en ervaringen in. Het zal dezelfde toon hebben en wordt net zo meeslepend, althans dat hoop ik, en ook deze keer vormt een familiegeheim de kern van het verhaal.

(© Simon and Schuster, New York)

OVER HET BOEK
LOVENDE WOORDEN

'Een prachtig geschreven sprookje voor volwassenen over liefde, verdriet, trouw en verraad dat zowel geestig en magisch als ontroerend is.'
– John Connolly, auteur van *The Book of Lost Things*

'Pure toverkracht. Erick Setiawan heeft een magische wereld geschapen die erg op de onze lijkt, maar die door alle verbazingwekkende gebeurtenissen nog menselijker en fascinerender is.'
– Keith Donohue, auteur van *Het wisselkind*

'Setiawan schrijft sprookjesachtig mooi en vervult zijn roman met magie en betovering, met echte en denkbeeldige geesten. (…) Een prachtig boek.' – *Booklist*

'Zelden lees je een roman die zo meeslepend is, je laat alles voor wat het is terwijl je je erdoor laat betoveren. (…) Dit is een bedwelmend mooi, romantisch sprookje vol verlangen, werkelijk een ongelooflijke krachttoer rond de belangrijkste thema's van het leven: liefde, trouw en verraad.' – *She Magazine* (5 van 5 sterren)

'*Over bijen en mist* speelt zich af in een geheimzinnige en mythische omgeving waar de lezer ook dolgraag zou willen verblijven. Een prachtige roman.' – Da Chen, auteur van *De kleuren van de berg*

'Een mooi en meeslepend modern sprookje over twee families verbonden door jaloezie, begeerte, wrok, hevige hartstochten en diepe rouw. Deze prachtig geschreven en fascinerende roman is een aanrader.'
– *The Bookseller*

LEESCLUB

GESPREKSONDERWERPEN VOOR *Over bijen en mist*

Deze leesclubwijzer voor *Over bijen en mist* bevat een korte samenvatting van het verhaal, vragen die besproken kunnen worden en ideeën om er bij deze bijeenkomst echt iets bijzonders van te maken. De hier geopperde vragen zijn slechts bedoeld om jullie leesclub nieuwe en boeiende invalshoeken en gespreksonderwerpen te bieden. We hopen dat deze ideeën jullie gesprekken zullen verrijken en dat jullie zo nog meer plezier aan het boek zullen beleven.

Over bijen en mist speelt zich af in een naamloze stad in een onbepaalde tijd waar bijgeloof en bezweringen hoogtij vieren, geesten ronddwalen en zelfs de nevels geheimen herbergen. Meridia groeit hier op in een gezin dat door onbegrip verscheurd en door verdriet gekweld wordt. Na een eenzame jeugd waarin ze heeft geprobeerd haar mysterieuze vader en moeder te begrijpen, verlaat ze op haar zestiende het ouderlijk huis om te trouwen met Daniel, een idealistische jongeman, en een nieuw leven te beginnen.
Meridia ontdekt al snel dat Daniels familie heel anders is dan het zich eerst liet aanzien. Haar ontzagwekkende schoonmoeder Eva beschikt over een zwerm boze bijen en manipuleert op boosaardige wijze iedereen in haar omgeving. Meridia trekt de autoriteit van haar schoonmoeder steeds meer in twijfel, wat leidt tot een strijd om haar huwelijk te redden en haar man en zoon te beschermen. Hierdoor komt een lang verborgen geheim aan het licht dat de twee families verbindt.
Over bijen en mist overbrugt een periode van dertig jaar, van Meridia's geboorte tot haar huwelijk, moederschap en de jaren daarna, en is een familiekroniek die je niet meer loslaat, een bitterzoet liefdesverhaal en een uiterst sfeervol sprookje.

Gespreksonderwerpen

1. *Over bijen en mist* is geschreven in een magisch-realistische stijl. Hierbij worden realistische gebeurtenissen verweven met fantastische of onwaarschijnlijke elementen. Beviel deze vertelvorm je? Waarom wel of niet? Bespreek de betekenis van de bijen en de mist. Waarom zou Setiawan deze twee componenten van zijn verhaal hebben gekozen voor de titel?

2. De eerste zin van *Over bijen en mist* luidt: 'Er was veel onenigheid in de stad over het moment waarop de vete was begonnen.' Wanneer is de onenigheid tussen Meridia en Eva begonnen? Waarom verzette niemand in het gezin zich tegen Eva's manipulatieve manier van doen en kwam geen van hen tegen haar in opstand totdat Meridia ten tonele verscheen? Slaagt Meridia na verloop van tijd in haar pogingen Eva het hoofd te bieden?

3. 'Meridia geloofde dat Eva met haar melodieuze lach, sterke armen en vaste blik in staat was een einde te maken aan de verwaarlozing, de eenzaamheid en de niet-aflatende vloek van steeds te worden vergeten.' Waarom vergist Meridia zich zo in Eva tijdens hun eerste ontmoeting? En waarom stemt Eva in met een huwelijk als ze, zoals ze zelf later beweert, Meridia nooit heeft gemogen?

4. Omschrijf Meridia's relatie met haar ouders. Wat ontdekt Meridia in de loop der tijd over haar moeder? En wat komt ze over haar vader te weten?

5. Wat vind je van Daniel, die nu eens de kant van Meridia kiest en dan weer buigt voor de wil van zijn moeder? Waarom duurt het zo lang – en gaat er zoveel ellende aan vooraf – voordat hij eindelijk Eva's ware aard inziet?

6. Eva intimideert en manipuleert haar familieleden, van Patina en Meridia tot haar echtgenoot en kinderen. Wat vind je van Eva? Waarom moedigde ze een huwelijk tussen Permony en Ahab aan?

7. Malin ondergaat een ware metamorfose in de loop van het verhaal. Hoe valt te verklaren dat ze zo ontdooit ten aanzien van Meridia en Permony? Wat is de oorzaak van haar vijandigheid jegens Eva hoewel ze altijd het lievelingetje van haar moeder is geweest?

8. Bespreek op welke momenten in Meridia's leven Hannah haar op-wachting maakt. Is Hannah een imaginaire vriendin, een geest of iets anders?

9. In welke zin vormt Meridia's vertrek uit het ouderlijk huis van Daniel kort na de bruiloft een keerpunt in hun relatie? Komen ze deze breuk ooit echt te boven? Waarom wel of niet? Wat zal de toekomst volgens jou Daniel en Meridia brengen?

10. In welke zin is het feit dat Meridia is opgegroeid bij ouders met ern-stige relatieproblemen van invloed op de keuzes die ze als vrouw en moeder maakt? Leert ze van de fouten van haar ouders of begaat ze die juist zelf ook?

11. Meridia weet uiteindelijk Daniels ontrouw te bewijzen. Waarom offert Ravenna zichzelf op om dit voor elkaar te kunnen krijgen?

12. Bespreek welke rol Meridia speelt bij het bestieren en aanprijzen van de juwelierswinkel. In welke mate draagt haar zakelijk instinct bij aan het succes ervan? Wat spoort er haar later toe aan zelf een winkel te beginnen en sieraden te ontwerpen?

13. 'Er zit te veel van je moeder in jou,' zegt Meridia tegen Daniel. Later vraagt ze zich af 'hoeveel van Eva er in haar zat, er misschien altijd al had gezeten'. Waarom denkt Meridia dat ze op Eva lijkt? In welk opzicht(en) vertoont ze dan gelijkenis(sen) met haar schoonmoeder?

14. De auteur duidt niet specifiek aan in welke tijd of op welke plek het verhaal zich afspeelt. Kon je je zo beter op het verhaal concentreren of leidde dat juist af? En waarom?

Maak iets bijzonders van deze boekbespreking

Geniet van het heerlijke eten in het boek, zoals ananaslimonade, prui-menbonbons, boterhammen met aardbei, citroenkoekjes, roomcake, rijs-tebrij en kersenijs met chocoladesaus. Of serveer thee met gebakjes, net als Meridia in haar juwelierswinkel doet.

Meridia is erg geïnteresseerd in edelstenen. Vraag iedereen wat zijn of haar lievelingssieraad is, hoe ze het hebben gekregen en waarom het zo bijzon-der is.

Koppel *Over bijen en mist* aan een ander magisch-realistisch boek, bijvoor-beeld een van de Zuid-Amerikaanse schrijver Gabriel García Márquez.